국민연금과
사모펀드의 반란

최환열 지음

창조와 지식

국민연금과 사모펀드의 반란

저자 최 환 열

인 사 말 (1)

　요즈음 우리나라에는 좌파들의 준동이 심한데, 그들의 사상은 민중민주주의이다. 그들은 경제민주화라는 이름으로 민중에 이르기까지 경제평준화를 이루고자 한다. 기술과 창의성을 가진 경영자에 대해서 그러하다. 이렇게 기업의 경영자를 향하여 경제평준화(민주화)를 추구하면, 이제 기업이 사라지고 민중들의 일자리가 사라진다. 이런 해악을 알면서도 사회주의 정치인들은 민중의 편을 들면, 표가 나오다보니 계속 이 사상을 견지한다. 우리나라에서 이러한 경제평준화(민주화)의 대표적인 대상이 재벌이다. 그들은 재벌을 해체하고자 하며, 이 일에는 온 사력을 다하는데, 그들은 재벌을 해체하여 국가로 귀속시킨 후, 그 대기업의 일자리를 자신들의 일자리로 보는 것 같다. 이것이 오늘날 민중민주주의·국가자본주의·사회주의자들의 본질인 것 같다. 중국과 러시아의 국가자본주의·사회주의 시장경제의 본질이 이것이다. 그러나 그 사이에 국가는 망하게 되는데, 좌파 정치인들은 이것은 아랑곳하지 않는다.

　이때 우리가 명심할 것은 공산주의 혹은 사회주의는 경제적 개념이며, 경제에서 실현되는 것이다. 다른 모든 악은 그 사람이 사라지면 또한 함께 사라지게 되는 일시적인 악이다. 그러나 경제에서 실현되는 공산주의와 사회주의는 경제를 파탄으로 이끌며, 나라를 파멸로 이끈다.

　대한민국 사회주의자들의 최고이념은 4대기업의 국유화이다. 4대기업의 우리나라에 대한 경제기여도는 일정 전제 하에 최대 37%에까지 이를 수 있다(2019년 GDP 기준). 4대 기업의 매출액은 우리나라 GDP의 17%를 차지한다. 경제기여도를 계산할 때, 4대기업의 모든 하청사의 부가가치는 최종생산자인 4대기업에 합산되어야 하므로 그 매출액과 부가가치 기여도 동일하다. 그리고 그 4대기업과 하청사들에 속한 구성원들의 소비활동이 이와 동일하다. 이들의 소비는 다른 사업자들의 소득을 이루며, 이들이 소비하지 못하고 금융기관에 예치된 금액은 대출을 통하여 또 다른 투자소비를 창출하여 부가가치에 기여한다. 이것을 파생부가가치 혹은 낙수효과라고 한다. 우리나라의 서비스, 요식, 교육, 금융 등을 파생부가가치로 분류하였을 경우, 4대기업의 우리나라 부가가치기여도는 37%에 이를 수 있다.[1] 물론 여기에는 많은 전제가 따르므로 이 숫자는 상징적인 숫자이다.

　그렇다면, 4대기업의 대주주에게 귀속되는 부가가치의 요소소득은 어느 정도일까?

---

1) 여기에서 주요부가가치의 기준이 애매하다. '요식'이나 '금융' 중에서 일부는 주요 부가가치로 분류될 수 있는 여지가 매우 많기 때문이다. 따라서 이 책의 파생(낙수)부가가치의 기준은 전통적인 방식에 따른 것이다. 이러한 한계를 유념하고 그 내용을 이해하여야 한다.

4대기업 매출액의 93.8%가 근로자와 하청사에게 가며, 주주 귀속분이 6.2%인데, 이때 대주주에게 1.4%, 소액주주에게 4.5%이다. 이때의 대주주는 대부분 계열회사들이며, 개인 대주주는 약 10%정도 차지한다고 가정하면 약 0.14%로 한다. 4대기업 매출액이 GDP의 17% 정도이므로 개인 대주주에게 귀속되는 GDP 비율은 GDP의 0.02% 정도이다. 즉 37%의 부가가치기여를 하고, 0.02%가 대주주 귀속분이다. 나머지는 모두 다른 경제주체들에게 배분이 되고 있는 것이다. 따라서, 자유 민주주의 시장경제의 원리 하에서는 이미 경제민주화가 달성되어 있는 것이다.

좌파들은 4대기업을 국유화하여 경제민주화를 달성하려 한다. 그리고 그 도구가 국민연금과 사모펀드이다. 좌파들은 4대기업을 국유화하여 그 기업을 자신들이 관리하려는 것이다. 마르크스는 『고타강령비판』에서 프롤레타리아 독재의 사회주의를 말하였는데, 그것은 사회주의자들이 정권을 잡은 후에 모든 주요 생산수단을 국유화한 후, 사회주의자들이 그 생산수단을 관리하는 것이다. 오늘날 기업인들이 모든 국민들에게 일자리를 제공한다. 그러나 국가가 그 일을 대신하면, 경제는 점차 시들어간다.

우리는 이것을 러시아에서 목격하였는데, 러시아는 그 시스템을 50년 동안 유지하였다. 그 다음에 경제가 시드는데, 대책이 없었던 것이다. 우리는 중국특색사회주의를 유심히 관찰해 보아야 한다. 자본주의는 경영자의 창의성으로 성장을 하는데, 공산주의는 부패로 성장하는 기이한 시스템을 가지고 있다. 중국 국유기업의 경영자들의 부패가 일종의 성과보수가 되어 그 국유기업을 성장하게 한다는 이야기이다. 이것이 중국의 사회주의인데, 이것은 한계를 맞을 것이다.

우리가 다시 한번 되새겨야 할 것은 공산주의는 경제적 개념이라는 것이다. 아무리 좌파들의 파렴치함과 악과 거짓이 세상을 진동하고 있는데, 그것은 공산주의라는 악의 축에 끼지도 못한다. 그것은 공산주의가 이렇게 대한민국 땅에도 활개치고 있다라는 홍보일 뿐이다. 그런데, 진짜 공산화 작업은 경제에서 이루어진다.

우리나라 대한민국에서 이러한 경제 측면에서의 사회주의 시도가 지난 정권에서 그 모습을 드러낸 것으로 보인다. 이에 대한 확정은 사법부가 해야 하겠지만, 개인적 확신으로는 지난 정권은 그러한 혁명시도가 있었다. 그리고 당시에 만들어 놓은 법규는 오늘날도 여전히 진행 중이다.

2023. 12. 1
자유시장경제포럼
대표 최 환 열

인 사 말 (2)

　우리나라 대한민국은 자유민주주의 시장경제체제이다. 『헌법』 126조는 이것을 설명하는 가장 구체적인 본문이다. 우리나라 국민연금의 규모가 2021년말 현재 949조이며, 상장사 시가총액이 2,580조원인데, 국민연금의 규모는 상장사 시가총액의 37%를 차지한다. 물론 우리나라 상장사 주식투자 비중은 연금총액의 약 17-20%사이이며, 소유의 제한(10%)을 두고는 있다. 그럼에도 불구하고 우리나라 우량 대기업 1위에서 172위까지 2대주주이다. 그런데, 이 국민연금기금이 이 모든 회사들에 대해서 경영 관련한 의결권 행사에 참여를 하고 있다는 것이다. 2022년 2-3월에 국민연금은 613개 상장사에 대한 주총에 참여하여 의결권행사를 하였다. 그러나 이러한 의결권 행사는 『헌법』 126조와 『국민연금법』 102조와 『자본시장법』 9조와 『동시행령』 10조를 위배하고 있다. 자유민주주의 시장경제체제를 정면으로 흔들고 있다.

　지금 세계는 체제전쟁 중이다. 신코민테른(국제공산주의 운동)이 이미 일어났는데, 중국의 일대일로는 약 145개국과 협약을 체결하고 '5통'의 전제하에 각국의 인프라를 건설 중이다. 이 '5통'에 의하면, 중국의 일대일로는 국제공산주의 운동으로 귀착된다. 우리나라 대한민국도 이와 유사한 체제전쟁 중에 있다. 장하성의 『한국자본주의』에 나타난 국가자본주의와 그가 실현하고자 하는 실질적 민주주의(민중 민주주의 의미로 보임)는 사회주의라고 말해질 수 있다. 장하성은 지난 문재인 정부의 초대정책실장이 되어서 우리나라 정책을 총괄하였다. 이 시기에 『국민연금 수탁자책임활동지침』(2018.7)이 출현했으며, 곧바로 6개월 후 2019.3.27. 대한항공의 경영권을 교체하였다. 지난 정권 내내 삼성전자는 많은 다양한 도전을 받았는데, 이와 무관하지 않은 것으로 모든 일반인들은 인식하고 있다. 특히 『보험업법』의 개정안이나, 『금융복합그룹감독법』은 삼성의 지배구조와 직결되어 있기 때문이다.

　우리나라에 사회주의를 실현하는 유일한 길은 국민연금을 이용한 4대기업 장악 외에는 존재하지 않는다. 우리는 이것을 명심하여야 한다. 이러한 형태의 국가자본주의 혁명은 먼저 러시아의 푸틴에 의해 일어났다. 푸틴은 자유민주주의 시장경제의 헌법을 그대로 놓아두고, 먼저 국부펀드(?)를 이용하여 가즈프롬과 로스네프찌를 국유화한 후, 이 두 기업을 기반으로 모든 대기업들을 인수·합병하여 러시아 전체의 대기업들을 국영기업으로 만들어 버렸다. 이것이 국가 자본주의이며 사회주의이다. 우리나라 4대 기업의 경영권장악은 바로 이것을 의미한다. 우리나라 4대기업의 GDP에 미치는 효과는 파생GDP를 주요GDP에 배분하였을 경우 일정한 전제 하에 거의 37%에 이른다.(참조: 자료수집 한계상 수입액을 빼지 않고, 대신 후방효과의 도소매 등을 이것과 상계, 금융업 등을 파생부가가치로 분류)[2] 우리나라 4대기업의 경영권이 장악되면, 이것은 국가자본주의(사회주의)이다. 우리나라 주요 생산수단이 국가에 장악되는 것이다. 오늘날의 생산수단은 기업이기 때문이다. 농업의 생산수단은 토지이지만 제조업의 생산수단은 기업이다. 따라서 오늘날 한 국가를 사회주의화하는 혁명가들은 대기업의 경영권을 노린다. 필자는 이것을 신코민테른이라고 명명하고자 한다.

현재 『보험업법』(삼성생명법)의 개정이 국회 소관위에 상정되어 있다.(2022년 9월말 현재) 만일 2022년 5월 대선에서 좌파정부가 들어섰다면, 이 법은 통과되었을 것이다. 이 법이 통과되면, 삼성생명은 현재 보유중인 주식 중에서 약 7% 정도를 매각하여야 한다. 즉 삼성전자의 최대주주 지분(이재용 외) 21.2%중 약 7% 정도가 줄어드는 것이다. 그러면 이재용씨 등의 지분율은 14%로 떨어지는데, 그럴 경우 국민연금(10%) 블랙락펀드(5%, 친중자금)가 연합할 경우 이들이 최대주주가 될 수 있다. 여기에 각종 국가가 관리하는 각종 공제기금 등이 합류하면, 국가기업이 되는 것이다. 김상곤씨는 2020년 11월 한국교직원공제회 이사장이 되자마자 자신들도 공제기금을 통해서 M&A시장에 참여하겠다고 발표를 하였다. 국가 연금기금으로 일반 상장사에 투자한 후 의결권 행사를 하겠다는 것이다. 한편, 이 『보험업법』 개정안이 국회에 상정되자, 주변의 전문가들은 이 삼성생명이 보유한 삼성전자의 주식을 주변계열사에서 인수하는 방안을 모색하였다. 즉 삼성물산이 삼성바이오 주식을 처분하여 그 대금으로 이것을 사는 것이다. 그런데, 김상조씨는 2020년 『금융복합기업집단의 감독에 관한 법률』을 신설하여 계열사가 이러한 주식구매 행위를 하지 못하도록 막아버렸다. 이것이 2022년도 9월말 현재의 상황이다.

우리나라의 정치권과 언론, 교육 문화 등은 거의 좌파의 세상이 다 되어 있다. 이들은 장하성의 더 넓은 경제민주화를 꿈꾼다. 정치(민중 민주주의)를 이용하여 소유의 평등을 이루고자 한다. 이 소유의 평등은 재벌해체를 통해서 실현된다. 대한민국에서 이러한 국가자본주의(사회주의) 혁명은 오직 국민연금을 통한 대기업 장악에 있다는 것을 우리 국민들은 깊이 인식하여야 한다. 이것 외에 우리나라를 사회주의화 하는 다른 길은 없다는 것이다. 이것이 좌파들의 최종 목적지이다. 대기업을 국유화해서 국

---

2) 여기에서 주요부가가치의 기준이 애매하다. '요식'이나 '금융' 중에서 일부는 주요 부가가치로 분류될 수 있는 여지가 매우 많기 때문이다. 따라서 이 책의 파생(낙수)부가가치의 기준은 전통적인 방식에 따른 것이다. 이러한 한계를 유념하고 그 내용을 이해하여야 한다.

가가 국가의 주요 생산수단을 장악하는데, 그 첨단 대기업의 모든 일자리는 노조들의 몫이 된다. 그들은 사업의 일환으로 이 일을 하고 있는 것으로 보인다. 사회주의 혁명이 성공하면, 4대 기업의 모든 일자리가 자신들의 일자리가 된다. 우리는 중국특색 사회주의를 통해서 그 모델을 보고 있다. 그런 세상은 부정부패로 가득한 세상이다.

국민연금의 경영의결권 행사는 분명 국가의 경영참여이고, 이것은 사회주의를 용인하는 행위이다. 그것은 헌법과 법률에 명백히 금지하고 있다. 이것이 용인되는 것은 대한민국 내에 사회주의 혁명을 용인하는 것이다. 지난 정권에서는 이것을 이용하여 체제전복을 시도하였을 수 있다. 이것은 사법부의 판단이겠지만, 그 정황은 가득하다.

우리는 우리 국민의 생존권이 기업의 일자리에 있다는 것을 깊이 인식하여야 한다. 이것은 국민생존권의 문제이다. 그리고 이것은 자유의 문제로서 모든 자유 중에서 최상위에 차지하는 자유는 경제적 자유이다. 이 자유에서 온갖 창의성이 나오며, 여기에서 산업혁명의 과학기술과 각종 기업의 아이디어들이 출현한 것이다. 이것이 자유민주주의 시장경제이다. 그러나 사회주의에서는 이 소유의 자유를 빼앗기 때문에 여기에서는 창의성, 곧 기술과 아이디어가 나오지 않는다. 현재의 중국은 모든 기술을 서방에 의존하고, 그것을 훔쳐서 경제의 기반을 구축한 숙주경제이다. 지금의 중국이 최종적인 결론의 모습이 아니다. 여기에 속으면 안 된다.

이 책은 우리나라의 경제구조와 경제정책을 이해하는데 반드시 알아야 할 실질적인 자료들이다. 이 책이 많은 자유주의 경제학자들의 스터디 자료로 이용되면 좋을 것으로 보인다. 그리고 이 책의 후속편으로 출간 되는 애덤 스미스, 마르크스, 러시아경제사, 중국경제사를 다룬 『사회주의 시장경제비판』을 숙독하였으면 한다. 더 나아가 우리에게 '나라사랑학교'가 출현하여 나라사랑 인문학 전문가들이 양성되었으면 한다. 지금 '주민자치법'이 온 지역사회를 뒤흔들고 있으며, 각 지역사회들에 '마을학교'가 준비 중인데, 이 교육공간이 좌파들에 장악되어서는 안 되겠다.

이 책은 2020-2021년도에 본인이 국민노조(위원장 이희범) 산하 국민경제연구원 원장의 직함을 가지고, 윤창현 의원실과 자유기업원(최승노 원장)과 함께 5회에 걸쳐서 세미나를 진행하면서 발표한 자료가 중심을 이루고 있다. 이 일에 함께 해주신 분들께 깊은 감사의 뜻을 전한다.

2022. 9. 30

자유시장경제포럼 대표 공인회계사 최 환 열

추 천 사 (1)

- 심 상 달 -

KAIST 겸임교수, (사)한국임팩트금융자원위원회 회원, (사)소셜엔터프
라이즈네트워크 이사장, 한국개발연구원(KDI)명예연구위원

이 책은 아주 도발적이고 고발적이다. 국민연금과 사모펀드가 반란을 일으키고 있
다고 말한다. 무슨 반란인가. 국민연금과 기관전용사모펀드가 자유시장경제의 근간인
사영기업을 공유하고, 그 경영 관련한 의결권을 행사하고, 심지어 경영진을 파견(추
천)할 수 있는 법규를 만들었다는 것이다. 특히 좌파 정부가 들어설 경우, 그들은 4대
기업의 국유(공유)화를 시도할 수 있다는 주장이다.

또 이 책은 지난 정부에서는 단순히 자신들의 이념을 주창한 것을 넘어서 헌법과
법 규정을 위반(의도적으로 법해석을 곡해)하여, 국민연금에 내부규정을 이미 만들어
서 많은 기업들의 주총에서 의결권을 행사하고 있고, 주주제안을 통하여 대표자까지
바꿀 수 있는 경영통제를 이미 하고 있다고 주장한다. 현재 국민연금은 172개(2020년
말 기준)의 2대 주주이므로, 이러한 경영통제는 4대기업을 넘어 또 다른 수많은 대기
업들에 영향을 미칠 수 있다고 주장한다. 사법부가 이에 어떻게 응답할지는 알 수 없
지만, 그가 주장하는 내용은 공감이 가고, 이 책을 많은 사람들이 읽었으면 좋겠다.

필자는 그동안 국민연금이 구조적으로 기여액과 연금급여의 불균형에 따른 연금소
진이 되는 문제, 기금 운영인력의 전문성이 확보하지 못하여 다른 나라의 연기금보다
운영 수익율이 떨어지는 것에만 문제가 있는 줄 알았는데, 이렇게 큰 문제가 있는 줄
은 미처 알지 못했다.

금융전문가도 아니고 법을 전문한 사람도 아닌데 문제를 파고 들어가서, 해외의 연
금기금의 사례를 분석하여 다른 나라에서 찾아볼 수 없는 우리나라의 문제를 밝혀낸
것은 참으로 대단하고, 또한 이것을 시정하려고 외롭고 어려운 싸움을 끈기를 갖고
하고 있는 저자에게 깊은 존경과 감사를 표한다.

필자는 경제를 선공한 사람으로 기입이 사회적 책임을 잘 수행해야 한다는 것을 지
지하며, 투자자들이 투자를 할 때 피투자기업이 재무적 수익 뿐 아니라, 환경과 사회
와 거버넌스적인 요인을 고려해서 투자하는 ESG투자를 적극 지지하는 사람이다. 그
리고 기업활동이 사회와 환경에 미치는 영향의 측정치(임팩트)를 표준적인 기준에 따

라 측정하고 이를 화폐가치로 바꾸어 공시하여, 다른 기업과 비교할 수 있도록 하는 것을 지지하고 있다.

현재 전 세계적으로 기업의 사회책임이 강조되고 있다. 우선 환경문제로부터 시작해서 복잡성과 규모와 종류가 급증하고 있는 사회적 문제를 정부와 비영리단체들 만으로는 해결할 수 없기 때문이다. 재원도 부족하고 또 정부는 이런 문제를 어떻게 처리해야 할지도 모르고, 또 그 해법을 찾는 데 수반하는 실패의 위험을 감당하기가 어렵다. 그래서 민간 기업가정신과 민간의 자본이 동원되어야야만 한다.

선진국의 연금은 피투자기업이 UN이 정한 지속가능발전 목표(SDR)와 Net Zero 등 세계의 지속가능발전을 위해 기여하도록 노력하는데 앞장선다. 왜냐하면 자신들에게 돈을 맡긴 사람들의 장기적 복지를 위해서 필요한 일이기 때문이다. 그래서 이들은 환경, 사회, 거버넌스 등 비재무적 요인을 제대로 고려하는 기업에 연금가입자들의 돈을 투자할 수 있는 선택권을 주고, 또 피투자기업이 바른 방향으로 나아가도록 압력을 행사하기도 한다.

그러나 중요한 것은 이들의 연기금은 정부에서 독립된 전문가들에 의해 운영 되고 있고, 자유시장경제의 틀 안에서 운용된다는 것이다. 그러나 우리나라는 국가가 연금을 좌우하고 있다. 국민연금이 사회적 책임활동을 중요시하는 이러한 시대적 추세에 편승하여, 이것을 악용하였다. 그래서 국민연금이 자유시장경제를 국자자본주의 내지는 사회주의경제로 체제변혁을 시도하는 주요 도구로 전락 되었다는 것은 정말 경악하지 않을 수 없다.

이 책에 의하면, 국민연금이 처음에는 자신들은 주주제안은 하지 않고 의결권만을 행사하기 때문에 경영통제 또는 관리를 하는 것이 아니라는 말이 안 되는 주장을 하다가, 작년부터는 아예 수탁자책임활동지침에 주주제안을 명문화하여 노골적으로 헌법을 위반하고 있다. 그리고 피투자기업의 이사회 구성, 운영 등에 관한 안내의 기준을 만들어 172개의 상장사를 지배하는 거대한 기관의 역할하며, 심지어는 이사까지 추천형태를 통하여 파견할 수 있다고 한다.

이것은 분명한 헌법 126조의 파괴이다. 이것을 공모해온 사람들을 지적하고 문제삼는 것은 이 나라의 헌정질서를 무너뜨리는 세력에 대한 지적이라고 생각한다. 이 책의 저자는 이것을 사회주의 혁명이라고 말하고 있다. 이러한 주장에 대해 충분히 공감한다.

국민연금기금이 이렇게 하는 것이 기금을 위탁한 연금가입자들의 장기적 이익에 부합할까? 국민연금가입자의 한사람으로 이것은 절대 아니라고 생각한다. 왜냐하면, 삼성 현대 LG SK가 기금운용본부의 경영통제를 받으면서 이 나라가 지속성장할 수 없다고 생각하기 때문이다.

이 책으로 인하여 국민연금을 어떻게 개혁하는 것이 연금가입자들의 노후생활을 장기적으로 개선할 수 있는지에 초점을 맞추어 토의가 이루어지기를 기대한다. 보다 많은 사람이 국민연금기금이 어떠한 문제에 봉착해있는지를 알게 되었으면 좋겠다.

2023. 10. 31

추 천 사 (2)

전) 문화일보 논설고문 이 신 우

국민연금은 국민의 노후자금을 관리하는 곳이다. 국민연금기금의 잘못된 운영은 자칫 연금가입자인 국민에게 손실을 끼쳐 그들의 미래 생활권을 위협할 수도 있다. 그래서 국민연금법도 "국가는 연금급여가 안정적 · 지속적으로 지급되도록 필요한 시책을 수립 · 시행하여야 한다"고 특별히 규정하고 있을 정도이다. 정치권이 함부로 국민연금 운영의 독립성을 해쳐서는 안 될 이유이다.

그와 똑같은 맥락에서 국민연금을 정치적 수단으로 남용하는 일도 허용해서는 안 된다. 불행히도 문재인 정부 들어서 국민연금을 민간기업 경영권에 개입하는 통로로 활용하려는 경향이 뚜렷해지고 있다. 국민연금은 지금 우리나라 172개사의 대기업들의 2대 주주로서 경영권 개입을 강화하려는 움직임을 보이고 있다. 이 때문에 『자본시장과금융투자업법』은 국민연금 등 집합투자기구가 동일 종목의 주식을 10% 이상 보유하는 것을 막고 있지만 문 정부는 이것을 우회하는 길을 적극적으로 발굴해 내는 실정이다.

얼마 전 사모펀드를 통한 대체 투자의 길을 열어놓은 것이 단적인 예입니다. 국민연금이 각종 사모펀드에 투자한 다음 국민연금 보유 지분과 합세할 경우 10%룰은 얼마든지 뛰어넘을 수 있는 것이다. 그렇게 되면 민간기업의 경영권은 직접적인 위협을 받게 된다. 이는 작금의 중국에서 보듯 국가자본주의, 나아가 사회주의로 가는 단초가 될 수도 있다. 어느 누구도 감히 '지나친 우려'라고 폄하할 수 없는 흐름이다.

최환열 회계사는 바로 이들 주제에 오랫동안 천착해왔다. 그 열매가 이번에 출간된 『국민연금과 사모펀드의 반란』이라고 할 수 있다. 저자의 문제의식은 어느 누구보다 깊고 폭이 넓다. 저 역시 관련 글들을 쓰는 과정에서 그의 집요한 문제 제기와 전문적 식견에서 많은 도움을 받았다. 일독을 통해 보다 많은 분이 이 책의 문제의식을 공유할 수 있기를 바란다.

이 신 우 문화일보 논설고문

문화일보 2020.10.5

文정권 '시진핑式 기업 장악' 나섰나

이신우 논설고문

정부 발의 공정경제3법 시행 땐 삼성그룹 지배구조 겹겹 포위, 특히 보험법이 인계철선 역할, 그룹 해체와 대주주 변동 가능, 정권의 삼성전자 장악 현실화, 최악엔 중국자본 개입 우려도

이재용 삼성전자 부회장은 지금 정부가 촘촘히 짜놓은 그물에 걸려 있다. 시세 조종과 업무상 배임 혐의 등으로 이 부회장을 기소한 검찰 움직임과 별개로 삼성 그룹은 온갖 경제관련법(法)들로 포위당하고 있다. 정부가 최근 발의한 이른바 '공정경제 3법'(상법·공정거래법·금융그룹감독법) 제·개정안에 대해 여론의 관심은 주로 다중대표소송제, 감사위원 분리선임, 일감 몰아주기 규제 등에 쏠려 있다. 하지만 이런 것들을 아무리 들여다봐도 그 실체는 드러나지 않는다. 권력이 숨기고 있는 의도를 제대로 파악하기 위해서는 이들 법이 미칠 기업 지배구조 변화에 초점을 맞출 필요가 있다. 그 종착지에는 놀랍게도 대한민국 경제를 대표하는 삼성그룹 해체가 자리하고 있다.

그룹 해체의 길목에 위치한 인계철선은 규제 3법에 앞서 의원입법 발의된 '보험업법'이다. 이에 의하면 삼성생명의 계열사 지분 보유액 평가가 취득원가에서 시가로 바뀌게 된다. 현재 삼성생명이 보유한 삼성전자 지분은 8.51%다. 이 보유 지분의 취득원가는 원래 5400억 원이었으나 시가로 환산할 경우 무려 28조 원으로 부푼다. 그런데 보험사는 자회사 주식 소유액이 자기네 총자산의 3%를 넘을 수 없다. 따라서 3%인 9조 원을 제외하면 약 19조 원을 매각해야 한다.

해당 물량을 매각할 경우 이 부회장의 우호 지분은 크게 낮아져 지배구조 자체가 흔들릴 우려가 있다. 그럼 이를 모면할 방안은? 삼성그룹의 사실상 지수회사 격인 삼성물산을 동원할 수 있다. 삼성물산이 보유 중인 삼성바이오로직스 지분 43.4%(약 22조 원)를 팔고 이 돈으로 삼성생명이 내놓은 물량을 넘겨받는 것이다. 다만, 문제가 있다. 삼성물산이 삼성전자 지분을 사들이면 자회사인 삼성전자 주식 가치가 삼성물

산 총자산의 50%를 넘게 돼 공정거래법상 지주회사로 전환하지 않으면 안 된다.

이 지점에서 저격병으로 기다리는 것이 공정거래법 개정안이다. 현행 공정거래법에 따르면, 지주회사의 자회사·손자회사에 대한 의무 지분율이 상장사는 20%, 비상장사는 40%로 규정돼 있는데, 개정될 경우 상장사는 30%, 비상장사는 50%로 지분 요건이 강화된다. 삼성물산이 지주회사로 전환할 수밖에 없다면 자연히 삼성전자의 지분 30% 이상을 보유해야 한다. 삼성전자 지분 11% 정도의 추가 매입이 요구된다. 소요액만 수십조 원이다. 삼성물산에는 그럴 만한 능력이 없다. 설령 이 같은 미로를 귀신처럼 헤쳐 나간다 한들 또 다른 방어벽이 준비돼 있다. 바로 금융그룹감독법이다. 이 법의 취지는 비금융계열사의 위험이 금융계열사로 옮겨가는 것을 막는 것이다. 이런 좋은 취지가 삼성전자의 지분을 많이 갖고 있는 금융계열사인 삼성생명에 적용되면 또 다른 의미로 다가온다. 즉, 삼성전자 주가가 오르면 금융계열사의 위험자본 비율을 낮추기 위해 삼성생명은 자체 자본금을 더 확충할 의무가 생긴다. 확충할 수 없다면? 반대로 삼성전자 지분을 줄여야 한다.

사정이 이러니 이 부회장으로서는 빠져나갈 구멍이 없다 해도 과언이 아니다. 결국 삼성전자 지분은 시장에 나올 수밖에 없고, 이를 외부 세력이 사들이면 삼성그룹은 사실상 해체 수순을 밟는다. 만일 중국 자본이 개입하면 삼성은 그대로 중국 기업이 된다. 그러지 않더라도 이미 전자의 11.1%를 확보하고 있는 국민연금이 최대 주주로 등극할 수 있다. 이럴 경우 삼성그룹은 '특정 권력'의 손아귀 안으로 들어간다.

현 정부는 왜 이토록 집요하게 삼성을 물고 늘어지는 것일까. 혹시 이런 움직임이 '시진핑(習近平) 모델'을 의식한 것은 아닐까. 시진핑 중국 국가주석은 최근 수년간 사기업들의 소유권을 빼앗아 국유화하는 작업에 박차를 가하고 있다. 경제 전반을 공산당 지배하에 두겠다는 복심이다. 문재인 정부라고 못할 게 뭐 있나. 삼성만 흔들어 놓으면 나머지 대기업들이야 식은 죽 먹기다. 자기네 능력으로 힘에 부칠 경우 중국 정부가 도와줄 수도 있다. 문 정부의 경제 브레인 팀은 삼성 장악을 위한 고르디아스의 매듭을 완성시키는 9분 능선까지 와 있다. 그럼 삼성그룹도 삼성전자도 끝난 것인가. 그렇지는 않다. 마지막 탈출구가 남아 있다. 고르디아스의 매듭은 단칼에 풀어야 하는 법이다. 그 단칼 중 하나가 삼성그룹의 본사를 미국으로 옮기는 것이다. 어차피 글로벌 사회 아닌가.

< 목   차 >

1부 삼성생명법과 경제민주화

2부 국민연금의 반란

1장 『한국 자본주의』 요약과 비판

<서 론> 민중민주주의 계열(PD계열)의 국가자본주의(사회주의) 방법론

3장 국민연금 스튜어드십코드와 『투자기업 이사회 구성 · 운영안내』

<서 론 > 주주제안과 의결권행사를 가능하게 한 법규제정

1. 『자본시장법』 147조의 '주주제안'과 '의결권행사'

2. 『수탁자 책임활동에 관한 지침』의 '주주제안(스튜어드십코드)' 규정

3. 『이사회 구성 · 운영 등에 관한 기준 안내』의 위법적 내용

3부 사모펀드의 반란

1장　금융자본의 산업자본 침탈

2장　일반사모펀드 사태에 내재된 이념성

< 서 론 > 금융자본을 이용한 사회주의 방법론의 등장

1. 장하성 펀드에서 사모펀드법 해제까지

2. 디스커버리 펀드

4장 중국펀드와 전자투표

[서론] 금융자본을 이용한 사회주의 시도
- 사·연·집·중 아젠다 -

오늘날의 대한민국 경제의 숙제는 산업자본을 폭발하는 금융자본으로부터 보호하고, 더 나아가서는 금융자본 내에 존재하는 사회주의 세력(행동주의 펀드와 연기금)으로부터도 국내 산업을 보호하는 것이다. 금융자본은 사모펀드와 국민연금과 집합투자기구가 결합하여 산업자본을 위협하는 세력형태로 나타나고 있다. 그리고 여기에 하나를 추가하자면 중국펀드인데, 이것은 전자투표의 문제이다. 결국 우리의 산업자본 보호는 "사-연-집-중(사모펀드-국민연금-집합투자기구-중국펀드) 아젠다"로 표현될 수 있다. 즉, 자본주의 세계, 특히 우리나라에서의 사회주의 혁명은 한 국가의 중추를 이루고 있는 첨단 대기업(4대기업)에 대해서, 국민연금과 결탁된 사모펀드가 '주주제안'을 하고, 국민연금과 집합투자기구가 여기에 의결권행사를 하며, 그 부족분을 중국펀드가 채우는 형태로 설계된다.

가. 『한국자본주의』(2014) : 금융자본을 이용한 국가자본주의

이 책의 주된 주제는 "금융자본으로부터 산업자본의 보호"이다. 그런데, 원래의 출발은 좌파정권이 국민연금을 통해 우리나라 4대기업을 국유화하려는 음모를 인식하고, 이것을 미연에 방지하기 위해 연구를 시작하였다. 좀더 구체적으로 말하자면 사회주의자들은 2000년대 초부터 이러한 준비를 시작한 것 같다. 2000년 6월 15일에 김대중 전대통령과 북한 김정일이 낮은 단계의 연방제 통일방안에 대해 서로 합의하고, 사회주의자들이 2001년 9월 22-23일 충북 괴산의 군자산에 모여 이제 사회주의투쟁을 제도권 내에서 하자고 결의를 하였다. 그런데, 결국 사회주의(공산주의)와 자유주의(자본주의)는 경제문제이다. 생산수단의 국유화 혹은 국가와 사회주의자들의 대기업 장악이 공산주의이며 사회주의인데, 좌파들은 이때부터 이것을 위한 연구하기 시작한 것이다.

그러다가 2006년도에 장하성 펀드(한국기업지배구조개선펀드, KCGF)가 출현하였는데, 어떤 좌파계열의 논문은 이것을 금융자본을 이용한 기업지배구조개편 시도라고 말하였다. 이것은 사회주의자들이 금융자본을 도구로 한 사회주의 혁명에 눈을 돌린 것으로 이해될 수 있다. 장하성은 2014년도에 『한국 자본주의』라는 책을 통해 국가자본주의(사회주의)의 윤곽을 그렸다고 보아야 한다. 이 책이 아마 사회주의자들 세계에서 하나의 지침서가 된 것 같다. 우리는 이 책을 통해 2006년도의 장하성 펀드의 지향점을 이해할 수 있다. 이 『한국자본주의』의 "재벌해체, 경제민주화"의 지향하는 바가 사회주의를 추종하는 자들의 방법론으로 발전한 것이 김경수 판결문(김동원 댓글조작)에 나타난다. 여기에서는 "국민연금 스튜어드십코드, 국민연금 의결권행사, 전자투표" 등이 경제민주화(재벌해체)의 방법으로 나타난다.

그 후 『한국자본주의』를 쓴 장하성이 2017년도에 문재인 정부 정책실장이 되었는데, 그때 그의 동생 장하원이 디스커버리펀드를 만들었다. 80억으로 시작한 펀드가 장하성이 정책실장이 되고, 김상조가 공정시장위원장이 되자, 여기에 9,500억 원의 자금이 몰렸다. 이 자금은 다행이라고 말해야 할지 모르겠지만, 투자의 미숙함으로 해외펀드에 투자했다가 환매중단 사태를 맞아 중단되었다.

그 이전에 2011년도에 노무현 정책학교 1기출신의 이철이 밸류인베스트먼트(VIK)펀드를 세워서 약 8,600억원을 모집하였다. 이 자금도 환매중단 사태에 빠졌다.

2018년도에 옵티머스펀드 사태가 또 발생하였다. 이 펀드를 시작한 이종혁은 임종석과 함께 서클 생활을 하던 사람이었고, 이 펀드의 주요구성원들은 모두 한양대 출신들이었다. 이 펀드도 1조5천억원을 모집하였다. 이 펀드도 관리부실로 환매중단 사태에 빠졌다.

심지어는 조국도 사모펀드의 문제에 걸려있었다. 문재인 정부에서 사모펀드 문제가 계속 발생하였다. 사모펀드와 관련하여 무엇인가의 묵계가 존재하는데, 그것을 우리는 앞에서 언급한 『한국 자본주의』에서 추정해 볼 수 있다는 것이다. 그들은 국가자본주의(사회주의) 실현방법을 M&A에서 찾고 있는 것이다. 즉 4대기업만 M&A를 통해 국유화하면 되는 것인데, 이 그림을 사모펀드와 국민연금의 연합 속에서 찾았던 깃이다. 즉 사모펀드가 대기업의 1%의 지분을 확보하여 '주주제안'을 하고 국민연금이 '의결권행사'를 하는 방안이었던 것이다. 그리고 모자라는 것은 전자투표를 통해 '중국펀드'를 끌어들이는 것이었다.

나. 사모펀드 : 기관전용사모펀드의 10&룰 해체

사모펀드의 진정한 문제는 기관전용사모펀드(구, 경영참여형 펀드, PEF펀드)에 있다. 기관전용사모펀드는 국민연금·공제기금·산업은행 등의 공적기관이 자산운용사에게 자금을 맡기는 것이다. 우리나라에 PEF사는 약 350여 곳이 있는데, 이 중에서 PEF협의회 회원사는 51곳이다. 이들이 기관들로부터 대부분의 자금을 받는 것으로 보인다. 우리나라에 기관전용 사모펀드는 최근 발표된 자료에 의하면 126조원이다. 그래서 앞에서 언급한 PEF협의회 회원사(주요 회원사)는 51곳 중에서 1조원이 넘게 운용자산을 보유하고 있는 곳이 31곳이다.

이 126조원의 기관전용펀드는 벤처펀드, 구조조정펀드, 그리고 이것을 더욱 강화한 경영참여형펀드로 구분된다. 이 전체를 PEF펀드라고 하는데, 이중에서도 벤처펀드와 구조조정펀드를 프로젝트펀드라고 하며, 특히 세 번째의 경영참여형펀드를 PEF펀드라고 말한다. 국민연금기금의 경우 프로젝트 펀드에 약 22%, M&A 펀드(협의의 PEF 펀드)에 약 78%를 투자한다. 그렇다면, 기관전용사모펀드 126조 중에서 협의의 PEF 펀드는 약 98조원정도 된다. 그런데, 이 PEF펀드는 벤처기업 진흥용이다. 즉 벤처기업과 구조조정회사들에 투자하여 일으킨 후에 상장시켜 투자대금을 회수해 가라는 펀드였던 것이다. 여기에서의 M&A는 벤처기업과 구조조정기업에 대한 M&A를 의미한다. 그리고 이것을 포괄하는 규범이 곧 10%룰이었다. 즉, 기관전용사모펀드는 10%이상의 지분을 보유하여야 한다. 그러다보니 멀쩡하게 잘하고 있는 상장사들에는 투자할 수는 없었다. 철저히 산업진흥용이었으며, 지금까지 그 역할을 잘 감당하였다.

그런데 문재인 정부의 김상조 정책실장의 재임 중에 이 10%룰을 해체해 버렸다. 이것은 펀드업계에서 어마어마한 사건이다. 이제 더 이상 PEF사들은 벤처 단계의 기업들에게 PEF형 투자를 할 필요가 없다. 이 법규의 해체는 비상장회사들에 머물던 이 98조원의 자금을 증권시장에 밀어넣어 버린 효과를 가져온 것이다. 앞으로 회수되는 자금을 그들은 이제 벤처단계의 기업에 투자하지 않아도 된다. 2021년 8월에 10%룰이 해체되었다. 그러더니 매년 10건 정도 일어나는 M&A가 2022년도에 47건이 일어났다. 그리고 2023년 새해 벽두부터 SM엔터테인먼트, 오스템임플란트 등에 적대적 M&A가 발생하고 있는데, 이들의 중심에 모두 사모펀드 운용사인 자산운용사가 존재한다. 문재인 정부의 사모펀드법 10%룰 해체는 소들이 거니는 초원에 늑대 떼를 풀어놓은 것일 수 있다. 신속한 조사가 요구된다. 벤처기업진흥용의 기관자금이 이제는 잘 하고 있는 상장사의 경영권을 탈취하는 자금이 될 수 있도록 만든 것이다.

금융위원회는 신속히 2021년 8월에 해체된 사모펀드 10%룰의 영향을 검토하여야 한다. 우리나라 국민연금이 상장시장에 투자된 규모가 170조 정도이다. 이 정도의 금액으로 국민연금은 172개사의 2대 주주로서 우리나라 전체 주요기업들을 장악하였다. 그런데, 이제 여기에 거의 100조원(98조)에 가까운 기관전용사모펀드가 증권시장에 밀려들어가게 된 것이다.

금융위원회에서는 이 10%룰 해체의 의도를 잘 분석하여야 한다. 지난 문재인 정권은 국가자본주의(사회주의)를 추구하는 혁명정부였을 수 있다. 그것은 문재인 정부의 정책실장 장하성의 『한국 자본주의』에 나타난다. 이 책은 국가자본주의(사회주의) 기획서로 보이는데, 그 내용대로 정책이 전개되었다. 이러한 의도를 가지고, 이 행위를 하였다면, 그것은 어떻게 해석되나? 그 10%룰 해체의 갖는 의미는 무엇인가? 그것은 삼척동자도 다 안다. 상장시장에 들어가서 주주제안을 일으키라는 것이다. 이제는 1%의 상장사 주식만 취득하여도 주주제안이 되는 것이다. 궁극적으로는 삼성전자 등의 4대기업에 대해 주주제안을 일으키라는 것이다. 삼성전자도 2조원(1년 이상 보유시 주주제안은 0.5%)만 있으면 된다. 그들에게 실탄을 주어서 증권시장에 밀어넣은 것이다. 금융위에서는 이 10%룰 해체의 갖는 의미를 반드시 해석해 보아야 한다. 그리고 조사를 해 보아야 한다. 그들은 기관전용 사모펀드가 주주제안을 일으키고, 국민연금과 집합투자기구 등이 의결권행사를 하여 4대기업 등을 국유화하는 것을 기획한 것이다. 기관전용 사모펀드는 그동안 벤처산업 진흥용이었으며, 앞으로도 그러해야 한다.

다. 국민연금 의결권행사의 문제점

이들이 가장 최종적으로 믿는 구석은 국민연금이다. 우리나라 국민연금은 2021년도 말에 949조원이었으며, 2022년도에는 890조원이다. 이중에 약 17-20% 정도가 국내 증권시장의 상장주식으로 투자 되는데, 2021년도 기준으로 약 170조원 가량이다. 그럼에도 불구하고 172개사(4대기업 포함, 이 숫자는 해마다 변동이 됨)의 1대주주 혹은 2대주주이다. 특히 금융지주회사 40여개의 대부분에 대해서는 1대 주주이다. 그런데, 이 국민연금이 모든 회사들에 대해서 의결권행사를 하고 있다. 주총 의결권행사란 경영자 선임 해임 등 모든 기업의 1년 동안의 주요의사결정행위를 말한다. 그래서 우리나라의 경우 엄밀히 말하자면, 헌법은 자유민주주의 국가인데, 법률은 그 미비함으로 말미암아 연금 사회주의가 되어 있다. 좌파들이 집권하면 언제든지 4대 기업을 비롯한 모든 기업을 장악할 수 있다. ESG와 같은 명분만 필요할 뿐이다. 그래서 좌파정권 때에는 신문지상에 ESG 소식이 항상 중심에 있었다.

우리나라 헌법 126조에 의하면, 국민연금은 보건복지부 장관이 관장하는 국가자금으로서 "사영기업을 국유 또는 공유할 수 없으며, 그 기업의 경영을 통제 또는 관리할 수 없다"고 되어 있다. 여기에서 주식회사의 경우 그 기업의 '국유 또는 공유'는 주식의 취득을 통해서 이루어진다. 국민연금은 170조원 가량의 국내주식을 보유하고 있다. 이때 예금과 같은 재무적 목적으로만 보유하면 괜찮은데, 소유권·주주권을 의미하는 의결권 행사를 해버리면 그것은 부분적이기는 하지만 2대주주(172개사의 경우)로서 '국가의 소유' 행위가 발생해 버린 것이다. 더 나아가 경영자 선임 등의 경영 관련한 의결권 행사를 하면, 그 사영기업에 대한 '통제와 관리'도 발생한다.

따라서 국민연금이 의결권을 행사하려면, 헌법 126조의 단서 조항처럼 "국방상·국민경제상 긴절한 필요로 인하여 법률로 정하는 경우"에만 가능하다. 예컨대, 금융지주회사와 같이 주인이 없는 기업의 경우, 이에 대한 주주권행사는 법률로 정해서 해야 한다. 그런데, 국민연금의 172개 회사의 2대주주로서 행하는 의결권 행사가 "국방상·국민경제상 긴절한 필요"인가? 국가재정법 64조에는 "기금관리 주체는 기금이 보유하고 있는 주식에 대하여 의결권행사를 하여야 한다"고 되어 있다. 그런데, 여기에서의 기금은 "기금법에 의해 투자된 주식"으로 보아야 한다. 기금의 '여유자금'으로 재무목적으로 투자된 주식은 해당되지 않는다. 그래서 국가재정법 78조는 여유자금은 별도의 법률로 규정하여야 한다고 되어 있다. 그러나 그 범위를 모호하게 설정하여 혼선을 주고 있다.

국민연금 의결권행사로 인한 피해사례는 이미 급증하고 있다. 예를 들어 2022년말 SM엔터테인먼트의 최대주주 이수만은 18.46%의 지분을 가지고, 9%를 보유한 카카오의 적대적 M&A에 의해 경영권을 상실하였는데, 그것은 카카오 외에 국민연금이 9% KB자산운용이 5%를 가지고 있기 때문이었다. 국가로서의 국민연금이 이 일에 중립적이라면, 발생하지 않는 M&A이다. 이것은 공개된 사례일 뿐이며, 무수한 M&A가 모두 이러한 사례일 것이다.

라. 국민연금 스튜어드십코드와 시행령 통한 『이사회 구성·운영 안내』

문재인 정부에서는 "국민연금 의결권행사"에서 한 술 더 떠서 국민연금이 주주제안(스튜어드십코드)도 가능하고, 심지어는 시행령(자본시장법 시행령 154조)을 바꾸어서, 『자본시장법』에 일반투자자라는 제도를 신설(시행령 154조 5항 신설)하여, 국민연금으로 하여금 주요투자기업에 이사를 파견(시행령 154조 1항에 괄호삽입한 후 『국민연금 투자기업의 이사회구성·운영안내』 제정)하고, 배당정책(시행령 154조 1항 4호 삭제)에도 관여할 수 있도록 만들어 버렸다. "국민연금 의결권행사"라는 기초 위에 문재인 정부에서는 이제 국민연금의 주요 투자기업(2020년초에 72개사?)에 대해서 이사를 파견(추천형식)할 수 있도록 만들었으며, 주요 회사의 배당정책에 관여할 수 있도록 만들어 버렸다.

『국민연금 투자기업의 이사회구성·운영안내』에서의 '사외이사'는 일반적인 사외이사가 아니다. 기존의 '경영진'을 감독하며, 이사이면서도 <이사회>에 종속되지 않고, <사외이사위원회>로 까지 나아간다. 이것은 마치 중국 공산당이 각 기업에 <공산당위원회>를 설치하였는데, 이와 유사하다. 그 권한과 직무가 대표이사를 감독하는 것이다. 이들은 지금은 삼성물산(삼성전자 지주회사)을 비롯한 6-7개 회사에 대해서 이것을 논의하고 있지만, 이것은 "단순투자에서 일반투자로 전환한 기업들" 72개사(?, 2020년초)로 확장될 것이며, 그 다음에는 국민연금이 2대주주인 172개사의 대기업 상장사들로 확장될 것이다. 저들은 이 일이 이루어지면 대한민국의 생산수단은 국민연금의 통제에 놓인다. 좌파들은 이러한 기획의 성취를 일차적인 국가자본주의(사회주의) 성취의 성공으로 보는 것 같다. 이것은 현재 국민연금운용본부 내에 법규로 자리잡고 있다.

   그런데, 이들이 이렇게 사외이사로 각각의 기업에 들어가는 이유가 무엇인가? 이들의 목표가 무엇인가? 이들은 소액주주의 보호라는 명분을 내세워 기업의 이윤을 모두 배당하게 하는 배당정책에 참여하는 것이다. 사외이사가 배당을 강요하기 위해『자본시장법 시행령』154조 1항에서 "4호의 배당"을 삭제하였다. 이렇게 국가가 대기업의 배당정책에 관여할 수 있도록 법령을 개정한 것은『한국 자본주의』에서 소득주도성장론의 탈을 쓰고 등장한 바로 그 '배당'을 국가정책에 반영시킨 것이다. 장하성은 여기에서 '배당'을 통해 대기업을 해체하는 전략을 세웠던 것이다. 그리고 좌파들은 그것을 '소액주주운동'이라고 불렀다. 이 책을 쓴 당사자와 그의 추종자가 문재인 정권의 정책실장이 되어서 그와 같은 법 개정 등을 시도하였다.

   이것이 사회주의 법률이 아니고 무엇이겠는가? 그렇다면, 문재인 정부에서는 시행령을 통해서 대한민국을 사회주의 법률로 만들어버린 셈이다. 그들은 국가자본주의(사회주의)를 시도한 것 같으며, 그것은 일부 성공하였다. 현재 대한민국의 법령이 그렇게 되어 버렸기 때문이다. 이것은 자유민주체제 변혁의 혐의, 곧『형법』87조의 '내란'과 91조의 '국헌문란'의 혐의로 기소될 필요가 존재한다. 되

마. 집합투자기구의 반란 : 금융자본의 산업자본 침탈

   문재인 정부에서 어마어마한 자금(국채발행+통화발행)을 풀었다. 일반적으로 국채는 10.64년몰이어서 국채발행은 통화발행과 똑같은 효과를 나타낸다. 이 책에서는 문재인 정부 4년 동안(2017-2020년, 코로나 직전)에 증가된 통화량을 살펴보았는데, 그것은 "통화발행(본원통화 증가) 80조원 + 국채발행 210조원 = 총 증가된 유동성(통화량) 290조원"이었다. 그런데, 그 통화량 이면에는 신용창조의 승수가 작용한다. 즉, 방출된 290조원이 소비를 일으키면서 다시 은행에 들어오고, 여기에서 지급준비율 약 10%를 뺀 금액이 또 다시 대출(특히 부동산 대출)을 통해 시중에 나가고, 그 자금은 또 다시 금융권으로 돌아온다. 그리고 10%를 제한 금액이 또 다시 대출로 나간다. 이

렇게 해서 실제적인 통화량은 증가는 290조원이었는데, 이 시기 4년 동안에 늘어난 금융기관의 예금통화는 1,211조원이었다. 2017년초에 3,342조원이었는데, 이 4년 동안에 1,211조원이 증가하여, 2020년말 현재의 총통화량은 4,553조원이 되었다. 290조원 대비 5.41 배수의 신용창조가 단 4년 만에 일어난 것이다. 이때 증가된 예금통화량이 36%였는데, 이것이 곧 부동산 가격상승으로 귀착되었다. 이것이 지금도 대한민국을 어렵게 만들고 있다. 돈이 돌지 못하도록 막기 위해 이자율을 상승시켜야 하기 때문이다.

그런데, 이렇게 증가된 금액이 모두 어디로 갔나? 그것은 모두 집합투자기구로 모인다. 이 증가된 통화를 각 사람들이 집에 금고를 만들어서 두는 것이 아니기 때문이다. 모두 집합투자기구로 흘러든다. 이 기간 중, 위의 1,211조원 중에서 대출로 증가된 것은 761조원으로서 나머지 450조원은 대부분 자산운용사 등의 투자전문 집합투자기구로 흘러들어갔다. 이때 증가된 투자전문기관의 수신고는 자산운용사 168조, 신탁회사 138조, 생명보험사 75조, 기타 69조원이었다. 이제 이 기금중 상당량이 증권시장으로 흘러든다. 모두 금융자본이 되어 집합투자기구 단독명의로 들어온다. 이와 같이 증가된 통화량은 이제 모두 집합투자기구의 명의로 귀속된다는 것이다. 이와 같이 화폐의 거래기능보다 저장기능의 통화량이 폭발적으로 증가하고 있다. 이 집합을 이룬 금융자본이 단독명의로 산업자본이 모여 있는 증권시장에 들어오는 것이다.

문제는 집합투자기구의 산업자본 침탈의 문제이다. 집합투자기구의 자금은 불특정 다수인의 소유로서 그 자금을 이용하여 다른 기업의 경영권을 침탈하고, 그 기업을 뺏어서는 안 된다는 것이다. 그래서 『자본시장법』에서는 집합투자기구의 특정 종목에 대한 의결권을 10%까지 용인하고 있다. 그런데 이제 문제가 생겼다. 집합투자기구의 수가 이 법이 제정될 때 보다 기하급수적으로 증가해 버린 것이다. 일반적으로 상장 대주주의 지분이 약 20%이다. 그러면 이제 2개의 집합투자기구만 연합을 해도 한 기업을 장악할 수 있게 된 것이다.

금융당국은 과거 20년 동안의 통화량(예금, 금융자본) 총량의 증가추이와 산업자본(증권시장) 총량의 증가추이를 수치로 객관화하여야 한다. 20년 전에 산업자본 보호를 위한 집합투자기구(금융자본)의 의결권 제한이 10%였다면, 만일 금융자본이 10배로 폭발하였으면, 그 의결권도 1-2%로 제한하여야 한다. 그래서 금융자본으로부터 산업자본을 보호하여야 한다. 우리는 금융자본이 없어서 쩔쩔매던 2000년도의 대한민국이 아니다. 지금은 금융자본의 유동성이 너무 넘쳐나고 있다. 이 문제는 금융당국에서도 특위를 조성하여서라도 심도있게 연구하여야 한다.

우리가 여기에서 추가적으로 알아야 할 것은 최근 사모펀드가 집합투자기구를 공략하고 있다는 것이다. 얼라인 파트너스는 JB(전북은행) 금융지주의 2대 주주가 되었다. 강성부 펀드는 메리츠자산운용(3.7조원의 펀드)의 대주주가 되었다. 이들은 모두 우리나라 대기업들의 지배구조 개편을 꿈꾸는 행동주의 펀드들이다.

바. 전자투표와 중국펀드

문재인 선거시 댓글 조작을 한 김경수는 조사의 과정에서 경제민주화를 이루기 위해 댓글 조작을 하였다고 말한다. 그리고 그 경제민주화의 방법으로서 국민연금과 전자투표를 말하였다. 그들의 경제민주화는 4대기업을 국유화하는 것이다. 이것은 김경수의 판결문에 나와 있는 내용에 대한 해설이다. 그러더니 문재인 정권이 들어서자, 국민연금이 E-S-G를 외치며 난리를 쳤다. 특히 대기업들의 G(거버넌스)를 문제 삼으며, 전자투표를 하지 않으면, 수탁자책임전문위원회에 상정이 되어 국민연금이 관리에 들어온다. 그래서 삼성전자도 주총시 전자투표를 시작하였다.

삼성전자의 지분 50% 이상은 해외주주인데, 많은 사람들은 중국펀드가 많을 것으로 본다. 중국 국유기업은 45,000개에 이르는데, 모두 공산당 한사람의 통제를 받는다. 중앙 국유기업은 13,000여개인데, 이곳에서 나오는 1년 이익이 2017년도에 480조원이었다. 우리나라 상장사 시가총액이 2,500조 정도인데, 중국국유기업 5년의 이익만 모으면 우리나라 상장사 모두를 살 수 있다.

우리나라 자본시장법에 의하면, 중국 국유기업은 특수관계자로서 모두 합산하여 공시되어야 한다. 그렇지 않을 경우, 5%로 의결권 제한을 받는다. 이러한 것도 파악이 되지 않은 상태에서는 전자투표는 불가능한 것이다. 공산국가가 자유국가의 핵심기업에 들어와서 경영자선임 의결권행사를 한다는 것은 맞지 않다는 것이다. 좌파들은 사연집중(사모펀드-연금기금-집합투자기구-중국펀드) 복합체의 그림을 가지고 있는 것 같다. 국민연금기금운용본부는 기업들에게 전자투표(해외)를 강요하면 안 된다.

사. 삼성생명법과 4대기업의 경제기여도

좌파들은 법규를 이용해서도 4대기업의 지배구조를 해체하고자 한다. 2022년 말경 민주당의 박용진 의원과 이용우 의원은 삼성생명법을 국회에서 통과시키기 위해 안간힘을 다 쏟았는데, 온갖 매체를 통하여 삼성생명법의 개정에 대해 이야기하였다. 그러다 이재명 방탄 국회가 열리자 더 이상 진전을 이루지 못했다. 이 문제는 야당의 위세가 조금이라도 확보된다면 또 다시 도마 위에 오를 것이다.

2019년부터 더불어 민주당의 박용진 의원 등은 삼성생명법을 소위원회에 발의해 놓았다. 삼성생명은 보험업법에 따라 삼성전자의 주식을 총자산의 3%를 한도로 보유하고 있는데, 현재는 원가로 계상한 금액을 평가기준으로 삼았다. 그런데 2023년부터 우리나라의 보험업계에 국제기업회계기준이 적용되는데, 이에 의하면 투자주식을 시가로 평가하여 재무제표에 반영하게 된 것이다. 이때 박용진 의원 등은 이 재무제표 상의 금액을 기준으로 하여 3%의 보유한도로 하자는 것이다. 그렇게 되면, 삼성생명은 삼성전자 주식의 7%를 매각하여야 한다. 그런데, 현재 삼성전자의 대주주 구성이 "이재용·국민연금·블랙락펀드=21.2%·10%·5%"인데, 여기에서 이재용씨측 지분을 7% 매각하게 되면, "이재용·국민연금·블랙락펀드=14.2%·10%·5%"가 되어 이재용 지배체제는 무너지고, 이재용·국민연금·블랙락펀드의 3자 운영체제가 되는 것이며, 여기에서 한번만 더 유상증자를 시도하면, 이재용은 그 유상증자에 따라갈 자금이 없으므로 최대주주의 지위를 상실해 버리는 것이다. 그러면 삼성전자는 국유화된다. 문화일보 이신우 기자의 2020.10.5. 칼럼에 의하면, 이 작업이 실제로 진행이 되었으며, 이 삼성생명법은 2022년말 현재 지금도 국회에 계류되어 있다.

원래는 현대자동차도 이 대상이 들어있었다. 현대자동차의 대주주는 30% 정도의 지분을 보유하고 있는데, 순환출자의 구조로 되어 있다. 좌파들은 이 순환출자의 고리를 끊으려 하였다. 그러면서 순환출자 의결권제한의 법률을 준비했다. 순환출자의 경우 그 의결권을 15%로 제한한다는 것이다. 현재 현대자동차는 좌파정권이 들어오기 전에 이 숙제를 풀어야 한다.

2021년말 기준으로 분석한 자료에 의하면, 우리나라 4대기업의 매출이 GDP의 17%를 차지하였다. 4대기업은 최종 생산자이므로 그 매출액 전액이 부가가치라고 보아도 된다. 하청사들의 모든 부가가치가 이 최종생산자에게 합산되기 때문이다. 여기에서 그치지 않는다. 그 구성원들의 소비활동이 낙수효과로서 다른 파생부가가치를 창출한다. 이 파생부가가치를 이러한 주요 부가가치에 배분하였을 경우, 4대기업의 우리나라 GDP 기여도는 37%에 이른다. 여기에는 일정한 전제조건에 따라 차이가 난다. 이 분석은 금융업 등을 파생부가가치로 분류하는 전통적인 방식에 따랐다.

그렇다면, 이들에게 귀속되는 요소소득은 어떻게 되는가? 부가가치 37%를 기여하고, 이들에게 귀속되는 요소소득은 0.02%인데, 그것도 4대기업 재벌들에게 돌아가는 것이 아니라, 모든 계열사들에게 대부분 귀속된다. 시장경제체제에서는 경제민주화가 실현되고 있었던 것이다. 좌파들은 단순한 이념만을 가지고, 이러한 대기업들을 국유화하고, 자신들이 그 기업을 차지하려고 한다. 이것이 마르크스가 『고타강령비판』에서 말하는 프롤레타리아 독재(사회주의)이다. 국가와 사회주의자들이 대기업을 장악하는 것이다. 그들은 지금도 이러한 꿈을 꾸면서 정치활동을 한다.

대한민국 내에서의 사회주의 방법이 드러난 것으로 보아야 한다. 이러한 방법은 지난 2000년대부터 꾸준히 연구된 결과이다. 그리고 그 당시의 혁명가들이 이제 국정에 깊이 개입을 하게 되자, 이것을 법제화하고, 국민연금 등을 이용하고, 금융자본들을 이용하며, 심지어는 중국펀드(추정)까지 끌어들여서 국가자본주의(사회주의) 혁명을 시도하는 중에 있는 것으로 보인다. 우리는 이에 대한 정체를 명확히 인식하고 이에 대한 대안을 마련하여야 하겠다.

1부 삼성생명법과 경제민주화

1장   삼성생명법의 목적

< 서 론 > 국가자본주의와 삼성생명법

가. 삼성전자 지배구조 해체의 도구

  삼성생명법(『보험업법』106조)은 좌파계열에서 오래토록 연구된 해묵은 주제이다. 이 법은 지금도 국회 소위원회에 상정되어 있다. 이 법이 통과되면, 삼성전자는 그 지배구조가 기존의 이재용 체제에서 이재용-국민연금-블랙락펀드 체제로 개편된다. 이제 단독으로 삼성전자를 운영할 수 없으며, 국가와 함께 운영하여야 하는 것이다. 지난 정부에서 최고 위치의 어떤 사람은 해외동포들과의 간담회에서 삼성전자 정도는 국가가 운영했으면 좋겠다고 하였다. 그래서 국가가 국민들을 먹여 살렸으면 좋겠다고 말하였다. 이런 비전이 이 법 하나가 통과하면 실현 될 수 있다.

  만약 이런 일이 존재한다면, 처음에는 이재용-국민연금-블랙락펀드 체제로 운영이 되는데, 이제 한번이라도 국가에서 추천하는 인물이 경영진에 들어가면, 삼성전자는 유상증자를 단행할 것이다. 그러면 각자 대주주는 자신의 지분율만큼 유상증자에 참여하여야 한다. 그렇지 않으면, 그 지분율을 계속 유지할 수 없다. 그런데, 여기서 국민연금이나 블랙락펀드는 집합투자기구이므로 그 자금은 무한대까지 끌어올 수 있다. 그런데, 이재용은 돈이 없어서 그 유상증자를 따라 갈 수 없다. 그러면 이제 이재용은 최대주주의 자리마저 박탈을 당하게 된다. 이렇게 되면 삼성전자는 국가에 의해 운영되는 것이다.

  만일 삼성전자가 이와 같이 국유화되면, 삼성전자로 인하여 먹고 사는 그 아래의 모든 하청사들은 어떻게 될까? 삼성전자가 시키는 대로 하여야 한다. 결국 삼성전자와 계열사들의 모든 일자리가 장악되는 것이다. 삼성전자의 매출은 국내총생산 대비 약 7.5% 정도 된다. 삼성전자의 매출은 삼성전자와 모든 하청사들이 만들어낸 부가가치이다. 그리고 이 부가가치가 곧 일자리인 것이다. 삼성전자는 우리나라 일자리의 7.5%에 기여를 하고 있는 것이다.

나. 4대기업 국유화를 통한 국가자본주의(사회주의) 실현

  삼성전자에 대하여 위의 일이 달성되면, 그 다음은 어디인가? 현대자동차는 약 31%를 계열사 등을 통해 최대주주가 보유하고 있는데, 순환출자의 구조로 되어 있다. 순환출자 구조는 윤리적인 비난을 받을 수 있다. 그래서 현대자동차는 이 숙제를 풀어야 한다. 약 5-7년 정도의 유예가 주어진 것으로 필자는 알고 있다. 이것도 진즉에 도마에 놓여있었다. 언제든지 꺼내기만 하면 된다. 현대자동차는 이 문제를 신속히 풀어야 한다. 현대자동차 뿐만 아니다. 우리나라 4대기업은 국민연금과 사모펀드가 언제든지 마음만 먹으면 국유화가 가능하다. 여론만 형성되면 되면 되는데, 여론은 좌파들이 마구마구 만들어낸다. 그리고 메스컴이 계속 보도를 하면 순진한 국민들은 여기에 모두 속는다.

4대 기업의 최대주주가 이렇게 국민연금과 사모펀드가 되면, 대한민국의 국가자본주의(사회주의) 혁명은 성공하게 되는 것이다. 선진화된 자본주의 국가에서 사회주의 혁명이 성공한 유일한 사례가 달성되는 것이다. 이것이 대만민국 내의 좌파들의 위대한 소명이자 비전이다. 그들은 이 순수한(?) 비전을 위해 자신의 목숨을 사를 수 있다. 이것이 지금까지 우리나라 사회주의자들의 모습이었다.

만일 4대 기업이 이렇게 국유화되면, 우리나라의 일자리(생산수단)는 어떻게 국가에 장악되는가? 우리는 삼성전자의 매출(하청사들을 포함한 부가가치)이 우리나라 GDP에서 차지하는 비중을 살펴볼 것이다. 한편, 4대기업이 우리나라의 GDP에 기여하는 부가가치는 어떻게 되는가? 이 책에서는 2019년 자료를 통해서 소개하고자 하는데, 당시의 우리나라 국내총생산(GDP)은 1,919조원이었으며, 4대기업의 매출은 당시 317조원이었다. 이것은 GDP의 17%를 차지하였다. 4대기업은 우리나라 소득의 17%를 창출해 낸다.

그런데, 여기에서 그치지 않는다. 이들의 업종은 제조업으로서 지금 무에서 유를 창출한 것이다. 애덤 스미스는 『국부론』은 무에서 유가 창출되는 것이 진정한 의미의 국부라고 하였다. 이 창출된 국부는 먼저 그 구성원들(직원들, 하청사, 기타)에게 배분된다. 그리고 이들은 이제 이 소득으로 교육, 서비스, 문화활동 등의 다양한 소비활동을 한다. 소비되지 않은 것들은 금융기관에 예치된 후, 그 자금은 다른 사업자금으로 투자된다. 이러한 GDP 효과를 낙수효과라고 한다. 이것은 기본적으로 위의 17% 이상을 차지한다. 여러 가지 전제하에 파생효과를 계산해 보았을 때, 파생효과가 20%가 나왔다. 즉, 4대 기업은 우리나라 GDP의 37%까지 기여한다고 말해질 수 있다. 여기에서의 여러 전제 등은 별도로 논의하기로 하자.[3] 우리나라가 G 12로 부상한데는 이렇게 첨단 대기업들의 기여가 컸다. 이들이 국유화되어 이들의 매출이 꺽이면, 이제 우리나라가 꺽이게 된다.

---

3) 이 책의 파생(낙수)부가가치의 기준은 전통적인 방식에 따른 것이다. 이것은 많은 다양한 전제 하에 산출한 숫자이다. 따라서 이러한 한계를 유념하고 그 내용을 이해하여야 한다.

다. 러시아 푸틴의 국가자본주의 아웃소싱

좌파들은 위의 4대기업을 국유화하면, 나라 전체가 사회주의가 된다는 사실을 어디에서 알았을까? 그러한 사례가 존재하는가? 그것은 러시아 푸틴이 이 방법을 사용하였다. 고르바쵸프와 옐친이 국민투표까지 해 가면서 러시아를 자유민주주의 시장경제의 헌법으로 만들어놓았다. 푸틴은 이제 이 헌법체계를 그대로 놓아둔 채, 나라 전체의 생산수단을 장악해 버렸다. 그것이 바로 M&A를 통한 생산수단(대기업)의 장악이었다.

푸틴은 집권하자마자 언론과 사법부를 순식간에 장악하였는데, 러시아의 부패가 이것을 가능하게 하였다. 푸틴은 국부펀드(필자의 추정)를 이용하여 먼저 로스네프찌(50%+1주)와 가즈프롬(67%)의 경영권을 장악하였다. 이들은 러시아 내에서 우리나라의 4대기업과 유사한 위상을 가지고 있다. 이 두 회사를 장악한 후, 이 두 회사 내에 있는 여유자금을 이용하여 또 다른 하청사와 주요 회사들을 M&A하기 시작하였다. 이때 금융기관의 자금이 이용되었다. 그래서 러시아 내의 모든 대기업들을 전부 장악해 버렸다. 이렇게 하는데 3년 6개월 밖에 걸리지 않았으며, 국민들은 아무런 저항도 안 했고, 그런 일이 일어나는 지도 모르게 모두 진행되었다. 시간이 지나놓고 보니, 모든 대기업들이 전부 국유화되어 있었던 것이다. 지금은 크렘린과 행정부에서 이 모든 회사들을 직접 관리한다. 그래서 러시아의 기업들은 국영기업이라고 한다. 경영까지 국가가 모두 하는 것이다.

장하성은 『한국자본주의』에서 이 러시아의 국가자본주의를 소개한다. 그러면서 그것은 공산주의가 아니라고 말한다. 그리고 그 책의 결론부에서 정부라는 아이가 한 동네를 통치하는 모습을 보여주는데, 바로 국가자본주의의 모습이었다. 장하성은 이 국가자본주의를 앞으로 대한민국의 자본주의가 걸어가야 갈 길이라고 추천하고 있다. 대한민국의 자본주의는 고장이 났는데, 이렇게 고쳐 써야 한다는 것이다. 이것이 장하성이 2014년도에 『한국 자본주의』에서 소개한 "경제민주화"이다. 그리고 김경수는 2016년도에 이 경제민주화를 달성하기 위해서 지난 정부를 위해 댓글조작을 하였다고 말한다. 그러면서 그는 "국민연금 스튜어드십코드 – 국민연금 의결권 강화 – 전자투표"를 말하였다.

우리는 이러한 큰 구도를 알고 삼성생명법을 이해하여야 한다. 이것은 좌파들의 원대한 비전이다. 이것을 이루어내면, 자신들의 꿈이 이루어진다. 꿈만 이루어지는 것이 아니라, 일신의 성공도 이루어진다. 그들이 대기업들의 경영진이 될 것이기 때문이다.

사회주의자들은 이 혁명의 방법만을 연구하는 것 같다.

1. 삼성생명법의 개략 : IFRS17과 보험업법 106조

가. 삼성생명이 보유한 삼성전자의 주식

삼성생명에서 삼성전자의 주식을 약 8.6%를 가지고 있다. 이때 삼성전자는 9조원 정도를 투자하였고, 해당금액을 투자주식계정으로 계상해 왔다. 이때 모든 회사들은 재무제표에 계상을 할 때, 장기 보유자산들을 취득가액으로 계상한다. 이러한 장기보유자산은 토지와 건물의 부동산, 특허권과 영업권 등의 무형자산, 그리고 투자주식 등의 투자자산이 있다. 이때 투자자산의 경우에는 전략적 자산(고유목적자산)과 투자차익을 위한 자산으로 구분된다. 이때 중요한 것은 이러한 자산들은 시간이 흐를수록 인플레이션으로 인하여 그 명목가치가 올라간다는 것이다. 그러나 실질효과에는 취득시나 시간이 경과한 후에나 아무런 차이가 존재하지 않는다. 그래서 시간이 경과한 후에 이러한 자산을 재무제표에 계상을 하고자 할 경우에는 감정기관에 의뢰를 하여 재평가를 한 후 그 재평가금액을 재무제표에 계상한다. 그런데, 이때 증가된 평가차액은 '자본조정' 계정으로 분류한다. 이것은 이제 그 고유목적 자산이 그 목적이 실현되었을 때, 혹은 처분되었을 때 그 이익을 실현시킨다.

나. 보험업법 106조의 투자주식 보유규정

이런 상태에서 우리나라 보험업법에 의하면, 보험자산을 통해 대주주가 다른 회사를 지배하는 것을 막기 위해, 특수관계가 있는 회사의 주식에 대해서는 3% 한도로 보유하게 하였다. 그리고 보험업 관리규정을 통하여 "평가증 상당액을 제외한 취득원가"로 이 3%의 한도여부를 계산할 것을 규정하였다. 그것은 적절하였다.

예컨대, 고정자산은 대부분 전략적 자산이며, 고유목적자산이다. 이것은 모든 효용가치는 그대로인데, 이것을 재평가하여 보유하게 되면, 그 명목가치는 계속 상승한다. 만일 이것을 토지와 건물로 상정해 보자. 삼성생명의 본사를 서울 한 복판에 두었을 때, 삼성생명의 기수가 67기이므로 그 부동산의 가치는 60년이 지나면 100배가 되었을 것이다. 그러면, 99배의 부동산을 처분하여 배당을 하고, 회사는 시골로 이사를 하여야 하나? 투자주식의 명목가치가 상승했다고 해서 그 인플레이션 등의 차이로 인한 금액을 처분하여 배당을 하라는 것은 말이 안 되는 이야기이다. 그 보유목적이 전략적 투자자산일 경우, 효용가치가 그대로 이므로 이것을 이익으로 계상할 수는 없는 것이다.

다. 취득시와 동일한 투자주식의 효용가치

원래 보험회사는 관계회사 주식을 자신의 총자산의 3% 이내에서 보유하기로 되어 있다. 그래서 삼성생명은 총자산의 3% 이내로 하여 삼성전자의 주식을 9조원 가량 매수하여 보유하였다. 이때 이 금액은 삼성전자 주식의 8.6%를 차지한다. 그런데, 60 여년이 지나면서 삼성전자가 성장도 하고, 인플레이션도 발생하여 그것의 실질적인 명목가치는 계속 상승하였다. 그런데, 이 투자주식은 투자목적이 아니라, 국제기업회계기준 상의 전략적 자산에 속한다. 예컨대, 삼성생명의 토지 건물의 부동산과 다를 바가 없다는 것이다. 이 지분으로 삼성전자를 해당 비율만큼 지배한다는 원래의 전략적 목적의 투자인 것이다. 이렇게 삼성에서는 그 삼성전자에 대한 지배구조를 형성하였다. 이 효용가치는 원래와 하나도 변하지 않았다.

우리나라에도 십 여년 전부터 국제기업회계기준(IFRS)을 적용하고 있다. 그런데, 이번에 이 국제기업회계기준에 변경이 왔다. 그것은 재무제표를 현상과 최대한 일치시키기 위하여 투자주식을 시가로 평가하여 재무제표에 계상하는 것이었다. 그런데, 이때 평가증 상당액은 상대편의 자본조정의 항목으로 반영하라는 것이었다. 여기에서 자본조정이라는 것은 자본금과 같이 그 전략적 자산의 목적이 유지되는 한 계속 보유를 목적으로 한 회계처리였다. 평가증 상당액은 실질적인 효용이 변동되지 않았기 때문이다. 이것을 이익으로 계상할 수는 없는 것이다. 이번에 삼성생명에서는 회계처리를 이와 같이 하였다.

라. 국제기업회계기준의 원래 취지

2023년도부터 우리나라 보험회사에 국제기업회계기준 No.17이 적용되는데, 장기보유 투자주식에 대해서 시가로 평가하여 계상할 것을 규정하고 있다. 그런데 이때 국제기업회계기준 No.17은 장기보유자산을 계속 보유할 것을 규정하고 있는데, 그것은 이 자산의 평가증 상당액을 그 상대계정인 자본계정으로 계상함을 통해서 그렇게 하라는 것이다.

현재의 법규는 관계회사 투자주식의 보유한도를 "총자산의 3%"라고 한 후, 보험업감독 관리규정에서 "투자주식은 취득원가로 계산한다"라고 되어 있다. 이에 대하여 더불어 민주당의 몇몇 의원은 여기의 "총자산의 3%"를 "재무제표상 총자산 가액의 3%"라고 보험업법을 개정하려고 한다는 것이다. 아이러니컬하게도 민주당은 IFRS 17

에 따라 이것을 주장하는데, IFRS 17의 원래 취지는 계속 보유이다.

말하자면, 취득당시의 투자주식의 효용가치와 현재와 전혀 달라지지 않았는데, 특히 인플레이션의 영향 등으로 인하여 명목가치만 상승한 것인데, 이 모든 것을 무시하고 투자주식에 대한 처분명령을 내리고 있는 것이다. 취득당시의 투자주식의 효용가치는 그대로 인데, 인플레이션의 영향으로 인해 증가된 명목가치 부분을 처분하라는 것이다. 그러면, 삼성생명의 투자주식은 그 고유목적을 상실한다. 전략적 투자자산의 본질을 훼손한 것이다. 이것은 법을 이용한 사유재산의 침탈이다.

2. 기업회계기준을 통한 이해

가. 재무상태표에 대한 이해

재무상태표는 특정 기업의 재무상태를 차변과 대변으로 구성된 복식부기의 원리를 통해서 나타낸다. 차변에는 각종 자산이 기록되며, 대변은 이 자산을 취득할 수 있는 자금의 종류를 나타낸다. 즉 이 대변에는 타인자본으로서 부채와 자기자본으로서의 자본이 있다. 즉 개별 기업들은 자기자본과 타인자본을 가지고, 각종 자산들을 보유한다.

이때 자산 중에는 1년 이내에 현금화가 가능한 유동자산이 있으며, 1년 이상 보유해야하는 장기보유자산(비유동자산)이 있다. 이 장기보유자산의 대표적인 것이 투자주식, 유형자산(토지, 건물 등) 등이다. 이때 비유동자산(고정자산 등)의 중요한 특성은 인플레이션의 영향을 받는다는 것이다. 비유동자산의 경우 만일 10%의 인플레이션이 지속적으로 발생할 경우, 약 24년이면 10배로 상승한다. 고정자산이나 투자주식의 경우에는 그 가격상승폭이 약 15% 정도는 된다. 그러면 16년이면 10배로 상승한다. 지금 현재 삼성생명의 경우 67기를 맞는다.

그런데, 금번에 투자주식에 대해서는 그 시가 확인이 용이하므로 시가로 공시할 것을 규정하고 있다. 그러면 당연히 인플레로 인한 평가증의 부분이 발생한다. 이때 더 불당은 보험업법을 통하여 이렇게 시가평가한 자산의 평가증 상당액을 모두 처분하라는 법규를 만들려고 한다는 것이다. 만일 이것을 건물과 같은 유형자산에 적용할 경우, 건물과 토지의 용도와 효익(그 고유목적의 효익)은 그대로 인데, 이것을 처분하여 인플레이션에 해당하는 가액을 이익으로 계상하여 배당을 하라는 것이다. 그러면 도리어 그 고유목적 효익은 감소하게 되는 것이다. 이것은 법규를 통한 재산권침탈인데, 헌법을 위반한 법률이다.

나. 장기보유자산의 보유목적을 존중하는 IFRS

국제기업회계기준(IFRS 17)에서는 내년부터 투자주식의 경우, 시가평가를 하도록 하고 있다. 그리고 그 평가증이 된 부분에 대해서는 자본조정 계정으로 계상하도록 하고 있다. 그것은 그 자산의 효익 등이 증가된 것이 없기 때문에 당기손익으로 인식하여 배당할 것이 아니라, 자본 계정에 계상하라는 것이다. 장기보유자산을 평가한 후, 그 평가증 상당액을 처분한다면, 그것은 고유목적의 훼손이다. 우리는 일반적인 대전제 안에서 이 사안을 고찰하여야 한다.

법규로 원래의 그 보유목적을 훼손시킬 수는 없다. 그 보유목적이 적절하든 부적절하든, 모든 장기보유자산의 경우 모두 그 보유목적이 존재한다. 그 보유목적을 부정할 수는 없다. 부동산은 업무를 수행하는 장소이다. 이 가격이 올라갔다고 해서, 그 기준 초과보유분을 처분할 수는 없는 것이다. 기계장치가 있다고 하자. 이 기계장치의 가격이 올라갔다고 해서 처분할 수 있는가? 특허권이 있다고 하자. 그 특허권의 가격이 올랐다고 해서 그것을 처분하면, 그 회사의 존속이 불가능해진다. 투자주식도 마찬가지이다. 그 투자주식의 목적이 있다. 특정 회사에 대한 지배력을 확보하고자 하는 목적이 있다. 그 지배력은 관계회사를 지배하고자 하는 업무목적도 있고, 지주회사로서의 목적도 있다. 그 평가가치가 증가했다고 해서, 그 가치를 평가한 후에 기준을 넘어서는 금액을 처분하라고 한다면, 그것은 회사 고유목적의 훼손이다.

그래서 IFRS 17은 투자유가증권에 대해서 시가평가를 하고, 그 평가증의 금액은 상대계정을 자본으로 하여 계속 보유하도록 한 것처럼, 『보험업법』 106조도 이에 준해서 처리하여야 한다. 그것은 투자주식에 대한 시가평가를 하되, "그 평가증이 되어 자본계정에 산입한 금액은 각종 보유기준의 산정시 제외되어야 한다"는 단서를 붙이는 것이다.

다. 장기보유자산의 당기손익 인식시, 부적정의견(IFRS)

삼성생명은 최초의 법규에 따라 장기보유증권을 취득가액으로 평가하여 비유동자산 계정에 회계처리를 하였다. 만일 보유기준을 바꾸어서 법규를 통해서 이 투자주식에 대한 처분을 명령한다면, 이것은 법의 변경을 통한 사유재산침해가 된다. 즉 소급입법이라는 것이다. 지금 더불당은 소급입법으로 헌법을 침해하고 있는 것이다.

만일 더불어 민주당에서 요구하는 바와 같이 이 투자주식을 처분하여 차액은 당기손익으로 인식하고, 그 순이익에 대해서는 배당을 한다면, 그것은 곧바로 기업회계기준 위배에 해당한다. 이러한 고유목적자산의 처분은 삼성생명의 대표이사 마음대로 할 수 없으며, 주총을 열어서 의결을 하여야 한다. 이러한 의결도 없이 그러한 처분 행위를 할 경우, 대표자는 배임행위를 한 것이 되며, 이 회사의 회계감사 의견은 부적정의견을 받을 것이다. 삼성생명의 장기보유자산은 삼성생명의 고유목적 자산으로, 삼성생명의 주가에 중요한 영향을 미친다. 이러한 자산의 처분은 반드시 주주총회의 의결을 받아야 한다. 고유목적을 상실하기 때문이다.

라. 소급입법을 통한 재산권 침해

만일 법의 위배로 인하여 주식의 처분을 하여야 한다면, 그것은 적절한 처리이다. 그러나 새로운 법규의 개정으로 소유권의 변동이 생긴다면, 이것은 소급입법을 통한 소유권침해이다. 기업회계기준은 이 경우 계속 보유를 명시하고 있다. 법률도 또한 그러해야 한다. 이것이 기업회계기준의 정신을 반영한 올바른 법규이다. 기업회계기준의 본질을 반영해야 하지, 기업회계기준의 명문화된 부분만 차용하려면 안 된다. 기업회계기준은 참조사항일 뿐이다.

더불어 민주당은 기업회계기준을 빌미로 삼아 보험업법 106조의 개정을 시도하고 있는데, 기업회계기준은 장기보유목적 자산의 인플레이션 등으로 인한 평가증 상당액은 자본계정에 계상한 후 계속 보유할 것을 규정하고 있다. 언어의 혼선을 이용한 꼼수일 뿐이다. 삼성생명이 보유하고 있는 삼성전자의 주식은 해마다 주식가치가 바뀐다. 이것은 회계처리에 반영만 되면 되지, 해마다 그것을 처분할 수는 없다.

3. 삼성지배구조 해체를 위한 삼성생명법에 대한 주장들

가. 삼성생명법에 대한 각종 주장들

더불어민주당의 이야기 중 중요한 것은 보험 가입자의 돈으로 삼성전자의 주식을 보유하고 있느냐이다. 그런데, 삼성생명의 포트폴리오를 분석한 결과, 그것은 주주들의 자기 자본을 통해 보유하고 있음이 밝혀진다. 즉 보험가입자들의 돈으로 삼성전자를 지배하는 것이 아니라는 것이다. 또한 더불어민주당의 주장은 이 주식을 처분하지 않기 위해서 다른 금융기관은 모두 유가증권에 대해서 시가평가를 하는데, 왜 보험사만 취득원가 평가를 했느냐고 말하는데, 그것은 지금까지의 기업회계기준이 그러했기 때문이다. 더불어민주당은 결론적으로 삼성전자의 주식을 처분하여 모두 배당하라고 한다. 그런데, 이것은 장기보유목적 자산의 본질을 훼손하는 것이다.

나. 삼성생명의 자산·부채 포트폴리오 : 보험 가입자의 돈을 이용했나?

삼성생명의 재무제표에 의하면, 삼성생명이 보유하고 있는 투자주식은 모두 주주의 자본으로 보유하고 있는 것으로 나타난다. 일반적으로 한 회사의 자산구성은 주주자본으로 유형자산과 투자주식 등의 장기보유목적 자산을 보유한다. 이때 삼성생명의 주주자본은 34조원이며, 그 포트폴리오 대상인 유형자산과 투자주식 등의 장기보유자산은 17조원이다. 여기에서 초과된 금액 17조원은 운영자금으로 쓰이고 있다. 이것은 삼성생명이 보험가입자의 자금으로 삼성전자의 주식을 보유하고 있지 않다는 것을 나타내고 있다. 또한 미래에 발생할 보험부채 58조원을 예상하고 있는데, 이 보험부채에 대한 예비자금으로 55조원을 계상하고 있다. 이러한 수치가 말해주는 것은 보험금을 이용하여 투자주식을 보유하고 있지 않다는 것이다. 더불어민주당은 보험가입자의 돈으로 해당 주식을 보유하고 있는 것처럼 말하고 있다.

삼성생명 재무상태표 (2021년도)

자	산		부	채	
[유동자산]	예금 등	238조	[부 채]	유동부채 등	218조
[비유동자산]	보험계정	55조	(장기부채)	보험부채	58조
(장기보유)	부동산	4조	[자 본]	자본금	34조
	기타	4조		잉여금	
	투자주식	9조			
		310조			310조

나. 다른 금융기관은 시가평가인데, 보험사만 취득원가평가를 한다?

금융기관은 크게 두 종류로 나눌 수 있는데, 공공성이 강한 일반금융기관과 그 공공성이 약한 사적 금융기관이 있다. 이때 우리나라의 보험사는 후자에서 출발하였다. 공공성이 강한 일반금융기관은 일반인으로부터 예금을 조달하여 대부분 대출을 통하여 운영을 한다. 여기에는 장기보유 유가증권이 존재하지 않고, 모두 단기 매매목적으로 보유를 한다. 그렇기 때문에 시가평가를 하는 것이다. 그런데, 우리나라의 경우 보험사는 개인 금융에서 출발하였다. 그래서 일정금액 내에서는 투자유가증권이 존재한다. 그리고 이와 같은 장기보유증권은 그 회계처리 방법이 단기매매 증권과 달리 장기보유의 목적이 있기 때문에 취득원가로 평가한다. 이것이 그동안의 법규였다.

그렇다고 마냥 평가를 하지 않는 것이 아니라, 그 원가와 시가의 차이가 현저할 경우 자산재평가를 할 수 있다. 그렇다고 그것의 효익이 증가한 것은 아니라, 대부분

인플레이션의 영향이므로 자산재평가 금액은 자본계정에 평가계정으로 계상을 한다. 당기의 이익에 실현시키는 것이 아니다. 이것이 이번에 나온 IFRS 17의 투자주식에 관한 것이다.

장기보유목적의 투자유가증권을 보유하고 있지 않은 일반금융기관과 사적 금융기관으로 시작한 보험사를 직접 비교하여 보험사를 비판하는 것은 우리나라의 금융을 모르는 처사이다. 어떤 꼼수를 부리기 위해 장기보유유가증권을 원가 평가한 것이 아니라, 원래 장기보유목적의 자산은 취득원가로 재무제표에 반영하게 되어 있다.

다. 평가증 상당액의 배당처리? 고유목적의 상실, 미실현이익

재무제표상의 모든 장기보유자산은 그 고유목적이 존재한다. 부동산(토지, 건물)은 사업장으로서의 고유목적이 존재한다. 서울 도심에 건물이 있을 경우, 20년이면 10배로 폭증을 한다. 그 건물의 공시가격은 10배가 되어 있으나, 그 효익은 동일하다. 그런데 이것을 평가하여 당기손익으로 처리하여 배당을 한다는 것은 - 극단적으로 표현하면 - 그 건물을 팔고 차익부분은 모두 배당을 한 후, 저 시골로 본사를 이전하라는 것과 같은 이야기이다.

투자주식도 마찬가지이다. 보험사는 그 보유목적을 일단 3%로 제한을 받았다. 즉 자기자본 내에서나 관계회사주식을 취득하라는 것이다. 이것은 허용된 수치이며, 이때 허용된 것은 당연히 취득가액이 기준이다. 이때 후에 발생하는 평가증 상당액은 미실현이익으로서 자본계정에 계상된다. 이것을 당기손익으로 계상하고 해당액을 처분하여 배당해 버리면 그 고유목적을 상실하기 때문이다. 허용된 수치 내에서 투자주식을 보유하여 삼성전자라는 지배구조를 구성하였다. 그런데, 이제 시가가 10배 폭증했으니, 9배 상당액을 처분하여 이익으로 계상한 후 배당을 하라는 것이다. 그러면, 이 삼성생명의 관계회사지배라는 고유목적을 상실한 것이다. 이 고유목적은 허용된 수치이다. 따라서 삼성생명법은 소급입법을 통한 삼성전자 지배구조 파괴에 해당한다. 삼성생명은 경영권 프레미엄을 상실한 것이다. 일반적으로 경영권 프레미엄은 주가의 절반에 이르는 경우도 있다. 소급입법을 통한 재산권침해이다.

장기보유목적 자산은 인플레이션 등 외부적 요인에 의해서 평가증이 된 것이며, 이것은 또 다시 하락할 수도 있다. 특히 주식의 경우에는 해당회사가 도산을 할 경우 그것은 휴지조각이 된다. 만일 삼성전자가 국유화되면 그 주가는 폭락하고, 심지어 세계경쟁력을 상실하면 심지어 파산할 수도 있다. 따라서 미실현이익을 당기 손익으로 인식하여 배당할 수는 없는 것이다. 더불어 민주당의 미실현이익에 대한 배당요구는 삼성 지배구조의 해체전략일 수 있다.

라. 『한국 자본주의』에서 말하는 그 배당인가?

장하성은 2014년 『한국 자본주의』라는 책을 쓰고, 2017년도에 문재인 정부의 정책실장으로 재직하며, 이때 국민연금스튜어드십 코드가 제정되었다. 이 책은 좌파들 혁명 지침서일 수 있다는 생각을 하게 한다. 이 책의 1부는 소득주도성장에 관한 것인데, 그 중 한 축이 소액주주운동의 '배당'이다. 그는 유보이익을 통한 대기업의 사업확장에 대해 분노하며, 이것을 모두 배당을 하고, 사업확장은 차입이나 증자를 통해서 하라고 한다. 이것은 기업가들이 들으면 파안대소할 이야기이다. 잘되는 사업을 다른 투자자들에게 넘기라는 이야기이기 때문이다. 이 '배당'이 좌파들이 집권하면 정책을 통해서 밀어붙일 전략이다. 문재인은 자본시장법시행령 154조 1항에서 '4호 배당'을 삭제해 버렸다. 국민연금기금 등을 통해 배당정책에 관여하겠다는 의도인 것이다. 이제 더불어민주당의 삼성생명법에서도 이 배당 이야기가 나온다.

4. 삼성생명법과 경제민주화 논쟁

가. 삼성생명법의 의미, 대기업의 국유화

삼성생명법은 좌파들의 경제민주화 일환으로 추정된다. 장하성은 현재의 헌법 119조를 '좁은 의미의 경제민주화'라고 하며, 자신의 재벌해체를 '더 넓은 경제민주화'라고 말한다. 그는 문재인 정부의 정책실장을 하였는데, 그의 많은 사상이 경제와 법률에 반영된 것 같다. 국민연금과 관련한 여러 법규들이 그것이다. 그의 후임은 삼성저격수로 나타났다. 삼성은 삼성생명법에 대한 대안으로서 다른 계열사에서 이 지분을 취득하는 방안을 모색하고 있었는데, 『금융복합그룹감독법』을 제정하여 대기업 계열사간의 자금이동을 원천 차단하였다.

더불어민주당에서는 이제 삼성생명법을 과감하게 밀어붙이고 있다. 대주주 지분을 희석화 시켜서 지배권을 해체하는 것이다. 만일 삼성생명법이 단서조항 없이 국회를 통과한다면, 이것으로 삼성전자는 "이재용-국민연금-블랙락펀드"의 3자 운영체제가 된다.

나. 장하성의 경제민주화와 삼성생명법

더불어민주당에서 주장하는 투자주식 평가차익(19조원)에 대한 배당 주장은 『한국 자본주의』 1부에 나오는 소득주도성장의 한 축으로서의 배당에 관한 이야기로 보인다. 장하성은 『한국 자본주의』 결론에서 "투표가 자본을 이긴다"고 말한다. 여기에서 '투표'는 '민중민주주의(사회주의) 정권'을 말하며, '자본'은 '재벌과 대기업'을 말한다. 이 '정권'은 '소액주주'를 위한다는 명목으로 대기업에 개입하여 '배당'을 하게 한다. 문재인 정부에서는 『자본시장법 시행령』 154조1항에서 '4호 배당'을 삭제해 버렸는데, 이것은 국민연금으로 하여금 각 회사들의 배당정책에 개입할 수 있게 하는 의도로 보인다. 그러면 이제 국민연금이 간섭하는 주요 대기업들은 사업확장을 할 때, 유상증자를 통해서 해야 한다. 그렇지 않으면, 스튜어드십 코드 얘기가 나올 것이며, 이 여론전이 먹혀들면, 이제 경영권 교체가 시작된다.

이러한 법규개정이나 배당 등을 통한 압력이 성공하여서 대기업 지분희석화가 성공하면, 그러면 결국 국민연금이 우뚝 솟아서 4대기업을 국가가 운영하는 국가 자본주의로 실현시킬 수 있다. 이것이 『한국 자본주의』의 기획으로 보인다.

결론적으로 더불어민주당의 삼성생명의 삼성전자 투자주식을 처분하여 그 차익을 배당하라는 것은 - 물론 결은 다르지만 - 이러한 『한국 자본주의』의 지분희석화의 전략으로 보인다는 것이다. 이것이 더불어민주당의 의도이지, 소액주주를 위한 것이 아니다. 왜냐면 지금 소액주주들은 삼성생명과 삼성전자의 주가가 떨어지기 때문에 더불어민주당의 주장을 반대하고 있다.

다. 4대기업이 갖는 의미 : 4대기업의 GDP기여도

4대기업의 우리나라 GDP(국내총생산)기여도를 한번 살펴보고자 한다. 다음의 표에 의하면, 2019년도의 우리나라 총 GDP는 1,919조원이다. 국내 총생산이란 일자리를 말하며, 소득을 말한다. 이때 우리나라 4대기업의 매출은 317조원으로서 총 GDP의 17%를 차지한다. 4대기업의 부가가치는 매출액과 일치하는데, 그것은 모든 하청사들의 부가가치를 4대 기업에게 귀속시켜야 하기 때문이다. 한편 1,919조원의 부가가치는 주요 GDP와 파생 GDP로 구분된다. 주요 GDP는 무에서 유를 창출하는 GDP로서 농업, 제조, 건설, 문화 등으로 약 859조원이다. 파생 GDP는 연관 GDP와 낙수 GDP로 구성되는데, 이것은 주요 GDP에 배분되어야 한다. 물론 이러한 구분에는 많은 전제가 반영되어 있다. 이렇게 파생 GDP를 주요 GDP에 배분할 경우, 4대 기업의 우리나라 총 GDP에 대한 기여도는 37%에 이른다.4) 어마어마한 수치이다.

---

4) 여기에서 주요부가가치의 기준이 애매하다. '요식'이나 '금융' 중에서 일부는 주요 부가가치로 분류될

업종	주요GDP	파생GDP	창출GDP	GDP비율	단순평균 일자리
농림어업	33	40	73	0.04	986
광업	2	3	5	0.00	71
전기,가스 및 수도사업	40	50	90	0.05	1,218
제조업	532	656	1,187	0.62	16,070
건설업	115	142	257	0.13	3,481
정보통신업	88	108	196	0.10	2,657
문화 및 기타서비스업	49	61	110	0.06	1,492
합계	859	1,060	1,919	1	25,976
첨단선도기업(4대기업매출)	317(0.17)	391(0.2)	708	0.37	9,583

2019년도 금액 : 조 일자리 : 천

<전제> 1. 도소매, 서비스, 금융을 파생(낙수) GDP로 간주(1,060조)후, 주요GDP에 배분
2. 원재료 수입액은 제외되어야 하나, 관련 서비스와 도소매가 제외 된 것으로 상쇄

　우리나라에 국가자본주의(사회주의) 혁명이 성공하여 4대 기업이 국유화되면 어떻게 될 것인가? 위의 37%의 GDP기여도가 꺽이는 것이다. 현재 삼성전자와 현대자동차가 그 타겟이다. 삼성전자는 삼성생명법이 사회주의자들의 공격대상이며, 현대자동차는 순환출자구조가 그 공격대상이다.

라. 진정한 경제민주화 : 요소소득의 배분

『헌법』 119조의 경제민주화는 소유재분배가 아니라 소득재분배이다. 우리는 위의 4대기업의 부가가치의 요소소득 배분구조를 한 번 살펴볼 수 있다.

(2019년도. 단위 : 조)

그 룹	회 사	매 출	하청사와 근 로 자	자본가 (이익)	대주주 지분	대주주 귀속	소액주주 귀속
삼성	삼성전자	153	138	15	21.20%	3.18	11.820
LG	LG전자	28	28.2	-0.2	33.68%	-0.07	-0.133
	LG화학	22	21.7	0.3	30.10%	0.09	0.210
현대자동차		49	46	3	29.11%	0.87	2.127
SK		65	63.4	1.6	29.62%	0.47	1.126
합 계		317	297.3 (60+237.3)	19.7		4.55	15.15
요소소득 배분율		1	0.938	0.062		0.014	0.048

　위에 의하면, 4대기업의 부가가치는 직원들과 하청사들에게 93.8%정도 배분된다.

수 있는 여지가 매우 많기 때문이다. 따라서 이 책의 파생(낙수)부가가치의 기준은 전통적인 방식에 따른 것이다. 이러한 한계를 유념하고 그 내용을 이해하여야 한다.

소액주주들에게 4.8%배분되고, 정작 대주주들에게는 1.4% 배분된다. 4대기업의 대주주들이 우리나라 총 GDP 1,919조원의 37%를 기여하고, 정작 본인들에게 귀속되는 배당가능이익은 4.55조원으로서 GDP의 0.2% 정도이다. 그런데, 이 4.55조원도 개인 대주주에게 귀속되는 것이 아니다. 모두 삼성생명이나 삼성물산과 같은 지주회사에게로 귀속된다. 정작 개인 대주주에게는 GDP의 0.02% 정도가 배당가능이익인데, 그것도 대부분 배당하지 않고, 회사의 사업확장자금으로 재투자된다. 이와 같이 시장경제 하에서의 요소소득은 근로자와 하청사에게 대거 배분된다.

마. 국가자본주의의 허구

장하성은 국가자본주의를 경제민주화라고 말하며 찬양하고 있다. 그러나 위를 통해 알 수 있듯 자본주의 시장경제가 진정한 경제민주화이다. 국가 자본주의는 사회주의로서 우리나라 헌법에도 어긋난다. 뿐만 아니라, 위의 GDP의 37%를 기여하는 4대기업이 국유화될 경우, 대한민국의 국민들의 삶은 세계의 웃음거리가 되며, 우리의 경제적 삶은 초토화될 것이다.

5. 삼성생명법과 국가자본주의

가. 신 코민테른의 출현

한 국가를 사회주의화하는 방법은 두 가지인데, 하나는 적화통일과 같은 영토전쟁이며, 또 하나는 사회주의자들의 정당이 정권을 장악하고, 유니콘 대기업들을 국유화하면서 프롤레타리아 독재를 실시하는 것이다. 유니콘 기업이 국유화되면, 그 하청사들과 관계회사들이 모두 국가 통제에 속하게 되며, 또 다시 그 기업내부자금을 이용하여 다른 주요 기업들을 국유화한다. 러시아 푸틴은 이렇게 전체 대기업들을 국유화하는데, 3년 6개월 밖에 걸리지 않았다.

어느 날 동물의 세계 유투브를 하나 보았는데, 아프리카의 한 표범이 어린 송아지를 물어서 치명상을 입히고, 어미 소가 돌진해오자 도망을 친다. 그러나 이미 그 송아지는 치명상을 입었다. 그 표범은 이제 숨어서 그 송아지가 죽기를 기다린다. 유니콘 대기업의 지배구조를 일단 해체해 버리면, 그 다음에 자신들이 정권을 잡았을 때, 그 기업은 자신들의 일자리가 된다. 대기업의 지배구조를 파괴하는데, "사모펀드-국민연금-중국펀드"가 함께 움직인다. 이것은 정황이지만, 거의 분명해 보인다. 우리는 이것을 신 코민테른이라고 부르고자 한다. 이러한 신 코민테른은 우리나라에서 이미 시작되었다. 앞으로 이것을 계속 논증하고자 한다.

나. 국가자본주의 개념

마르크스는 자본주와 프롤레타리아의 생산관계가 착취의 구조로 되어 있어서, 자본주의는 프롤레타리아 혁명에 의해 공산주의로 이행할 것이라고 말하였다. 그러나 유럽사회에서 그러한 일은 발생하지 않았다. 그러자 마르크스는 그의 말년에 『고타강령비판』이라는 꾀를 하나 내었는데, 그것은 자본주의에서 공산주의의 중간단계로서 사회주의를 삽입하였다. 민중을 이용하여 민중정부를 수립하고, 그 정부가 국부펀드 등을 이용하여 주요 대기업들을 국유화한다. 그 다음에는 그 대기업의 내부자금을 이용하여 또 다른 대기업들을 국유화한다. 이렇게 하여 생산력을 증대시킨 후에 이제 전체의 기업들을 국유화하여 공산주의를 실현한다.

이 중간단계를 사회주의라고 하며, 국가 자본주의라고 하고, 사회주의 시장경제라고 한다. 이러한 신사회주의가 오늘날 출현하였다. 주사파가 그 동안은 북한과의 적화통일을 획책하였다. 이것은 그 동안 민족해방(national liberation, NL계열)의 공산화방법으로 불리웠다. 그러나 이제 한 나라에 대한 공산화방법이 바뀌고 있는데, 그것은 민중민주주의(People's democracy, PD계열) 공산화 방법이다. 이것은 영토전쟁이 아니다. 한 나라의 정권을 장악한 후, 그 나라의 대기업을 국유화하는 것이다. 그 대표적인 나라가 러시아와 중국이다. 중국은 이 일과 관련하여 각국의 사회주의 정당을 지원한다. 이것이 네오 코민테른이다.

다. 러시아의 국가자본주의

스탈린의 계획경제 혁명은 소련 전체를 빈사상태로 만들어 버렸다. 그 후 후르쉬쵸프를 비롯한 그 후임 대통령들은 어떠한 정책을 통해서라도 소련에 대한 치유가 불가능하다는 것을 인식하였다. 이때 용기있는 대통령이 나타났는데, 그가 고르바쵸프와 옐친이었다. 고르바쵸프는 소비에트연방(소련, 소비에트는 노동자협의회를 의미)을 해체하여, 각 국가들을 이전의 체제로 복귀를 시켰다. 그리고 옐친은 러시아의 대통령이 되어서 전국민의 국민투표를 통하여 자유민주주의 시장경제를 수립하였다. 그런데, 러시아는 급작스런 시장경제의 채택으로 하이퍼 인플레이션을 일으키며, 러시아에 모라토리엄 사태를 불러일으켰다. 옐친이 건강상의 이유로 총리인 푸틴이 집권하게 되었다.

푸틴은 그의 집권 2기때 하나의 은밀한 혁명을 일으켰는데, 먼저 언론을 장악하고,

사법부를 장악하면서 올리히가르(신흥재벌)들을 해체하기 시작하였다. 이때 푸틴은 먼저 국부펀드를 이용하여 가즈프롬(50%+1주)과 로스네프찌(67%)의 경영권을 장악하였다. 이 두 회사는 당시 러시아에서 대한민국의 4대기업과 같은 존재였다. 그리고 이어서 이들 두 회사의 내부자금 등을 이용하여 또 다른 주요 기업들을 M&A하기 시작하였다. 송유관회사, 자동차 회사, 비행기 회사, 등등 모든 대기업들을 장악하였는데, 이 작업을 하는데 3년 6개월 밖에 걸리지 않았다. 그래도 국민들은 아무 관심이 없었다. 그냥 기존의 올리히가르들의 재산을 국가가 몰수하는 줄만 알았다. 그런데, 나중에 알고 보니 러시아 내의 주요 생산수단(대기업)을 국가가 장악한 것이었다. 그래서 러시아는 헌법은 자유민주주의 시장경제이며, 실질적인 정체를 국가 자본주의라고 불리운다. 즉 국가가 시장에 참여하여 주요기업들을 모두 국유화해 버린 것이다.

라. 국가자본주의를 추천하는 장하성의 『한국 자본주의』

장하성은 그의 책 『한국 자본주의』에서 한국의 자본주의를 고장난 자본주의라고 부른다. 그리고 그것은 재벌의 폐해라고 말한다. 그러면서 그 자리를 국가가 대신했으면 좋겠다고 말한다. 그 책 한권이 재벌해체의 방법론을 기술한 책이라고 해도 과언이 아니다. 그는 여기에서 한국 자본주의가 가야 할 길을 국가자본주의라고 말한다. 어떻게 이런 책이 대한민국 사회에서 유통될 수 있는지 아이러니하다. 그리고 더 나아가 그 책의 저자 장하성이 문재인 정부에서 초대 정책실장이 되었으며, 그가 정책실장으로 재임하며, <국민연금 스튜어드십 코드>를 만들었다. 이것은 국민연금이 대기업의 경영권교체를 할 수 있는 『국민연금법』의 하위법규이다.

마. 우리나라는 국가자본주의가 가능한가?

그렇다면, 우리나라는 이 국가자본주의가 가능한가? 물론이다. 이미 우리나라의 법률은 연금 사회주의 법률이라고 해도 과언이 아니다. 우리나라 연금총액 949조원인데, 이것은 상장사 시가총액 2,568조원의 37%를 차지한다. 우리나라 4대기업을 포함하여 172개의 주요기업들의 2대 주주이다. 지난 시간에 살펴보았으니 알겠지만, 삼성전자는 이번에 삼성생명법이 통과되면, 그 지배구조가 해체된다. 삼성은 이제 연금과 함께 삼성전자를 운영해야 한다. 이것이 국가자본주의의 시작인데, 이에 대해 어느 정치인도 일언반구가 없다. 마치 대한민국이라는 나라가 무너진 것과 같은 느낌이다. 그런데, 아무런 외침이 들리지 않는다.

바. 삼성생명법과 국가자본주의의 경고

앞으로 또 논의하겠지만, 사모펀드와 중국펀드의 움직임이 심상치가 않다. 우리나라의 다른 법을 무너뜨린 주사파가 가장 핵심에 속한다고 볼 수 있는 경제를 그냥 놓아두었겠는가? 우리나라 국민들, 특히 애국운동을 하는 모든 자들은 속히 경제방향으로 깨어나야 한다. 이제 영토전쟁이 아니다. 민중민주주의 정부를 수립한 후, 생산수단을 국가로 귀속시켜 버린다. 농업주의에서는 토지가 생산수단이지만, 공업주의에서는 기업이 생산수단이다. 한번 지배구조를 해체해 놓으면, 위의 "표범과 송아지의 사례"에서 말한 것처럼 언젠가는 좌파가 집권한다. 그때 또 다시 경제가 처참하게 망가질 것이다. 우파 지식인들은 속히 깨어나야 한다. 공산주의자들이 존재하는 한 그들은 반드시 경제 공산화로 향한다. 공산주의는 경제에 관한 이야기이다는 것을 명심하여야 한다.

< 결 론 > 삼성생명 경영권 침해

가. 위헌성 있는 법률로 인한 피해발생

위헌성 있는 법률을 발의하여 구체적인 손해를 발생시켰을 경우 어떻게 해야 하나? 특히 자유민주주의에 역행하는 사회주의 혁명을 시도하는 과정 속에서 특정 기업이 손해를 입었을 경우, 그 피해액은 어떻게 하여야 하나? 그것은 소송으로 나아가야 하며, 그 손해배상을 청구하여야 한다. 그럴 경우, 감히 함부로 이 자유민주체제의 국가에서 사회주의 혁명을 시도할 수 없게 된다.

나. 삼성 지배구조 해체의 순서

삼성전자가 "이재용(14%)-국민연금(10%)-블랙락펀드(5%)"의 3자 구도의 운영체제가 될 경우, 이재용은 그의 고유한 경영권을 상실하게 된다. 이때 배당압력이 존재하는 가운데, 반도체 사업에 대한 사업확장이 일어난다고 해보자. 이러한 3자 운영체제 하에서 이재용은 증자를 할 수 밖에 없다. 여론이 국민연금을 통해서 무차별 압력을 가할 것이기 때문이다. 그래서 궁극적으로 증자가 일어나면, 그것으로 이재용은 배정된 주식에 대해 참여할 수가 없으므로 경영권에서 아웃이 되는 것이다. 국민연금이나 블랙락펀드는 어마어마한 자금을 가지고 있으므로 아무리 유상증자가 발생을 해도 모두 참여할 수 있다. 이것이 국가 자본주의를 우리나라에 실현하려는 자들의 전략으로 추정된다.

헌법 126조에 의하면, "국가는 사영기업의 경영을 통제 또는 관리할 수 없다"고 선언하고 있다. 이것은 헌법에서 가장 중요한 자유민주의 시장경제를 대표하는 조항이다. 만일 국회의 특정 의원집단이 삼성생명법을 통과시켜서, 한 기업의 경영권을 침해했다고 해보자. 이것은 헌법에 위배되는 법률이 될 수 있다. 이것이 소급입법에 해당되어 피해가 발생하였을 경우, 그것은 소송대상이 될 수 있다.

다. 삼성생명법으로 인한 손해발생액의 추정

만일, 삼성생명이 보유하고 있는 주식의 시가평가가 정당한 법률로 통과가 되어 삼성생명이 보유하고 있는 삼성전자의 주식을 매각해야 한다고 해보자. 그 경우, 다음해부터 즉각적으로 의결권행사가 중단된다. 그러면, 이제 삼성전자 대주주의 삼성전자에 대한 지배권은 상실된 것이다. 먼저, 일차적으로 경영권 프레미엄에 대한 손해가 발생하였다. 일반적으로 경영권 프레미엄은 주가의 절반 정도로 계산된다. 이재용씨의 특수관계자의 지분이 21.2%이며, 주당 8만원 정도로 계산했을 때, 총시가가 480조원의 21.2%인 120조원 정도 된다. 이것의 절반인 60조원 정도가 손해의 금액이 될 수 있다.

또 매해 미처분 금액에 대해 과태료가 부과된다. 과태료가 1%라고 가정한다면, 미처분 금액 19조원의 1%로 하면, 매년 1,800억원의 과태료를 내어야 한다. 이것도 또한 손해의 금액이 될 수 있다.

만일 삼성생명법이 통과되어 3자 운영체제가 되었을 때, 경영권상실이 발생했느냐에 관한 판단이 있어야 한다. 그러나 삼성생명법이 소급입법이 되어서 위헌판결을 받을 경우, 삼성에서는 지분 7%의 지배권을 상실했기 때문에 100%는 아니어도 일정률만큼의 경영권상실이 발생한 것으로 볼 수 있다. 상실한 경영권 프레미엄 60조원 중에서 절반만 하더라도 30조원이 된다. 만일 삼성생명법이 소급입법이 되어서 삼성 대주주는 절대적 지배권을 상실하였다면, 이 금액은 소송청구 금액이 될 수 있다.

라. 삼성생명법의 위헌성 여부

만일 삼성생명법이 소급입법성이 드러난다면, 삼성생명법은 헌법 126조 "국가는 사영기업의 경영을 통제 또는 관리할 수 없다"는 조항을 파괴한 것이다. 그리고 그로인한 손실을 특정기업(삼성전자)의 경영진에게 입힌 것이다. 따라서 우리는 이 조항의 소급입법성 여부 혹은 계속성 위배여부를 검토하여야 하는 것이다. 기존에 취득가액으로 평가기준을 삼던 것을 갑작스럽게 기업회계기준을 핑계로 시가평가로 바꾸어서 재산권에 침해를 가한 것이다.

원래 삼성생명은 삼성전자의 주식을 8.5% 정도 보유하고 있었다. 이 시기의 보험업법은 취득가액으로 평가하도록 되어있었다. 보험업법에서는 보험업 감독규정을 통해서 이것을 규정하였다. 이러한 보험업 감독규정도 보험업법의 하위규정으로서 법규의 일환으로 볼 수 있다. 이것은 현실의 실상을 제대로 반영한 조치였다. 삼성그룹은 이에 맞추어서 삼성에 대한 지배구조를 형성하였다.

그런데, 더불어 민주당 의원들은 보험업법을 개정하면서 일방적으로 시가평가를 규정했다. 장기보유자산에 대해서도 특정한 기준금액을 넘어서면 처분을 하라고 명령을 한 것이다. 이로 인해 기존의 법규를 믿고 투자주식을 보유하던 삼성전자 대주주는 법률의 변경으로 인하여 손해를 입게 된 것이다. 이것은 기존법률에 반하는 법제정이며, 소급입법적 성격을 가지고 있는 것이다. 그리고 이로 인해 손해가 발생한 것이다.

그리고 이것은 입법기관이 준수해야 할 헌법 126조 "국가는 사영기업의 경영을 통제 또는 관리할 수 없다"는 조항을 의도적으로 파괴한 것이다. 다른 경영통제의 다른 이유가 존재하지 않는다. 헌법 126조의 단서조항에 의하면, "국가의 안보와 경제를 위한 긴절한 필요를 법률로 정하는 경우 외에는"이라는 단서를 두고 있다. "국가의 안보와 경제를 위한 긴절한 필요"를 입증하지 못하면, 상기 생명보험법의 입안자들과 관련자들 모두에게 배임의 책임여부를 물을 수 있다. 만일 배임이 있다면, 국가는 당연히 연대책임이 있다. 물론 이러한 시나리오에는 법적 전문가의 판단이 필요하다.

마. 법률행위로 나타나야 하는 자유 수호활동

자유민주주의를 위한 투쟁이 이제는 거리에서의 투쟁보다는 법률투쟁으로 나아가야 한다. 그리고 구체적인 금전적인 책임을 지게 하여야 한다. 정치인들의 그 무책임에 대해서 하나하나 그 배임에 대한 책임을 물어야 한다. 포괄적으로 묻지 말고 구체적으로 물어야 하며, 단체를 향하지 말고 구체적인 개인을 향해야 한다. 자신의 행위에 대해 반드시 책임이 따라온다는 것을 알게 하여야 한다.

2장 4대기업 GDP기여도 분석

- 시장경제체제를 위협하는 국민연금
소액주주보호이슈 -

< 서 론 > 기업일자리(국민생존권)와 소액주주보호(경제민주화) 이슈

가. 국민생존권 vs 경제민주화

지난 2020.7.31. <국민연금운용위원회>는 『국민연금 투자기업에 대한 이사회 구성·운영에 관한 안내』를 내놓음으로서 국민연금의 기업경영 참여를 밝혔다.[5) 명분은 국민연금이 국내 상장기업의 '소액주주 보호'를 위해 앞장서겠다는 것인데, 이것은 '기업지배구조개편'이슈로서 『헌법』 119조 '경제민주화'의 일환으로 진행되고 있다. 그러나 우리나라 헌법의 '경제민주화'이슈는 '국민의 생존권' 내에서 논의되어야 한다. 그런데, 이 국민연금의 소액주주보호 이슈는 이 '국민 생존권'을 해치고 있다.

자연법에 의하면, 모든 인간은 '생존권'을 보유하고 태어난다. 이것은 인간 고유의 권리로서 '생존권'의 존재 여부는 논쟁의 대상이 아니다. 한국민족문화대백과사전에서 국민생존권은 "국민이 국가에 대하여 생존 또는 생활을 위하여 필요한 모든 조건의 확보를 요구하는 권리"로 정의한다. 대한민국 『헌법』 전문에 명시된 "국민생활의 균등한 향상"이 국민생존권을 말해주는데, 『헌법』 32조는 "근로의 권리와 의무"는 대표적인 국민생존권이라고 말할 수 있는데, 이것은 '기업의 일자리'를 '국민생존권'으로 파악하고 있음을 알 수 있다.

따라서 위의 『헌법』 119조 '경제민주화'이슈는 『헌법』 32조는 "근로의 권리와 의무"로서의 '기업의 일자리'와 함께 검토되어야 한다. 자칫 국민연금의 소액주주보호이슈가 도를 넘어서 사영기업의 경영권에 영향을 미친다면, 이것은 국가 자본주의 혹은 신사회주의를 의미하며, 이 경우 가장 타격을 받는 것이 기업이며, 그 기업의 일자리이다. 이것은 한 나라의 경제체제와 관련된 것이며 국민생존권과 관련되어 있다.

나. 국민생존권으로서의 기업일자리

---

5) 『국민연금 투자기업에 대한 이사회 구성·운영에 관한 기준안내』는 외견적으로는 이사구성과 운영에 대한 기준안내이며, 사외이사를 추천하겠다고 했다. 그렇지만, 이 『기준안내』는 『수탁책임활동지침』의 후속조치이며, 이 추천을 거절할 경우 궁극적으로 스튜어드십 코드로 이어진다. 따라서 『기준안내』는 추천이 아니라 거의 강제규정으로 볼 수 있다.

국민생존권과 관련하여 인간은 생존도구를 생산수단에서 찾았다. 산업사회 이전의 생산수단은 토지였다. 산업사회 이후에는 기업이 한 국가의 생산수단으로 자리 잡고 있다. 그러므로 현대 사회에서 '국민 생존권'의 핵심은 '기업 일자리'이며, 일자리를 만들어내는 '기업'이 곧 생산수단으로 간주된다. 즉 고대의 세계에서는 토지가 생산수단이었다면, 현대 산업사회에서는 기업 곧 생존을 위한 일자리를 만들어내는 기업이 일국의 생산수단인 것이다. 대다수 국민들이 기업을 통해서 일하고 소득을 얻음으로써 생존을 하고 있다. 그러므로 이러한 기업을 통한 일자리가 감소한다면, 그것은 국민 생존권의 위협을 의미한다.

이에 따라 우리는 국내총생산(GDP) 분석을 통해 우리나라의 기업 일자리가 어디에서 창출하는 지를 분석해 보고자 한다. 국내총생산은 국내에서 산출한 총부가가치로서 이 금액은 고스란히 국민소득과 일치한다. 즉 기업에서 생산한 모든 재화와 용역의 대가가 부가가치이며, 이것은 모두 그 구성원들에게 분배되어 국민소득을 이루기 때문이다. 국가의 경제통계로서 이 양자는 항상 일치한다. 이때 국민소득은 우리 일자리의 결과물이다. 따라서 국내총생산(GDP)와 국민소득(일자리)는 항상 일치하는 것이다. 따라서 우리는 국내총생산의 출처를 관찰함을 통해서 우리의 일자리가 어디에서 출현하는 지를 알 수 있다.

우리는 그 무엇보다도 첨단 선도기업이 창출해내는 부가가치를 이해함을 통해서 우리나라의 국민들의 생존권인 기업일자리가 어떻게 출현하고 있는지를 살펴보고자 한다. 특히 우리나라의 첨단선도기업(용어해설: 첨단기술과 거대자본을 통한 기업을 의미함, 우리나라의 4대기업과 하이테크 기업을 의미)을 대표하여 4대기업을 표본으로 선정하여 분석하고자 한다.

다. 『국가보안법』[6)]상의 "국민의 안전·생존권·자유"

지난 정권은 국민연금 스튜어드십코드와 자본시장법시행령 개정을 통하여 대기업의 경영권을 장악하려 하였다. 이것은 좌파들의 삼성생명법 개정 의도를 통하여 추정될 수 있다. 만일 그러한 경영권 장악의 시도가 입증이 된다면, 그것은 사회주의 혁명의 일환이라고 말해질 수 있다. 그렇다면, 그것은 『국가보안법』 혹은 『형법』상의 '내란' 혐의의 적용을 받는다.

『한국 자본주의』는 "투표로 자본을 이기자"라고 결론을 맺는다. 그 내용을 재해석

---

6) 전문가의 법률검토의 결과, 해당 행위는 국가보안법이 아닌 형법상의 내란과 국헌문란에 해당되는 것으로 판단된다. 왜냐면, 국가보안법에 개념적으로 일치는 하지만, '외환'의 경우만 국가보안법에 열거되어 있기 때문이다. 내부에서 일어난 사회주의 혁명의 내란도 국가보안법에 포함되어야 할 것이다.

하면, 민중들이 민중 민주주의를 좇는 정당을 지원하여 민중 민주주의 정권을 창출한 후, 국가가 법률과 금융자본 등을 이용하여 우리나라 첨단 대기업의 경영을 장악하여 국가자본주의를 실현하는 것이라고 말해 질 수 있다. 이때 우리나라 헌법을 고치지 않은 채 이 행위를 하였다면 그것은 사회주의 혁명일 수 있다. 우리는 이것을 판단하기 위해『국가보안법』여부를 검토해 볼 수 있다. 먼저 이 법의 내용은 다음과 같다.

제1조(목적 등) ①이 법은 국가의 안전을 위태롭게 하는 반국가활동을 규제함으로써 국가의 안전과 국민의 생존 및 자유를 확보함을 목적으로 한다.
제2조(정의) ①이 법에서 "반국가단체"라 함은 정부를 참칭하거나 국가를 변란할 것을 목적으로 하는 국내외의 결사 또는 집단으로서 지휘통솔체제를 갖춘 단체를 말한다.

먼저, 사회주의 사상을 가진 자들이 연합하여 법률에 위배되는 시행령과 금융자본을 이용하여 기업장악을 시도하였다면, 그것은 체제변혁의 혁명에 해당할 수 있다. 이것은 "국가의 안전을 위태롭게 하는 반국가활동"이라고 말해질 수 있는가? 여기에서 안전은 정치적 안전과 경제적 안전으로 구분할 수 있는데, 첨단 대기업의 경영권을 국가가 장악하려는 행위는 경제적 안전의 침해에 해당한다. 경제적 안전이라면 경제활동의 자유를 말하지만, 그보다 더 큰 안전은 경영권(기업에 대한 소유권)의 보장이다. 이것을 보장해 주기 위해 모든 공권력을 동원하여야 할 국가가 오히려 그 경영권을 장악하려 하였다.

두 번째, 국가는 "국민의 생존 및 자유를 확보"하는 데에 모든 힘을 기울여야 한다. 그런데, 체제변혁의 의도가 있었다면, 그들은 국가의 권력을 장악한 후, 국가라는 지위를 이용하여 도리어 "국민의 생존 및 자유"를 유린한 것이 된다. 먼저, 국가가 기업의 경영권을 장악하면, 그것을 국가 자본주의라고 한다. 이렇게 국가가 기업의 주인이 되면, 그 기업의 매출액은 급감을 하게 된다. 이것은 자본주의 체제의 대전제이다. 그리고 그것은 국민들에게는 일자리의 상실이 된다. 이때 국민의 일자리는 곧 국민의 생존권이다.

그리고 더 나아가서 국가가 어떤 기업으로부터 경영권을 빼앗는다는 것은 그 소유권을 빼앗은 것이다. 그리고 소유는 모든 자유 중에서 맨 상위에 있는 자유이다. 국민의 소유의 자유를 확보해 주어야 할 국가가 그 소유의 자유를 빼앗고 있는 것이다.

세 번째, 지난 정부에서 국민연금과 시행령 개정을 통해 기업장악 행위를 하였다고 말해질 수 있는데, 이 행위를 한 자들이 "지휘통솔체제를 갖춘 단체"로서 행하였는 가? 그것은 그렇다고 말해 질 수 있다. 『한국 자본주의』 책에 열거된 "경제민주화와 그 방법론"에 많은 사회주의 추종자들이 하나가 되었다. 그래서 김경수의 판결문에 나타난 바와 같이 그 "경제민주화"를 위해서 드루킹은 댓글조작을 하였다고 말한다. 그리고 그러한 세력이 정권을 창출하였고, 그중 지도자격에 있는 자가 이러한 사상을 같이 진행할 자들을 각료로 모집한 후, 이와 같은 국가자본주의(사회주의) 체제변혁을 시도한 혐의를 받는다.

특히 지난 정부에서 타겟으로 삼은 기업들이 4대기업이었다. 특히 삼성전자는 온갖 방면에서 모두 공격을 당하였다. 우리는 여기에서 4대기업의 GDP 기여도를 측정해 보려한다. 그리고 그러한 GDP가 곧 국민의 일자리이며, 생존권이라는 것을 주장하고 자 한다. 이런 기업의 경영권을 위협하는 행위는 곧바로 국민생존권 위협행위였다. 그리고 그 경영권 위협이 국민생존권 위협인 것은 자유민주주의체제(자본주의체제)가 바로 그러한 해석위에 서 있기 때문에 굳이 논증할 필요는 없다고 말해질 수 있다.

1. GDP가 갖는 의미 : 국민생존권으로서의 일자리

가. 국민의 일자리(국민소득)로서의 국내총생산(GDP) : 국민생존권

① 국민생존권으로서의 GDP

모든 나라의 경제적인 위상을 파악할 때, 항상 GDP(국내총생산)를 묻는다. 즉, 한 국가에서 얼마만큼의 생산물을 산출했는가를 묻는 것이다. 이 국내총생산이 나타나려 면, 여기에 각종 요소비용이 들어간다. 원재료·인건비·임대료 등이다. 그런데, 이 모든 요소비용은 다른 경제주체들의 소득을 이룬다. 원재료는 그 원재료를 판매한 자 에게 귀속되고, 인건비는 직원의 소득으로 귀속되고, 임대료는 부동산 소유자에게 귀 속된다. 그래서 이 국내총생산은 국낸 총소득과 일치한다.

그리고 이 국내총생산이 매해 반복적으로 나오게 하는 것이 생산수단이다. 과거 제 조업이 존재하지 않았을 때에는 이 생산수단이 토지였으며, 오늘날에는 기업이 이 생 산수단이다. 즉, 생산수단은 일자리이며, 소득이 나오는 곳이며, 이곳에 의하여 우리 의 생계문제, 곧 생존의 문제가 걸려있다.

일국에서 국내총생산(부가가치 총계)과 국민총소득(일자리 소득의 합계)은 항상 일 치한다. 따라서 이 양자는 서로 역으로부터 계산이 가능하다. 국내에서 생산한 모든 생산물의 가치는 모두 그 구성원들에게 요소소득으로 처분된다. 그리고 한 국민소득이 그 나라의 일자리를 규모를 말해준다. 이때 우리는 일자리로서의 국민총소득을 분석하지 않고 오히려 국내총생산을 분석하는데, 그 이유는 국내총생산에 국민총소득은 종속되어 있기 때문이다. 생산이 존재하지 않는다면 그 구성원들에게 지급되는 소득도 존재하지 않기 때문이다.

② 국민의 권리로서의 일자리(근로의 권리)

이 GDP를 창출하는 일자리가 곧 국민의 소득인데, 이것이 곧 국민의 입장에서는 생존의 문제와 직결된다. 따라서 한 나라의 정부가 우선적으로 집중해야 할 문제가 바로 이 국민의 생존권으로서의 GDP이다. 국민생존권에는 여러 가지가 있을 것이다. 그중에서 가장 우선적으로 염두에 두어야 하는 것이 물론 국방상의 안전일 것이다. 그런데 이와 못지않게 염두에 두어야 할 것이 경제적 안전으로서의 경제문제인 것이다. 우리나라 헌법 32조 1항은 "모든 국민은 근로의 권리를 가진다"고 말하며, "국가는 근로자의 고용의 증진…을 위해 노력하여야 한다"고 규정되어 있다.

제32조 ①모든 국민은 근로의 권리를 가진다. 국가는 사회적·경제적 방법으로 근로자의 고용의 증진과 적정임금의 보장에 노력하여야 하며, 법률이 정하는 바에 의하여 최저임금제를 시행하여야 한다.

③ 소유와 경영의 자유 보장

즉, 경제의 문제는 생존권의 문제인 것이다. 국가는 이 생존권의 보장과 증진을 위해서 최선을 다하여야 한다. 그런데, 이 자유민주주의 국가의 GDP는 소유와 경영의 자유에서 나타난다. 소유와 경영의 자유가 보장될 때, 그 나라의 국부로서의 GDP가 증진된다.

자유민주주의 체제의 핵심은 소유와 경영의 자유이다. 우리에게 많은 기본적인 자유가 있다. 사상, 종교, 집회, 결사의 자유 등이 존재한다. 그런데, 이 모든 자유의 정점에는 소유의 자유가 있는 것이다. 이 소유의 자유는 단순한 소유의 자유에만 머무르지 않고, 경영의 자유로 나타난다. 이것이 헌법 119조, 126조, 및 127조이다.

제119조 ①대한민국의 경제질서는 개인과 기업의 경제상의 자유와 창의를 존중함을 기본으로 한다.

제126조 국방상 또는 국민경제상 긴절한 필요로 인하여 법률이 정하는 경우를 제외하고는, 사영기업을 국유 또는 공유로 이전하거나 그 경영을 통제 또는 관리할 수 없다.

제127조 ①국가는 과학기술의 혁신과 정보 및 인력의 개발을 통하여 국민경제의 발전에 노력하여야 한다.

헌법 126조는 "자유민주주의 시장경제체제"를 설명하는 헌법 본문이다. 이 본문에 의하면, 소유의 자유와 경영의 자유가 언급되어 있다. 그리고 이것이 극대화될 때, 국민의 생존권으로서의 일자리가 극대화된다. 단지 그 경영자 한 사람만의 생존권이 신장되는 것이 아니라, 일자리가 여기에서 출현한다. 국가의 정치 지도자는 이 원리를 알아야 한다. 어떤 기업의 경영을 보장하는 것은 그 기업가를 보호하는 것이 아니라, 국민경제 곧 국민들의 생존권을 보호하는 것이 된다.

나. GDP 창출의 원리 : 애덤 스미스의 『국부론』

우리는 자유민주주의 시장경제의 출원지를 이론적 근거에 의해서 알 필요가 있다. 자유민주주의체제의 이론적인 근거를 알아야 할 필요가 존재한다. 왜냐면 사회주의자들의 공격이 갈수록 거세어지고 있기 때문이다. 많은 자라라는 세대들, 특히 지식인들이 자유민주주의체제의 이론적인 근거를 몰라서 좌경화되고 있다.

① 『국부론』부의 개념

애덤 스미스는 『국부론』을 통하여 당시 프랑스의 중농주의적 국부에 대하여 새로운 형태의 국부를 소개한다. 중농주의에서의 모든 부는 토지에서 나온다. 토지의 산출물에서 인간 노동력의 기여도는 지극히 미미하다. 그래서 산출물에 대한 기여도를 통해 판단하였을 때, 그 모든 소득은 그 토지의 소유자에게 귀속되는 것이 적절하다. 이것이 농업주의에서의 부의 특징이다.

그런데, 애덤 스미스가 주장하는 새로운 부가 출현을 하였는데, 그것은 인간의 정신에서 나온 과학·기술·아이디어가 기계화되고, 여기에 노동력이 투여되면서 나타나는 새로운 생산품이었다. 즉, 인간의 정신에서 나온 과학·기술에 자본이 투여되면서, 여기에 노동력이 결합되어 나타나는 새로운 생산품에는 노동자들의 기여도가 있다. 따라서 노동자의 정당한 소득이 출현한다. 이것이 애덤 스미스가 말하는 새로운 국부였다.

따라서 애덤 스미스가 말하는 부는 기술과 자본에서 출현한다. 기술에 자본이 투여되어서 한 기업으로 나타날 때, 그곳에서 근로자들의 일자리가 출현하는 것이다. 그 이전에는 농업적인 부만 있었다. 그럴 경우, 모든 부는 지주에게 귀속된다. 그런데, 이제 새로운 부에서는 기술·경영이 탑재된 자본가와 노동자에게 귀속된다.

② 분업과 영리행위에서 나타나는 기술

이 새로운 부의 바탕은 과학기술에 자본이 투여되어 나타났다. 이때 이러한 새로운 과학기술은 어디에서 출현하는가? 애덤 스미스에 의하면, 그것은 분업과 영리행위에서 나타난다.

어떤 옷을 만들 때, 양털부터 그 옷의 완성까지의 전체를 기계화할 수 없다. 그런데, 이 모든 공정을 쪼개어 놓으면 기계화가 가능해진다. 즉 분업에서 작은 공정 하나를 기계화하는 것은 가능한 것이다. 분업은 특정 분야에 대한 전문성을 길러낸다. 그리고 그렇게 전문화된 부분에 대해서 기술과 아이디어가 나타나는 것이다. 한편, 이 분업은 시장이 존재한다는 가정 하에 가능해진다. 자신의 직업 하나에만 열심을 내어도 다른 모든 필요한 것을 시장에서 구매할 수 있기 때문이다. 즉, 시장 곧 분업이 존재할 때, 실용적인 과학기술이 출현하는 것이다.

그런데, 이 과학기술은 영리행위가 허용될 때, 정신의 창의성에서 출현한다. 즉, '선한 이기심'에서 정신의 창의성이 나타나는 것이다. 즉 진정한 실용적 기술은 이윤추구 행위를 통해서 나타난다는 것이다.

③ 소유와 경영의 자유

근세시대의 가장 큰 특징은 과학의 출현이었다. 그리고 그 과학이 오늘날의 번영하는 세대를 출현시킨 것이다. 그리고 근세철학자들은 이 과학의 출처를 찾기 위해 온통 매진을 하였다. 근세철학의 끝자락에 헤겔이 존재하는데, 그는 정신의 활동을 변증법적으로 논증하였다. 그러면서 헤겔은 그의 『법철학』에서 모든 객관으로서의 대상들은 정신이라는 주관에 의해 소유될 때, 그곳에서 창의성이 나타난다고 하였다. 정신은 끝없이 대상들을 변화시키는 것이다.

그런데, 이때 그 대상들은 정신에 의해 소유를 당하여야 한다. 황무지가 정신적 존재에 의해 소유를 당하면, 그곳에서 꽃이 피고 곡식이 자라는 것이다. 즉, 이러한 정신의 창의성은 '소유' 행위에서 나타나는 것이다. 이때 모든 자유 중에서 가장 상위에 위치하는 자유가 곧 '소유의 자유'이다. 따라서 '과학기술' 등의 '창의성'은 '소유의 자유'에서 나타나는 것이다.

따라서 '소유의 자유'에서 창의성이 나타나는데, 이러한 창의성이라는 기술이 자본을 만나서 기업으로 나타났을 때, 그 소유의 자유는 '경영'으로 나타나는 것이다. 따라서 '경영'은 '소유의 자유'를 의미한다.

④ 소유의 자유를 공격하는 사회주의와 헌법 126조

사회주의는 여기에 정 반대로 역행한다. 마르크스의 『자본론』은 거짓된 책이다. 분업을 오직 노동생산성으로만 귀착시킨 후, 그것을 오직 노동자에게만 귀속시킨다. 여기에는 자본의 가치와 기술의 가치가 전혀 반영되어 있지 않다. 그는 의도적으로 이 중요한 부분을 빼버렸다. 그는 정신의 가치를 인정하지 않으며, 정신에서 나오는 창의성을 고려하지 않는다.

스탈린은 모든 노동자를 단순 노동자로 보고 큰 희생을 감수하고 계획경제를 실행하였다. 소련이 처음에는 크게 급성장을 하는 듯이 보였다. 그러나 50여년이 지난 어느 순간 모든 것이 정지해 버렸다. 계획경제는 철저히 실패를 하였다.

이제 시진핑이 대기업은 국가가 장악하고, 중소기업은 민간에 내어주는 사회주의 시장경제를 실행하고 있다. 시진핑은 그동안의 자본주의로의 위장을 벗어버리고, 이제 2018년도부터 그 정체를 사회주의의 방향으로 잡았다. 그러나 시진핑에게는 숙제가 있는데, 그것은 기술의 문제를 어떻게 해결할 것인가이다. 그 동안에는 정체를 숨겼기 때문에 자본과 기술이 자유롭게 중국에 이전이 되었다. 그런데, 이제 중국이 정체를 드러내자 서방에서는 기술을 차단하고 있다. 우리는 향후의 사회주의 시장경제의 추이를 지켜보고 있다. 왜냐면 이들이 계획경제와 크게 다르지 않기 때문이다.

우리나라 헌법 126조는 이 사회주의를 향하여 경고하는 본문이다. 어떻게 보면 한 나라의 소유의 자유와 경영의 자유를 공격하는 가장 큰 세력은 아이러니컬하게도 그 나라의 정부라는 이야기이다.

제126조 국방상 또는 국민경제상 긴절한 필요로 인하여 법률이 정하는 경우를 제외하고는, 사영기업을 국유 또는 공유로 이전하거나 그 경영을 통제 또는 관리할 수 없다.

한 나라의 소유의 자유와 경영의 자유를 보장하는 데에 최선을 다하여야 할 정부가 도리어 그 소유와 경영의 자유를 공격한다는 것이다. 사회주의 시장경제는 중소기업은 민간에 이양하고, 대기업은 국가와 사회주의자들이 장악한다. 그런데 한 나라의 주요 부가가치는 대기업에서 나온다. 대기업이 약진을 하여야 진정한 부가가치의 상승이 있기 때문이다.

우리나라는 자유민주주의 시장경제체제이다. 만일 국가가 국민연금이나 사모펀드 등을 통하여 기업의 경영에 간섭하여 이러한 소유의 자유를 유린한다면, 그것은 국민의 일자리를 유린한 것이 된다. 즉 생존권을 위협한 것이 된다. 그것은 바로 체제를 위협한 것으로서 헌법을 유린한 것이다.

다. 주요 부가가치의 창출처

① 우리나라의 일자리

우리나라의 전체 임금근로자(정규직, 비정규직, 한시적 근로자 등 포함)는 20,445천 명이다. 2020년 8월 기준 통계청 산업별 취업자에 의하면 이중에서 광·제조업 취업자가 3,942천명으로 19.28%, 농업·임업·어업 취업자가 120천명으로 0.6%, 사회간접자본 및 기타서비스업 취업자가 16,384천명으로 80%를 차지하고 있다. 우리나라의 일자리 총계에는 앞에 언급된 근로자에 자영업자가 추가되어야 하는데, 2020년 월평균 자영업자수는 5,531천명이다.[7] 이에 따라 우리나라 2020년 평균 일자리 수는 약 25,976천개 정도이다.

② 주요 부가가치의 갖는 의미

위의 일자리들은 공연스럽게 나타난 것이 아니다. 그 이면에 꾸준히 부가가치를 창출해낸 대기업들이 존재하는 것이다. 사회주의자들은 대기업을 국유화하고 중소기업은 민영화한다. 그러나 그 나라의 실질적인 부가가치의 창출처는 오히려 대기업이다.

4대기업은 우리나라 GDP에서 17%정도를 차지한다. 이 정도의 부가가치를 창출한 것이다. 그런데, 이들 구성원들이 그것을 모두 소비하거나 예금을 통해서 다른 사업에 투자된다면, 그것은 또 다시 그와 비슷한 규모(17%정도)의 파생부가가치(낙수효과)를 산출한다. 그러면 이제 그 낙수효과를 누리는 사업자들이 또 다시 제2의 낙수효과를 유발시킨다. 이것이 매해 계속 되는 것이다. 그 결과 나타난 것이 오늘날의 대한민국이다.

---

7) 비즈 팩트(http://news.tf.co.kr/read/economy/1839219.htm)는 "'코로나 쇼크'에 자영업자 7만 5000명 감소"(2021.01.25.)라는 기사에서 2020년 월평균 자영업자수는 5,531,000 명으로 보도하고 있다.

③ 4대기업이 갖는 의미

어느 나라이건 이와 같은 주요 부가가치의 창출처가 있다. 그 주요 부가가치 창출처에서 오늘날의 그 나라의 경제적 본질이 나나나는 것이다. 그래서 일국의 경제력은 그 GDP의 종류별 성질에 따라서 평가된다. 그 나라의 전체 GDP에서 상위에 속한 부가가치 창출 그룹이 있다. 여기에서 그 나라의 총생산이 산출된다. 어떤 나라는 그것이 여행업일 수도 있고, 또 어떤 나라는 농업일 수도 있으며, 또 어떤 나라는 천연자원(예: 러시아)일 수도 있다. 그런데, 대부분의 선진국들은 제조업 부가가치이다. 우리나라의 경우에도 비약적으로 GDP 12위의 국가로 도약을 한 것도 제조업 덕분이었다. 우리가 우리나라의 부가가치 구성요소를 분석해보면 이것이 드러난다.

우리나라는 소유의 자유가 힘을 발휘하여서 4대기업을 출현시켰다. 이들은 지금 세계 속에서 경쟁하고 있다. 우리나라와 같은 양질의 기술을 보유한 국가가 많지 않다. 이들이 수십년 동안 그러한 부가가치를 창출하여 오늘날의 2천 5백만개의 일자리에 기여를 한 것이다. 그래서 우리는 우리나라의 4대기업의 부가가치 기여도를 산출해보고자 한다. 이 분석에 의하면, 우리나라 국민들의 생존권은 일단은 4대기업의 약진 여부에 달려 있다.

그런데, 진정한 의미에서의 건강한 경제는 이러한 주요 부가가치를 창출하는 대기업들의 다변화이다. 4대 기업의존도를 벗어나는 것이다. 향후 우리나라 대한민국이 지향해야 할 경제정책은 바로 이와 같은 신흥자본들이 일어나서 산업의 저변을 확대하는 것이다.

2. 우리나라의 GDP 구성

가. 주요 부가가치와 파생 부가가치의 구분

우리나라의 GDP는 다음과 같이 구성되어 있는데, 그것은 그 부가가치의 원천이 되는 주요 GDP와 이 주요 부가가치로부터 파생되어 나타나는 파생 GDP(낙수효과)로 구분할 수 있다.[8] 예컨대 도소매업과 서비스업은 모두 제조업, 건설업, 농어업 등에 종속되어 있다. 즉, 주요 부가가치 산업이 사라지면 그것도 함께 사라지기 때문이다.

---

8) 주요 GDP와 부수 GDP의 배분근거 : 주요 GDP는 GDP의 원천으로서 이 부가가치가 사라지면 이와 함께 부수 GDP는 함께 증발해버린다. 예컨대, 도소매업의 경우 제조업이 사라지면 그 관련업도 사라진다. 또한 기업과 개인의 소득이 사라지면 금융소득의 부가가치가 사라진다. 요식업, 부동산임대, 사업서비스업 등도 모두 마찬가지이다. 한편, 여기에서 부수 GDP도 그 산업과 관련 1차적 부수 GDP (예: 관련 산업의 도소매와 서비스업)와 그 산업의 구성원들의 일반적인 소비로 말미암은 2차적 부수 GDP가 존재하는데, 실질적으로 1차적 GDP의 비중은 제조업이 대부분을 차지한다고 말할 수 있다.

우리는 분석을 위하여 일정한 전제를 세울 필요가 있는데, 주요 부가가치를 생산하는 업종 이외의 것은 모두 2차 파생 부가가치요소로 분류할 필요가 존재한다. 한편, 다음의 표에서 정보통신업은 주요 부가가치 구성요소로 분류하였고, 문화 엔터테인먼트 기업도 주요 부가가치 구성요소로 분류하였다. 반면, 도소매, 서비스, 교육, 금융보험업 등은 파생 부가가치 구성요소로 분류하였다.

GDP의 업종별 구성

2019년도 (단위:조원)

업 종	비율	GDP	주요GDP	파생GDP
농림어업	0.017	32.62	32.62	
광업	0.001	2.35	2.35	
제조업	0.277	531.56	531.56	
전기, 가스 및 수도사업	0.021	40.30	40.3	
건설업	0.060	115.14	115.14	
도소매 및 숙박음식업	0.104	199.38		199.38
운수업	0.033	64.01		64.01
금융 및 보험업	0.060	115.14		115.14
부동산업	0.080	152.71		152.71
정보통신업	0.046	87.89	87.89	
사업서비스업	0.095	182.94		182.94
공공행정, 국방 및 사회보장	0.066	126.93		126.93
교육서비스업	0.052	100.20		100.2
의료,보건,사회복지서비스업	0.047	89.65		89.65
문화 및 기타서비스업	0.026	49.35	49.35	
기타서비스	0.015	28.81		28.81
합계	1.000	1,919.00	859.21	1059.77
주요GDP와 부수GDP 비율		1	0.45	0.55

(통계자료 : 한국은행)

나. 전제의 한계와 유동성

위의 부가가치 분석과 관련하여 주요GDP와 파생(낙수)GDP의 구분은 이 연구와 관련하여 매우 중요하다. 이 구분은 좀 더 정치하게 논의될 필요가 존재한다. 이 구분은 각 나라마다 혹은 시대마다 변화를 주어야 한다.

이러한 분류 방식에는 재론의 여지가 충분히 존재한다. 예컨대, 금융분야가 발달하면 할수록 그 자체로서 주요 부가가치를 구성할 수도 있기 때문이다. 그러나 우리나라가 아직은 금융업이 여러 다른 선진국 등과 같이 전문화되지 않아서 파생부가가치로 분류하였다.

오늘날 우리나라는 제조업 중심으로 그 주요 GDP가 구성된다. 그런데, 요즘 하이테크 산업이 인터넷을 통해 고도화되어 발달하고 있는데, 이러한 요소들은 향후 우리나라 부가가치 종류구분과 관련해서 중요한 영향을 미칠 것이다. 이런 관점에서 위의 주요 GDP와 파생 GDP의 구분은 유동적일 수 있다. 그러나 아직은 위의 구분이 어느 정도 논리성은 갖추고 있다고 판단한다.

다. 화폐 축장기능이 GDP구성에 미치는 영향

주요 GDP와 파생 GDP의 구분과 관련해서 화폐의 축장기능은 큰 변수로 작동한다. 예컨대, 어떤 대기업들의 직원들이 큰 소득을 맛보면서, 그것을 소비하고 나머지는 저축을 한다. 그러면 이 저축은 두 가지 방향으로 작동을 하는데, 하나는 다른 사업자들에게 대출을 통해서 투자소비를 유발한다. 이것은 고스란히 경제에 재투입된다. 또 다른 하나는 이 저축은 향후 이 대기업 직원의 미래소비의 재원이 된다.

이와 같은 미래소비로서의 저축은 그 직원이 향후 소득이 줄어도 지속적인 소비를 하게 한다. 그런데, 이와 같은 저축이 모든 국민들에게 존재할 경우에는 위의 파생부가가치에 변동을 초래할 수 있다. 이제 굳이 주요 GDP에서 창출되는 부가가치와 분리되어서 교육, 음식, 서비스, 여행 등이 존재할 수 있는 것이다. 이것은 이러한 파생부가가치가 주요 부가가치로 분류될 수 있는 것이다.

또한 화폐축장기능이 발달하여 금융자산이 한 사회에 대거 축적되었다고 하자. 그러면 금융업이 그 나라의 주요 부가가치로 자리잡을 수도 있다. 이것은 인플레이션이 가속되면 될수록 그 규모는 방대해 진다.

우리나라도 이러한 영향이 모든 국민들에게 방대하게 반영되어 있을 수 있다. 즉 주요 GDP가 크게 감소되더라도 여전히 파생 GDP가 독립적으로 존재할 수 있는 것이다. 저변이 확대될수록 이와 같은 현상은 방대히 나타난다. 이것은 또 하나의 그 나라의 성장잠재력일 수 있다. 그래서 4대기업만이 그 나라의 GDP에 기여한다고 말할 수 없다. 이러한 축장되어 있는 화폐를 끌어내어 만족을 제공하고, 또 다른 부가가치를 증대시키는 산업진흥자본도 매우 중요하다고 말할 수 있다. 이러한 다각적인 이해 하에 단순화된 4대기업의 GDP분석을 수용할 필요가 있는 것이다.

따라서 획일적으로 주요 GDP와 파생 GDP를 구분한 후 주요 GDP에 파생 GDP를 배분하는 것은 극단적인 분석이다. 이렇게 극단적인 배분을 한다는 것은 성장잠재력까지 모두 포함한 개념으로 이해되어야 한다.

3. 경제기여도 분석을 위한 GDP의 재구성

가. 주요 부가가치의 기준

국내총생산(GDP)은 고스란히 국민소득 혹은 일자리의 규모와 일치한다. 우리는 부가가치에 있어서 주요 부가가치와 파생(낙수) 부가가치를 구분할 수 있어야 한다. 그래야 그 나라의 경제에 기여하는 부가가치의 창출처를 알 수 있다. 한 산업의 가능한 최대한의 일자리 기여도를 측정할 수 있다.

주요 부가가치의 개념은 다음과 같이 판단할 수 있다. 예컨대, 어떤 한 유니크한 기업이 해외로 이전을 했다고 하자. 오늘날에는 반도체나 자동차도 여기에 속한다. 예컨대, 삼성전자가 고스란히 해외로 이전하였다고 하자. 그러면, 삼성전자의 매출액이 고스란히 우리나라에서 사라진다. 먼저, 그 기업의 직원들이 모두 실직을 당하면서 그만큼의 국민소득이 감소한다. 두 번째는 그 직원들이 소비하여 살아가는 다른 파생소득의 사업자들이 그 만큼의 소득이 감소한다.

우리나라 4대기업의 매출액은 532조원(2019년 기준)이었다. 이 4대기업이 해외로 이전하였다고 하자. 그러면 먼저 그 제조 부가가치 532조원이 증발한다. 이 경우 직접적으로 감소하는 부가가치는 그 제조업에서 나오는 532조원의 부가가치만 사라지는 것이 아니다. 그 부가가치의 파생부가가치 532조원이 함께 증발을 해서 총 1,064조원이 증발한다.

예컨대 삼성의 2019년도 매출은 153조원이었는데, 이것은 삼성전자와 그의 하청사들 전체가 창출해낸 부가가치(참조: 여기에서 해외 수입을 차감해야 함)이다. 이때 삼성전자가 그의 하청사들과 더불어서 모두 해외로 이전을 한다고 하자. 그러면, 그 기업을 구성하는 직원들의 부가가치 총액 153조원만 증발하는 것이 아니다. 그들이 소비하는 소비금액 153조원도 증발하고, 그 기업으로 인해 발생하는 도소매와 서비스업의 부가가치도 증발하는 것이다. 이것이 주요 부가가치와 파생부가가치의 개념이며, 이것이 우리가 주요 부가가치와 파생 부가가치를 구분하는 이유이다.

나. 우리나라 GDP의 구분

우리나라의 2019년도의 GDP의 업종별 구성이다. 부가가치 분석과 관련하여 주요 GDP와 파생(낙수)GDP의 구분은 이 연구와 관련하여 매우 중요하다. 이것은 전문가들의 연구와 발표가 필요하다. 왜냐면 각 나라마다 또 시기마다 그 구성요소들이 변하기 때문이다.

지금 우리나라는 제조업 중심으로 그 주요 GDP가 구성된다. 그런데, 요즘 하이테크 산업이 인터넷을 통해 고도화되어 발달하고 있는데, 이러한 요소들이 이제 부가가치 종류구분과 관련해서 적용되어질 수 있다. 이런 관점에서 이러한 구분은 유동적일 수 있다. 그러나 아직은 이러한 구분이 일정 전제하에 어느 정도의 논리성은 존재한다. 우리는 분석을 위해서 이러한 자료를 어느 정도 활용할 수 있다.

GDP의 업종별 구성

(2019년도   (단위:조원)

업종	비율	GDP	주요GDP	파생GDP
농림어업	0.017	32.62	32.62	
광업	0.001	2.35	2.35	
제조업	0.277	531.56	531.56	
전기, 가스 및 수도사업	0.021	40.30	40.3	
건설업	0.060	115.14	115.14	
도소매 및 숙박음식업	0.104	199.38		199.38
운수업	0.033	64.01		64.01
금융 및 보험업	0.060	115.14		115.14
부동산업	0.080	152.71		152.71
정보통신업	0.046	87.89	87.89	
사업서비스업	0.095	182.94		182.94
공공행정, 국방 및 사회보장	0.066	126.93		126.93
교육서비스업	0.052	100.20		100.2
의료,보건,사회복지서비스업	0.047	89.65		89.65
문화 및 기타서비스업	0.026	49.35	49.35	
기타서비스	0.015	28.81		28.81
합계	1.000	1,919	859.21	1059.77
주요GDP와 부수GDP 비율		1	0.45	0.55

(통계자료 : 한국은행)

위의 분석에 의하면, 우리나라의 총GDP 1,919조원(2019년 기준) 중에서 주요 GDP는 859조원이며, 파생 GDP는 1,060조원이다.

나. 파생 GDP의 배분

산업 혹은 기업의 기여도를 알기 위해 파생 GDP를 주요 GDP에 배분하면 그 내용은 다음과 같다. 그리고 참조로 이 부가가치를 인구수에 배분하면 일자리 기여도가 나온다.

주요 GDP 재구성 및 일자리 창출

(2019년도) (금액: 조, 일자리: 천)

업종	총GDP	주요GDP	파생GDP	창출GDP	GDP비율	일자리창출
농림어업	33	33	40	73	0.04	986
광업	2	2	3	5	0.00	71
전기, 가스 및수도사업	40	40	50	90	0.05	1,218
제조업	532	532	657	1,189	0.62	16,070
건설업	115	115	42	257	0.13	3,481
정보통신업	88	88	108	196	0.10	2,657
문화 및 기타서비스업	49	49	60	109	0.06	1,492
파생 GDP	1,060					
합계	1,919	859	1,060	1,919	1	25,976

위의 표는 다음과 같이 도식화 될 수 있다.

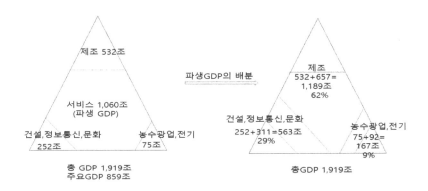

위의 도식에 의하면, 우리나라는 제조업 국가임을 알 수 있다. 그리고 세계의 G10에 속한 나라들 대부분이 제조 강국이다. 제조업에서 산출하는 부가가치가 그 나라의 경제를 일으킨다. 세계 각국의 나라마다 제조업을 중시여기는 이유가 이것 때문이다.

위의 표에 의하면, 제조업의 최대 가능 GDP는 1,189조원으로서 62%의 부가가치 혹은 소득을 창출하고 있다. 그리고 이 창출 GDP의 비율을 총 일자리로 환산하면, 그것이 곧 우리나라 일자리 창출의 기여도이다.

다. 제조업의 일자리 기여도

우리나라 총일자리 25,976천명(근로자+자영업자, 2019년)을 단순히 실질 GDP를 기준으로 하여 배분하면 업종별 일자리 창출의 규모는 위와 같다. 우리나라의 광업과 제조업 취업자가 3,942천명으로 19.28%이었는데, 도소매, 금융, 서비스업 등을 부수 GDP로 볼 경우, 제조업의 단순평균 일자리 창출은 16,070천명으로 62%에 이른다.

물론 여기에서의 일자리는 상징적인 의미로 이해를 하여야 한다. 대기업의 근로자들은 소득이 더 많으므로 단순평균 수치에 이것을 반영하여야 할 것이다. 그러나 그러한 고액연봉자의 소비로 말미암는 하층민들의 소득도 또한 일자리인 것이다.

4. 4대기업의 GDP와 일자리 기여도

가. 첨단 선도기업의 부가가치 계산

우리는 위의 제조업 중에서도 거대기술과 첨단기술이 접목된 기업을 첨단 선도기업이라고 부를 경우, 그것은 주로 우리나라 주요 대기업에 해당한다고 볼 수 있다. 한편, 여기에서의 주요 대기업에는 그의 모든 하청사들이 모두 포함된 개념이다. 즉, 중간단계의 모든 부가가치를 최종 부가가치 산출자에게 귀속시킨 후의 부가가치라는 의미이다. 우리는 제조 GDP에서 첨단선도기업 GDP를 구성해보면 다음과 같다.

제조 GDP의 구성

(2019년, 조원)

	일반	첨단선도기업	대표기업
음식료품 제조업	25		
섬유 및 가죽제품 제조업	17		
목재, 종이, 인쇄 및 복제업	16		
코크스 및 석유정제품 제조업		16	LG
화학물질 및 화학제품 제조업		79	LG
비금속광물제품 제조업	14		
1차금속 제조업	31		
금속가공제품 제조업	38		
컴퓨터, 전자 및 광학기기 제조업		156	삼성, SK
전기장비 제조업		31	삼성, SK
기계 및 장비 제조업		47	현대
운송장비 제조업		50	현대
기타제조업 및 산업용 장비수리업	11		
소　계	152	379	
합　계		531	
첨단기업과 일반제조의 비율	28.5%	71.5%	

우리나라 첨단 제조업의 부가가치는 379조원으로서 총 제조업 부가가치 531조의 71.5%이며, 총 주요 GDP 859조원의 44.1%를 차지한다. 주요 GDP에서 차지하는 비중이 우리나라 총 부가가치의 차지하는 비중일 수 있다. 이것이 반영된 GDP와 일자리 기여도는 다음과 같다. 다음은 어떤 영향력을 수치화해 보고자 하는 상징적인 의미이다는 것을 유념하여야 한다.

주요 GDP 재구성 및 첨단 제조업의 일자리 기여도

2019년도   금액 : 조   일자리 : 천

업종	GDP(2019)	주요GDP	부수GDP	창출GDP	GDP비율	일자리
농림어업	33	33	40	73	0.04	986
광업	2	2	3	5	0.00	71
전기,가스 및수도사업	40	40	50	90	0.05	1,218
제조업	532	532	656	1,187	0.62	16,070
일 반 (28.7%)	153	153	188	341	0.18	4,612
첨단선도 (71.3%)	379	379	468	847	0.44	11,458
건설업	115	115	142	257	0.13	3,481
정보통신업	88	88	108	196	0.10	2,657
문화 및 기 타서비스업	49	49	61	110	0.06	1,492
합계	2,451	859	1,060	1,919	1	25,976

우리나라 GDP의 44%는 첨단 선도기업의 영향을 받고 있으며, 또한 그들이 이 만큼 우리나라의 국민소득과 일자리 창출에 기여를 하고 있음을 알 수 있다. 이 첨단 선도기업의 부가가치는 국민소득 44%에 영향을 미치고 있는데, 이 부가가치는 11,458,000명 분의 일자리(단순평균)에 해당한다.

나. 4대기업의 부가가치 기여도 측정

우리나라 GDP의 44%는 첨단선도 산업에서 나오고 있으며, 또한 이 만큼 우리나라의 국민소득과 일자리 창출에 기여를 하고 있음을 알 수 있다. 이 부가가치는 국민소득 44%에 해당하며, 이 부가가치는 11,458,000명 분의 일자리(단순평균)에 해당한다. 그런데, 이 첨단선도기업 중에서 4대기업이 차지하는 비중을 파악해 보고자 한다. 4대기업의 1년 매출액이 317조원이었는데, 이것을 고스란히 부가가치로 간주하였을 경우, 4대기업이 차지하는 비중은 83.42%이다. 결국 우리나라는 이 4대기업에 의해서 실질적인 경제성장이 이루어지고 있다는 것이다. 한편, 4대기업의 매출액과 그 부가가치는 다음의 전제하에 논의될 수 수 있다.

첫 번째, 첨단선도기업의 대부분은 삼성, SK, 현대, LG인데, 이 4개 회사의 매출은 최상위 부가가치를 구성하므로 이 4개 회사의 매출은 산출 부가가치에 해당한다. 왜냐면, 하청사들의 모든 부가가치가 최상위 부가가치에 합산되어야 하기 때문이다. 따라서 이 4대기업의 매출액은 모든 하청사들의 부가가치를 포함한 개념이다. 참조로 우리나라 10대기업의 하청사는 약 6,400여개에 이른다. 즉, 4대기업과 그의 모든 하청사들이 산출해낸 부가가치를 모두 4대기업에 포함시킨 것이다. 이렇게 4대기업에 모두 포함시켜야 하는 이유는 이 4대기업이 해외로 이전을 하고, 하청사를 해외에 두면, 이 만큼의 부가가치가 감소하기 때문이다.

두 번째, 위의 매출액 혹은 하청사를 포함한 총부가가치의 합계액에서 수입금액이 제외되어야 한다. 왜냐면, 수입금액은 그 부가가치가 해외로 이전되기 때문이다. 이때 모든 하청사가 수입한 원재료 등의 금액도 제외되어야 한다. 그런데, 이 금액을 상쇄하지 않았다.

세 번째, 금융 관련한 부가가치를 모두 파생부가가치로 분류하였는데, 금융자산이 방대하게 쌓인 오늘날에는 그 자체로서의 부가가치를 창출할 수 있다. 그러나, 그렇게 방대하게 쌓인 금융자산은 기존에 발생시킨 부가가치의 축적물일 수 있다. 따라서 넓은 의미에서는 파생부가가치로 분류될 수도 있다.

네 번째, 더 나아가 이렇게 쌓인 금융자산은 파생(낙수) 부가가치를 내서 주요 부가가치로 재분류시킬 수 있다. 각 구성원들이 금융자산이 더 이상 소득이 없어도 일정한 소비를 할 수 있기 때문이다.

위의 내용들은 모두 4대 기업의 부가가치에서 차감하여야 할 내용들이다. 그런데, 역으로 4대 기업의 부가가치에 추가하여야 할 것이 존재한다.

위의 4대기업의 매출액에서 매출의 연관효과를 고려하여야 한다. 연관효과란 위의 산업으로 발생하게 되는 서비스와 도소매이다. 여기에서 서비스와 도소매는 직접적인 주요기업의 부가가치로 간주할 수 있다. 사실은 제품판매 가격과 원가를 비교해 보면 이 금액은 상당할 것이다. 이것을 4대기업의 부가가치에 가산할 수 있다. 그런데, 우리는 편의상 이 숫자와 위의 차감효과와 상쇄하고자 하는 것이다.

한편, 여기에서 상기의 차감효과와 가산효과를 상쇄한 것은 중요한 전제일 수 있으며, 중요한 차이를 유발시킬 수 있다. 따라서 이렇게 분석한 GDP 기여도는 개략적인 판단만을 위해서 작성해본 자료이다. 이것은 전문자료가 아니므로 반드시 그 한계가 서술되어 활용되어야 한다.

우리는 위의 전제 하에 4대 기업의 매출액을 총기여 부가가치로 간주할 수 있다. 다음의 표에 의하면, 이 4개 회사의 부가가치는 총 첨단선도기업 총부가가치의 83%를 이루고 있다는 것을 알 수 있다. 그 내용은 다음과 같다.

4대 기업매출액과 첨단선도기업 부가가치 비율

(단위: 조, 2019년도)

그룹	회사	개별매출	연결매출	GDP추정	반영기준
삼성	삼성전자	153	230	153	종속법인 매출 제외
LG	LG전자	28	62	28	종속법인 매출 제외
	LG화학	22	29	22	종속법인 매출 제외
현대자동차		49	106	49	종속법인 매출 제외
SK(지주)	SK네트 등	3	99	65	연결중 해외법인 매출제외
4대기업 부가가치 합계		255	526	317	
국내총 첨단선도기업의 부가가치				379	
4대기업 부가가치 비중				83.42%	

(통계자료 : 금감원, 전자공시시스템의 감사보고서 이용)

한편, 이 첨단선도기업 중에서 4대 기업은 83.42%에 해당하는 GDP를 창출하고 있는데, 아래의 표에 의하면, 이것은 단순평균으로 9,558,000명분에 해당하는 일자리의 규모이다. 이 일자리의 숫자는 4대 기업의 직원 수를 말하는 것은 아니고, 창출된 부가가치 총계를 총일자리수로 단순 평균한 숫자일 뿐이다.

우리나라 시총 상위 8대그룹 직원 수는 2017년도에 557,000명이다. 위의 부가가치를 반영한 제조업 내에서의 부가가치와 일자리 창출기여도는 다음과 같다.

제조업별 일자리 기여도

(2019년도 금액 : 조 일자리 : 천)

업 종	제조업 구성비율	제조GDP	부수GDP	창출GDP	창출GDP ÷총GDP	단순평균 일자리

일반제조기업	28.7%	153	188	341	18%	4,612
첨단선도기업	11.8%	62	78	140	7%	11,458
4대기업(첨단선도기업)	59.5%	317	390	707	37%	9,558
제조업 합계		532	656	1,187	62%	16,070
총 GDP		1,919		1,919		25,976

우리는 위의 표에서 4대기업 혹은 우리나라의 첨단선도기업의 일자리 기여도를 단순평균으로 9,558,000개로 제시한 것에 대한 이해를 할 필요가 있다. 위의 표에서 4대기업의 제조 GDP는 317조로 추정된다.

라. 4대 기업 GDP의 구성

우리는 위의 4대기업의 부가가치가 어떻게 구성되어 있는 지를 살펴볼 필요가 있다. 이것은 또한 이와 같은 요소소득으로서 배분될 것이다. 4대기업의 매출로서의 부가가치 317조원과 그 파생부가가치 390조원은 다음과 같이 처분된다.

4대기업 GDP의 구성요소

(2019년도)

회사	부가가치매출	파생부가가치	총기여GDP	자체기업GDP	하청사GDP	이익	대주주지분	대주주귀속	소액주주
삼성전자	153	187	340	32	106	15	21.20%	3.18	11.82
LG전자	28	34	62	6	22.2	-0.2	33.68%	-0.07	-0.13
LG화학	22	27	49	3	18.7	0.3	30.10%	0.09	0.21
현대자동차	49	61	110	10	36	3	29.11%	0.87	2.13
SK(연결반영)	65	81	146	9	54.4	1.6	29.62%	0.47	1.13
부가가치합계	317	390	707	60	237.3	19.7		4.55	15.15
2019 GDP	1,919								
GDP 비율	0.17	0.20	0.37	0.03	0.12	0.01		0.0024	0.0079

위의 표를 통해 우리나라 4대기업의 GDP기여도를 평가해 보면 다음과 같다.

① 4대기업이 산출하는 부가가치

먼저, 4대기업과 그의 하청사들은 우리나라에서 317조원의 부가가치를 산출해 낸다. 이것은 총부가가치 1,919조원의 16.5%를 차지한다. 그런데, 이들 4대기업과 그의 하청사들의 구성원들의 소비 등이 산출해 내는 파생(낙수효과) 부가가치는 390조원으로서 이 양자를 합할 경우 707조원으로서 1,1919조원의 37%에 기여한다고 말해 질 수 있다. 물론 여기에는 많은 전제가 따른다. 파생 부가가치 중에서 주요 부가가치 구성요소도 있을 것이기 때문이다.[9]

그런데, 어쨌든 분명한 것은 317조원의 주요 부가가치는 언젠가는 이와 동일한 금액의 소비를 유발시킨다. 따라서 390조원의 파생부가가치가 그리 과대 계상된 것은 아니다. 이러한 파생부가가치가 결국은 국민들에게 제공하는 유익인 것이다. 이것 때문에 우리가 4대기업과 무관하게 생활하고 있을지라도 그 효익을 맛보는 이유이다.

식견이 짧은 자들은 이렇게 4대기업을 통해 맛보는 유익은 간과한 채, 견제민주화라는 이야기를 내세우며, 재벌해체 만을 말하고 있다. 이것은 잘못된 이념에 의해 경도된 매우 어리석은 행위인 것이다.

② 4대기업 주주들에게 배분 : 4.55조+15.15조원 = 19.7조원

그 다음 4대기업의 매출액은 317조원의 부가가치는 일차적으로 4대 기업의 대주주와 소액주주에게 배당가능이익 형태로 처분된다. 대주주에게 4.55조원(기업 이익의 1.4%)과 소액주주(기업이익의 4.8%)에게 15.15조원이 처분된다.

여기에서 유념할 것이 있다. 총 매출액 317조원 중에서 자본가에게 귀속되는 부가가치를 보라. 이것이 경영진에게 귀속되는 요소소득이다. 총 매출액의 6.2%가 자본가에게 귀속되고 있는데, 그중 대주주(경영진)에게 귀속되는 비중은 1.4%에 불과하다.

그리고 이 1.4%도 대부분 그 대주주의 주식이 계열사를 통해서 보유하고 있다. 정작 개인으로서의 대주주는 그 중에서 10%정도에 불과하다. 예를 들어 삼성전자의 대주주지분이 21.2%인데, 그 중에서 이재용 지분은 2%밖에 되지 않는다.

③ 4대기업직원과 하청사에게 주어지는 요소소득 : 60조+237조원 =297조원

이어서 4대 기업 자체의 직원들에게 60조원이 처분된다. 이것이 4대기업의 일자리이다. 이곳에서의 일자리는 몇 십만에 불과하다. 8대 그룹의 직원이 557,000명이었으니, 4대기업의 직원들은 몇 십만 명에 불과할 것이다.

그 다음 하청사 등에게 주어지는 요소소득이 있다. 그 금액은 237조원이다. 물론 이 금액에서 수입금액은 빼고, 도소매와 서비스 관련한 부가가치는 가산하여야 한다.

---

9) 여기에서 주요부가가치의 기준이 애매하다. '요식'이나 '금융' 중에서 일부는 주요 부가가치로 분류될 수 있는 여지가 매우 많기 때문이다. 따라서 이 책의 파생(낙수)부가가치의 기준은 전통적인 방식에 따른 것이다. 이러한 한계를 유념하고 그 내용을 이해하여야 한다.

우리는 여기에서 양자를 일치하는 것으로 가정하자고 하였다.

4대기업의 총매출 317조원 중에서 직원과 하청사 등에게 주어지는 요소소득 237조원의 차지하는 비중은 74.7%이다.

④ 타산업 낙수효과(파생부가가치) : 390조원

그 다음에 요소소득으로 처분된 위의 317조원이 이제 4대기업의 직원들과 하청사 직원들의 소득이 되었다. 그러면 이제 이들은 모두 자신의 삶을 영위하기 위하여 지출을 한다. 음식, 생필품, 교육, 오락, 금융, 서비스 등 다양한 지출을 한다. 지출되지 않은 것은 은행에 예금이 되어진 후 대출을 통하여 궁극적으로 모두 지출된다. 기본적으로 317조원의 4대 기업과 그의 하청사 직원들의 모든 소득은 다른 경제주체들에게 소득으로 자리 잡는다. 이것이 4대기업의 하청사에 이은 1차적인 파생 GDP이다. 이것은 대부분 자영업자들과 중소기업들의 일자리를 창출할 것이다. 이것은 고스란히 우리나라의 다른 산업에게로 흘러든다. 이것은 주로 4대기업과 하청사들의 소비활동으로 인한 파생효과이다.

그리고 이 파생 GDP는 또 다시 다른 사람의 소득으로 주어진다. 즉 그들도 생활을 영위해야 하기 때문이다. 이것이 2차 파생 GDP이다. 이렇게 2차 3차 파생 GDP의 합계가 위의 표에 의하면 390조원이다.

4대기업에 의해 창출된 부가가치는 이와 같이 하여서 4대기업과 하청사들의 자체적인 부가가치 317조원과 파생효과(낙수효과)로서 다른 산업에서 일으킨 부가가치 390조원을 합하여서 707조원의 부가가치를 산출했다고도 볼 수 있다. 이것은 그 해에 부가가치를 일으키기도 하지만, 잠재 부가가치를 이루어 미래의 어느 시기에 부가가치를 산출할 것이다.

그렇다면, 궁극적으로 앞에서 언급한 9,550천개의 단순평균 일자리는 그다지 허황된 숫자가 아닌 것이다. 사람들은 삼성전자 혹은 4대기업이 국유화되면 어떻냐고 말한다. 그것은 위와 같은 숫자로 보고 이야기해야 한다.

라. 4대 기업의 중요성

우리나라의 어떤 사회주의자 정치지도자는 대기업은 국가가 운영하고, 중소기업은 민간에 맡긴다는 이러한 이야기를 몇 십년 전에 말하였다. 사람들은 이 말에 현혹되어 넘어갔다. 그런데, 나중에 알고 보니 그는 사회주의자였고, 오늘날 러시아와 중국과 같은 사회주의 세계가 그와 같은 길을 걷고 있었다.

 그러나 정작 일국의 부가가치는 대기업에서 먼저 산출된다. 그리고 이에 부수되는 중소기업들이 출현하는 것이다. 이 대기업은 국제경쟁력을 갖추어야 한다. 이 대기업이 국제경쟁에서 성공하면, 이제 모든 다른 중소기업들이 그들의 하청사로 출현한다.

 이런 관점에서 우리는 대기업들을 바라보아야 하며, 특히 우리나라의 경우 4대 기업을 바라보아야 한다. 현재 세계 각국에서 글로벌 경쟁을 하는 기업이 4대 기업이기 때문이다. 그런데, 사회주의자들은 이것을 배 아파하고, 자신들이 정권을 잡으면 이 4대기업을 국유화하여 그것을 소유하려 한다. 이때 그들은 평등이라는 이념을 내세운다. 그러나 그 평등이념은 다른 사람의 소유를 갈취하기 위한 여론을 얻기 위한 한 방편인 것이다.

마. 참조 : 30대 기업의 매출액 분석 통한 간접 검증

 우리나라 시총 30대 기업 안에 위의 첨단 선도기업이 모두 존재한다. 이들이 첨단제품에 대한 최종생산자들이다. 그 외의 기업들은 모두 이들의 하청사라고 간주할 수 있다. 그 매출액은 다음과 같이 분류될 수 있는데, 첨단선도 4대기업이 절대적이다는 것을 알 수 있다. 이들이 우리나라 경제에 미치는 영향력이다.

30대 기업의 GDP 관련 매출분석

(단위: 조원, 2019년)

회사명	개별매출	연결매출	첨단GDP	일반GDP	구분방법
삼성전자	153	235	153		현지법인 연결제외
삼성바이오로직스	0.7	0.7	0.7		의약품 제조
삼성SDI	8	10	8		소프트웨어
삼성에스디에스	5	11	5		소프트웨어
삼성전기	5	8	5		전자부품
삼성소계	171.7	264.7	171.7		
현대차	49	106	49		현지법인 연결제외
현대모비스	23	38	23		현지법인 연결제외
기아차	34	58	34		자동차
현대소계	106	202	106		
SK하이닉스	25	27	25		
SK텔레콤	3	18	18		연결 해외부분 제외
SK이노베이션	3	50	50		종속회사 내국법인
SK소계	31	95	93		
LG화학	22	29	22		연결 현지법인
LG전자	28	62	28		연결 현지법인
LG소계	50	91	50		
NAVER	4	6	4		온라인정보제공
셀트리온	0.1	1	0.7		의약품제조,해외제외

넷마블	1	2	1		게임
엔씨소프트	1.5	1.5	1.5		소프트웨어
카카오	1.5	3	1.5		모바일인터넷
셀트리온헬스케어	1.1	1.1	1.1		의약품
한화	4	50	3		한화케미칼만 반영
현대중공업	5	7	7		연결 전체반영
GS	0.3	18	18		연결 전체반영
일반첨단 소계	18.5	89.6	37.8		
POSCO	30	64		30	철강
KT&G	3	5		5	담배제조
한국전력	59	59		59	전기사업
아모레퍼시픽	4	5.6		5	화장품
LG생활건강	5	7.6		7.6	생활용품
일반GDP관련	101	141.2		106.6	
KB금융	0	9		9	금융
삼성생명	27	32		32	보험
삼성물산	20	31		20	전문도매
파생GDP관련	47	72		61	
합계	525.2	955.5	458.5	167.6	

(통계자료 : 금감원, 전자공시시스템의 감사보고서 이용)

위의 "시가총액 30대 기업의 매출 구성비율"은 다음과 같이 요약 될 수 있는데, 30
대 기업 중에서 4대 기업의 매출액 구성비율은 67%이다. 그리고 다음의 표에서 드러
나듯이 주요 부가가치를 산출하는 기업이 90%에 이르고 있으며, 파생부가가치를 산
출하는 기업은 10%에 불과하다. 이와 같이 제조 중심의 기업이 우리나라를 견인하고
있다는 것이다.

회사구분	개별매출	연결매출	GDP매출	GDP비율
삼성전자외	171.7	264.7	171.7	0.27
현대자동차 외	106	202	106	0.17
SK	31	95	93	0.15
LG	50	91	50	0.08
4대기업(첨단선도)	358.7	652.7	420.7	0.67
일반선도기업	18.5	89.6	37.8	0.06
일반주요부가가치기업	101	141.2	106.6	0.17
파생부가가치기업	47	72	61	0.10
합 계	525.2	955.5	626.1	

< 결 론 > 신사회주의 혁명 : 4대 기업국유화의 경우

가. 우리나라 경제와 4대기업

우리나라의 총부가가치 1,919조원 중에서 317조원(매출)은 4대기업을 통해서 산출되고 있음을 알 수 있다. 이 부가가치 자체만으로도 2019년 총 GDP 1,919조원의 16.5%에 해당한다. 그리고 더 나아가 이 금액이 그의 직원들과 하청사 등의 경제주체들에게 배분되었다. 그리고 이것은 또 다른 파생효과(낙수효과)를 일으킨다. 이렇게 산출된 파생효과는 390조원에 이르며, 그 결과 4대기업은 우리나라 총 GDP에서 707조원에 이르기까지 기여할 수 있다고 추정할 수 있다. 이것은 2019년 총 GDP 1,919조원의 37%에 해당하는 가공할만한 수치이다. 이것은 우리나라 단순평균 일자리 25,976천×37%=9,558천개에 해당한다. 우리나라 국민들의 생존권과 직결되어 있다.

한편, 이 4대기업의 운영을 국가가 대신할 수는 없다. 국가는 정신적인 존재가 아니기 때문에, 국가는 누군가를 임명하여 그 운영을 하여야 하는데, 그는 경영자가 아니라 직원일 뿐이다. 그곳에서는 경영이나 창의성이 나오지 않는다. 따라서 우리나라 주요기업의 국유화, 그리고 그것을 통한 경제민주화의 실현은 국가에 파국을 초래할 수 있다. 다른 나라는 우리나라의 4대기업과 같은 자본과 기술이 결합된 거대기업이 없어서 경제개발의 한계에 갇혀 있다. 우리나라는 이제 가까스로 출현하였다. 가까스로 출현한 황금거위를 잡으려 하면 안 된다.

우리나라의 국민연금과 사모펀드가 합세를 하면, 언제든지 4대기업은 국유화가 가능하다. 그리고 이 4대기업이 국유화되면, 그것은 사회주의라고 말해 질 수 있다. 우리나라와 유사한 기업구조를 가지고 있는 나라가 있는데, 그것은 러시아이다. 우리나라의 4대기업과 러시아의 2대기업 가즈프롬과 로스네프찌가 유사한 구조를 가지고 있다. 러시아는 이 두 개 기업을 국유화함을 통해서 러시아의 전 산업의 대기업들을 국유화하였다. 그러한 작업을 하는데, 걸린 기간이 3년 6개월 밖에 걸리지 않았다.

나. 국가 자본주의의 사례 - 러시아

한편 초급단계의 사회주의에서의 국가는 대기업 혹은 그 나라의 핵심 선도기업 만을 국유화한다. 그 소수 기업만 장악하면, 나라의 1/3이상이 장악 될 수 있는 그러한 기업을 장악하는 것이다. 이것이 초급단계의 사회주의가 대상으로 하는 기업이다. 이때 다른 기업들은 그 기업들이 장악되면, 시간이 경과함에 따라 자연스럽게 종속되어온다. 상당한 기업들이 이 선도기업들의 하청사이거나 관련기업이며, 이 선도기업들은 막대한 자금을 이미 확보하고 있기 때문에 언제든지 마음만 먹으면 그 국유기업의 비중을 늘려갈 수 있다. 우리는 이러한 사례를 중국과 러시아를 통해서 보고 있다. 그리고 이러한 사회주의 혁명이 우리나라에도 진행되고 있는데, 일반인들은 이러한 혁명이 진행되고 있는지 조차 알지 못한다.

러시아는 이 작업을 완수하는 데 맨 처음의 기업으로는 가스프롬과 로스네프찌 두 개의 회사였고, 그 두 회사와 금융자본을 통해 나머지 대기업들을 장악하는데 3년 6개월 밖에 소요되지 않았다. 국가가 회사를 장악하면 문제가 되어도 회사가 회사를 장악하는 것은 시장경제에서는 지극히 자연스럽다. 그래서 국가 자본주의 혁명시에 모든 대기업을 장악하는 것이 아니다. 챔피언 기업 몇 개를 장악하는 것이다. 오늘날 한 국가의 사회주의 혁명은 대체로 이러한 방향으로 이루어질 것이다. 우리나라도 연금을 국가가 장악하고 있을 경우, 그 가능성은 언제든지 상존하고 있다. 국민의 동의만 필요한데, 동의가 없이도 진행은 가능하다.

① 자유민주주의 시장경제의 헌법을 가진 러시아

러시아는 레닌의 볼셰비키 혁명 후에 스탈린에 의해서 공산주의 계획경제가 시도되었다. 이것이 처음에는 큰 성공으로 귀착되는 것처럼 보였다. 그러나 50여년이 경과하자 그것은 허구인 것으로 드러났다.

이에 고르바쵸프와 옐친은 과감히 자본주의 시장경제로 돌아섰다. 이러한 자본주의 시장경제로의 헌법개정을 이루는 데까지 약 15년 정도가 걸렸다. 그래서 러시아는 지금 헌법은 자유민주주의 시장경제로 되어 있다. 러시아는 고르바초프와 옐친에 의해 자유민주주의 시장경제의 헌법을 가지고 있다.

그런데, 너무도 준비되지 않은 상태에서 개혁을 하였으며, 그래서 경제는 실패로 끝났다. 이 틈을 이용하여 푸틴은 M&A를 통하여 전산업을 장악해 버렸다.

② 푸틴의 대기업 장악

푸틴은 이러한 혼란을 수습할 때, 국가가 전산업을 장악하는 국가 자본주의 형태로 전환시켰다. 일반국민들은 누가 그 산업을 장악하던 관여할 바가 아니었다. 그래서 자연스럽게 자본주의 시장경제의 헌법을 가지고, 그 헌법의 테두리 내에서 국가가 모든 산업을 장악하였다. 이것은 많은 개발도상국들에게 국가가 그 나라의 전산업을 소유하는 하나의 모델이 되고 있다.

푸틴은 2004년부터 시작된 그의 집권 2기에 체제전환과정에서 발생한 사회혼란과 모라토리엄의 경제를 회생시키기 위해 헌법을 수정하지 않은 채 국가가 모든 대기업을 인수 합병하여 국가 자본주의(러시아식 사회주의시장경제)를 이루었는데, 로스네프찌와 가즈프롬을 먼저 인수하고 이들을 통해 대부분의 대기업들을 국유 국영화하였다. 러시아 정부는 2004.1.-2007.6.까지의 주요 대기업을 인수하였으며, 그 이후에도 대기업 인수는 계속되었다. 2007.9.1.현재의 러시아 관료들의 산업지배현황은 다음과 같다.

러시아 관료들의 산업지배현황

기 업 (이사회 구성)	이사회 참여 관료	직 책	참고사항
가즈프롬 (7/11)	드미트리 메드베데프(의장)외 6명	제1부총리 외	세계1위의 천연가스 생산업체, 세계 매장량 17%
로스네프찌 (5/9)	이고르 세친 (의장)외외 4명	대통령행정실 부실장	러시아 2위 석유생산업체
트란스네프트 (8/9)	빅토르 흐리스텐코(의장) 외 4명	산업에너지부 장관 외	러시아 송유관 독점회사
러시아 철도 (9/11)	알렉산드르 주코프(의장) 외 8	부총리 외	직원 120만명의 러시아 최대 철도회사
통합항공기제작사 (11/14)	세르게이 이바노프(의장) 외 10	제1부총리 외	미그, 수호이, 일류신, 이르쿠트, 투폴레프 등을 합병해 국유회사로 전환
아에로플로트 (5/11)	빅토르 이바노프 (의장) 외	대통령 보좌관 외	러시아 1위 항공사
알로사 (13/15)	알렉세이 쿠드린 (의장) 외	재무부 장관	세계 다이아몬드 시장 25%
스뱌즈인베스 (7/9)	레오니드 레이만 (의장) 외	정보통신부 장관	러시아 최대 통신 지주회사
브네쉬토르그 방크 (6/9)	알렉세이 쿠드린 (의장) 외	재무부 장관	러시아 2위 은행
스베르방크 (11/17)	세르게이 으그나티에프 (의장) 외	중앙은행 총재	러시아 최대 상업은행
TVEL (8/11)	이고르 보로브코프 (의장) 외	연방행정부 부실장	세계 최대원자력 원료 제조사중 하나
통합전력시스템 (9/15)	알렉산드르 볼로쉰 (의장) 외	전 크렘린 행정실장	러시아 독점 전력회사
소브콤플로트 (8/11)	이고르 슈발로프 (의장) 외	대통령 보좌관	러시아 1위 상선회사
알마즈-안테이 (9/11)	빅토르 이바노프 (의장) 외	대통령 보좌관	러시아 최대 군산 복합체
아프토바즈	세르게이 체메조프 (의장)	통일 러시아당 최고 위원	러시아 최대 자동차 회사
로소본엑스포르트	세르게이 체메조프 (회장)	통일 러시아당 최고 위원	러시아 독점 무기수출 회사

(자료: 이종문, 『현대러시아경제』, 99-100)

③ 천연자원 중심의 국가

러시아는 과거에 미국과 쌍벽을 이룰 만큼 경제가 부강하였다. 러시아는 국가 전체가 천연자원으로 가득하다. 그리고 러시아의 원천기술은 대단하여 미국과 경쟁을 하였다. 그러나 사회주의 체제 하에서는 사업성 있는 기술이나 시장은 출현하기가 어렵다. 따라서 러시아에서 새로운 그 무엇이 나올 수는 없다. 이것이 사회주의 시장경제의 진정한 모습이라고 볼 수도 있다.

한편, 러시아의 선도기업은 천연자원과 관련한 기업이다. 따라서 인간의 창의성이 고도로 요청되는 제조기업은 아니다. 그래서 산업이 유지는 되고 있는데, 미국에서 세일가스가 나오고 국제 원유 값이 하락세에 들어서자 러시아의 경제도 제자리에 머물렀다. 러시아는 외부의 에너지 가격에 의해 그 경제가 좌우되는 나라이다.

그러나 우리나라의 4대기업은 그 본질이 다르다. 항상 창의성을 발휘해야 하는 첨단 제조업이다. 이러한 4대기업의 국유화는 우리나라의 경제적 위기를 가져올 것은 불을 보듯 뻔하다.

다. 대기업 국유화시도는 사회주의 혁명

우리는 이 장을 통해서 4대기업의 GDP기여도를 살펴보았다. 이것은 일자리 기여도였으며, 국민의 생존권이었다. 그런데 이 4대기업의 국유화시도는 국민의 생존권 위협이다. 그리고 우리나라의 4대 기업이 국유화되면, 이것은 주요첨단 산업의 국유화나 다를 바가 없다. 4대기업이 국유화되면 우리나라 전 산업의 국유화라고 말해질 수 있다. 그래서 4대기업 국유화 시도는 사회주의 혁명이다.

3장 GDP요소소득 배분과 진정한 경제민주화
- 국민생존권과 경제민주화의 관계 -

< 서 론 > 소액주주보호 이슈의 이론적 근거

가. 우리나라 경제연구단체들의 주요 연구주제 : 경제민주화?

지난 정권에서 모든 경제 연구원들의 연구주제는 무엇이었는가? 그것은 온통 경제민주화였으며, ESG(환경-사회적 기여-지배구조)를 말하며, G(거버넌스)를 유독 강조하였다. 즉 지배구조 개편이 온통 경제연구원들의 주제였다. 우리나라의 경제학은 오직 경제민주화 밖에 없는 것 같았다. 그러나 경제민주화가 경제학은 아니다. 경제학은 경제지표를 분석하여 경제를 진단하고 일으키는 것인데, 오직 경제민주화를 통해 지배구조를 개편한다는 것이 경제학이라는 학문의 전부였다.

이들은 지난 정부가 추진하는 '경제민주화'를 국민여론으로 만들기 위해 모든 역량을 집중하였다. 마치 정권과 한 몸이 되어서 연구를 하고, 그것을 발표하고, 언론은 그것을 대대적으로 홍보하였다. 하루가 멀지 않게 ESG에 대한 기사가 등장하였으며, 그 결과 ESG 이론이 거의 경제이론으로, 마치 국민적 합의인 양 자리가 잡혔다.

이때 우파의 일부 지식인들은 이것을 지난 정부의 사회주의 전략으로 파악하기도 하였다. 그럼에도 불구하고 다수의 우파 경제 지식인들과 경제단체들은 침묵을 하였는데, 그 비겁함은 절정에 이르러 있었다. 경제 지식인으로서의 자격을 상실하였다. 이것이 지난 정권 우파 경제학자들의 현실이었다. 그런데, 좀더 진행되면서 나타난 그 지식인들의 현실은 오히려 무지함이라는 표현이 더 적절하였다. 결과적으로 지난 정권동안 실질적인 경제에 대한 연구는 거의 이루어지지 않았고, 오직 경제민주화의 E-S-G 만이 경제이론으로 등장하였고, 국민연금 운용의 1차 목표가 되었다. 이 이론은 오늘날에도 작용하고 있는데, E-S-G는 엄밀히 주류 경제이론이 아니며, 주류 경제학을 보완할 사회주의적 요소에 불과하다. E-S-G는 경제학이 아니다.

나. 경제민주화의 선봉장, 국민연금

국민연금은 2018.7. 『수탁자책임활동지침』을 제정하였는데, 그 안에 18조 '주주제안' 곧 '스튜어드십코드' 규정을 만들었다. 즉. 지침의 기준에 따르지 않을 경우, 국민연금은 스튜어드십코드 행사를 한다는 것이다. 그리고 그 첫 사례가 2019.3. 대한항공의 경영권 교체였다. 어떤 명분으로 이러한 일이 시작되었나? 그것은 경제민주화의 일환이었으며, 소액주주보호운동의 일환이었다. 더 나아가 그 후속조치로 2020.2.29. 지난 정권에서는 『자본시장법 시행령』 154조를 대대적으로 개정하여 일반투자자 제도를 신설하여 사외이사를 추천할 수 있게 하였고, 배당을 경영활동의 범위에서 제거해 버렸다. 그래서 배당에 대해서는 국가도 자유롭게 기업에 주주제안을 할 수 있게 하였다.

이러한 시행령 개정을 기반으로 하여 2020.3-5 사이에 72개사에 대하여 국민연금의 투자목적을 단순투자에서 일반투자로 전환을 한 후, 2020.7.31. 주요 상장사들에 대해 사외이사를 파견한다는 취지의 『국민연금 투자기업에 대한 이사회 구성·운영 안내』 라는 지침을 하달하였다. 그런데, 이것은 『수탁자책임활동지침』의 후속조치라고 천명함을 통해서 이것은 이제 <국민연금기금운용본부>의 내규가 되었으며, 하나의 『국민연금법』의 하위 법규로 자리 잡았다. 그리고 <국민연금기금운용본부> 2020.12 회의록에 의하면, 국민연금은 이것을 진행하기 위해 사외이사 풀을 구성 중이었다.

이에 이어서 2021.2.과 2022.2. <수탁책임활동위원회>에서는 삼성 등 7개사에 대해 사외이사 파견(추천을 통한)을 위해 세 차례에 걸쳐 회의를 하였으나, 여러 준비의 미흡 등으로 인해 다행스럽게도 그 논의가 무산되었다. 이렇게 7개 회사에 대한 사외이사 파견이 성공하면, 이제 그 대상기업은 일반투자로 전환된 72개사가 될 것이다. 그리고 그 다음에는 국민연금이 2대주주로 있는 172개사가 될 것이다. 그러면, 우리나라의 전체 대기업들이 모두 국가에 장악된다. 이때 이 사외이사의 지위는 회사의 이사이면서 대표이사를 감독을 하는 <사외이사위원회>를 설치하는데, 이들은 이사이면서 한편에서는 이사회에 종속되지 않는 독립적인 기구이다. 마치 중국 공산당이 모든 기업에 설치한 <공산당 위원회>와 그 역할이 유사하다.

그러면, 이 사외이사와 사외이사원원회가 하는 일은 무엇인가? 그것은 소액주주를 위해서 배당에 대한 압력을 행사하겠다는 것으로 보인다. 이것을 위해 『자본시장법 시행령』 154조 1항에서 4호 배당을 삭제 해 버렸다. 이제 국민연금(국가)가 배당정책에 개입을 하여도 이것은 국가의 경영참여가 아니다.

그런데, 우리는 여기서 참조로 알아야 할 것이 있는데, 장하성의 『한국 자본주의』는 대기업들로 하여금 모든 이익을 배당하게 하고, 사업확장은 유상증자와 차입금을 통해서 하게 하자고 말한다. 그러면 경제민주화가 이루어진다는 것이다. 이때의 경제민주화는 재벌해체이며, 그 결과 국민연금이 대주주가 되는 국가자본주의의 실현으로 이어진다. (그런데, 이것은 사회주의이다.)

다. 진정한 경제민주화

우리나라 『헌법』 119조는 우리나라의 경제질서를 말하고 있다. 이에 의하면, 우리나라의 경제질서는 자유민주주의 시장경제이다. 이것은 일차적으로 "개인과 기업의 경제상의 자유와 창의를 존중함을 기본으로 한다". 그리고 그 범위 내에서 "균형 있는 소득분배"를 추구한다. 그 내용은 다음과 같다.

제119조 ①대한민국의 경제질서는 개인과 기업의 경제상의 자유와 창의를 존중함을 기본으로 한다. ②국가는 균형있는 국민경제의 성장 및 안정과 적정한 소득의 분배를 유지하고, 시장의 지배와 경제력의 남용을 방지하며, 경제주체간의 조화를 통한 경제의 민주화를 위하여 경제에 관한 규제와 조정을 할 수 있다.

우리나라 자유민주주의 헌법의 경제민주화는 소유재분배가 아닌 소득의 재분배이다. 소유재분배는 사회주의 법률이 되기 때문이다. 따라서 소유권을 아무런 근거 없이 침탈한다는 것은 용인되지 않는다. 기업에 대한 소유권은 '경영권'을 말한다. 이것은 경제민주화를 말하고 있는 헌법 119조 1항에 "경제적 자유와 창의"라는 용어로 나타나 있다. 즉 '경제적 자유와 창의'는 기업의 '경영권'의 다른 표현이다.

따라서, 헌법 119조의 자유민주주의 헌법상의 경제민주화는 '요소소득의 배분'인 것이다. 따라서 우리는 이러한 진정한 의미에서의 경제민주화를 살펴보아야 한다. 우리는 4대기업의 경제민주화를 살펴볼 때, 그 지배구조로 살펴볼 것이 아니라, 요소소득 배분이라는 주제로 살펴보아야 하는 것이다.

라. 국민연금의 경제민주화

『국민연금 투자기업에 대한 이사회 구성·운영 안내』에서는 이와 같은 사외이사 파견의 취지를 "주주의 평등한 대우와 소액주주 보호"라고 규정하고 있다. 그런데, 이것은 지난 정부의 초대정책실장 장하성 『한국자본주의』에 의하면, 경제민주화의 또 다른 이름으로서, 경제민주화의 실현방법이다. 장하성이 정책실장을 할 때, 국민연금 스튜어드십코드가 만들어졌고, 그의 후임 정책실장 김상조 『국민연금 투자기업에 대한 이사회 구성·운영 안내』를 만들었는데, 이들은 추구하는 철학이 '경제민주화'로서 동일하다.

과연 그들은 어떤 경제민주화를 위하여 이와 같이 사외이사를 파견하며, 배당정책에까지 개입하려 하는가? 『한국자본주의』에 나타난 '소액주주운동'으로서의 '배당정책'은 재벌해체의 도구이며, '국가자본주의'의 도구이다. 지난 정부에서는 이 '사외이사' 파견(추천 형식)을 통해 '배당정책'에 개입하기 위해서 『자본시장법 시행령』 154조를 대대적으로 개정하였다.

그들이 추구한 경제민주화는 "더 넓은 경제민주화"로서 재벌해체에 까지 이르는 경제민주화였다. 그런데, 이것은 『헌법』 119조의 '소득재분배'를 넘어선 '소유재분배'의 경제민주화인데, 이것은 엄밀한 의미에서 사회주의 혁명에 해당할 수 있다.

1. 경제민주화에 대한 헌법적 이해 : 요소소득의 공정한 분배

가. 헌법 119조 1항, '대한민국의 경제질서'

국민연금의 소액주주보호이슈와 이에 따라 국민연금이 『국민연금 투자기업의 이사회구성과 운영기준』을 시달하고, 사영기업의 경영에 관여하는 행위는 자유민주주의 국가의 어느 법률이나 헌법에서도 찾아 볼 수 없다. 이것은 다만 정부에서 외치고 있는 '경제민주화'와 '기업지배구조개편'이슈에 따른 것일 뿐이다. 그리고 그것의 헌법적인 근거를 굳이 찾자면, 『헌법』 119조 2항의 경제민주화 조항인데, 이것은 헌법에 위배된다. 우리는 먼저 이 헌법적 조항을 이해하고 이에 근거하여 경제민주화에 관한 검토를 하고자 한다.

제119조, ①대한민국의 경제질서는 개인과 기업의 경제상의 자유와 창의를 존중함을 기본으로 한다. ②국가는 균형 있는 국민경제의 성장 및 안정과 적정한 소득의 분배를 유지하고, 시장의 지배와 경제력의 남용을 방지하며, 경제주체간의 조화를 통한 경제의 민주화를 위하여 경제에 관한 규제와 조정을 할 수 있다.

『헌법』의 제9장의 제목은 '경제'이고, 맨 먼저 언급되고 있는 조항이 위의 119조이다. 그리고 ①항은 대한민국의 경제질서를 말하고 있다. 즉 대한민국의 경제체제를 의미한다. 대한민국의 경제체제는 "개인과 기업의 경제상의 자유와 창의"를 존중한다. 그리고 이것을 '기본'으로 한다.

먼저, 개인과 기업의 경제상의 자유는 무엇인가? 이것은 소유의 자유를 말한다. 인간에게 부여된 자유는 천부인권인데, 이 자유의 맨 꼭대기에 소유의 자유가 존재한다.

그렇다면, 창의는 무엇인가? 소유, 혹은 이윤추구행위에서 나오는 창의성을 말한다. 헤겔은 『법철학』에서 국가형성의 원리와 법의 원리를 말하는데, 여기에서 정신적 존재(대자적 존재)인 인간에게 사물(대상적 존재)이 소유를 당할 때, 인간의 창의성이 개발된다고 하였다. 즉 기술과 아이디어가 여기에서 출현하는 것이다.

또한 이 '창의성'이 기업에 반영되면, 그것은 '경영활동'으로 나타난다. 따라서 '기업의 창의'는 곧 '기업경영'인 것이다.

궁극적으로 헌법 119조 1항은 '소유의 자유'와 '이윤추구행위의 자유'와 '경영활동의 자유'를 의미한다고 말할 수 있다. 이것이 대한민국 경제질서의 '기본'이며, 곧 자유민주주의 체제에 대한 해설이다.

나. 경제민주화 : 헌법 119조 2항

우리나라 헌법 119조 2항이 경제민주화 조항이다. 이 규정에 의하면, 경제민주화는 1항의 "개인과 기업의 경제상의 자유와 창의를 기본으로 하는 것"과 연결하여 규정된다. 여기에 일정한 목적을 위하여 "경제에 관한 규제와 조정을 할 수 있다"는 것이다. 즉, 『헌법』 119조 2항에서 국가는 다음의 세 가지를 위하여 "경제에 대한 규제와 조정을 할 수 있다"고 말하고 있다. 그 세 가지는 다음과 같다.

(a)균형 있는 국민경제의 성장 및 안정과 적정한 소득의 분배 유지,
(b)시장의 지배와 경제력의 남용을 방지,
(c)경제주체 간의 조화를 통한 경제의 민주화

먼저, "(a)균형 있는 국민경제의 성장 및 안정과 적정한 소득의 분배"의 문제이다. 이 조항은 요소소득의 배분에 관한 문제이다. 국민경제의 성장과 안정을 달성하면서, 동시에 그 성장의 과실을 경제주체가 서로 나누는 '소득 분배'의 문제이다. 이것이 사실은 경제민주화의 가장 기초적이고 기본적인 것이다. 즉, 창출된 부가가치가 어떻게 처분되느냐를 살펴보아야 한다는 것이다.

두 번째는 "(b)시장의 지배와 경제력의 남용 방지"이다. 우리나라는 이것을 위해 공정거래법을 제정하여 실행하고 있다. 얼마나 과격하게 실행하였는지, 모든 좌파들은 여기에 목숨을 걸듯하고 있다. 그래서 도리어 "국민경제의 성장 및 안정"을 해치고 있지 않느냐의 우려까지 나오고 있다.

세 번째는 "ⓒ경제주체 간의 조화를 통한 경제의 민주화"이다. 여기에서 경제주체란 무엇인가? 그것은 일반적으로 "자본과 노동"으로 불려왔다. 사실 이것은 첫 번째 주제로서 "적정한 소득의 분배"와 같은 말이다.

결론적으로 우리나라 헌법상의 경제민주화는 결국 요소소득의 분배의 문제이다. 즉 국내총생산(GDP)가 어떻게 경제주체들에게 분배되고 있느냐의 문제인 것이다. 우리는 이 요소소득의 배분이라는 숫자를 가지고 경제민주화를 말하여야 한다. 이것이 헌법적 정신이다.

『헌법』 119조 2항에서 국가는 이러한 경제민주화를 위하여 "경제에 대한 규제와 조정을 할 수 있다"고 말하고 있다. 따라서 요소소득의 배분의 문제를 이루기 위해 '소유의 재분배'를 말해서는 안 된다는 것이다. 이것은 '재벌해체'와 같은 '소유의 재분배'는 "경제에 대한 규제와 조정"을 넘어선 것이다. 『헌법』 126조는 "국가는 사영기업을 국유·공유할 수 없고, 그 경영을 통제·관리할 수 없다"고 규정하고 있다.

라. 헌법 126조와의 관계

헌법 119조 2항의 "경제민주화" 조항은 헌법 126조의 "국가의 사영기업 소유행위 금지"조항을 넘어서면 안 된다. 헌법 126조의 내용은 다음과 같다.

제126조 국방상 또는 국민경제상 긴절한 필요로 인하여 법률이 정하는 경우를 제외하고는, 사영기업을 국유 또는 공유로 이전하거나 그 경영을 통제 또는 관리할 수 없다.

국가는 사영기업을 국유 또는 공유할 수 없다. 그리고 그 경영에 참여할 수 없다. 이것이 곧 '경제적 소유'에 관한 규정이다. 한편, 오늘날 모든 기업의 '소유'는 사영기업의 '경영'에 반영되어 있다. 즉 기업의 소유자는 의결권행사를 통해 경영자를 선임하여 경영을 하는 것이다. 따라서 헌법 126조는 기업의 의결권행사에 관한 조항이라고 보아도 된다.

『자본시장법』 147조와 시행령 154조인데, 이에 의하면, "주식 투자에 있어서 경영에 영향을 주는 행위는 이사 감사의 선임 등"이라고 명기되어 있다. 이 행위는 주주의 의결권행사를 통해서 한다. 따라서 국가는 사영기업의 의결권행사를 할 수 없다. 의결권행사를 통해서 경영자가 선임되어 회사를 경영하기 때문이다.

한편, 대한민국 정부가 관리하고 있는 국민연금은 이것을 지금 위배하고 있다. 이것은 연금 사회주의를 의미한다. 이것은 시정되어야 한다. 그런데, 도리어 현재의 국민연금은 이 국민연금의 의결권행사를 통하여 경제민주화를 달성하려 한다. 그런데, 소득재분배의 경제민주화가 아니라, 장하성 『한국 자본주의』에 따른 경제민주화, 곧 재벌을 해체하여 그 대주주의 자리에 국가가 자리하게 함을 통하여 소유 재분배의 경제민주화를 시도하고 있다. 사외이사를 파견하여 배당정책에 개입하려는 것은 『한국 자본주의』에 따른 경제민주화이기 때문이다.

마. 규제와 조정의 시기

국가는 언제 헌법 119조 2항의 경제민주화를 위해 관여를 하여야 하나? "(a)균형 있는 국민경제의 성장 및 안정과 적정한 소득의 분배"에 이상이 발견되고, "(b)시장의 지배와 경제력의 남용"이 발생하고, 이로 인해 "(c)경제주체 간의 부조화"가 발생되었을 때, 국가는 국민연금과 같은 기구를 통해 "규제와 조정"의 행위를 하여야 한다.

따라서 국민연금이 국가의 이름으로 각 기업들에 대해서 "헌법 119조 2항의 규제와 조정의 행위"를 할 때, 이 경제주체 간의 부조화와 갈등이 입증 되어야 한다. 예컨대, 소득 재분배 차원에서 요소소득의 배분에 심각한 왜곡이 있어야 한다.

우리는 이 점을 요소소득의 분배라는 차원에서 한 번 살펴보고자 한다. 특히 우리나라의 개혁 대상이 되고 있으며, 또한 우리나라를 대표하고 있는 4대 기업을 통해서 이것을 살펴보고자 한다.

그리고 국민연금기금은 대주주와 소액주주간의 갈등이 있다고 말하며, 그것을 조정하기 위해서 경영에 참여하겠다고 말하고 있는데, 그것은 도대체 또 무슨 이해관계의 갈등인지를 살펴보고자 하는 것이다.

2. 요소소득 배분과 경제민주화

가. 4대기업 요소소득 배분

우리는 4대기업의 매출이 모두 대주주 경영자에게 귀속되는 것으로 오해를 하고 있다. 그것은 천만의 말씀이다. 기업의 매출은 다양한 요소소득으로 구성되어 있다. 한 제품은 여러 단계의 생산 활동을 거치면서 완성되면서, 여기에서 많은 일자리들이 나타난다.

개별 기업의 매출액 구조를 단순화시키면 3개 요소, 원재료비, 인건비, 이윤 부분으로 구분할 수 있다. 여기에서 원재료비는 하청사의 요소소득이다. 즉, 원재료는 다른 기업으로부터 구매한 것이기 때문이다. 이것은 다른 기업의 원재료비(재하청사), 인건비, 이윤으로 구성된다. 이것을 근거로 4대기업의 요소소득 처분 내용을 살펴볼 수 있다. 4대 기업의 요소소득은 다음과 같이 배분 된다. 다음의 표에서 편의상 4대기업의 근로자와 하청사분은 합계를 하였다.

4대기업 GDP매출액의 요소소득 귀속

(단위:조원, 2019년도)

그룹	회사	매출	근로자와 하청사	자본가 (이윤)	대주주 지분	대주주 귀속	일반주주 귀속
삼성	삼성전자	153	138	15	21.20%	3.18	11.820
LG	LG전자	28	28.2	-0.2	33.68%	-0.07	-0.133
	LG화학	22	21.7	0.3	30.10%	0.09	0.210
현대자동차		49	46	3	29.11%	0.87	2.127
SK		65	63.4	1.6	29.62%	0.47	1.126
합 계		317	297.3	19.7		4.55	15.15
요소소득 배분율			0.938	0.062		0.014	0.048

(통계자료 : 금감원, 전자공시시스템의 감사보고서 이용)

4대 기업이 GDP에 기여한 매출액은 위에서 보는 바와 같이 317조원이다. 이 중에서 93.8%인 297.3조는 근로자와 하청사 등(이중에는 하청사의 자본가 소득이 포함됨)에게 귀속되었다. 그리고 6.2%에 해당하는 19.7조원이 자본가에게 귀속되는데, 그 중에서 소액주주들에게 4.8%에 해당하는 15.15조, 자본가에게 1.4%인 4.55조원이 배당가능이익이 된다. "근로자vs자본가"의 분배율은 "297.3조(93.8%)vs19.7조(6.2%)"이다. 이때 자본가에게 해당하는 19.7조원도 "최대주주vs소액주주"의 분배율은 "4.55조(23%)vs15.15조(77%)이다. 궁극적으로 "근로자(하청사 포함)vs소액주주vs최대주주(경영자)"의 분배율은 "297.3조(93.8%)vs15.15조(4.8%)vs4.55조(1.4%)"이다.

이때 여기에서 4.55조원의 최대주주 배당가능이익은 또한 개인으로서의 경영자에게는 이 중에서 약 10% 정도가 귀속된다. 예컨대, 삼성전자의 경우 총지분 21.2% 중에서 이재용씨 지분이 2% 밖에 되지 않기 때문이다. 나머지 배당가능이익은 모두 그 주식을 보유하고 있는 계열사 등으로 귀속된다. 주식을 대부분 계열사에서 보유하고 있기 때문이다. 그렇다면, 100%의 매출액 중에서 대주주 개인에게 귀속되는 비율은 0.14%임을 알 수 있다. 개인으로서의 경영자는 100%의 매출에 기여하고 0.14%를 요소소득으로 분배 받는다.

한편, 위의 표에서 주목할 것이 있는데, 4대 기업의 총이익 19.7조원 중에서 삼성전자의 이익이 15조원으로서 대부분을 차지한다. 즉 21세기 반도체 특수로 인한 것이다. 4대 기업의 다른 회사들은 그다지 큰 이익을 내지도 못하였다. 이것이 대기업들의 현실이다.

나. 요소소득으로 본 경제민주화

자본가로서의 경영자가 4대기업을 시작하였다. 그들은 그들의 기업에서 317조원의 매출을 달성하였다. 그 매출은 매해 계속 이어진다. 그리고 이렇게 쌓여진 부가가치가 오늘날의 대한민국의 근간을 이루었다. 한해의 매출을 가지고 분석을 할 때, 경영자는 317조원의 매출 중에서 정작 본인들에게 귀속되는 배당가능이익은 4.55조원이며, 특히 개인에게 귀속되는 배당가능이익은 그것의 1/10정도에 불과하다. 그리고 나머지 317조-4.55조=312.45조원은 모두 다른 경제주체들에게 귀속되었다. 특히 하청사와 근로자들에게 대부분이 귀속되었다.

우리는 앞에서 우리나라 2019년도 총 부가가치(GDP)가 1,1919원임을 확인하였다. 이때 4대 기업은 자체적인 부가가치 생산과 아울러서 파생 GDP를 산출하였다는 것을 확인하였다. 4대 기업의 직접적으로 산출한 부가가치가 317조원이었는데, 여기에서 파생되어 나타난 파생 부가가치(GDP)가 390조원이었다. 궁극적으로 4대기업의 창출 부가가치는 707조원이었다. 이 중 4대기업 경영진에게 귀속된 부가가치는 4.55조원이었다. 그렇다면, 4대기업의 경영진은 우리나라 부가가치의 "707조/1,919조=37%"를 기여하였다. 그리고 대주주들에게 귀속되는 요소소득은 "4.55조/1,919조=0.2%"이며, 대부분 계열사들에게 귀속되고, 대기업 오너 개인에게 귀속되는 배당가능이익 요소소득은 여기의 1/10정도로서 0.02%정도이다. 그리고 이것도 최근의 삼성반도체의 약진으로 인해서 이 정도로 발생한 이익이었다.

자유민주주의 시장경제의 체제하에서 경제민주화는 이와 같이 자동적으로 달성된다. 자본주의 시장경제의 출발점이었던 『국부론』에서 말하는 새로운 부의 특성, 제조업으로 인한 부의 특성이 그렇다. 자원부국으로서의 중동 국가들에게는 자원중심의 부국이므로 이러한 소득배분이 어렵다. 산출물이 모두 땅 소유자에게로 귀속되기 때문이다. 그러나 제조업의 체제에서는 모두 그 구성원들에게 그 부가 배분 된다. 자동적으로 기본적인 경제민주화가 달성되어 있는 것이다.

다. 국민생존권과 경제민주화의 조화

우리는 이제 무엇이 공정이며, 무엇이 올바른 경제정책인가를 검토 해 보아야 한다. 일반적으로 올바른 경제는 요소소득의 규모를 극대화하는 것이며, 이어서 그 배분을 적정하게 하는 것이다. 그리고 요소소득의 규모를 극대화할 때 국민생존권의 실현이라는 거대한 이슈가 성취된다. 올바른 배분으로서의 경제민주화는 그 국민생존권과 함께 논의되어야 한다. 이 양자 중에서 무엇이 우선이다고 말할 수는 없다. 여기에는 양자의 동의가 필요하다.

우리는 위의 4대 기업의 경제성적표를 받아들고, 이 양자를 적정하게 실현하고 있다는 판단을 하게 한다. 위의 내용은 자유 민주주의 시장경제의 시스템의 성적표이다. 우리는 무엇이 중요한 지의 우선순위를 잘 알아야 한다. 즉 국민생존권으로서의 부가가치를 염두에 두고 이 양자의 관계인 경제민주화를 고려하여야 한다.

그런데, 특히 국민연금은 국민생존권이라는 문제에 대한 고려 없이 지배구조의 개편을 이야기한다. 부가가치의 처분, 요소소득의 배분이라는 자료 없이 다른 문제로 지배구조개편의 이야기를 하면 안 된다. 그것은 국민생존권을 침해하는 행위가 되기 때문이다. 경제민주화는 국민생존권의 일환이다. 그 생존권을 침해하지 않는 범위에서 경제민주화가 논의되어야 한다. 그런데, 국민연금『투자기업 이사회 구성 · 운영 안내』에 나타난 경제민주화는 여기에 위배되어 있다. 여기에는 정책실행자들의 다른 의도가 내포된 것으로 보인다. 더 나아가 경제민주화를 이용하여 다른 옳지 않은 의도를 관철시키려 한다.

3. 국민연금『투자기업 이사회 구성 · 운영 안내』에 나타난 경제민주화

가.『투자기업의 이사회 구성 · 운영 등에 관한 기준안내』의 법적 위치

최근 우리나라에서 "지배구조개편" 이슈가 매일처럼 신문지면을 장식하고 있다. 그리고 이 이슈를 실현하는 주체는 국민연금기금이다. 왜냐면 국민연금기금은 투자하고 있는 막대한 자금을 이용하여 기업에 투자자로서 요청할 수 있기 때문이다. ESG 평가기준을 이용하는데, 여기에서 낮은 평점을 받으면,『수탁자책임활동지침』규정의 적용을 받는다. <국민연금운용위원회>에서는 2020.7.31.『국민연금기금 투자기업의 이사회 구성 · 운영 등에 관한 기준안내』를 발표하고 이러한 "지배구조개편" 이슈를 실행에 옮기고 있다.

<국민연금운용위원회>에서는 2020.7.31.『국민연금기금 투자기업의 이사회 구성 ·

운영 등에 관한 기준안내』를 발표했는데, 이것은 『수탁자책임활동 지침』의 후속조치이기 때문에 단순한 안내가 아니라, 이것은 『국민연금법』의 하위 법규적 성격을 지니고 있다. 이와 같이 국민연금이 그의 투자기업에 대해서 『투자기업의 이사회 구성ㆍ운영 등에 관한 기준안내"를 제시한 것은 사영기업의 운영에 매우 중대한 관여를 한 것이다.

나. 『이사회 구성ㆍ운영 등에 관한 기준안내』의 목적

이렇게 경영에 관여하는 데에는 분명한 목적과 이유가 있어야 하는데, 표면적으로 제시하는 그 목적이 "소액주주 보호"이다. 그 내용은 다음과 같다.

(핵심원칙 2) 주주의 공평한 대우
주주는 보유주식의 종류 및 수에 따라 공평한 의결권을 부여받아야 하고, 회사는 주주에게 회사정보를 공평하게 제공하는 시스템을 갖추도록 노력한다.
(세부원칙 2-①) 회사는 소수주주가 지배주주에 비하여 불공평한 대우를 받지 않도록 하고 자본구조 변경, 분할ㆍ합병, 주식분할ㆍ합병 등에 있어서 주식가치가 훼손되지 않도록 노력한다.
(소수주주보호) 회사는 소수주주들이 지배주주 및 경영진의 권한 남용가능성으로부터 보호받을 수 있는 적절한 제도적 장치를 마련합니다.

그런데, 이 '소액주주보호'는 장하성이 『한국자본주의』에서 말한 '경제민주화'를 말한다고 볼 수 있다. 국민연금의 『수탁자책임활동지침』은 2018.7. 위 책의 저자 장하성이 정책실장을 할 때 만들어졌으며, 2020.7.31. 제정된 『이사회 구성ㆍ운영 등에 관한 기준안내』는 『수탁자책임활동지침』의 후속조치로서 그의 후임 김상조가 정책실장을 할 때 만들어졌다. 김상조는 위 책에 대한 추천사를 썼다. 이 지침을 만든 직접적인 사람은 당시의 보건복지부장관 박능후이다. 이들의 정책은 모두 장하성의 『한국자본주의』에 따른 '소액주주운동'으로 해석해 볼 수 있다. 이 『한국자본주의』에 나타난 '소액주주운동'은 기업들에게 배당을 강요하고, 사업확장을 차입금과 유상증자를 통해 하게 함을 통하여 재벌을 해체시켜 '(더넓은) 경제민주화'를 달성하는 것이었다. 이렇게 하여 국민연금은 '(더넓은) 경제민주화'의 도구가 된 것으로 추정된다.

다. 일반투자 전환기업 파견을 위한 사외이사 풀구성

<국민연금기금운용본부>에서는 위의 『국민연금기금 투자기업의 이사회 구성·운영 등에 관한 기준안내』를 발표하기 전에 이미 2020.3-5.에 국내 72개의 상장사에 대해 "단순투자에서 일반투자로 투자목적 전환" 통보를 하였으며, 이에 대한 관리의 일환으로 위의 지침이 작성된 것이었다. 이러한 기업들에 파견할 이사회 풀을 만들기 위해 내부지침을 작성 중에 있다. 그 내용은 <국민연금기금운용위원회>의 회의록에 다음과 같이 나타난다.

(이상철 위원)… 스튜어드십 코드 도입할 때 쭉 보면 로드맵에 작년(2019년도)에 인력풀, 사외이사 인력풀을 마련하겠다고 하셨는데, 그 진행상황도 간단하게 말씀을 해 주셨으면 좋겠고,…
(최봉근 연금재정과장) …로드맵 상의 사외이사 인력풀 이 부분은 먼저 바람직한 이사회 구성을 어떻게 하면 바람직하냐 이런 것에 대한 안내서 같은 것을 저희가 먼저 작업을 하고 있고, 그것 끝나고 나면 인력풀을 (어떻게) 해야 되는지를 좀더 추가적으로 검토할 계획임.(2020년도 <국민연금기금운용위원회> 제7차 회의록, 2020. 7. 31.)

라. 2021.3월 7개 상장사에 대한 사외이사 파견 논의

이번 2021.1.29.에 국민연금 최고의사결정기구인 <국민연금기금운용위원회>의 참여연대 소속 위원(이찬진 변호사)이 우리나라의 대표적인 상장사 7개사에 대해 사외이사 파견(추천을 통한)을 시도하였다. 삼성물산은 그의 지배구조를 문제 삼았다. 그러한 시도는 아직 풀 구성이 되지 않았고, 미리 사전의 통보조치도 없이 급작스럽게 그것을 시도하는 것에 대한 반대에 부딪혀 이번의 시도는 일단 보류되었다.

지난달(1월) 29일 열린 국민연금 최고의사결정기구인 기금운용위원회에서 참여연대 소속 위원(이찬진 변호사), "삼성물산(지배구조 문제), 포스코 CJ 대한통운(산업재해), 신한·KB·우리·하나 등 4대 금융지주사(사모펀드 사태)이 노동계 등 6명 위원의 동의를 얻어 와 등에 사외이사를 추천해야 한다"는 안건을 올린 것이 발단이다. 그 뒤로 기금운용위원회 산하 기구인 수탁자책임전문위원회가 지난 5일, 9일, 16일 세 차례나 회의를 열어 이 문제를 논의했다. 반대 의견에 막혀 결론을 내지는 못했다. (홍준기 기자, 입력 2021.02.18. 03:54 입력)

이후 이러한 추천형식을 통한 사외이사 파견은 그 다음해 2022년 2-3월에도 논의되었으나, 그때에도 파견은 시도되지 못했다.

마. 『자본시장법 시행령』 154조 1항 '4호 배당'의 삭제

국민연금에서 파견된 사외이사의 가장 중요한 역할은 무엇인가? 그들은 '경제민주화'를 위해 추천형식을 통해 파견되었다. 그들은 이제 대표이사를 감독하는데, 소액주주운동의 일환으로 배당을 강요하는 것이다. 배당이 소액주주의 뜻이며, 자신들은 이것을 대변한다는 것이다. 대주주 경영진은 향후의 투자계획을 말할 것이다. 이때 그들은 『한국자본주의』의 '소득주도성장론'의 '소액주주 배당'이론에 따라 배당을 강요한다. 여기에 따르지 않을 경우, 이것은 곧바로 신문지면을 장식할 것이고, 이제 경영진 교체 작업이 시작된다. 좌파정권에서는 이것을 손쉽게 해낸다.

이와 같이 '배당'을 강요하기 위해서 『자본시장법 시행령』 154조 1항 '4호 배당'을 삭제한 것이었다. 즉 '배당'의 삭제가 의미하는 바는 '배당'에 대한 '주주제안'은 경영참여활동이 아니다는 것이다. 그리고 국민연금운용본부에서는 일반투자제도를 만들고, 일반투자자의 역할이 무엇이냐고 묻자, '배당정책'에 관여하는 것이라고 말하였다. 이것은 『국민연금법』 102조의 '이익극대화' 활동이라는 형태로 답변을 하였던 것이다.

국민연금 사외이사 위원회가 삼성 등에 대해 이와 같은 배당을 성공시키면, 그 다음의 절차는 무엇인가? 사업확장의 투자에 대한 강요이다. 특히 반도체나 전기자동차는 향후 국가의 운명과 관련되어 있다. 이들에게 투자를 강요하는 것이다. 이대 정부에서는 투자계획을 제출하라고 하고, 그에 일정비율은 정부에서 융자를 할 테니, 또 다른 일정비율은 유상증자를 하라고 하는 것이다. 그러면 삼성전자 등은 여기에 참여하여야 하는데, 이때 유상증자를 따라갈 수 없을 때, 지분희석화가 일어난다. 지분희석화란 궁극적으로 국민연금이 1대 주주가 되는 것이다. 결국 국가가 관리하는 회사가 된다는 것이다. 이 모든 시나리오가 '경제민주화'라는 이슈로 전개된다.

바. 2020.12.31. 『금융복합집단 감독법』과의 관계

지난 정부의 주요정책은 크게 "소득주도 성장과 공정경제의 실현"인데, 이 내용은 모두 장하성의 『한국 자본주의』에 고스란히 나타나 있다. 그곳에서 제시한 방향 고스란히 진행되고 있다. 이때 '공정경제 실현'의 그 최종적인 목적지는 '기업 지배구조개편'인데, 그것은 '대주주의 소액주주화'를 통한 '더 넓은 경제민주화'의 실현이었다. 그리고 이러한 경제민주화가 실현되는 최종 단계에는 국민연금이 소액주주보호의 명분으로 주요기업에게 유상증자를 강제하는 것이다. 장하성의 『한국 자본주의』는 여기에 목표를 두고 있다.

2021년도에 들어서서 정부는 삼성을 비롯한 반도체 업계에 투자계획제출을 요구하였고, 삼성은 반도체 산업진입과 관련하여 155조의 투자를 말하고 있으며, 현대자동차를 비롯한 밧데리 산업계에서는 40조의 투자를 말하고 있다. 이것은 유상증자를 말한다. 이제 국민연금은 이 기업들에게 들어가서 내부 유보금을 배당을 시켜버리면, 그들에게 내부 유보금은 존재하지 않는다. 그러면 이제 그 약속을 지키기 위해 유상증자를 하여야 한다. 이 유상증자를 따라가지 못하면 지분희석화가 발생하는 것이다.

이때 그들의 지분을 가지고 있는 계열사들이 이 유상증자에 참여하여야 하는데, 2020.12.31.에 『금융복합집단 감독법』이 제정되고, 금번 2021.6.30.에 동법에 대한 시행령이 발효되었다. 여기에 해당하는 회사가 삼성과 현대를 포함한 6개 회사 그룹이다. 이 법의 주요 내용은 계열사 간의 자금지원을 차단하고, 자본적정성(부채비율)을 관리하는 것이다. 이것은 삼성에게는 직접적으로 영향을 미치는 것으로 보인다. 추정컨대, 삼성생명의 삼성전자 보유지분은 8.51%이다. 그런데, 삼성생명은 지분보유비율이 꽉 찬 상태이다. 그래서 삼성생명에서는 여기에 참여할 수 없다. 다른 계열사에서 이것을 받아주어야 하는데, 다른 계열사에 대한 자금지원을 차단하는 법률인 것이다.

사. 대기업해체로 변질된 '경제민주화'

국민연금 『투자기업의 이사회 구성·운영 등에 관한 기준안내』는 이렇게 장하성 『한국자본주의』에 나타난 '경제민주화' '소액주주운동'의 일환으로 볼 수 있다. 그리고 그것은 국가자본주의 실현의 도구이다. 이것은 연금 사회주의라고 불리울 수 있다. 따라서 오늘날 대한민국의 헌법은 자유민주주의 시장경제인데, 그 법규 등은 사회주의 법규이다고 말해 질 수 있다.

4. 국민연금 소액주주보호 이슈의 본질

가. '경제민주화'에 대한 소액주주들의 진정한 뜻

한 회사에서 이익이 발생하면, 그것은 배당가능이익이 되어 진다. 그리고 이것은 배당이 되기도 하고, 사내에 유보된 후에 이후의 투자로 이용된다. 이때 대부분의 회사들에서 이윤은 축적이 되어서 이후의 투자기회에 재투자되기도 하고, 다른 회사에도 투자된다. 경영자는 그 이익금을 누적하여 회사의 확장을 꾀한다. 이 이익금을 모두 배당하는 회사는 어디에도 존재하지 않는다. 이익금을 모두 배당한다는 것은 그 회사가 더 이상은 발전하지 않는다는 것을 의미한다.

아담 스미스도 그의 『국부론』에서 이와 같이 축적된 이윤을 자본이라 하였고, 이것이 재고자산과 기계설비와 같은 고정자산에 투자되어 사업규모를 확장해 나간다고 말한다. 이익배당은 그 일부에 대해서만 이루어진다. 이렇게 기업의 이윤으로 축적된 이윤과 또 다른 투자는 이제 주식가치에 반영되어서 주가의 상승을 이룬다. 이와 같은 주가상승으로 인한 차익이 투자자들의 몫인 것이다. 이 상승된 주식가치가 대주주와 소액주주들의 몫인 것이다. 따라서 대주주와 소액주주는 똑같은 자본가 그룹에 분류된다. 그들은 모두 주가상승 차익으로 마진을 누린다.

그런데 이것은 이미 처음부터 전제된 것이다. 이 대주주가 설립한 회사에 투자의 기회를 소액주주들에게 제공하였으며, 이 투자기회를 소액투자자들은 이용할 뿐이다. 이것이 일반적인 주식시장에서의 합의된 이해이다.

일반적으로 소액주주는 하나의 예금을 하듯 투자처를 찾아 특정기업의 주식을 취득하였다. 따라서 그들은 모두 이익을 목적으로 한 단순투자자들이다.

따라서 소액투자자들은 일반적으로 투자회사의 지배구조나 부정 등에 대한 관심은 2차적이다. 그것은 그에 해당하는 법률에 맡긴다. 또한 그들은 사회의 구성원으로서 특정회사에 "일감 몰아주기나 경영자의 부패"에 대해서 공분을 할 수는 있다. 그러나 그것을 바로잡는 것과 투자행위와는 별개의 문제이다. 그들은 이 문제를 바로 잡는 것보다 그 기업의 주식가치에만 관심을 가질 뿐이다.

그런데, 국민연금이 소액투자자를 보호하겠다고 말하며, '지배구조문제'를 통해 삼성을 향하여 강한 이의를 재기하자, 2021년 상반기의 삼성그룹의 주가총액 증가율은 10대 기업 중에서 꼴찌였다. 이것이 소액주주들의 목소리였다. 국민연금은 소액주주들을 빙자하여 자신의 목적을 이야기했다고 투자자들은 생각한 것이다.

소액주주들은 국민연금의 소액투자자보호를 위한 국민연금의 경영개입을 원치 않으며, 그것은 주식의 가치를 떨어뜨릴 뿐이라고 생각한다. 자신들은 소액주주로서 단순투자자일 뿐이다.

나. 소액투자자들을 위한 로빈훗, 국민연금

이때 이 단순한 투자자들에게 "이 회사의 주인은 소액주주 당신들이다"고 말하며, 국민연금은 나서서 이 소액주주를 대변하겠다는 말을 한다. 이때 국가자본주의를 추구하는 자들은 20-30%의 지분을 가진 대주주가 기업전체를 장악하고 황제경영을 하고 있다고 질타한다.(장하성, 『한국자본주의』, 397)

그들은 대주주들이 "자신의 편의에 따라 기업의 일감을 몰아주며, 부정과 사익을 취한다"고 말한다. 그리고 그것을 막기 위해 사외이사를 파견하려 하며, 여기에 순응하지 않을 경우 경영권을 교체하겠다고 말하고 있다. 이것이 "경제민주화"를 위한 "기업지배구조개편"이슈이다.

대기업의 "일감 몰아주기"는 공정거래법에 의해서 단속이 잘 되고 있으며, 관련 공정거래법은 계속 강화되는 중이다. 20-30년 전에 문제로 재기되고, 계속적으로 강화되어 공정거래법이 촘촘히 짜여져 관리가 되고 있는데, 오늘날에 또 다시 거론한다. 그것은 법규의 문제이다. 그 법규를 위반하였을 경우 해당 처벌을 받으면 된다. 그런데, 이것은 시정하고자 소유권을 박탈하려 한다. 이것이 재벌 해체의 이유라는 것은 논리상으로 맞지 않는다.

그리고 재벌해체의 또 하나의 이슈는 "부정과 사익"이다. 그런데, 이것도 언제적 이야기인가? 오늘날 주권이 상장 되어 있는 회사에서 이러한 행위는 곧바로 법적처벌을 받는다. 회사마다 감사가 있고 외부회계감사를 받는다. 법적인 문제를 소유권 교체의 문제로 연결시키는 것은 옳지 않다.

위의 문제와 소액주주보호가 연결되고 있다. 소액주주들은 여기에 무관심하다. 그런데, 소액주주들을 보호한다고 하면서 위의 문제를 재기하고 있는 것이다. 이것은 또 다른 그 무엇을 위한 명분으로 보인다.

다. 소액주주보호 이슈의 출처로서의 『한국 자본주의』

우리는 놀랍게도 우리나라에서 유행처럼 번지고 있는 "기업 지배구조개편" 이슈의 이론적 근거가 장하성의 『한국 자본주의』 1부에 체계적으로 나타나 있음을 발견할 수 있다. 그런데, 그 논리의 전개는 무엇인가를 지향하고 있다. 왜냐면, 논리가 이어지는 사실들(factors)이 현실과 전혀 맞지 않기 때문이다.

장하성에 의하면, 먼저 "노동자와 주주의 몫이 줄었다"고 말한다. 그리고 그 이유는 기업의 과다한 내부 유보금 때문이라고 말한다. 그리고 이어서 우리나라의 경제에는 "투자보다 소비가 부족하다"고 말한다. 그리고 장하성은 이것이 곧 "재벌과 대기업의 꼼수이다"고 말한다. 즉 유상증자를 하지 않기 위한 꼼수라는 것이다.(『한국 자본주의』 1부, 전반부 요약)

위의 내용은 전혀 기업 현실을 모르는 이야기이다. 기업은 자연스럽게 내부유보를 한다. 기업의 유보는 적법한 것이며, 이와 같이 하여야 기업이 계속기업으로서 지속가능하다. 기업이 내부유보를 하는 것은 전혀 이상이 없다. 그리고 기업은 내부유보를 통해서 기업을 확장해 나가는 것이지, 유상증자를 통해 확장하는 것이 아니다. 왜냐면, 유상증자를 할 때 자신의 지분율 만큼 자신의 돈을 기업에 넣어야 하는데, 이때 보유 현금이 부족하면, 자신의 지분율이 희석화 되어 경영권을 상실하기 때문이다. 즉 회사에 대한 소유권을 상실하는 것이다. 회사의 경영권이 곧 소유권이다.

그러면서 그는 이 책 1부의 결론부에 이르러서 "더 넓은 경제민주화"를 말한다. 그는 먼저 "자본주의 vs 민주주의"를 말하는데, 그의 자본주의는 대주주이며, 민주주의는 소액주주, 근로자, 중소기업이다.(여기에서 대주주는 재벌로 표기된 것을 변환시켰으며, 소액주주는 1부 전체의 흐름에 근거하여 삽입한 것이다.) 그러면서 대주주의 지배권을 기업이 개입하여서 소액주주와 같은 지위로 만드는 것이 "더 넓은 경제민주화"라고 말한다. 그는 헌법 119조의 경제민주화를 이와 같이 해설한다.(『한국 자본주의』 1부, 결론부 요약)

여기에서 결국 장하성씨는 자신의 이슈가 우선적으로 존재했다는 것이 드러난다. 즉 그는 경제민주화를 위해서 "재벌의 꼼수로서의 기업 이윤의 내부유보"를 말하였던 것이다. 즉 그의 의도는 분명하게 드러나는데, 그는 소액주주보호라는 명분을 세우고, 국가가 나서서, 예컨대 스튜어드십 코드 등을 이용하여 기업경영에 참여하여, 기업으로 하여금 유상증자를 하게 하라는 것이었다. 그래서 대주주의 지분을 희석화시켜 경제 민주주의를 구현하라는 것이었다. 이것이 장하성씨의 경제 민주주의이다.

위의 장하성씨의 모든 주장은 지난 정부의 국정방향이다. 먼저 경제민주화를 말한 후, 대기업 지배구조개편을 말하였다. 그리고 국민연금은 이것을 받아서 소액주주보호 이슈를 삼은 것이다. 그리고 834조(2020년말)의 거대자금으로 이것을 투자기업들에게 반영시키고 있는 것이다.

5. 국민연금 '소액주주보호(지배구조개편)'이슈의 논리적 정당성 문제

가. '소액주주보호'이슈와 '공정경제3법 등'과의 관계

우리는 국민연금의 위와 같은 경영참여가 어떤 논리에 근거하는지를 소상히 알아보아야 한다. 왜냐면 국가기관이 관리하는 공적기금은 그 이유가 분명하여야 하기 때문이다. 그리고 국민연금이 말하는 '소액주주보호와 지배구조개편'의 이슈, 즉 '경제민주화'가 무엇인지 그 논리적 정당성을 분명하게 알아보아야 한다.

우리는 이 지배구조개편 대상을 살펴볼 때 삼성을 중심으로 먼저 살펴볼 필요가 있다. 왜냐면 삼성의 지배구조개편에 대한 논의가 크게 회자되고 있기 때문이다. 먼저, 금번에 시행되고 있는 "공정경제 3법"에 대해 문화일보(2020.10.5.)의 이신우 기자는 다음과 같이 말한다.

이재용 삼성전자 부회장은 지금 정부가 촘촘히 짜놓은 그물에 걸려 있다.…그 종착지에는 놀랍게도 대한민국 경제를 대표하는 삼성그룹의 해체가 자리하고 있다.… 보험업법에 의하면 삼성생명의 계열사 지분 보유액 평가가 취득원가에서 시가로 바뀌게 된다. 현재 삼성생명이 보유한 삼성전자 지분은 8.51%다. 이 보유 지분의 취득원가는 원래 5400억 원이었으나 시가로 환산할 경우 무려 28조 원으로 부푼다.… 3%인 9조 원을 제외하면 약 19조 원을 매각해야 한다.… 그럼 이를 모면할 방안은? 삼성그룹의 사실상 지주회사 격인 삼성물산을 동원할 수 있다. 삼성물산이 보유 중인 삼성 바이오로직스 지분 43.4%(약 22조 원)를 팔고 이 돈으로 삼성생명이 내놓은 물량을 넘겨받는 것이다. 다만, 문제가 있다. 삼성물산이 삼성전자 지분을 사들이면 자회사인 삼성전자 주식 가치가 삼성물산 총자산의 50%를 넘게 돼 공정거래법상 지주회사로 전환하지 않으면 안 된다.

이 지점에서 저격병으로 기다리는 것이 공정거래법 개정안이다. 현행 공정거래법에 따르면, 지주회사의 자회사·손자회사에 대한 의무 지분율이 상장사는 20%, 비상장사는 40%로 규정돼 있는데, 개정될 경우 상장사는 30%, 비상장사는 50%로 지분 요건이 강화된다. 삼성물산이 지주회사로 전환할 수밖에 없다면 자연히 삼성전자의 지분 30% 이상을 보유해야 한다. 삼성전자 지분 11% 정도의 추가 매입이 요구된다. 소요액만 수십조 원이다. 삼성물산에는 그럴 만한 능력이 없다. …또 다른 방어벽이 준비돼 있다. 바로 금융그룹감독법이다. 이 법의 취지는 비금융계열사의 위험이 금융계열사로 옮겨가는 것을 막는 것이다. 이런 좋은 취지가 삼성전자의 지분을 많이 갖고 있는 금융계열사인 삼성생명에 적용되면 또 다른 의미로 다가온다. 즉, 삼성전자 주가가 오르면 금융계열사의 위험자본 비율을 낮추기 위해 삼성생명은 자체 자본금을 더 확충할 의무가 생긴다. 확충할 수 없다면? 반대로 삼성전자 지분을 줄여야 한다.

사정이 이러니 이 부회장으로서는 빠져나갈 구멍이 없다 해도 과언이 아니다. 결국 삼성전자 지분은 시장에 나올 수밖에 없고, 이를 외부 세력이 사들이면 삼성그룹은 사실상 해체 수순을 밟는다. 만일 중국 자본이 개입하면 삼성은 그대로 중국 기업이 된다. 그러지 않더라도 이미 전자의 11.1%를 확보하고 있는 국민연금이 최대 주주로 등극할 수 있다. 이럴 경우 삼성그룹은 '특정 권력'의 손아귀 안으로 들어간다. 현 정부는 왜 이토록 집요하게 삼성을 물고 늘어지는 것일까. 혹시 이런 움직임이 '시진핑(習近平) 모델'을 의식한 것은 아닐까. 시진핑 중국 국가주석은 최근 수년간 사기업들의 소유권을 빼앗아 국유화하는 작업에 박차를 가하고 있다. 경제 전반을 공산당 지배하에 두겠다는 복심이다. 문재인 정부라고 못할 게 뭐 있나. 삼성만 흔들어놓으면 나머지 대기업들이야 식은 죽 먹기다. 자기네 능력으로 힘에 부칠 경우 중국 정부가 도와줄 수도 있다.… [문화일보. 2020.10.5]

나. 소액투자자보호 이슈에 대한 소액투자자들의 반응

지난 2020년도 삼성의 매출은 153조에서 166조원으로 상승을 하고, 계속 반도체 호황의 뉴스가 나오고 있는데도 불구하고, 국내시총 10대그룹 시가총액 증가율은 삼성은 전년 대비 0.26%로 꼴찌였다.(한국경제 2021.7.11.) 국가가 경영에 간섭하고, 기업이 국유화의 위험이 있으면 주가가 폭락을 한다. 지난 2020년부터 삼성의 경영권에 대한 위협 때문이었을 것으로 추정한다. (자료: 에프앤가이드)

그룹사명	시가총액 (보통-상장예정주식수 포함)(억원)		등락률(%)
	2020.12.31	2021.07.09	
한화	161,666	208,233	28.80
포스코	350,407	467,443	33.40
에스케이	1,714,945	2,109,925	23.03
현대자동차	1,145,963	1,405,677	22.66
현대중공업	157,577	193,032	22.50
지에스	107,689	123,731	14.90
신세계	85,552	94,678	10.67
엘지	1,373,303	1,479,770	7.75
롯데	208,441	214,180	2.75
삼성	6,824,324	6,842,057	0.26

일단 표면적으로 나타난 국민연금기금의 이슈는 소액주주 보호인데, 위와 같은 조치로 인해 삼성의 소액주주는 위와 같은 피해를 입었다. 따라서 지배구조의 개편으로

서의 국가가 지명하는 자로의 경영권 교체는 소액주주를 위한 것이 아니다. 소액주주들은 그것을 이미 국유화로 보고 있는 것이다. 위의 주식가치의 변동이 그것을 말해 주고 있을 수 있다.[10]

다. 『한국 자본주의』 경제민주화 해석의 문제점

『한국 자본주의』의 "더 넓은 경제민주화 이론"은 고스란히 지난 정권의 국정에 반영되었다. 이에 대한 실행기관은 국민연금이며, 그 일환으로 국민연금 『투자기업의 이사회 구성·운영 등에 관한 기준 안내』가 나타났으며, 이 기준을 제정한 이유가 곧 '소액주주보호'였다.

문제는 장하성씨의 『헌법』 119조 '경제민주화'에 대한 해석은 자유민주주의 헌법에 의한 해석이 아니라, 이것을 사회주의로 변질시켜 호도하며 해석한 것이다. 그리고 그 해석을 통해 나머지 모든 이론을 전개하여, 『한국 자본주의』 책이 사회주의 혁명 지침서로 만들어 버린 결과를 초래하였다. 이 부분은 사법기관의 조사와 규명을 요청한다. 궁극적으로 그는 대주주의 지분을 희석화하여 최대주주를 끌어내리고, 국가(국민연금)로 하여금 1대 주주가 되게 하는 것이 그 방향이다. 즉 첨단 대기업의 국유화이다. 그는 그것을 '더 넓은 경제 민주화'라고 말하였다. 그것은 경영권 즉 기업 소유권을 박탈하는 것이다. 그것은 헌법 119조 1항의 경제민주화의 전제인 "경제적 자유와 창의"를 위반하는 것이다.

그는 대주주의 지배구조개편을 주장하는데, 그렇게 되면 결국 국민연금만이 최대주주로 남는 국가 자본주의를 의미한다. 이것은 체제의 변혁 곧 사회주의를 의미한다. 국민연금은 2022년말 현재 890조원으로서 국내 상장사 시가총액 2,079조원의 43%에 해당한다. 국민연금의 20%(약 170조원)가 국내기업 주식에 투자되고 있는데, 그것만으로도 국민연금은 우리나라 주요 172개사의 2대 주주이다. 국민연금의 의결권 행사는 이 모든 주요 대기업들의 경영에 참여하는 행위로서, 국가의 사영기업 소유(부분적 국유)행위인 것이다.

< 결 론 > '더넓은 경제민주화'와 소액주주운동'의 본질규명

가. 『한국 자본주의』에 나타난 '경제민주화'와 '소액주주운동'

---

10) 포스코도 이번 사외이사 파견대상에 올랐는데, 포스코가 사외이사 파견대상에 오른 이유는 경영권과 관련한 지배구조문제가 아니라, 산업재해건으로 인해서 였다.

우리나라의 국정방향이 공정경제로서의 기업지배구조개편이며, 그것이 국민연금에 의해서 소액주주보호이슈로 등장했다. 이 내용은 모두 2014년 장하성의 『한국 자본주의』에 나타난 내용이다. 이 책은 베스트셀러로 선정되기도 하였다. 김상조는 이 책의 추천사를 통해 극찬을 하였다. 이 책은 "투표로 자본을 이기자"로 결론을 맺는데, 그것은 '정권(투표)'을 잡아서 '재벌(자본가, 재벌)'을 '해체하자'라고 재해석 된다. 그리고 문재인이 정권을 잡자, 이 책의 이해관계자들이 정책실장이 되고 정부각료가 되어서 이 책의 내용을 고스란히 정책과 법률에 반영하였다. 그리고 이러한 기업지배구조개편의 중요한 도구가 국민연금이었다.

나. 『한국자본주의』의 본질규명

국가의 공적자금인 국민연금이 이러한 용도로 활용되고 있다는 것은 우리로 하여금 큰 경각심을 갖게 한다. 국민연금이 위의 『한국자본주의』의 지배구조개편, 재벌해체, 경제민주화, 및 소액주주운동의 도구가 되어 있다. 그리고 지난 정부에서는 이것을 5년 동안 실행하였다. 그리고 그것은 현행법규로 만들어 버렸다. 그래서 지금도 그 법규에 따라서 이 자금이 운용되고 있다.

그렇다면, 지난 정권에서 수행한 모든 정책과 법규들의 본질은 『한국 자본주의』에 따라 규명되어야 한다. 그래서 만일 『한국 자본주의』가 국가자본주의(사회주의) 방법론을 기술한 것이라면, 그들은 정부를 장악하여 혁명을 수행한 것으로 간주될 수 있다. 우리는 『한국 자본주의』가 어떠한 책인지가 확정되어야 한다. 이것이 사회주의 지침서인지, 아니면 진정한 경제민주화를 구현하려는 책인지에 대한 법적인 판단이 필요하다. 그리고 그 내용이 국가의 정책과 법규에 얼마나 접목되었는지를 판단하여 지난 정부의 본질을 규명하여야 한다.

그런데, 위의 논리만 가지고 우리가 현안을 판단한다면, 지난 정부의 국정운영은 지금 사회주의로 향하였다고 볼 수 있다. 위의 국민연금의 소액주주보호 이슈는 하나의 명분일 뿐이며, 그것의 본질은 사회주의의 이슈일 수 있다. 그리고 만일 이렇게 사회주의 체제로 나아가기 위한 일환으로 정권이 운영되었다면, 그것은 『형법』 91조의 '국헌문란'과 87조의 '내란'혐의에 따라 해당자들을 판단하여야 한다.

다. 국민연금 의결권 행사

이 모든 것의 출발점은 국민연금 의결권행사에서 비롯되었다. 그리고 그러한 오류는 『헌법』 126조의 "국가의 사영기업 소유(부분적 국유)와 경영참여 금지"조항을 잘못 해석된 데에 따른 것이다. 국민연금의 의결권 행사는 지극히 최소화하여 법률을 통하여 제정되어야 한다. 국민연금(국가)는 "국방상·국민경제상 긴절한 필요로 인하여 법률에 정하는 경우"를 제외하고는 "사영기업 소유(부분적 국유)와 경영통제(의결권·주주권 행사)"를 하여서는 안 된다. 이것은 아주 기본적인 사항이다.

이러한 해석의 오류는『국가재정법』64조와 78조의 미흡함에서 출발하였다.『국가재정법』64조의 "기금이 보유한 주식"은 "기금이 기금법에 따라 보유하고 있는 주식"이라야 한다. 여기에 국민연금과 같은 '여유자금'은 해당되지 않는다.『국가재정법』78조는 여유자금으로서의 국민연금을 말하고 있는데, 그 대체조항으로서 77조만을 언급함을 통하여『국가재정법』64조의 '의결권조항'을 달리 해석할 수 있는 여지를 주었다. 그러나 '의결권행사'는 '자산운용' 내에 있어서 달리 해석할 여지는 없다.

『자본시장법』147조와『동시행령』154조는 예시규정이다. 이 예시규정에 의하면,『자본시장법시행령』154조의 1-10호의 사항에 대한 의결권행사는 "중요한 경영참여"이다. 그런데 의결권 행사 자체가 경영참여인 것이다.

이 법규들에 대한 해석을 잘못하여 "국민연금 의결권 행사"가 적법한 것이 되면, 우리나라는 헌법적으로는 자유민주주의 시장경제의 국가이지만, 법률상으로 사회주의 시장경제의 국가가 되는 셈이다. 이것은 좌파정부가 들어서면 곧바로 시행된다.

라. 포퓰리즘과 주요기업 국유화

혹자는 정권이 바뀌면 이 모든 것이 개선될 것이라고 말한다. 그런데, 일반적으로 21세기의 신사회주의 혁명은 항상 포퓰리즘과 주요기업 국유화라는 두 가지 가 진행된다. 이때 전자의 포퓰리즘은 후자의 기업국유화를 위해서 진행된다.

사회주의 정부는 포퓰리즘을 통해 계속적인 집권을 하려한다. 사회주의자들의 포퓰리즘을 일반 자유주의자들은 따라가지 못한다. 그래서 자유 우파에서 정권을 되찾았다고 하더라도 이내 좌파가 다시금 장악한다. 그러면서 언론과 사법을 더 깊고 광범위하게 통제해 나간다. 이 일은 계속될 것이다. 그러는 가운데 펀드를 이용하여 핵심기업(생산수단)을 국유화하는데, 이때 그 나라를 대표하는 핵심 대기업을 국유화한다. 그러면 그 기업 내에는 풍부한 유동성이 존재한다. 그러면 이제 그 내부 자금을 이용하여 또 다른 기업을 M&A한다. 이때 하청사는 자연스럽게 장악된다. 하청사의 평가기준에 노조를 넣으면 되기 때문이다.

이때 중요한 것은 기업 국유화작업을 할 때 많은 기업을 국유화하는 것이 아니다. 러시아에서 국가 자본주의 혁명은 푸틴이 그의 집권 2기때 일으켰는데, 가스프롬과 로스네프찌 2개의 기업을 국유화한 후, 그들을 통해서 나머지 전체의 하청사들과 연관기업들을 순차적으로 인수 합병하였다. 이것을 완성하는데 3년 6개월 밖에 걸리지 않았으며, 국민들은 이것이 진행되는지 조차 알지 못했다. 그냥 단순히 올리히가르(러시아 재벌)들을 숙청하는 줄만 알았다. 지금은 크렘린과 행정부 각각에서 7개의 회사들을 직접 관리하는데, 또 이들을 통해서 나머지 전체의 대기업들을 관리한다. 이것이 국가 자본주의이다. 이 경우 한 나라의 생산수단인 기업이 국유화되어 있으므로 이것은 사회주의 체제에 속하며, 국가가 시장에 뛰어들어 민간과 경쟁을 하므로 사회주의 시장경제라고 불린다. 국민연금 의결권행사가 보완 되지 않으면, 정권이 바뀌면 이 일이 곧바로 실행될 것이다. 자유주의 정권이 자리하였을 때, 이 국민연금 의결권 행사 법규는 보완 되어야 한다.

2부 국민연금의 반란

1장 『한국 자본주의』 요약과 비판

<서 론> 민중민주주의 계열(PD계열)의 국가자본주의(사회주의) 방법론

가. 좌파들의 지침서 『한국 자본주의』?

문재인 정부에서 국민연금운용본부의 <수탁자책임활동지침(국민연금 스튜어드십코드 규정)>(2018.7.30.)은 장하성이 초대 정책실장(2017.5-2018.11)으로 재직할 당시 제정되었다. 물론 이 <수탁자책임활동지침>은 박능후 복지부장관(2017.7-2020.12)의 주도 하에 이루어진 것이지만, 그 모든 결정은 청와대와의 관여 하에 이루어졌다. 문재인은 간첩왕 신영복을 존경하는 사상가로 말하는 것을 보았을 때, 그의 사상은 사회주의자인 것으로 보인다. 그리고 그의 정책실장 장하성도 그의 저서 『한국 자본주의』에 의하면, 국가자본주의(사회주의)를 추구하는 자라고 말할 수밖에 없다. 그리고 그의 사상은 문재인 정부에서 대거 실현되었다. 경제와 관련된 국정에 있어서 가장 중심에 있는 것이 국민연금기금인데, 우리는 『한국자본주의』에서 나타난 그의 의도가 국민연금운용본부의 『수탁자책임활동지침』(스튜어드십코드 규정), 각종 『자본시장법시행령』 개정, 및 『이사회 구성·운영안내』 등에 반영된 것으로 보인다.

우리는 장하성의 『한국 자본주의』를 살펴보기에 앞서서 김경수의 판결문을 잠깐 살펴볼 필요가 있다. 우리는 이것을 통해 『한국 자본주의』가 좌파들의 지침서이다는 것을 알 수 있기 때문이다. 왜냐면, 김경수 판결문에는 문재인의 대통령 당선을 위해 댓글조작을 한 이유가 나타나 있는데, 문재인을 대통령으로 만들어 '경제민주화'를 실현하기 위해서라고 말한다. 그리고 그 경제민주화의 방법으로서 "국민연금의 의결권 강화, 국민연금 스튜어드십코드, 기업의 전자투표"를 말한다. 이때 김경수의 '경제민주화'는 '재벌해체'이며, 그것은 『한국 자본주의』의 '경제민주화'를 의미한다.<김경수 판결문(서울고법 2020.11.6. 선고 2019 노461판결)-컴퓨터 등 방해업무 장애 판단, 공모>에서 해당 문장을 발췌해 보면 다음과 같다.

[2016.6.3. 김BB(김동원)가 피고인(김경수)을 소개받은 경위] 노YY에게 불법 정치자금을 지원하고, 그 대가로 국내 재벌 기업의 주식을 보유한 국민연금관리공단 이사장직 등에 경OO(경공모) 회원이 임명될 수 있게끔 영향력을 행사해 달라고 요구하려다가 노YY의 관계단절로 성사되지 못하였다.…

[2016.6.30. 피고인과 김BB의 첫 만남] 김BB은 이 날 피고인에게 자신이 노사모 활동을 하였으며, 경OO는 경제민주화를 위해 소액주주 운동 등을 하는 조직이라고 소개하였고, 경OO에서 강연해 줄 것을 요청하였다.…

[2016.9.28. 첫 번째 경OO 사무실방문] '경OO 소개 02'에는 경OO의 목적이 경제민주화 실현에 있고, 이를 위해 소액주주들의 조직적 결집에 의한 지배구조 변경을 추구한다는 내용이, '경OO 소개 03'에는 경OO가 목표로 하는 재벌구조변경을 위해서는 2017년 대선승리 및 정권장악을 통해 국민연금관리공단의 의결권 적극 행사가 필요하다는 등의 내용이,… 등이 상계하게 기재되어 있는데,…

(마)"…경OO가 추구하는 경제민주화나 이를 위한 소액주주운동, 스튜어드십 코드, 주총에서의 전자투표의무화 등에 관한 설명"과 같은 내용을 들었다고 하였는데,… 피고인에게 브리핑하였다는 사실과 배치되지 않는다.

위의 내용에 의하면, 『한국 자본주의』가 좌파들이 공유하고 있는 공통된 방향이다는 것을 알 수 있게 한다. 그 안의 내용들이 문재인 정부에서 고스란히 재현되고 있기 때문이다. 소득주도성장론과 이것을 이용한 국가자본주의(혹은 민중민주주의) 실현이 이 책의 중요한 주제로 등장하고 있는데, 이것이 문재인 정부에서 고스란히 반영되었다. 우리는 먼저 이 『한국 자본주의』에 있는 내용을 살펴보고자 하는 것이다.

나. 새로운 사회주의혁명의 방법

과거에는 한 나라가 공산화될 때, 전쟁을 통해서 공산화가 이루어졌다. 그러나 이제는 그 패턴이 바뀌었다. 나라는 그대로 놓아둔 채, 그 나라의 사회주의자들이 정권을 창출한 후, 그 정권과 사회주의자들이 법률 등을 사회주의적으로 개정하여 그 나라의 생산수단으로서의 대기업을 장악하는 것이다. 오늘날의 생산수단은 토지가 아니라 기업이다. 생산수단이란 일자리를 의미한다.

이때 중국의 국유기업은 이러한 일을 성취시키는 데, 중요한 파트너이다. 중국의 국유기업들은 그 나라의 좋은 투자대상에 투자만 하면 되는 것이다. 예를 들면, 삼성전자의 주식에 투자만 하면 되는 것이다. 그리고 나중에 이곳에서 스튜어드십코드가 행동주의 사모펀드에 의해서 일어났을 때, 국민연금과 중국펀드가 그 편을 들면 된다. 그러면 그 나라의 대기업이 국가 관리 아래로 들어가게 된다. 그러면, 그 회사는 사회주의자들의 일자리가 된다. 우리는 이것을 레닌의 볼셰비키 이후에 나타난 제2의 코민테른이라고 부를 수도 있을 것이다. 시진핑의 일대일로도 이와 같은 용도로 사용될 것이다. 이렇게 해서 대기업의 주인이 국가가 되어서 국가 자본주의(사회주의)를 그 나라에 실현하려고 한다.

『한국 민주주의』는 우리나라의 재벌을 해체하여 경제민주화를 이루려 한다. 좌파들에게는 그것이 그들의 사명인데, 그것이 성공하면 그가 그 회사의 주요구성원이 된다. 그러나 그들은 이렇게 하여 이 세계 속에 경쟁이 없는 나라, 평등의 나라, 유토피아가 건설된다고 홍보를 한다. 그들은 어찌되었건 그 방법만을 찾는다. 그들은 국민연금을 이용하려하고, 그 부족분을 중국 자금으로 충당하려 한다. 중국어도 못하는 장하성 씨가 중국 대사로 간 것에 대해서 많은 사람들은 이 문제와 연관시켜 생각한다.

다. 법령을 통한 국가자본주의(사회주의) 혁명시도?

우리는 문재인 정부가 각종 입법활동 등을 통해서 국가자본주의(사회주의) 혁명을 시도한 혐의가 있다고 본다. 그래서 우리는 문재인 정부에 의해 이루어진 헌법에 위배되는 법규개정 등을 검토하여야 한다.

먼저, 문재인 정부에서 이루어진 『국민연금 수탁자책임활동지침』은 분명히 『헌법』 126조에 위배된다. 국민연금은 언젠가부터 근거도 없이 "국민연금의 의결권행사는 가능하다"는 식으로 해석을 하였다. 그러면서 『자본시장법 시행령』 154조를 이용하여 "국민연금이 주주제안과 의결권행사를 동시에 할 경우에만 경영통제이다"는 억지해석을 하였다. 여기에서 주주제안은 경영자 선임 해임 등에 대한 사항을 포함한다. 그런데, 문재인 정부에서는 기존의 이 해석에서 한 걸음 더 나아가 <국민연금 수탁자책임활동지침>을 제정함을 통하여 "주주제안과 의결권행사를 함께 할 수 있다"고 천명하였다. 이것이 곧 문재인 정부에서 이루어진 국민연금 스튜어드십코드 제도이다. 그리고 이것을 이용하여 대한항공의 경영권을 교체하였다.(주주제안은 강성부를 통해서 함) 이것은 위헌 위법행위였다.

두 번째, 『자본시장법 시행령』 154조 5항을 신설하여 '일반투자' 제도를 만들어내고, 국민연금이 우리나라 72개의 주요회사들에 대해 투자목적을 '일반투자'로 전환한 후, 그들에게 『국민연금 투자기업의 이사회 구성·운영기준 안내』(이하 『이사회 구성·운영 안내』라 함)를 제정하고, 이 회사들에게 '사외이사'를 파견할 수 있게 하였다. 형식적으로 이 행위는 '안내 혹은 추천'이라는 용어를 사용하지만, 순복하지 않을 경우 『수탁자책임활동지침』에 따른 관리가 들어간다. 그래서 강제규정이 되어 있다. 그런데 여기에서의 『이사회 구성·운영 안내』에서 말하는 '사외이사'는 일반 사외이사가 아니다. 이 기능은 대표자 위에서 그를 감독하며, <이사회>에 종속되지 않은 <사

외이사위원회>를 궁극적으로 구성한다. 마치 중국 공산당이 각 기업들에게 <공산당위원회>를 설치한 것과 유사하다. 그리고 국민연금은 문재인 정부 동안 여기에 파견할 '사외이사 풀'을 구성하는 중에 있었다.

세 번째, 『자본시장법 시행령』 154조 1항에서 '4호 배당'을 삭제하여 국민연금운용본부에서 각 주요 기업들의 배당정책에 참여할 수 있게 하였다. 이것은 『한국자본주의』에 나타난 "배당을 통한 경제민주화의 실현"으로 추정된다. 왜냐면, 그 책의 저자와 철학을 같이 하는 자가 정책실장으로 있으면서 시도된 행위이기 때문이다. 김상조는 『한국자본주의』의 추천사에서 그의 주장들을 극찬한다.

우리는 위와 같은 위법행위의 의도를 파악하여야 한다. 그것이 개인적인 사익편취를 위한 것인가, 아니면 국가의 자유민주체제를 변혁시키기 위해서인가? 만일 후자라면 이것은 중대한 범죄행위가 된다. 우리는 그 의도를 파악하기 위해 문재인 정부의 정책실장이었던 장하성의 글 『한국 자본주의』를 검토하는 것이다. 그 시행령에 반영된 '배당'이 『한국자본주의』에서 말하는 '그 배당'이라면, 이것은 사회주의 혁명에 해당한다.

1. 장하성의 "더 넓은 경제민주화"를 향하여

가. 소득주도 성장이론

장하성은 그의 책 1장에서 "고장 난 한국 자본주의"라는 제목으로 한국 자본주의의 문제를 제기하며, 이에 대한 대안으로서 먼저 소득주도 성장론을 주장한다.

장하성에 의하면, 지난 30여년 동안 자본주의 체제는 소득 불평등과 계층적 양극화를 악화시킨 것 이외에도 또 다른 문제를 드러냈다고 말한다. 그 문제는 "경제가 성장하는데도 일자리가 늘어나지 않는 고용 없는 성장이 구조화되었다(『한국 자본주의』, 21)"는 것이다. 그리고 그것은 소득재분배 정책의 실패라는 것이다.(『한국 자본주의』, 24) 그래서 우리나라는 결국 "3무 성장(고용, 임금, 분배)"을 하였다. 즉, 고용이 증대되지 않는 성장, 실질임금이 정체상태에 머무르는 "임금 없는 성장", 노동자들에게는 배분되지 않는 "분배 없는 성장"이 되었다(『한국 자본주의』, 29-39). 그러나 이러한 주장은 매우 그럴듯하게 보이지만, 다른 논리를 반영하지 않은 비뚤어진 논리이며, 자신의 논리전개를 위한 근거 없는 주장일 뿐이다.

그러면서 그는 상당히 새로운 파격적인 주장을 하는데, "노동자와 주주의 몫이 줄었다"고 한다. 왜냐면, 기업들이 배당도 안하고 투자도 하지 않으며, 사내유보만 마냥 쌓여가고 있다고 한다. 그는 기업의 이익에 대한 사내유보를 한국자본주의의 심각한 문제로 삼는다. 그에 의하면, "기업은 모든 이윤을 배당하여야 하며, 사업확장 등은 차입금과 유상증자를 통해서만" 하여야 한다. 그는 그의 논리를 위하여 여러 가지 거시적인 지표들을 제시하는데, 그의 연역논리는 마치 한편의 끼워 맞추기 추리소설을 쓰는 듯하다. 그 내용은 다음과 같다.

> 한국의 가계 저축률이 과거보다 크게 낮아진 이유는 가계의 고정 소비 비중이 증가한 것도 하나의 원인이지만, 그렇다고 해서 금융위기 이후에 소비지출이 급격하게 증가했기 때문은 아니다. 이는 앞서 살펴본 바와 같이 실질임금이 정체상태에 있고 노동분배율이 낮아져서 가계소득의 증가가 매우 미미했기 때문으로 추정할 수 있다.
> 기업은 소비하지 않기 때문에 기업저축은 곧 기업의 가처분소득과 같은 것이며, 언젠가는 배당하거나 아니면 투자재원으로 쓰여야 할 몫이다. 그러나 한국의 최근 10년을 보면 배당도 투자도 늘어나지 않고 사내유보만 마냥 쌓여가고 있는 기이한 상태가 지속되고 있다.(『한국 자본주의』, 55)…그렇다면 성장동력이 떨어지는 원인은 투자부족이 아니라 소비부족이라고 할 수 밖에 없다.(『한국 자본주의』, 59)

위의 두 가지 주장은 모두 전문가들에 의해 다음과 같은 비판에 직면한다. 그는 다른 사람들의 일반화되어 있는 논리마저 소개하지 않는다.

먼저, 그는 위의 주장에서 저축률을 잘못 인용하고 있다. 오늘날 대부분의 저축은 모두 부동산을 통해 이루어진다. 일정 금액의 저축이 쌓이면, 그것은 주식으로 흐르고, 좀 더 큰 금액은 부동산으로 간다. 이때 대출을 끼고 부동산 투자가 이루어진다. 이것이 소득에서 소비된 후 남아있는 저축의 패턴이다. 누가 이러한 인플레의 시기에 자금을 저축에 쌓아두는가? 따라서 예금의 저축률은 증가하는 것이 아니다. 주식에 들어간 자금을 파악하기 위해서 주가지수 성장여부도 보아야 하며, 부동산 총액의 증가여부도 보아야 한다. 장하성은 현실적인 저축의 흐름을 이해하지 못하고 있다. 우리의 저축은 예금과 주식과 부동산이다. 그는 지금 저축만을 고려하고 있다. 이것이 그의 경제학에 관한 실력이다.

두 번째, 배당을 하지 않고 사내유보가 쌓여서 문제라고 한다. 이 세상에 현금을 사내에 쌓아놓는 회사가 어디에 있을까? 그것은 사업기회가 다가왔을 때, 어김없이 투자 되는 것이다. 영리활동의 기회가 왔을 때, 그 자금은 어김없이 투자된다. 그렇게 하고도 자금이 남으면 그 때에는 배당을 한다. 대주주 자신도 배당을 받기 때문이다. 설령, 투자되지 않고 예금 형태로 금융기관에 예치되었다고 하자. 장하성씨는 애덤 스미스의 『국부론』의 큰 흐름을 인식하여야 한다. 애덤 스미스는 이렇게 금융기관에 들어간 자금은 다른 투자기회를 잡은 자들에게 대출이 되어서 사업자금(투자)로 이어진다고 말한다. 그것은 실제로 그렇다. 이렇게 자금은 가장 좋은 투자처로 이어지는 것이다. 우리는 이것을 투자소비라고 부른다.

세 번째, 기업의 사내유보금은 투자소비를 유발한다. 그러나 이것을 모두 배당으로 처분하면, 그것은 일시적인 소득소비를 유발할 뿐이다. 여기에서의 소비는 곧 다른 기업의 소득을 의미하므로, 둘 다 똑같은 다른 사람의 소득을 창출한다. 그런데, 전자의 투자소비는 기업의 투자를 통해 이루어지는 소비이므로, 그것은 또 다른 일자리를 창출한다. 투자소비가 소득소비보다 월등히 우월한 이유가 바로 이러한 일자리 창출 때문이다. 그러나 배당으로 이루어지는 소득소비는 근로자가 한번 생활비로 쓰면 그만이다. 또 다른 자영업자들에게 소득이 되겠지만, 여기에서 일자리가 나오는 것은 아니다. 그러나 투자소비는 다른 자에게 소득을 이루어주면서, 더 나아가 새로운 사업장 구성원들의 소득소비를 지속적으로 창출한다. 이 새로운 사업장이 계속 운영되면, 그곳에서는 지속적으로 그 구성원들의 소득을 발생시킨다. 이것이 투자소비이다. 그리고 이것이 애덤 스미스 『국부론』의 핵심이다.

장하성은 이 기업의 사내유보를 임금으로 배분하라고 말한다. 그래서 근로자들의 소득을 증대시켜서 소비를 유발하라는 것이다. 그것이 "소득주도 성장론"이다. 그러나 우리는 투자(기업소비)와 소비(개인소비)의 차이를 정확하게 인식하여야 한다.

투자로서의 기업소비가 되었든, 소득증대를 통한 개인소비가 되었든 이러한 소비는 모두 국내총생산을 증대시킨다. 그러나 양자는 한 가지 차이가 존재하는데, 전자의 기업소비는 사업 아이디어의 기술과 창의성을 찾아서 투자가 되기 때문에 실질적인 경제성장의 일자리를 만들어내면서, 그 일자리에 참여한 자들의 소득을 증가시키며 소비를 일으킨다. 그러나 후자는 기술과 창의성 등의 일자리는 만들지 않고, 단순한 소득증가와 소비를 일으킨다.

투자(기업소비)의 경우 일자리의 증대로 인하여 임금의 증대를 통해 소득과 소비의 증대가 이루어진다. 그러나 임금인상의 경우 직접적인 소득증가로 소비가 증가하지만, 여기에는 아무런 새로운 산업의 일자리 기여는 발생하지 않는다. 또한 임금인상이 되면 높은 인건비로 인하여 신규의 사업을 하지 않는다. 도리어 일자리를 해친다. 이것이 소득주도 성장의 한계이다.

나. 기업 내부유보금(재벌의 꼼수)

장하성은 기업에 내부유보금(이익잉여금)이 이렇게 늘어나는 이유를 재벌과 대기업의 꼼수라고 말한다. 장하성에 의하면, 재벌들로 하여금 기업의 이익을 내부에 유보하지 말고 그것을 임금인상을 통해서 처분하게 해야 하며, 그렇게 하고도 남은 이익금은 모두 배당을 하여야 한다고 말한다. 장하성은 그것만이 한국 경제의 살 길이라고 말한다. 장하성은 지금 근거 없는 황당한 주장을 하고 있다. 그는 지금 이러한 문제로 인하여 한국경제가 다음과 상태에 빠져 있다고 말한다.

> 하지만 한국처럼 임금도 정체되어 있고, 가계소득도 늘어나지 않으며, 서비스업도 정체되어 있고, 고용도 늘어나지 않는다면 제조업이 아무리 고부가가치화 되고 투자가 늘어난다고 해도 성장에 기여할 수 있는 길이 막혀있는 것이다.(『한국 자본주의』, 60)

장하성은 회사의 임금인상을 통해서 혹은 배당압력을 통해서 기업의 내부유보금을 줄이게 하여야 한다고 말한다. 그래서 그 임금과 배당금이 사회에 흐르게 하여야 한다는 것이다. 그러나 이 논리는 앞에서 말한 것처럼, 이미 회사의 내부유보금은 금융기관을 통해 다른 더 좋은 투자처로 흐르며, 일자리를 창출하고 있다. 임금만 오르면 아예 다른 산업도 일어나지 않는다. 장하성은 경영학자로서 이러한 것을 모르는 지, 아니면 다른 의도로 이러한 주장을 하는지 모르겠다. 아마 후자인 것 같다. 장하성의 이러한 주장은 소득주도성장의 '최저임금인상의 이론'으로 이용된다.

그리고 한국경제의 두 번째 문제인 대기업의 내부유보금은 기업에 대한 배당압력의 형태로 발전하는데, 그는 그것을 "재벌과 대기업의 꼼수"라는 주제로 확대하여 발전시킨다.

> 최근 한국 상황을 보면 기업이 유보한 자금을 임금이나 배당으로 사용하지 않고 있는 것은 물론이고 투자에도 적극적으로 사용하고 있지 않으며, 이런 상황이 가까운 장래에 변할 가능성도 커 보이지 않는다.… 기업의 차기이월잉여금이 매년 빠른 속도로 증가한다는 것은 기업들이 누적된 이익금을 재원으로 투자나 고용을 활발하게 하기 보다는 잉여금 형태로 그냥 쌓아두기만 하는 것을 의미한다.… 기

업이 구체적인 계획도 없는 미래투자를 위해서 굳이 내부 자금을 쌓아가는 것은 자금 운용상 비효율적이다.… 기업이 주식이나 채권발행을 통해서 외부에서 자금 을 조달할 수 있는데도 굳이 내부유보를 쌓아서 투자자금으로 쓰고자 한다면 이것 은 새로운 주식이나 채권발행에 따른 시장의 감시와 견제를 피하고자 하는 것이 다.…(『한국 자본주의』, 61-62)

대기업들이 주식발행을 통한 자금조달을 회피하는 더 직접적인 이유는, 매우 적은 지분으로 경영권을 장악하고 있는 총수들이 자신들의 지분을 유지하기 위한 개인 적인 동기가 강하게 작용하고 있다. 주식을 발행하면 할수록 총수의 지분은 축소 될 것이고, 경영권 장악도 약화될 것이기 때문이다. 하지만 기업이 내부자금을 사 용하는 것은 시장의 검증과 감독을 거치지 않기 때문에 도덕적 해이를 유발하는 유인이 될 수 있다. 특히 대주주나 지배주주가 경영권을 장악하고 외부의 감시감 독이 효과적으로 작동하지 않는 기업에서는 도덕적 해이의 위험은 더욱 커질 수 밖에 없다. 실제로 최근에 여러 재벌그룹에서 총수들이 회사자금을 개인 돈처럼 유용하거나 계열사 지원에 부당하게 사용하는 등의 도덕적 해이의 사례들이 빈번 하게 발생하고 있는 점을 감안하면, 굳이 외부에 경영상황을 검증받고 공개해야 하는 외부조달을 꺼리는 이유를 능히 짐작할 수 있다.(『한국 자본주의』, 64)

만일 위의 내용이 국가의 정책으로 반영되었다면, 그 일은 이제 국가에 의해서 진 행되어야 한다. 그리고 그러한 일을 할 수 있는 기관이 국민연금이다. 이 일환으로 문재인 정부에서는 『자본시장법 시행령』 154조 1항에서 '4호 배당'을 빼버렸다.

그러나 장하성의 위의 논리는 전혀 현실과 부합하지 않는다. 이에 대해 필자는 앞 에서도 언급하였지만, 다음과 같은 반론을 재기한다.

먼저, 기업의 잉여금은 결코 유휴자금이 아니다. 그것은 장래의 사업확장 자금이 며, 새로운 사업기회 발견시 투자될 자금이다. 『국부론』에 의하면, 이윤의 축적이 자본이다. 그리고 이 자본이 새로운 산업을 일으킨다.

두 번째, 내가 사용하지 않고 은행에 예치를 하면, 그것은 다른 사업자에게 대출이 되어서 그곳에서 투자를 일으킨다.

세 번째, 이익잉여금이 회사에 남아 있어도 그것은 여전히 주주의 몫이다. 결코 소 액주주에게 손해가 아니다. 그러나 모두 배당을 해 버리면, 그만큼 기업의 주식가 치는 하락한다.

네 번째, 누적된 이익잉여금으로 새로운 사업에 투자하는 것은 지극히 정상적이다. 새로운 사업기회를 유상증자를 통해서 하면, 최대주주의 지분은 희석되어 회사의 경영권을 상실하게 된다. 이러한 판단을 왜 외부인이 하여야 하는가?

장하성의 소득주도 성장론에 기반한 경제정책은 기업의 내부유보금(매년 발생하는 이익)을 모두 임금인상이나 배당으로 처분하는 것이 바른 경제정책이라는 것이다.

우리의 주장은, 그 유보금은 금융기관에 의해 그 자금은 또 다른 중요한 투자처에 대출을 통해 투자된다. 그리고 그 기업자체도 더 좋은 수익구조를 찾아서 투자를 한다. 장하성의 소비는 단순소비이며, 필자의 소비는 투자소비인데 이 투자소비가 진정한 생산력의 발전을 가져오며, 양질의 일자리와 임금인상을 가져온다.

우리는 여기에서 한 가지 더 주장하고자 하는데, 이때 여기에 국가가 개입하여 배당 압력을 행사하게 하면, 이것은 이제 기업의 대주주를 박탈하기 위한 전략이 된다는 것이다.

다. '배당'의 문제와 『자본시장법 시행령』 154조 1항 4호의 삭제

위의 장하성의 '대기업의 꼼수'로서의 '배당' 논리가 문재인 정부의 『자본시장법 시행령』 154조 1항 4호에서 '배당'을 삭제하는 조치로 나아갔다고 추정하여야 한다. 『자본시장법 시행령』 154조 1항은 "경영권에 영향을 미치는 행위"로서 '주주제안'에 관한 사항이다. 먼저 『자본시장법 시행령』 154조 1항은 "경영권에 영향을 미치는 행위" 10가지를 열거한다. 이 중에 '배당'은 4호에 명기되어 있다. 여기에서 '주주제안'은 직접적인 경영통제 행위라는 것이다. 문재인 정부는 여기에서 '배당'을 삭제함을 통하여 배당에 대한 '주주제안'은 경영통제가 아니라는 형태로 시행령을 제정한 것이다. 그래서 이제 국민연금이 '배당의 주주제안'을 직접적으로 할 수 있게 하였다. 이제 국가가 우리나라 각 주요 상장사들의 배당정책(이익처분)에 관여할 수 있게 하였다. 그리고 이러한 행위를 하는 투자의 형태를 '단순투자'의 범위 내에 있는 '일반투자'라는 묘한 이름을 붙였다.

우리는 위의 의도를 검토해 볼 필요가 있다. 왜냐면, 그 이면에 어떤 사회주의적인 음모가 엿보이기 때문이다.

국민연금은 우리나라 대기업·우량기업 172개사의 2대주주이다. 여기에 사모펀드와 같은 몇 개의 기관과 결탁하면, 어느 회사건 모두 국유화를 할 수 있다. 우리나라 4

대기업의 최대주주 지분이 대략 20-30%인데, 이 지분율을 더욱 희석화 하는 방법이 당기순이익 중에서 대부분 배당을 하게하고, 사업확장은 차입금이나 증자를 통해서 하게 한다. 이 지침을 따르지 않는 자들은 <수탁자책임활동규정>에 따라 관리를 받게 된다. 이러한 것은 E(환경)-S(사회기여)-G(지배구조) 중에서 지배구조의 기준에 위배 된다는 규정을 적용하면 된다. 사회주의 정부가 서게 되면, 그 구성원들은 국가에 이러한 법규를 세워서 이 일을 진행한다.

문재인 정부 당시, 문재인은 『자본시장법 시행령』154조 1항 4호와 5항을 통해서 '일반투자'를 만들어낸 후, 여기에 배당에 대한 주주제안을 귀속시켰다. 그리고 국민연금기금운용본부는 2019년 2-5사이에 72개사의 기업에 대해 "단순투자에서 일반투자로 투자목적전환"을 한 후, 그들에게 <투자기업 이사회 구성ㆍ운영 안내>를 해당 기업들에게 발송하고, 이들에 대해서 사외이사 파견을 시도하였다. 이 사외이사들은 이제 매해 주총시마다 '배당'의 문제를 가지고 '주주제안'을 하며 나올 것이다. 그리고 여기에 불응시 스튜어드십 코드를 발동하여 경영권 교체를 시도할 것이다. 이러한 일련의 절차가 모두 문재인 정부에 명문화되었다.

만일 사회주의자들의 정부가 들어서면, 위의 일은 진행될 것이다. 그러면 그것은 이제 국민연금 경영의결권을 이용한 하나의 사회주의 혁명이 되는 것이다. 외양으로는 소액주주보호이지만, 내면은 사회주의 혁명인 것이다. 장하성은 이 문제재기에 곧바로 이어서 '더 넓은 경제민주화'이론을 전개하는 데, 이깃은 곧 대기업 해체이다. 그리고 그 방법은 대기업의 최대주주의 지분을 '배당 등'을 통해서 희석시키는 것이다.

라. 더 넓은 경제민주화

먼저 장하성은 우리나라 헌법 119조의 '경제민주화'조항을 소개한다. 1항은 자유시장경제이며, 2항은 소득재분배를 통한 경제주체간의 조화의 경제민주화 달성이다. 장하성은 그 내용을 다음과 같이 소개한다.

[헌법 119조] ① 대한민국의 경제질서는 개인과 기업의 경제상의 자유와 창의를 존중함을 기본으로 한다. ② 국가는 균형있는 국민경제의 성장 및 안정과 적정한 소득의 분배를 유지하고, 시장의 지배와 경제력의 남용을 방지하며, 경제주체 간의 조화를 통한 경제의 민주화를 위하여 경제에 관한 규제와 조정을 할 수 있다.

한편, 장하성은 정치적 민주주의와 경제적 민주주의를 정의하기 시작하는데, 정치적 민주주의의 절차적 평등은 1인 1표로 끝나는데, 경제적 민주화는 공정한 배분을 다루는 문제라고 말한다. 그러면서 "경제민주화는 민주주의(절차적 민주주의)가 재벌과 같은 특정세력이 국가경제를 지배하는 경제 권력화를 방지함으로써 정의로운 경제를 만들어내는 것"이라고 정의한다. 그리고 실질적 민주주의는 이러한 경제체제를 선택하는 것이라고 말한다.

> 정치적 민주주의의 절차적인 평등은 1인1표의 투표행위로 끝난다. 그러나 경제민주화는 평등한 참여의 기회만이 아니라 그 결과의 공정한 배분을 다루는 문제다.… 경제민주화는 민주주의가 자본주의 시장경제가 만들어낸 불평등과 양극화를 해소하고, 재벌과 같은 특정세력이 국가경제를 지배하는 경제권력화 하는 것을 방지함으로써 정의로운 경제를 만들어내는 것이다.
> 공정한 경제적 분배가 이뤄지지 않는 평등한 정치적 참여는 공허하다. 경제민주화는 평등한 정치적 참여를 통해서 분배의 정의가 실현되도록 하는 것이며, 그렇게 함으로써 절차적 민주주의가 실질적 민주주의로 이행되도록 하는 것이다. 한국이 민주주의를 정치제도로 선택한 것이 사회적 합의로 이룬 정치적 결정이었던 것과 마찬가지로 경제민주화는 실질적인 민주주의의 실현을 위한 공정한 분배를 이루는 경제체제를 선택하는 것이다.(『한국 자본주의』, 70-71)

우리는 위의 본문에서 장하성이 "새로운 경제체제를 선택하는 것"이 '실질적 민주주의'라고 말하는 것을 들을 수 있다. 그는 국민투표와 같은 '절차적 민주주의'를 통하여 이룬 성과를 바탕으로 "공정한 분배를 이루는 '정의로운 경제체제'"를 만들어내자고 제안하고 있는 것이다. 그리고 그는 이 책을 통해서 그러한 경제체제를 알아보고자 한다고 말한다.

> 과거와 같은 협의의 경제민주화로는 현재의 한국 자본주의의 산적한 모순을 극복하기에는 역부족이다.… 한국 자본주의는 바뀌어야 하고 바뀔 수 밖에 없다. 그렇지 않으면 지속 가능할 수가 없다.
> 이 책은 한국 자본주의의 그늘과 실상이 어떠한가에 대해서 보다 더 자세하게 살펴보면서 무엇을 바꿔야하고, 어떻게 바꿔야하고, 또 실제로 바꿀 수 있는 것인가

에 대한 현실적인 논의들을 이어간다.(『한국 자본주의』, 73)

우리는 '더 넓은 경제민주화'가 무엇을 지향하는지 알 수 있다. 그것은 앞에서 논의로서 제기한 "대기업들이 매해 발생하는 이익을 배당 하지 않고, 내부유보를 하는 문제"에 대한 해결일 것이다. 절차적 민주주의를 통한 정부가 개입하여 이 문제를 해결함을 통해서 정의로운 분배의 경제민주화를 이루려고 한다는 것이다. 그렇게 해서 대기업의 대주주들을 경영에서 배제시키고, 국가가 그 자리를 차지한다. 장하성은 경제민주화를 재벌로 넘어간 경제권력을 찾아오는 것이라고 말한다. 그런데, 그 자리에 민중들을 대신하여 국가가 들어온다. 즉, 국가 자본주의를 말하고 있는 것이다.

2. 재벌로 넘어간 경제권력

가. 박정희의 경제개발5개년 계획

장하성은 그의 책 『한국 자본주의』 2장의 제목을 "뒤죽박죽 한국 시장경제"라고 달고 있다. 그는 박정희의 경제개발 5개년계획을 "계획경제체제"라는 희한한 이름을 붙인다(『한국 자본주의』, 77). 이 내용들을 우리는 여기에서 구체적으로 살펴볼 필요는 없다.

다만, 박정희 대통령을 향한 장하성의 계획경제라는 표현은 시정하여야 한다. 왜냐면, 계획경제는 국가가 주인이 되어서 생산-분배-소비를 계획하여 운영하는 것이기 때문이다. 그런데, 박정희 성권 때 모든 경세의 주인은 사영기업들이었다. 국가가 그렇게 많은 봉사를 하고도 그 모든 과실은 기업들에게 귀속시켰다. 그러나 공산주의 계획경제는 이 모든 과실을 국가가 소유한다.

그 결과 오늘날 대한민국은 세계 10위권의 경제력을 가지게 되었다. 이때 박정희의 지원 하에 4대기업이 출현하였는데, 이 4대기업이 대한민국의 부가가치를 책임지고 있다. 일정한 전제하에 살펴보면, 이 4대기업의 매출액은 우리나라 GDP 대비 17% 정도를 차지한다. 일정한 전제하에 4대기업의 매출액은 최종단계의 부가가치이므로 총 부가가치와 일치시켜서 생각해도 된다. 더 나아가 파생 GDP(4대 기업과 그 하청사 구성원들의 소비활동)까지 고려하면, 우리나라의 GDP기여도는 최대 37%에 이른다. 그렇다면, 최대주주에게 귀속되는 요소소득(배당가능이익)은 얼마나 될까? 0.5%가 채 되지 않는다. 그것도 그 대주주 특정인에게 돌아가는 것이 아니라, 그 주식을 보유한 회사들에게 대부분 돌아간다.

이것이 현실인데, 장하성은 마치 우리나라 GDP의 37%를 마치 대기업 경영자들(재벌들)이 모두 가져가는 것처럼 오해하게 만든다. 그러면서 그는 "우리나라의 경제권력이 재벌로 넘어갔다"고 말한다.

나. 반시장적인 재벌과 대기업

장하성은 재벌들이 한국의 공정시장을 해치고 있다고 말한다. 재벌들에 의해 시장에서 공정한 경쟁이 존재하지 않게 되었다고 말한다.

> 필자(장하성)는 한국이 시장경제를 '제대로' 하고 있지 않다고 생각한다. 그 이유는… 가장 기초적이고 기본적인 공정한 경쟁조차 구현되지 않고 있기 때문이다.…
> 시장경제가 작동하려면 공정한 경쟁이 이뤄져야 한다. 누구에게나 경쟁에 참여할 기회가 주어지고, 경쟁의 과정이 공정해야 한다.…
> '개천에서 용 나지 않고', '티끌모아 태산 되지 않는' 것이 한국의 시장경제다. 경쟁은 기득권세력들의 지배논리로 이용되고 있다.…그중에서도 가장 큰 걸림돌이 되고 있는 것은 재벌의 시장지배와 정부의 관치경제이다. 재벌들은 한국의 경제가 발전하는 과정에서 정책적으로 육성되었고 경제성장에 주요 수단이었으며 큰 기여를 했다. 지금도 한국경제의 성장이 재벌의 성장여부에 따라서 결정되는 중요한 역할을 하고 있다. 그러한 재벌들이 공정한 경쟁이 이뤄지는 시장경제의 걸림돌이 되고 있다는 것은 아니러니가 아닐 수 없다.…재벌들은 하지 않는 사업이 없을 정도로 거의 모든 분야에 진출하고 있다.…
> …새로운 도전자가 성공하지 못하고 기득권을 더욱 강화하는 경쟁을 하는 시장은 제대로 된 시장이 아니기 때문에 한국은 시장경제를 '제대로' 하고 있지 않다고 평가하는 것이다. (『한국 자본주의』, 138-139)

장하성의 위의 이야기는 얼핏 일리가 있어 보이지만, 위의 견해는 그 사람의 일방적 시각에서의 견해이다. 오히려 보편적인 견해는 애덤 스미스의 『국부론』에 나타나 있다. 『국부론』에서는 이렇게 축적된 '이윤'을 '자본'이라고 하는데, 이 '자본'은 무수한 기업과 일자리를 창출한다. 다음은 이러한 내용에 대한 필자의 요약이다.

> 『국부론』에서의 '자본'은 '축적된 이윤'이다. 이윤이 축적되어 거대자본을 이룰 때, 비로소 특정기술에 대한 새로운 기업과 새로운 산업이 열린다. 그리고 이렇게 한

산업군이 열리면, 그 안에 다양하고 무수한 기업들이 생성된다.

장하성은 공정경쟁을 말하고 있는데, 솔직히 공정경쟁이 무엇인가? 어떻게 개인이 반도체 산업을 시작할 수 있으며, 자동차 생산공장을 할 수 있겠는가? 신기술을 사업화하여 신산업을 일으키는 것이 대기업, 재벌, 혹은 자본의 해야 할 일이 아닌가? 그리고 대기업의 문어발식 확장은 공정거래법에 의해서 충분히 제지되고 있지 아니한가?

장하성의 의식구조는 마르크스식이다. 애덤 스미스의 『국부론』을 깊이 이해하지 못하고, 마르크스의 『자본론』을 읽은 사람은 모두 장하성과 같은 사고 속에 빠진다. 이 양자 중에서 누가 맞는지를 생각해보면 된다. 애덤 스미스나 마르크스 둘 중에 한 사람은 틀린 것이다.

다. 시장경제와 자본의 관계

애덤 스미스의 『국부론』에 의하면, 시장경제와 자본주의는 서로 연결되어 있다. 시장경제란 이윤추구행위를 허용하는 것을 말한다. 그리고 자본은 이 이윤이 축적된 것이다. 애덤 스미스는 이 '축적된 이윤'으로서의 '자본'이 기술과 아이디어를 사업화하여 기업을 일으키고, 더 나아가서는 신산업을 일으키고, 일자리를 양산한다. 이것이 애덤 스미스 『국부론』의 핵심이다. 자본주의에서의 자본은 바로 이러한 자본을 말한다. 이 모든 것은 근본에는 '자유' 혹은 '소유의 자유'가 있다. 이렇게 소유의 자유로서의 영리행위가 허용될 때, 이와 같은 경제적 성과로 나타나는 것이다.

그런데, 장하성은 '자본'에 대한 개념이 전혀 없다. 그는 이 '자본'을 '재벌'이라고 말하며, 이 '재벌'이 도리어 많은 사람들의 '자유'라고 말할 수 있는 '사업기회'를 빼앗았다고 말한다. 장하성의 자본의 개념은 애덤 스미스의 자본의 개념과 정반대이다. 장하성은 다음과 같이 말한다.

한국에서 신자유주의적이라고 비판을 받은 정책들은 "경제운용의 중심축을 국가에서 시장으로 이동시킨 것이 아니라 국가에서 독점자본으로 이동시킨 것이었다." 다시 말하면 계획경제에서 시장경제로 전환한 결과로 경제권력이 정부에서 시장으로 이동된 것이 아니라 재벌로 이동되었다는 의미다. 결과적으로 시장경제체제로 전환한 이후의 한국 경제는 "신자유주의 문제가 아니고 시장의 규칙이 제대로 갖춰지지 않은 천민자본주의의 문제"가 더 심각하게 나타나게 된 것이다. 따라서 지금의 한국의 시장경제는 시장만능주의 또는 시장과 경쟁 중심의 신자유주의 과잉이 아니라 오히려 공정한 경쟁이 펼쳐지는 시장경제의 기본적인 질서조차도 바로 세워지지 않은 상황이다.… 권력이 시장으로 넘어간 것이 아니라 재벌에게 넘어갔는데도 이를 규제하지도 제어하지도 못하고 있는 것이 한국 경제의 또 다른 핵심 문제이다. 한국 경제는 '자유의 과잉'으로 인하여 신음하고 있는 것이 아니라 오히려 '자유의 결핍'으로 인하여 고통을 받고 있다. '규제의 과잉'이 아니라 경제권력을 제어하는 '규제의 결핍'으로 공정한 경쟁이 이뤄지지 않고 있다. 한국이 시장경제로 전환한 지 20년이 되었지만 시장경제의 기본적인 모습이라도 갖추기에는 아직 요원하기만 하다.(『한국 자본주의』, 143-144)

라. 재벌이냐, 자본이냐 : 자본에 대한 바른 이해

재벌이라는 용어는 사회주의자들의 프레임이다. 우리는 재벌해체는 자본 혹은 자본주의의 해체이다. 자본주의는 기본적으로 시장경제에 기반을 두고 있다. 시장은 이윤추구의 허용이다. 이 이윤의 집적이 자본인데, 이 자본은 모든 기업가들의 이윤의 합계이다. 이것이 『국부론』에서의 자본의 개념이다. 이 이윤들을 금융기관을 통하여 합쳐져서 기업가들의 사업확장 시설투자로, 신규사업 투자자금으로, 더 나아가서는 신기술의 사업화를 통해 신산업을 개척한다. 이것이 우리들의 일자리이다. 이러한 진술은 고스란히 애덤 스미스 『국부론』의 진술이다.

이와 같이 자본은 시장경제의 이윤의 축적이다. 마르크스는 이 자본을 정죄하기 위해 노동가치설이라는 거짓말을 만들어 내었다. 모든 생산품의 가치는 노동의 가치라는 것이다. 그러나 『국부론』을 자세히 들여다 보면, 모든 상품의 가치는 "자본+기술(아이디어)+노동"이다. 이때 이 '기술'은 '자본'에 포함된다. 따라서 자본주의에서의 자본은 기술이 탑재된 자금이다. 갑작스럽게 부자가 된 자들의 단순한 자금 덩어리가 아니다. 산업혁명의 시기에도 지주들의 자금이 산업혁명을 일으킨 것이 아니었다. 기업가들의 자금이 산업혁명을 일으켰다.

마르크스의 『자본론』은 이러한 모든 것을 은폐하고 있다. 그리고 오늘날의 사회주의자들도 그와 동일한 행태를 저지른다. 자본이 정죄를 받으면, 기업이 사라지는 것이다. 그리고 일자리가 사라지는 것이다. 기업에서 산출되는 "상품의 가치"는 "노동가치"가 아니라, "자본(기술)+노동"의 가치이다. 노동자 천명을 모아놓고 자동차를 만들라고 해봐라. 자동차가 나오는지. 과학기술이 없이는 나오지 않는다.

과학의 발견과 이것을 사업화하는 것이 곧 자본인 것이다. 그렇다면, 이러한 과학기술은 어디에서 출현하였는가? 칸트에 의하면, 정신(순수이성)의 산물이다. 그리고 헤겔은 소유의 자유에서 이 정신이 기술을 산출해내었다고 말한다. 어떤 황무지가 정신에 의해 소유를 당할 때, 그 황무지에는 꽃이 피고 곡식이 자란다. 그런데 소유의 자유가 부정을 당하면, 그 황무지는 여전히 황무지일 뿐이다. 소유의 자유가 이러한 산업사회를 만들어 내었다. 사회주의자들이여, 소유의 자유를 빼앗지 말라. 삼성과 같은 4대기업이 국유화되면 나라가 망하는 것이다.

3. 주주 없는 기업 연구 : 국가기업 추천

가. 주주자본주의 비판과 왜곡

장하성은 주주 자본주의를 살피면서 주주 자본주의가 문제가 아니라, 대주주가 경영을 장악한 것이 문제라고 말한다.

> 주주 일반이 아니라 극히 소수에 불과한 경영권을 장악한 대주주, 즉 '오너'의 이익만을 위하는 부작용이 문제이다. 한국의 재벌기업에서 경영권을 가지고 있는 대주주가 자신의 이익을 위해서 내부 거래하는 것은 일반화된 현상이고, 횡령 · 배임 · 분식회계 등과 같이 불법행위를 통해서 소액주주를 착취하는 사례들도 빈번하게 발생하고 있다. 따라서 이러한 행태는 '주주' 자본주의의 문제라기 보다는 '대주주' 자본주의의 문제라고 말하는 것이 보다 적절한 표현이다.(『한국 자본주의』, 183-184)

그러면서 장하성은 이제 이러한 자본, 혹은 대주주 없는 기업이 가능한가를 따지기 시작한다. 장하성의 주주 없는 기업은 바로 이러한 오늘날의 대주주를 누가 대체할 것인가를 묻고 있는 것이다.

나. 주주 없는 기업 1 : 노동자가 주인인 회사

장하성은 노동자가 주인인 회사로서의 협동조합의 경우를 살펴본다. 사실 노동자가 주인인 회사로서 노동조합은 각 구성원들의 인적용역 정도가 자본을 대체할 뿐이다. 그래서 많은 한계를 논한 후에, 다음과 같은 결론을 내린다.

> …마지막으로, 성장에 필요한 대규모 자본을 조달하는 방안이 마련되어야 하며, 부

족한 자금을 부채에 의존할 경우 발생할 수 있는 재무적인 위험을 관리할 수 있어야 한다. 하지만 노동자협동조합이 이러한 요건들을 모두 충족하는 것이 현실적으로 매우 어렵기 때문에 일부에서는 시도할 수 있지만 주식회사를 대체하는 일반적인 기업형태가 될 수는 없다.(『한국 자본주의』, 234-235)

다. 주주 없는 기업 2 : 공급자나 채권자가 주인인 회사

장하성은 "공급자나 채권자가 주인인 회사"를 상상해 본다. 산유국의 석유나 토지 등이 주인이 될 수 있다. 그리고 채권자가 주인이 되는 경우는 회사가 파산할 때에나 발생하는 경우이다. 그는 이러한 경우를 예를 들면서 그러한 구조가 우리나라의 제조업을 대체하는 것은 어려운 이야기라고 말한다.

무엇 때문에 이런 상상을 하는지 모르겠는데, 그 속이 훤히 보이는 듯하다. 그것은 국가자본주의를 추천하기 위해서인 것으로 보인다.

라. 주주 없는 기업 3 : 국가가 주인인 회사

장하성은 "노동자, 공급자 그리고 채권자 이외에도 기업의 주요한 이해당사자의 하나가 사회, 즉 국가이다"고 말한다. 이제 본색이 드러난다. 그는 이 말을 하기 위해서 위의 두 가지 사례를 살펴본 것이다. 재벌을 해체하려면 국가가 기업의 주인이 되어야 한다. 그러면서 이제 국가 자본주의를 소개한다. 그러면서 그는 국가자본주의는 공산주의가 아니라고 말한다.

국가가 기업을 소유하고 국유기업들이 시장에 참여해서 수익성이 있는 사업을 통하여 국가재정을 확보하는 체제를 '국가자본주의'라고 한다.…(『한국 자본주의』, 246) 국가자본주의를 시행하는 대표적인 나라는 중국, 러시아 그리고 산유국들이다.…(『한국 자본주의』, 247)
중국과 러시아의 경우처럼 국가자본주의는 시장경제를 유지하면서 주주자본을 적극적으로 활용하는 전략으로 경제성장을 이루고 있기 때문에 새로운 "이념이 아니며, 공산주의의 또 다른 이름이거나 중앙정부 계획경제의 새로운 형태가 아니다." 따라서 국가자본주의는 국가가 모든 기업을 소유하고 주주자본을 배제하는 공산주의와는 전혀 다른 것이다.(『한국 자본주의』, 257)

우리는 여기에서 장하성에게 위의 말이 진실로 학자의 양심에 근거한 말인지를 진지하게 질문하고자 한다. 공산주의를 거의 전공한 사람으로 보이는데, 위의 말이 양심에 근거한 진실 된 발언인지를 묻고자 하는 것이다. 장하성씨는 무지함에 빠져있든지, 아니면 거짓을 말하고 있는 것이다. 학자는 양심의 소리를 말해야지 결코 거짓을 말하면 안 된다.

장하성은 국가자본주의는 "새로운 이념이 아니며, 공산주의의 또 다른 이름이거나 중앙정부 계획경제의 새로운 형태가 아니다"고 말한다. 그런데, 중국 헌법(당장)에는 이것을 "중국특색사회주의"라고 밝히고 있지 않은가? 그리고 중국 헌법(당장)에는 마르크스의 사상을 기록하고 있지 않은가? 마르크스의 『고타강령비판』에 의하면, "자본주의-사회주의-공산주의"라고 말하고 있지 아니한가? 덩샤오핑에서 시진핑에 이르기까지 자신들은 초급단계의 사회주의라고 말하고 있지 아니한가? 프롤레타리아트가 정권을 장악하여 생산력을 발전시켜서 공산주의에 이른다고 하지 않는가? 이것을 전제로 하여 덩샤오핑은 실사구시론에 따라 중국에 시장경제를 도입하였다.

국가가 생산수단을 장악하는 것이 국가 자본주의이며 사회주의이다. 그리고 이 사회주의는 공산주의로 이행하기 위한 단계이다. 러시아도 마찬가지이다. 그러나 푸틴 등은 그 자리에 머물려고 한다. 국가의 모든 재산을 다 독점한 후에 더 이상 이행하려 하지 않는다. 이것이 사회주의자들의 정체이다. 그들은 민중을 위한다고 하면서 나라 전체를 개인의 수중에 장악하였다.

장하성씨는 이러한 국가자본주의(사회주의)를 공산주의가 아니라고 말한다. 그리고 뒤에 가면, '착한 정부'이야기를 한다. 착한 '정부'가 '지주'를 계승하여 한 마을을 잘 다스린다는 이야기이다.

장하성은 다음의 원자바오의 이야기를 인용함을 통해서 중국 사회주의를 시장경제라고 미화시키고 있다.

중국의 전 수상인 원자바오는 "정부의 거시 경제적인 지침과 규제 아래서 시장이 자원을 배분하는 기본적인 역할을 전적으로 수행하게 하는 것이 우리의 경제정책이다. 지난 30년 동안의 경험들 중에서 중요한 것의 하나는 보이는 손(정부)과 보이지 않는 손(시장)이 함께 시장을 규제하는 역할을 전적으로 담당하게 하도록 확실하게 하는 것이다."라고 시장경제를 적극적으로 활용하는 중국의 국가자본주의의 성격을 규정하고 있다.(『한국 자본주의』, 257-258)

장하성은 다음과 같이 결론을 맺는다. 그는 지금 한국자본주의를 고치기 위해 무엇인가를 결정하였다.

자본주의에 타고 있는 승객들을 살리려면 무엇을 해야 하는가? 우선은 구멍을 메워서 배를 구하는 것 이외에는 다른 방도가 없다. 그리고 자본주의라는 배를 고치면서 대안 체제를 모색해야 한다.(『한국 자본주의』, 266)

4. 삼성전자 M&A 가능성 검토

가. 한국경제에 있었던 M&A사례들

장하성은 최근 한국경제에 있었던 M&A사례들을 소개한다. 위의 논리적 연관성에 의하면, 그는 M&A를 통해서 위의 국가자본주의를 실현하려는 듯이 보인다. 그는 자본시장을 연구하고 있는 것이다. 소유권을 빼앗든지, 소유행위를 중지시키려면 자본시장에서는 자본이 있으면 되기 때문이다. 그는 1997년 외환위기 상황에서의 외국자본을 이야기하고, 2008년 세계 금융위기 상황에서의 외국자본을 이야기 한다.

그러면서 이제 그는 구체적으로 들어가서 'SK 경영권 분쟁'과 '쌍용차 기술 먹튀' 논쟁을 말한다. 그리고 그는 구체적으로 삼성의 M&A 가능성을 다각도로 논한다.

나. 삼성 M&A 논쟁

오늘날 대한민국 경제에서 가장 중요한 기업이 삼성전자이다. 4대기업 중에서 삼성전자의 시가총액은 나머지 3개 회사의 시가총액을 다 합친 것이 삼성전자의 60% 밖에 되지 않는다. 그럼에도 삼성전자의 최대주주 지분은 21.2% 밖에 되지 않는다. 그는 삼성전자의 M&A 가능성을 검토한다.

그는 먼저 삼성전자의 외국인 지분이 50%가 넘는다는 것을 말한다. 그러면서 이제는 삼성전자에 대한 적대적 M&A 시나리오를 검토하면서 그것은 어느 정도 현실에서는 비현실적이다고 말한다.

자금의 규모로만 본다면 삼성전자를 적대적 인수·합병할 수 있는 자금을 가진 기관투자자들은 세계 여러 나라들의 연금이나 국부펀드들이다.… 한국의 국민연금 규모는 426조원(2013년 당시)으로 세계 4위이다. 이러한 연금들은 뮤추얼 펀드나 헤지펀드와 비교할 수 없는 큰 규모이기에 삼성전자를 인수하기 위한 필요한 자금을 마련할 수도 있다. 그러나 정부 연금이 특정 회사를 인수하기 위해서 국민의 연금을 걸고 막대한 자금을 한 회사에 투자한다는 것은 현실성이 없다. 한국 국민 연금은 전체 자산 중 60%를 채권에 투자하고 30%인 약 128조를 주식에 투자하고 있으며, 이 중에서 국내주식에 대한 투자는 약 83.9조원이다. 만약에 국민연금이 삼성전자를 인수하려고 시도한다면 국내 주식투자자금 모두를 삼성전자 한 회사 주식에만 투자해도 부족할 것이다. 국민연금이 삼성전자 또는 미국이나 중국의 어 느 특정회사를 인수하기 위해서 연금의 30%를 사용한다면 이는 국가적인 위험을 각오하고 뛰어들어야 하기 때문에 이는 현실성이 없다.…

극단적으로 삼성전자를 인수하는 것만을 목적으로 외국인 투자자가 새로운 펀드를 만든다고 해도 최소한 100조원이 넘는 자금을 조달해야 하는데, 특정 회사를 표적 으로 적대적 인수·합병을 하기 위해서 모집한 대규모의 펀드는 어느 나라에도 아 직까지 없었다.(『한국 자본주의』, 257-258)

그는 삼성전자의 국유화 가능성을 이렇게 검토한 것이다. 필자는 위의 글들을 보면 서 장하성씨가 중국어도 익숙하지 않으면서 중국 대사(2019.3-2022.6)로 갔는데, 그 의도가 매우 궁금하다.

중국의 중앙 국유기업이 1년에 내는 이익이 480조원(2017년도 이후 자료)이며, 전 체 국유기업이 내는 이익이 800조원이다. 이 자금들이 펀드 형태를 통해 우리나라 대 기업을 공략한다면, 그것은 별로 어렵지 않다. 우리나라에서는 좌파의 사모펀드들이 결집을 해서 '주주제안'만 걸어주면 된다. 우리는 이러한 형태의 신코민테른이 일어나 지 않았는지를 검토하여야 한다. 중국의 국유기업 이익을 3년치만 모으면, 우리나라 상장사(2021년 시가총액 2,580조) 모두 살 수 있다. 삼성전자 하나쯤 경영권 박탈시 키는 것은 일도 아니다. 우리는 이 점을 경계하여야 한다.

다. 삼성전자 인수·합병의 가능성

장하성은 "삼성전자도 인수·합병 될 수 있다?"라고 하면서 "예외는 없다"고 말한 다. 경영진이 방만하게 경영을 하면, 삼성전자도 인수·합병 될 수 있다고 말한다. 그 러면서 그는 삼성전자를 외국인에게 빼앗기지 않으려면 한국인이 삼성전자의 주식을 사야한다고 말한다. 그러면서 "당신은 삼성전자 주식을 갖고 있나요?"라고 질문을 한 다.

… 만약에 삼성전자의 경영이 악화되더라도 한국의 대표적인 기업의 경영권을 외국인이 갖는 것을 국민들은 쉽게 받아들일 수 없을 것 같다. 삼성전자의 경영권을 외국인이 차지하는 것만은 막고 반드시 한국인이 가져야 한다면, 과연 어떻게 해야 하는가? 가장 간단한 답은 한국인이 삼성전자 주식을 외국인보다 더 많이 보유하면 된다. 그렇기 때문에 삼성전자가 절대로 외국인에 의해서 인수·합병되어서는 안 된다고 목소리를 높이는 사람들에게 물어야 할 질문이 있다. "당신은 삼성전자의 주식을 갖고 있나요?"(『한국 자본주의』, 362)

그러면서 장하성은 삼성그룹의 소유지배구조를 철저히 분석한다. 그러면서 "황제경영을 깨뜨려라"는 제목 하에 다음과 같이 말한다.

이제는 더 이상 재벌기업과 총수들의 불법행위를 과거의 관행으로 여기며 관용을 베풀 수 있는 시대도 아니다. 왕조가 아니라면 사회주의 독재체제에서도 정치권력은 끊임없이 도전을 받으며 세습되지 않는다. 재벌 총수의 '황제경영권'을 보호해 주고 세습해야 한다는 주장은 시장경제를 부정하는 기득권 세력의 궤변일 뿐이다. 수많은 이해당사자들의 운명과 국가경제의 미래가 걸려 있는 '경영권'은 보호받아야 할 특권이 아니라 오히려 도전과 경쟁의 대상이다.(『한국 자본주의』, 398)

라. 국가자본주의 추진방법

우리는 러시아의 푸틴이 어떻게 자유민주주의 시장경제의 헌법을 그대로 놓아두고, 경제구조를 사회주의 혹은 국가자본주의 체제로 바꾸어 내었는지를 앞에서 간단히 살펴보았다. 푸틴은 그의 집권 2기가 들어섰을 때, 먼저 국부펀드(?)를 이용해서 러시아의 유니콘 기업인 가즈프롬과 로스네프찌를 국유화하였다. 여기에서 국유화란 최대주주 지분획득을 말한다. 그리고 나서 그 내부자금을 이용하여 전방후방 관련회사들(Ex. 하청사들)을 M&A하기 시작하였다. 그리고 또 다시 그 내부자금을 이용하여 다른 대기업들을 모두 M&A해버렸다. 이렇게 한 나라의 대기업 전체를 장악하는데, 3년 6개월 밖에 걸리지 않았다. 국민들은 여기에 관심도 없었고, 무슨 올리히가르(러시아 재벌) 숙청하는 줄 알았다. 그리고 나중에는 사회주의 국가가 되어 있었다.

우리나라도 마찬가지이다. 4대기업이 관건이지 다른 기업들은 관심 없다. 우리나라 4대기업은 우리나라 총부가가치(GDP)의 37%정도(2020년 기준)[11]를 기여하고 있다.

11) 우리나라 4대기업의 매출액은 우리나라 총 GDP의 약 17% 정도를 차지한다. 4대기업의 매출액은 전

이 4대기업의 경영권을 노리는 것이지 다른 여타 기업들은 관심 밖이다. 시끄러워지면서 정체만 드러날 뿐이기 때문이다. 그러나 이 4개 기업의 경영진만 교체한 후, 유상증자를 해서 재벌들을 아웃시켜 버리면, 이 4대 기업은 이미 경영권이 해체된 것이다. 그러면 국민연금이 최대주주가 된다. 그러면 사회주의자들이 정권을 잡았을 때, 이곳은 그들의 일자리가 되며, 나라 전체를 사회주의화하는 도구로 사용된다. 이것이 우리나라 대한민국에 대한 사회주의화 전략이다. 그리고 우리나라를 사회주의화할 방법은 이 방법 외에는 없다고 보아야 한다.

5. 자본주의에서의 경쟁, 공정, 정의

가. 자본주의 고쳐쓰기 : "함께 잘 사는 정의로운 자본주의"

장하성은 한국자본주의를 고장난 자본주의라고 말한다. 그러면서 버릴 것인가, 고쳐쓸 것인가를 말하면서 자본주의 대안찾기를 한다. 그러면서 공산주의를 비롯하여 대각도의 대안찾기의 검토를 한 후, 자본주의 고쳐쓰기를 선택한다. 그리고 "함께 잘사는 정의로운 자본주의"를 설정한다. 이 제목이 의미하는 바는 다음과 같이 설명된다.

> 지난 30년간 선진국 자본주의가 드러낸 모순의 핵심은 소득 불평등과 양극화 심화 현상이며, 한국도 똑같은 모순에 빠져있다. 이와 같은 불평등을 해소함으로써 지향할 사회를 먼저 '함께 잘 사는' 사회로 규정해본다.…한국에서 '자본주의 고쳐쓰기'의 또 하나의 지향점을 '정의로운' 사회로 규정해 본다.…
> 첫 번째 규정인 '함께 잘 사는 것'은 본질적으로 분배의 문제이다. 두 번째 규정인 '정의로운 사회'는 일단 일차적인 정의인 반칙과 불법을 교정하는 것을 말하며, 이는 당연한 것이다.…(『한국 자본주의』, 423-424)

한편, 장하성은 유독 '정의로운 자본주의'에 대해 더욱 관심이 깊다. 그의 이 기준은 매우 완고하다. 반드시 뜯어고칠 기세이다. 고쳐지지 않으면 폐기할 기세이다.

체를 부가가치로 보아도 된다. 이때의 부가가치는 모든 하청사들의 부가가치를 합한 숫자이다. 4대기업 본사가 해외로 이탈을 하면, 이 전체가 이탈을 하기 때문에 합산하는 것이 타당하다. 다만 여기에서 수입액을 제거하여야 하는데, 이 수입액은 관련기업의 파생 부가가치로 산입된 도소매 부가가치와 상계하였다. 이때 제조업, 농업, 정보통신 등을 주요부가가치로 하고, 서비스, 금융, 도소매, 요식업 등을 파생부가가치로 간주할 경우, 이 파생부가가치는 주요부가가치에 배분하여야 한다. 이렇게 할 경우, 4대기업의 부가가치는 우리나라 GDP의 37% 정도를 차지한다. 이것이 우리나라 국민소득과 일자리의 기여도이다. 따라서 4대기업이 국유화되면, 나라의 모든 주요산업이 국유화된 것이나 다름없다.

자본주의 시장경제를 경제체제로 받아들인다면 '정의로운' 자본주의는 자본주의가 추구해야 할 최상의 가치이자 최적의 상태라고 할 수 있다.… 자본주의 시장경제가 아무리 효율적인 체제라고 할지라도 그것이 정의롭지 않거나 정의로운 가치에 위배된다면 개선되어야 하며, 그렇지 못하다면 폐지되어야 한다. 만약 현재의 한국 자본주의가 교정될 가능성이 여전히 있다고 본다면,…지향해야 할 것은 '정의로운 자본주의'이다.…(『한국 자본주의』, 423-424)

그는 '함께 잘사는 정의로운 자본주의'에서 정의를 재산의 사적소유, 시장에서의 경쟁, 및 분배와 관련한 세 가지 영역에서 답을 구하고자 한다.

첫 번째는 어떤 사적소유가 정의로운 것이냐의 문제이다. 두 번째는 시장에서의 경쟁의 시작과 과정이 정의로운 것이냐의 문제이다. 세 번째는 시장에서 경쟁을 통해서 만들어낸 결과가 정의롭게 배분되었는가의 문제이다. 세 가지 문제는 서로 독립적인 것은 아니며, 하나가 다른 하나의 원인되는 인과관계로 연관되어 있다. 정의롭지 않은 과정으로 획득한 재산의 사적소유는 정의롭지 못한 것이다. 또한 정의로운 경쟁의 과정이 반드시 정의로운 분배를 만들어내는 것은 아니지만, 불공정한 경쟁으로 만들어진 결과는 정의로운 분배가 될 수 없다. 예를 들어 시장을 장악하고 있는 소수의 대기업들이 담합으로 가격을 조작해서 얻은 이익은 정의롭지 못한 것이다. 재벌 2세,3세들이 상속세를 내지 않고 편법과 불법으로 상속받은 재산들도 정의롭지 않은 것이다.…(『한국 자본주의』, 427)

나. 정의로운 소유

따라서 국가자본주의는 국가가 모든 기업을 소유하고 주주자본을 배제하는 공산주의와는 전혀 다른 것이다.(『한국 자본주의』, 257)

로버트 노직은…개인의 자유를 지키기 위해서는 사유재산권이 절대적으로 보호되어야 한다고 주장한다. 즉 사유재산권은 개인의 자유를 보호하기 위한 필수적인 수단이다. 하지만 사유재산이 정의로운 것이 되기 위해서는 다음의 세 가지 조건을 충족해야 한다고 했다. 첫째, 재산의 취득이 정의로워야하고, 둘째, 재산의 이전이나 양도의 과정이 정의로워야 하고, 셋째, 취득과 이전의 과정에서 불의가 있

었다면 이를 시정한 경우에만 사유재산이 정의로운 것이라고 규정하고 있다.(『한국 자본주의』, 430)

따라서 불완전경쟁으로 획득한 재산은 노직이 규정한 '완전하게 정의로운' 사유재 산의 조건을 충족할 수 없다.(『한국 자본주의』, 432)

다. 정의로운 경쟁

장하성은 '정의로운 소유'에 이어서 '정의로운 경쟁'에 대해서 논의한다. 그러면서 그는 다음과 같이 결론을 맺는다. 그에 의하면, 재벌은 모든 기준에서 한 치의 용서 도 받을 수 없다.

한국은 소수의 재벌그룹들이 의류, 식품에서부터 전자, 자동차까지 거의 모든 제조 업과 운송, 광고, 음식점, 제과점과 같은 서비스업까지 거의 모든 산업분야에 진출 해서 시장을 장악하고 있기 때문에 불공정한 경쟁이 구조화되어 있다.(『한국 자본 주의』, 445-446)

라. 정의로운 분배

장하성에게 분배의 문제는 소외된 약자와 뒤처진 패자에 대한 분배의 문제이다. 그 는 이러한 약자를 '민주주의'라고 말한다. 그리고 그는 자본가, 대주주, 혹은 재벌을 자본주의라고 부른다. 그는 이 문제는 뒤에서 논의하자고 말한다.

분배의 정의를 실현하기 위한 구체적인 정책을 어떻게 마련하고 실천할 것인가의 문제는 민주주의와 자본주의 시장경제를 어떻게 결합할 것인가의 문제이다… 특히 다른 나라에서 찾아 볼 수 없는 한국만의 문제인 재벌의 구조의 문제점과 이를 교 정할 수 있는 방안을 논의하기로 한다.(『한국 자본주의』, 456)

6. 함께 잘 사는 정의로운 자본주의를 향하여

가. 한마을 이야기

장하성은 『한국 자본주의』 7장의 제목을 "정의롭지 못한 한국 자본주의"라고 설정 한다. 그리고 그 맨 앞에 '한마을 이야기'를 소개한다. 다음의 '한마을'은 띄어쓰기를 볼 때 '하나의 마을'이 아니라, '한국' 곧 '우리나라'를 의미하는 것으로 보인다. 여기에 '정부'가 있는데, 이것은 다음에 형성될 '민주주의 정부'이다. 장하성의 '민주주의'는 '민중 민주주의'이다. 따라서 사회주의 정부로 생각하면 된다. 그리고 다음에서 '지주'는 생산수단인 땅을 소유하고 있는 자인데, 오늘날의 생산수단은 '기업'이다. 따라서 여기서의 '지주'는 곧 '재벌'을 의미하는 것으로 보인다. 이 '재벌'이 이제 경영권을 상실하고 다른 나라로 가고, 그 기업의 경영을 '국가, 혹은 정부'가 하게 된 것이다. 이 '민주주의'가 세운 '정부'는 다른 사람들보다 싼 값에 팔아서, 다른 모든 부당이득을 취하는 자들을 모두 도태시킨다. 그래서 결국은 이 '정부'가 그 마을 혹은 그 나라의 모든 생산수단인 기업들을 장악하게 된다. 이 이야기가 다음에 소개되는 장하성의 '한마을 이야기'이다.

쌀농사를 짓는 '한마을'에 사는 '정부'씨는 토지를 수탈한 뽕마을 지주 밑에서 마름[12]으로 일해 왔다. 그러다 한마을에서 쫓겨나게 된 지주가 정부씨에게 상황이 좋아지면 다시 돌아올 테니 그때까지 당분간 재산을 맡아들라고 하고 서둘러 뽕마을로 돌아갔다. 그러나 그 지주는 돌아오지 않았고, 정부씨는 한마을의 많은 땅을 소유한 대지주가 되었다.

한마을에는 작지만 자신의 땅을 가지고 농사를 짓는 사람들도 있었지만, 대다수의 마을 사람들은 재지주인 정부 씨에게서 땅을 빌려 소작농으로 먹고 살거나 정부 씨네의 농사일에 품을 팔면서 생계를 이어갔다. 그리고 이 마을에는 정미소 사업을 하는 김 씨, 가게를 하는 이 씨, 식당을 하는 최 씨가 있었다. 어느 날 대지주인 정부 씨는 자기 땅에서 수확하는 쌀이 많기 때문에 김 씨가 소유한 정미소를 이용하지 않고 자신이 직접 정미소를 세우기로 했다. 자기네 쌀만 도정해도 정미소 운영에 문제가 없었다. 정미소 운영이 괜찮다 보니 마을 사람들에게는 김 씨의 정미소보다 싼 값에 도정해 주기로 했다. 마을 사람들은 김 씨네 정미소보다 더 싸게 도정을 해 주는 정부 씨의 정미소를 이용하게 되었고, 김 씨는 결국 정미소 문을 닫았다. 정부 씨는 김 씨네 정미소가 망한 후에도 값을 올리지 않는 '선행'을 했다.

정부 씨는 쌀농사 뿐 아니라 정미소 사업까지 하게 되어 많은 돈을 벌었다. 그는 그렇게 번 돈으로 자신이 생산한 쌀을 원료로 쓰는 막걸리 양조장을 세웠고, 온 동네 사람들이 정부 씨네 막걸리를 사다 마셨다. 그는 자신이 생산하는 막걸리를

---

12) 지주를 대리하여 소작권을 관리하는 사람(네이버 사전)

직접 파는 가게도 차렸다. 가게는 처음에 막걸리만 팔았지만 나중에는 다른 물건
들도 함께 파는 슈퍼마켓이 되었다. 정부 씨네 슈퍼는 이 씨네 가게보다 싼값에
물건을 팔았고, 마을 사람들은 값싼 수퍼를 애용하게 되었다. 결국 이 씨네 가게도
문을 닫았다. 정부 씨는⋯ 음식점도 차렸고,⋯결국 최 씨네 음식점도 문을 닫았
다.⋯모두들 '착한' 정부 씨를 칭찬했다. 정부 씨는 더 많은 돈을 벌었다.
정부씨는 돈이 많아지자 설탕 공장, 과자 공장, 신발 공장, 의류 공장을 세웠다.⋯
정부 씨 회사들은 강 건너에 있는 '우사 마을'에 '수출'도 했다. 사업은 계속해서
번창했고, 정부 씨는 다시 전자 공장과 자동차 공장을 세워서 산 너머에 있는 '치
나 마을'에도 수출했다.⋯
'정부' 씨는 '한마을'의 모든 것을 소유하고 지배하게 되어서 군수가 되었다. 한마
을은 정부 씨가 사업을 성공적으로 확장한 덕분에 발전했고, 마을 사람들은 더 잘
살게 되어서 행복했다.(『한국 자본주의』, 459-462)

위의 이야기가 국가 자본주의 이야기이다. 즉 사회주의 시장경제의 이야기이다. 국
가가 대기업의 최대주주로서의 경영자가 되어서 나라의 주요 산업을 국유화한다는 이
야기이다.

이제 이 마을에 어느 날 존 롤즈가 찾아와서 평지풍파를 일으켰다. 위의 한마을을
보고, 저들은 정치적 자유와 경제적 자유를 모두 잃었다고 말하였다. 또한 존 스튜어
트 밀과 하이에크가 롤즈를 거들었다.

행복하고 평화롭게 잘살고 있는 한마을에 어느 날 존 롤즈라는 사람이 느닷없이
나타나서 평지풍파를 일으켰다.⋯롤즈는, 정부 씨가 모든 것을 소유하고 지배하는
한마을의 사람들은 이전보다 잘살게는 되었지만, 그 대가로 누고도 정부 씨의 뜻
을 거스를 수 없고, 누구도 자기 땅을 갖고 사업할 수 없게 되었기 때문에 정치적
자유와 경제적 자유를 모두 잃었다는 것이다.⋯
존 수튜어트 밀이 롤즈를 거들고 나섰다. 밀은 "배부른 돼지가 되느니, 배고픈 인
간이 되어야 한다⋯"
하이에크는 한마을에 신랄한 비판을 쏟아냈다. 사회주의에 대한 강력한 비판자인
하이에크는 경제적 이득을 위해서 자유를 포기한 한마음의 사람들은 '노예의 길'을
택한 것이라고 했다.(『한국 자본주의』, 462-463)

위의 이러한 상황에 대해서 장하성은 마르크스 주의자 트로츠키의 말을 인용하여 다음과 같이 말한다. 사회주의 혁명이 성공한 것이다.

이런 상황을 지켜보던 마르크스주의 혁명가인 레온 트로츠키가 한마을의 젊은이들과 군수 박씨에게 충고를 한 마디 던졌다. 그는 "유일한 고용주가 정부인 나라에서 정부에 반대하는 것은 서서히 굶어 죽는 것이다. '일하지 않는 자는 먹지말라'는 과거의 원칙은 새로운 원칙으로 대체되었다. '복종하지 않는 자는 먹지말라'"고 했다.… 이것은 자신이 세운 소비에트를 국가가 모든 것을 소유하고 통제하는 전체주의 체제라고 비판하면서 한 말이다.… 자유민주주의 시장경제를 사훈으로 내건 정부 씨가 소유한 신문사들와 방송국은 트로츠키의 충고를 대대적으로 보도했다. 기사 제목은 이랬다. "한마을 사람이여, 서서히 굶어죽지 않으려면 정부에 복종하라!"(『한국 자본주의』, 466-467)

나. 정의롭지 못한 한국 자본주의

위의 한마을 이야기를 한 후, 장하성은 곧바로 이어서 "정의롭지 못한 한국 자본주의"를 이야기 한다. "정의롭지 못한 소유"를 주제로 하여서 재벌들의 출현과정을 "한국 자본주의의 색다른 발전경로와 얼룩진 축재"라는 소제목으로 이야기 한다. "불공정한 경쟁"으로서 "사업 낚아채기, 일감 몰아주기, 부당 내부거래, 독과점과 기업들의 담합, 원청기업의 갑질"에 대해 이야기 한다. 그리고 재벌과 한국경제의 모순을 이야기하며, 재벌이 한국경제의 미래이다는 말들에 대해서 의문을 제기한다.

다. 함께 잘사는 정의로운 자본주의로 가는 길

장하성은 그의 책 8장 "함께 잘사는 정의로운 자본주의를 위하여"에서 '바보야, 문제는 정치야'라고 말하며 최장집의 말을 인용하여 절차적 민주주의(정치적 민주주의)를 실질적 민주주의(경제적 민주주의)로 실행할 정당의 필요성을 역설한다. 그러한 정당이 출현하여 위의 문제를 해결하는 것이다. 따라서 다음에서 언급되는 '정당'이 위의 '한마을'에서 말한 그 '정부'이다.

한편, 다음에서 우리는 용어의 개념을 새롭게 하고 독해를 하여야 한다.(필자: 사회주의자들의 '민주주의'는 '민중 민주주의'를 말하며, '자본주의'는 '자본가들'을 의미한다. 전자는 프롤레타리아트이며, 후자는 자본가계급을 의미한다. 우리가 알고 있는

"자유민주주의 시장경제"로서의 "자본주의"와 그 개념이 다르다.)

최장집은 한국의 민주주의와 자본주의의 결합 결과에 대해서 "한국의 민주주의는 절차적 수준에서 세계 어디에 내놓아도 빠지지 않을 만큼 크게 발전했다. 그러나 이러한 민주주의가 사회경제적 수준에서 무엇을 이뤄냈느냐 하는 실질적 민주주의 기준에서 볼 때, 한국 민주주의의 발전은 매우 초라할 뿐 아니라, 오히려 현저하게 퇴보했으며 현재도 계속 퇴보하고 있다고 평가하지 않을 수 없다."라고 지적하고 있다. 그는 "실질적 민주주의는 자유와 평등의 원리가 사회경제적 수준으로 확대되어 그동안 소외되었던 노동자를 비롯한 사회적 약자들의 권익이 증진되고, 배분적 정의에 입각한 복지정책을 통해 부와 소득의 분배구조가 개선되는 현상"이라고 정의한다. 그리고 한국은 "절차적 민주주의는 공고화된 만큼 민주주의를 사회경제적 영역으로 확장하는 실질적 민주주의가 요구된다는 것이다. 여기서 민주주의는 정치적 민주화에서 경제적 민주화로 전진하는 것으로 이해된다." 이제 한국은 함께 잘사는 '정의로운 자본주의'를 향한 실질적 민주주의 작동되어야 한다는 것이다.…

그러기에 함께 잘사는 "정의로운 한국의 자본주의"의 꿈은 이제부터라도 시작되어야 한다. 그 꿈을 현실로 이뤄내기 위해서는 정치와 민주주의가 작동해야 한다. 최장집은…"민주주의 그 자체가 아니라, 그것이 허용하는 제도적 메커니즘으로서의 정당"이라고 말한다. 함께 잘 사는 "정의로운 한국 자본주의"를 국민들에게 함께 달성할 목표로 제시하고, 정권창출을 통해서 이를 현실에서 실천할 정당이 출현해야 한다는 것이다. 평등과 정의를 실천할 정당이 출현하고, 국민들이 그러한 정당을 선거를 통해서 선택함으로써만이 실질적인 민주주의에 좀더 다가갈 수 있는 것이다.

한국의 자본주의를 "함께 잘사는 정의로운 자본주의"로 만들어 가는 것은 한국의 현실에 대한 정확한 진단과 그에 근거한 정책을 실행함으로써 가능하며, 그러한 정책들은 한국인들의 역량으로 만들어 낼 수 있다고 필자는 이 책에서 주장했다.…

(『한국 자본주의』, 590-592)

라. 민주주의가 희망이다.

장하성은 시장경제에서의 '시장'은 "더 큰 파이를 더 효율적으로 만들어내는 체제일 뿐이다"고 말한다. 그러나 경제적인 민주화 혹은 분배는 '민주주의'가 한다고 말한다. 여기에서 장하성의 민주주의는 '민중 민주주의'를 말한다. 즉 '민중민주주의 정부'를 의미한다.

> 시장은 더 큰 파이를 더 효율적으로 만들어내는 체제일 뿐이다. 노동자들에게 얼마만큼을 분배할 것이냐, 임금격차를 얼마로 할 것이냐, 비정규직을 어떻게 정규직으로 바꿀 것이냐는 민주주의가 결정할 문제이지 시장에 맡길 문제는 아니다. 누진세를 얼마로 결정할 것이냐, 지역간 격차를 어떻게 해소할 것이냐, 기초 복지를 어느 정도 확대할 것인가… 등도 시장이 아닌 민주주의가 결정할 일이다.… 시장이 공정한 질서를 유지하고, 시장에서 만들어진 결과를 공정하게 함께 나누는 것을 결정하는 것은 시장이 아니라 국민들이다. 함께 잘사는 '정의로운 자본주의'를 만들어내는 것은 시장이 아니라, 시장을 운영하는 정부와 정치, 그리고 민주주의가 해내야 할 몫인 것이다.(『한국 자본주의』, 601)

장하성은 결론적으로 '민주주의'로 '자본주의'를 고쳐내어야 하는데, 이 '자본주의'는 무엇을 말하는지 애매하다. 그는 "민주주의는 노동의 편이다"고 말하며, "자본주의는 자본의 편이다"고 말한다. 이것은 "민중 민주주의 체제"를 '민주주의'라고 말하며, "자본주의 체제"를 '자본주의'라고 말하고 있다. 그는 민주주의가 자본주의에 대하여 승리를 하여야 한다고 말한다. 먼저 투표를 통해서 그러한 정부를 세운 후에, 이제 그 정부가 '자본'을 해체하는 것이다. 그래서 '경제적 민주화'의 평등을 이루어내는 것이다. 그리고 모두가 칭찬하는 '한마을'의 '정부'가 되는 것이다. 장하성이 다음의 본문에서 주장하는 "평등을 만드는 민주주의"는 "절차적 민주주의를 통한 경제적 평등을 만드는 민중 민주주의 정부"로 해석해야 한다. 그리고 장하성의 "정의로운 자본주의"는 '민중 민주주의'에 의해서 실현되는 '국가 자본주의'이다. 그리고 '국가자본주의'는 '사회주의'인 것이다. 장하성의 다음의 외침은 혁명의 외침으로 들린다.

> 한국에 함께 잘 사는 '정의로운 자본주의'가 현실이 될 희망은 민주주의에 달려있다. 자본과 노동의 이해가 충돌할 때, 불평등을 만드는 자본주의는 자본의 편이다. 그러나 평등을 만드는 민주주의는 노동의 편이다. 자본주의는 기득권 세력, 부유층 그리고 재벌의 편이다. 그러나 민주주의는 중산층과 서민, 소외층 그리고 중소기업의 편이다. 자본주의는 '돈'이라는 무기가 있지만, 민주주의는 '1인1표의 투표'라는

무기가 있다. 국민의 절대다수는 자본이 아닌 노동으로 삶을 영위한다. 그러기에 민주주의 정치체제에서 자본주의가 민주주의와 충돌할 때, 민주주의가 가진 '투표'의 무기가 작동되면 자본주의의 '돈'이라는 무기를 이길 수 있거나 적어도 제어할 수 있다.…

그러기 때문에 민주주의가 없는 자본주의는 스스로 소멸한다.…한국은 함께 잘사는 '정의로운 자본주의'를 실현할 한국의 현실에 맞는 정책들을 만들어낼 역량을 충분히 가지고 있다. 그러기에 자본이 아닌 노동으로 삶을 꾸려가는 절대다수의 국민들이 '계급투표'와 '기억투표'를 한다면 함께 잘 사는 정의로운 자본주의가 현실이 되는 실질적인 민주주의가 이뤄질 희망은 있다.(『한국 자본주의』, 602-603)

장하성의 위의 말들은 점잖게 민주주의를 말하고 있지만, 그 민주주의는 노동자와 민중들의 민주주의이다. 이들이 정권을 잡은 후에 '한마을'의 '정부'처럼 실질적 민주주의를 이행하여 경제적으로 평등한 '경제적 민주주의'를 이루어내고자 한다. 장하성의 『한국 자본주의』는 오늘날 대한민국의 헌법에 비추어 보았을 때, 정부를 장악하여 대기업들의 경영권을 장악하는 사회주의 혁명서로 간주될 수 있는 것이다.

< 칼 럼 > 대한민국 사회주의혁명 전략서? 『한국 자본주의』

가. 경제민주화의 방법론으로서의 소득주도성장론의 배당

장하성의 『한국 자본주의』는 소득주도성장론의 배당, 곧 배당을 확대시키는 소액주주운동을 경제민주화의 방법으로 삼고 있다. 그의 책의 전개에 의하면, 우리는 그렇게 결론지을 수 있다. 그는 대기업의 꼼수인 이윤축적을 통한 사업확장을 막고자 한다. 이것이 소득주도성장론의 배당이론이다. 그리고 그는 이것의 결론으로서 경제민주화를 말하고 있다. 만일 이러한 배당이 국가와 소액주주들(민중들)에 의해서 강제적으로 대기업들을 향하여 진행 되면, 대기업들이 해체되기 때문이다. 그래서 『한국 자본주의』의 배당이론이 사회주의 혁명의 방법으로 채용되는 것이다. 장하성과 그의 추종자들은 문재인 정부의 정책실장 등이 되어서 이것이 가능하도록 법규를 제정하였다.

문재인 정부는 『자본시장법시행령』 154조 1항 4호 배당을 삭제하며, 동조 5항의 일반투자제도를 만들어 국민연금이 배당정책에 관여할 수 있게 한 후, 『국민연금투자기업 이사회구성·운영기준 안내』를 통해 이사를 추천(파견)하겠다고 하였다. 이때 『이사회구성·운영 안내』의 서두에 "이것은 『수탁자책임활동지침』(스튜어드십 코드규정)의 후속조치이다"고 말하였다. 그래서, 이 '이사 추천'은 '강제조항'이 되었다. 이어서 국민연금은 투자기업에 이사파견을 위해서 '이사 pool'을 구성하기 시작하였으며, 그 이듬해(2021년 3월, 2022년 3월)부터 삼성물산을 비롯한 7대 기업에 대해 '이사추천(파견)'을 위한 수탁자책임활동전문위원회의 논의가 시작되었다. 만일 이 논의가 성공하면 이제 그 대상기업들은 계속 확대될 것이다. 국민연금이 172개사의 2대 주주인데, 여기에 까지 확장될 것이다.

이제 이렇게 국민연금에서 파견된 이사들의 가장 주요한 직무는 무엇인가? 각 회사에 들어가서 '배당압력'을 행사하는 것이다. 이 배당압력을 위해서 『자본시장법시행령』154조 1항의 배당삭제의 개정이 이루어진 것이다. 그리고, 그 강도는 갈수록 거세어질 것이며, 여기에 불응하면 국민연금 스튜어드십코드가 발동된다. 아마 좌파들은 당기순이익 전체(『한국자본주의』의 의도)를 배당하라고 할 수도 있다. 메스컴은 이것을 대대적으로 홍보할 것이며, 민중들은 흥분할 것이다. 그리고 국민연금은 소액주주들을 위하여 이에 불응하는 기업에 대해 스튜어드십코드를 행사한다. 특히 이 타겟은 4대기업이다. 4대기업만 국유화되면 대한민국 대기업 전체가 국가에 장악되었다고 볼 수 있기 때문이다.

나. 사회주의 방법론, "소액주주운동-배당"

장하성은 소득주도성장론을 전개하는데, 노동자(임금)와 소액주주들(이윤, 배당)의 소득을 증대시키면, 소비가 증대하여 경제가 성장을 한다고 말한다. 참조로 정통경제학에서는 이윤의 고유목적은 사업확장 곧 투자이다. 이때 개인의 소비보다 기업의 투자가 훨씬 건강하다. 투자 곧 기업의 소비는 일자리가 생기는 소비이므로, 또 다시 동일한 소비를 유발한다. 그래서 계속 선순환이 일어난다. 그러나 소득주도성장은 1회성 소비로 소득의 순환은 중지해 버린다.

장하성의 이슈는 문재인 정권에서 곧바로 최저임금인상을 통해 정책에 반영되었다. 그리고 배당은 국민연금스튜어드십코드와 『자본시장법 시행령』개정을 통해서 그것을 이루었다. 국민연금(국가)이 기업들의 이익처분(배당) 활동에 개입할 수 있도록 한 것이다. 우리는 이 소액주주운동의 배당참여 문제를 장하성의 『한국자본주의』를 통해서 해석하여야 한다. 그 책의 저자가 정책실장이 되어서 실행한 것이기 때문이다. 그는 『한국자본주의』에서 이윤축적을 통한 기업성장을 대기업의 꼼수라고 하며, 울분을 토한다. 그는 모든 기업들이 이윤(배당)을 통해 사업확장을 하지 말고, 차입금과 증자를 통해서 하게 해야 한다고 말한다. 이것이 정책에 반영된 것이다. 그리고 이것을 강력하게 추진하기 위해서 『이사회구성·운영 안내』의 '사외이사' 제도를 창설하는데, 여기서의 '사외이사'는 "경영자를 감독"하며, '이사'로서 기존의 '이사회'에 종속되지 않으며, <사외이사 위원회>로까지 발전한다. 중국 공산당이 각 기업들에 설치한 <공산당 위원회>와 그 기능이 유사하다. 여기에서 배당압력을 행사하는 것이다. 그리고 불응시 스튜어드십코드 규정에 따라 관리한다. 만일 스튜어드십코드를 발동하면, 그 경영자는 국가를 상대로 버티지 못한다. 이 '사외이사' 파견은 지금은 삼성물산을 비롯하여서 7개 회사에 대해서 논의되고 있지만, 이것은 곧 이어서 '단순투자에서 일반투자목적으로 전환된 회사' 72개회사(2020년초)로 확장될 것이고, 그 다음에는 국민연금이 2대 주주로 있는 172개사로 확장될 것이다. 만일 이러한 것이 이 법규따라 실현되면, 그것이 바로 사회주의인 것이다.

그런데, 이렇게 배당에 대해서 모든 기업들이 자발적인 결정을 하지 못하고, 타의(국가)에 의하여 이윤을 배당해 버리면 어떤 결과를 가져오나? 예컨대, 문재인 정부는 삼성전자에게 투자액을 제시하라고 하면서 장차 180조(171조에서 증액)를 투자하겠다는 발표를 하게하였다. 만일 이윤에 대한 배당이 모두 이루어져 버리거나, 이익이 발생하지 않았다고 하자. 이때 정부는 국민들의 생존권을 위해서 100조를 기업에 투자(대출)할 터이니, 삼성전자는 80조원을 유상증자 하라고 말한다. 국가가 이렇게 지원해주는 것은 명분인데, 여기에 응하면 삼성전자의 기존 대주주는 최대주주의 권리를 상실하는 것이고, 불응하면 메스컴이 떠들면서 대주주로 인해 소액주주들의 손해가 발생하였다고 외치며, 스튜어드십코드를 실행한다. 결국 기업은 이제 국가의 수중으로 넘어간다.

이렇게 하여 장하성의 '경제민주화'가 달성된다. 그는 이것을 '더넓은 경제민주화'라고 부르며, 이것이 '절차적(정치적) 민주주의'를 이용한 '실질적 민주주의'의 실현이라고 말한다.

다. M&A를 통한 국가자본주의 실현

정부의 도움을 받아 소액주주운동이 성공하여 배당이 강요되며, 대기업의 유상증자가 강요되면, 결국 4대기업은 국유화되고 대한민국에 장하성의 경제민주화가 실현된다. 그것이 곧 국가자본주의이다. 따라서 『한국자본주의』 1부의 임금인상과 소액주주 배당운동은 소득주도성장의 두 축이면서 대한민국 국가자본주의(사회주의) 실현방법이었던 것이다. 모든 좌파가 여기에 집중한다. 이것은 궁극적으로 국민연금의 스튜어드십코드의 발동, 즉 적대적 M&A를 통해서 이루어진다.

장하성은 그의 『한국 자본주의』 2부에서 재벌이 없는 회사의 종류를 다양하게 살펴본 후, 결국 국가자본주의를 소개하며, 이것은 공산주의가 아니라고 말한다. 장하성은 이 책에서 결정적인 (공분을 일으키는) 속임수 용어사용이 등장하는데, 그 중 대표적인 것 하나가 러시아와 중국의 예를 들면서 국가자본주의는 공산주의가 아니라고 말하는 이 대목이다. 이 사회주의라는 용어를 창시한 마르크스, 마오쩌뚱 등 모든 이들은 자본주의에서 공산주의로 이행하기 위한 프롤레타리아 독재의 단계를 사회주의라고 말한다. 그는 이것을 감추고, 독자를 속였다. 장하성은 "국가 자본주의는 공산주의가 아니다"고 말한 이 대목은 "국가자본주의에 대한 찬양, 고무, 선동"에 해당한다. 그리고 여기에 사람들이 모이면, 그것은 단체결성에 해당한다. 김경수, 김동원의 댓글조작, 문재인 대통령 당선후 대거 청와대 입성 등은 이러한 단체결성에 해당한다.

장하성은 대한민국의 자본주의를 이렇게 고쳐서 쓰자고 제안을 하는 것이다. 결국 그는 국가자본주의(사회주의) 혁명을 하자고 이야기한 것이 된다. 그러면서 그는 이제 대기업들의 M&A에 대해서 논한다. 과거의 사례들을 말하며, 현재의 삼성전자의 M&A가능성을 검토한다. 여기에서 국민연금을 동원하는 문제도 드러내는데, 국민연금을 이용한 M&A는 국민여론상 쉽지 않을 것이라는 의견을 내놓는다. 그러나 가능할 것이라고 말한다. 장하성의 『한국자본주의』가 2014년도에 출시되었는데, 우연의 일치일지 모르겠지만, 그 해부터 국민연금은 투자기업들에 대한 의결권행사를 시작하였다.

라. 착한 정부이야기, "투표(정권)로 자본(대주주)을 이긴다"

장하성은 그의 책 3부에서 어느 마을의 착한 '정부'이야기를 한다. 이 '정부'는 '지주'로부터 자신이 외국에 있을 동안 땅을 대신 관리해달라는 부탁을 받았다. 이 '정부'는 아주 성실하게 관리하여서 '소작농'들에게 싼 가격으로 땅을 빌려주었다. 그리고 추수 때가 되자, 이 착한 '정부'는 쌀을 도정하기 위해 '정미소'를 운영하였는데, 싼값으로 도정을 잘해주자 모든 다른 소작인들도 이 정미소를 이용하여 다른 모든 정미소는 폐업을 하였다. 또 '착한 정부'는 쌀 판매를 위해 '슈퍼마켓'을 하였다. 그리고 이 '슈퍼마켓'에 신발도 갖다 놓았다. 더 나아가서는 그 마을에 '신발공장'을 지었다. 그리고 수출까지 하게 되었다. 장하성은 이렇게 아름다운 세상을 묘사한다. 마치 이것이 국가자본주의의 모델이라는 것을 말하고자 하는 것 같다.

결론으로 장하성은 '투표'로 '자본'을 이긴다고 말한다. 그리고 이것을 '민주주의'가 '자본주의'를 이긴 것이라고 말한다. 장하성에게 '민주주의'는 '민중 민주주의'인데, 이 민주주의는 민중들의 편이라고 한다. 그리고 '자본주의'는 재벌들의 편이라고 말한다.

민중들이 투표를 통해 민중민주주의 정부를 탄생시킨 후에 재벌들을 해체한다는 것이다. 그런데, 이것은 결국 정권을 이용한 사회주의 혁명을 말하는 것이 되어버렸다. 문재인 정부는 이러한 혐의를 받는다.

장하성의 『한국자본주의』에 나타난 소액주주운동은 무엇이었나? 그것이 그의 사상에만 머물렀다면, 사상의 자유라는 이름으로 존재할 수 있다. 또한 국가가 아닌 개인의 이름으로 진행이 되었다면, 자유주의 내의 사회주의적 요소로 인정될 수 있다. 그러나 이것이 정권을 획득한 후, 헌법상의 "자유민주주의(자본주의) 체제"를 부정하는 "사회주의(국가자본주의) 법규"를 만들어 시행되었다. 정부가 주도하는 소액주주운동은 정권을 이용한 사회주의(국가자본주의) 혁명일 수 있다. 문재인 정부는 사회주의 혁명을 추구하는 정부였을 수 있다.

2장 국민연금 의결권행사의 위헌·위법성

<서 론> 국민연금 의결권행사와 경영권침해 사례들

가. 국민연금 의결권행사 : 연금사회주의 법률

국민연금기금의 규모는 2021년말 현재 949조원으로서 상장사 시가총액 2,580조의 37%에 이른다.(2022년도: 시가총액 2079조, 국민연금 890조, 43%) 4대기업의 최대 주주의 지분율이 20-30%이므로, 만일 연기금이 모두 국내주식에 투자된다면, 우리나라 기업 전체가 국유화되어 버린다. 이에 따라, 국민연금기금은 총기금액의 약 17% 정도를 국내기업에 투자하고 있으며, 동일기업에 대해서는 10%를 한도로 하여 소유하고 있다. 그럼에도 불구하고 현재 우리나라 최우량기업(대기업 포함) 172개사의 2대 주주이다.

만일 이러한 연금이 투자하고 있는 국내기업에 대해 경영의결권을 행사할 수 있다면, 이제 우리나라의 대기업 등 상장사의 2대 주주로서, 그 기업들을 그 지분율 만큼 소유하고 있는 것이 된다. 국민연금은 2022년도 3월 주주총회에서 613개 회사에 대해 경영의결권 행사를 하였다. 현재 국민연금은 기업의 주식을 소유할 뿐 아니라, 이에 대한 주주권(의결권)행사를 일반투자자들과 똑같이 무차별적으로 하고 있다. 이것은 우리나라의 헌법은 자유민주주의 시장경제인데, 법률은 연금사회주의이다는 것을 의미하고 있다. 우리나라 국민연금은 자유시장경제의 위치를 크게 벗어나 있는데, 이것은 사회주의자들이 정권을 잡을 경우, 국민연금은 고스란히 사회주의 혁명의 도구로 이용될 것이다.

나. 국민연금운용본부의 적절하지 않은 법률해석

우리는 국민연금기금운용본부의 회의록을 엄밀하게 한번 조사하고 살펴보아야 할 필요가 있다. 국민연금기금운용본부는 <운용위원회>에서 모든 것을 결정하여 실행한다. 그런데, 다음에 논의하겠지만 그 회원 20명이 전부 전문가가 아니다. 여기에서 국민연금의 의결권 행사는 불가하다는 의견이 분명히 있었을 것이다. 그런데, 누군가에 의하여 의결권 행사를 단순한 의견표시로 둔갑시킨 후, 의결권행사가 가능하다는 결론을 내린 것으로 보인다. 즉 "주주제안을 하지 않은 의결권행사는 가능하다"는 주장이 운용위원회의 의견이 된 것이다. 국민연금 내부에서는 "주주제안을 하지 않은 의결권행사는 가능하다"는 해석이 확정적으로 존재한다. 전문가의 견해를 무시한 채 확

정된 이 지식으로부터 모든 위법적인 것이 출현하기 시작한 것으로 보인다.

이러한 해석은 2015년도부터 나타난다. 그때부터 의결권행사가 시작하였을 것이다. 그러다가 이제 문재인 정부가 들어서자, 이 의결권행사 부분이 대대적으로 강화되기 시작하였다. 의결권 행사는 주식에 대한 소유권행사이다. 이 의결권행사를 통하여 경영자를 선임하여 기업의 경영을 하는 것이다. 그러나 주주제안은 아무런 법적 효력이 존재하지 않는다. 오직 의결권행사만 법적 효력이 존재한다. 오직 경영자의 선임 해임의 법적 효력은 의결권 행사를 통해서만 이루어진다. 주주제안은 얼마든지 피해서 갈 수 있는 것이다. 예컨대, 국민연금이 지원하고 있는 사모펀드가 있는데, 여기에서 주주제안을 대신 해주면 된다. 대한항공의 경영권은 그렇게 교체가 되었다. 그러한 편법쯤은 삼척동자도 다 안다. 이렇게 의결권행사가 가능한 방향으로 자체 해석이 되어지자, 국민연금의 각종 운용규정은 모두 이 기반 위에 세워져서 많은 법규들을 위배하고 있다.

좌파들이 정권을 잡으면, 여기에서 파생된 국민연금의 내부규정들은 이제 사회주의 혁명의 도구가 될 수 있다. 이러한 모든 해악은 국민연금 의결권행사가 가능하다는 운용위원회의 잘못된 해석에 의해 나타난 것이다.

다. 자유시장경제의 헌법적 질서를 역행하는 국민연금 내부규정들

국민연금이 사영기업의 주주로서 주주권(소유권)을 행사하기 시작하면서 좌파들이 정권을 잡자, 사영기업의 장악행위로 나타나기 시작하였다. 경영통제의 현상들이 나타나기 시작한 것이다. 다음의 국민연금 규정들은 연금 사회주의를 의미한다. 그러한 일련의 행위들은 다음과 같다.

① <국민연금운용위원회>는 2018.7.30.자로 국민연금기금운용본부 내에 『수탁자책임활동지침』을 마련하고, 동위원회를 설치하였으며, 『수탁자책임활동지침』 내에 국민연금 투자기업에 대한 "의결권 행사"에 관한 규정을 마련하였다. 이때 의결권을 행사할 구체적인 내용이 부록에 수록되어 있는데, 여기에는 국민연금 투자기업의 "이사회 구성"에 관한 관여도 여기에 포함되어 있다. 그리고 여기에서 더 나아가 『수탁자책임활동지침』 18조에서는 '주주제안(스튜어드십코드 조항)' 조항을 두어서 사영기업에 경영자 선임 해임의 '주주제안'까지 할 수 있게 하였다.

② <국민연금운용위원회>는 2019.3.27.자로 사모펀드와 합세하여 대한항공에 대한 스튜어드십 코드를 발동하였으며, 그 결과 대한항공의 경영권을 교체하였다.

③ <국민연금운용위원회>는 2020.2.-2020.5.에 국민연금기금운용본부에서 투자한 국내 72개의 주요상장사에 대해 "단순투자에서 일반투자로 투자목적 변경"을 하고, 2020.7.31. 『국민연금투자기업 이사회 구성·운영 기준안내』를 시달하였는데, 그 내용은 국민연금은 필요시 투자기업의 이사회구성과 운영에 관여하겠다는 것이었다. 국민연금은 이사를 추천할 수 있으며, 이 추천을 받지 않으면 스튜어드십코드 관련 규정이 적용된다. 그렇다면, 그것은 강제규정이다.

④ 한편, 2020.7.31.부터 현재에 이르기까지 상기 일반투자로 전환한 72개의 상장기업에 이사 파견을 위해 상장기업에 파견할 이사 pool 구성을 내부적으로 결정하였고, 내부운영규정 등을 만드는 가운데에 있었다. 문재인 정부가 종료될 때까지도 그 작업이 중단되었다는 소식은 들리지 않았다.

⑤ 2020.9.30.부터 2021.3.31.까지 208개 기업의 주주총회에 참여하였고, 이때 이사선임 해임과 관련한 의결권도 무차별적으로 함께 행사하였다. 2022년 1-3월에는 613개 회사에 대하여 의결권 행사를 하였다.

⑥ 2021.3.삼성물산(삼성전자의 지주회사)를 포함한 7개 회사에 대해 사외이사 파견을 <수탁자책임전문위원회>에서는 세 차례에 걸쳐 논의하였으며, 당시 사외이사 풀이 마련되지 않았고, 요식절차의 미비 등에 대한 이유로 인해 사외이사 추천은 실행하지 않았으나, 이사 선임과 관련한 구체적인 활동은 계속하였다. 이러한 행위는 2022.3.에도 삼성물산을 포함한 6개 회사에 대하여 동일하게 논의되었다.

⑦ 2021.3.24. 국민연금, 산업은행, 공제기금 등이 벤처기업 등을 육성하기 위해 마련한 기관전용 사모펀드를 10%이상 지분 매입규정을 해제하여 그 방대한 기관전용사모펀드(약 126조원)를 증권시장에 밀어 넣었다. 국민연금의 의결권 행사를 위해 기관전용 사모펀드를 이용하여 첨단 대기업에 대한 주주제안을 할 수 있게 만든 것이다. 그런데, 그러한 음모이전에 공적인 금융자본을 이용한 산업자본 파괴(정상적인 기업들의 적대적 M&A)현상이 먼저 폭발적으로 일어나고 있다.

위의 사태들은 국민연금이 의결권행사가 가능하여서 제정 가능한 국민연금 내부규정들이었다. 국내 대기업 상장사 172개사에 대하여 위와 같은 행위가 가능하게 된 것이다. 그런데, 사회주의자가 국민연금을 통해 노리는 기업은 위의 상장사 172개사가 아니다. 그들은 단순한 배경일 뿐이다.

사회주의자들이 노리는 회사는 오직 삼성전자, 현대자동차, 엘지, 에스케이의 4대기업이다. 삼성전자는 이미 삼성생명법을 통해 그 도마에 올랐으며, 현대자동차는 순환

출자 의결권 제한의 문제가 이미 시도되고 회자되고 있다. 대한항공과 같은 곳은 거들떠 보지도 않는다. 이 4개 회사가 국유화되면 대한민국 내에서의 사회주의 혁명이 성공을 하는 것이다. 아프리카 야생에서 표범이 들소의 송아지를 죽여 놓은 후, 어미 들소를 피해 도망을 친다. 일단 그들을 죽여 놓으면 된다. 그러면 언젠가는 또 다시 좌파가 집권하게 된다. 그때 국가와 사회주의자들이 그것들을 소유하면 된다.

우리는 국가자본주의(사회주의)를 방어하는 차원에서 국민연금의 의결권행사 문제를 면밀히 검토하여야 한다.

1. 헌법 126조 : "국가는 사영기업의 경영을 통제 또는 관리할 수 없다"

가. 사영기업의 국유 또는 공유 금지 : 경제적 자유

우리나라의 헌법 126조는 "국가는 사영기업을 국유 또는 공유로 이전할 수 없다"고 되어 있다. 그 내용은 다음과 같다.

> 제126조 국방상 또는 국민경제상 간절한 필요로 인하여 법률이 정하는 경우를 제외하고는, 사영기업을 국유 또는 공유로 이전하거나 그 경영을 통제 또는 관리할 수 없다.

① 법인기업의 소유방법

우리가 "사영기업의 국유 또는 공유"를 이해하기 위해서는 사영기업의 형태를 먼저 이해하여야 한다. 일반적으로 기업은 개인기업이 있고 법인기업이 있다. 이 경우 개인기업은 그 개인 명의로의 등기·등록을 함을 통해서 소유 또는 공유가 성립된다. 그런데, 법인의 경우에는 모든 소유권이 주식을 통해 분할되어 있다. 따라서 해당 법인의 주식을 소유하면 그 기업에 대한 소유(부분적)가 성립한다. 즉, 주식 소유자체가 기업에 대한 소유를 의미하며, 그 지분비율만큼 소유를 하게 되는 것이다. 따라서 엄밀히 말하면, 주식을 소유하기만 하면, 그 안에는 그 해당기업에 대한 소유권이 이전된 것이다. 이러한 해석에는 아무런 사족을 달 필요가 없는 절대적인 해석이다.

그럼에도 불구하고, 현실적으로는 많은 국가의 기금 등이 예금형태로 예치되기도 하고, 장기적인 여유자금인 경우 보다 수익률이 좋은 주식 등에 투자되기도 한다. 이러한 것을 가리켜서 전문적인 용어로 "수익극대화 목적의 투자", "이익극대화 목적의 투자", "재무적 투자", "단순투자"라고 한다. 그러므로 여기에는 절대적인 단서가 붙어 있는 것이다. 그 "주식(소유)에 대한 권리"(주주권·소유권)를 행사하지 않는다는 절대적인 단서가 붙어 있는 것이다. 『국민연금법』 102조 2항에 나타난 "이익 극대화"가 바로 이에 대한 언급이다. 따라서 공적자금은 선택적 단순투자자가 아니라, 법적으로 강제된 단순투자자이다.

② 의결권(소유권)행사로 발생하는 소유행위

국민연금기금은 보건복지부 장관이 관리(『국민연금법』 102조 1항)하는 공적 자금인데, 이 자금은 그 기금의 목적에 따라 집행이 되기까지 장기보유를 하고 있는 여유자금이다. 따라서 예치금 성격의 자금이며, 그 예치금의 규모를 극대화하기 위해서 주식에 투자를 한 것이다. 그런데, 이 예치금 성격의 보유주식에 대해서 의결권 행사를 해버리면, 여기에서 곧바로 국가의 사영기업 소유행위가 발생해 버린 것이다.

③ 국민연금기금의 무차별적인 소유행위들

그런데, 문제는 국민연금기금의 국내상장사 투자액이 총 국민연금기금의 17% 정도인데, 이 정도의 것만 가지고도 우리나라 4대 기업을 포함한 모든 주요기업 172개사의 2대 주주이다. 이들에 대해 의결권행사를 모두에 대해서 규정까지 세워가면서 철저히 하고 있다. 여기에는 경영진의 선임·해임을 비롯한 모든 경영 관련한 의사결정이 모두 포함된다. 마치 소액주주들을 위한 흑기사인 양 행위하고 있지만, 그들이 원하는 것은 4대기업의 국유화이다. 다른 모든 곳에 대해서는 공정하게 의결권행사를 하겠지만, 이 4대기업에 대해서만은 국유화의 방향으로 의사결정을 해간다. 이것은 몇 마디 이야기를 나누어보면 삼척동자도 다 알 수 있을 것이다.

어찌되었건 국민연금은 우리나라 대기업을 비롯한 모든 기업의 2대주주로서 소유권행사 행위를 하고 있다. 우리나라는 분명 헌법은 자유주의 시장경제의 국가인데, 국민연금의 의결권행사가 당연하다고 말하는 이상, 우리나라는 사회주의 국가이다. 좌파가 정권을 장악하면, 이제 이러한 의결권행사를 이용하여 4대기업의 국유화할 것이다. 그 전략은 얼마든지 가능하다. 그리고 그러한 시도가 이미 지난 정권에서 충분히 있었으며, 지금도 존재하는데, 삼성생명법이 대표적인 사례이다. 삼성생명법이 통과되면, 삼성전자는 "이재용 vs 국민연금 vs 블랙락펀드"의 3자 운영체제가 된다. 여기에서 스튜어드십코드를 발동하여 경영진을 교체한 후 유상증자를 해버리면, 이제 국민연금이 최대주주로 되어 삼성전자가 국유화되는 것이다. 그런데, 이러한 수순은 현대자동차에도 곧바로 적용될 수 있다. 순환출자 의결권제한의 법규가 제정되면, 현대자동차도 국유화된다. 사회주의자들의 이러한 음모는 이미 모든 금융전문가들이 알고 있다.

나. 사영기업의 통제 또는 관리

① 경영자선임을 통한 사영기업의 경영통제 · 관리

헌법 126조에 의하면, "국가는 사영기업의 경영을 통제 또는 관리할 수 없다"고 되어 있다. 우리는 법인기업의 경영이 어떻게 이루어지는지를 알아야 한다. 법인기업의 경우, 그 소유자는 주주들이다. 그 주식을 보유한 비율만큼 소유한다. 그리고 그 비율만큼 경영에 참여할 수 있다. 그런데, 주주의 수가 방대한 데, 모두 해당 기업에 와서 자신이 1대 주주라고 하면서 "그 경영을 통제 또는 관리한다"고 해보자. 동일한 사안에 대해서 한 가지의 의사결정을 해서 행동을 해야 하는데, 각각의 의견이 있을 것이므로 큰 혼란에 빠질 것이다.

그래서 모든 법인기업은 주주총회를 통해 "경영자 선임"을 하고, 그 경영자로 하여금 "그 경영을 통제 또는 관리"하게 하고 있다. 따라서 주주들이 주주총회를 통하여 경영자 선임 · 해임 등의 행위가 대표적인 경영의 통제 또는 관리의 행위이다. 이와 같은 경영행위에는 이러한 경영자 선임 · 해임 행위만 있는 것이 아니라, 정관의 변경 · 증자 · 배당 · 합병 등 많은 주요 경영 관련한 의사결정 행위가 있다.

따라서 주주가 매년 초에 열리는 주주총회에서 경영자 선임 해임 등의 주요의사결정 행위, 즉 "의결권 행사"를 하는 것이 곧 "경영참여"이며, "경영의 통제 또는 관리"인 것이다. 이 '의결권 행사'는 무엇인가? 앞에서 우리는 이것이 곧 '주주권'이며, 회사에 대한 '소유권'이라는 것을 규명하였다. 즉, 법인기업의 주주가 자신의 비율만큼 의결권행사를 함을 통해서 "주주권 · 소유권"을 행사하고, 그 비율만큼 "경영참여 · 경영통제 · 경영관리"를 한 것이다. 그 비율이 어떤 사람은 1%이고, 어떤 사람은 10%이고, 어떤 사람은 20%인데, 그 비율만큼 경영에 참여한 것이다. 이때 어떤 의사결정 사항에 대해 찬성과 반대가 모두 나타날 수 있는데, 그것이 모두 경영참여인 것이다.

② 경영활동 의결권행사 행위가 경영통제와 관리

국민연금이 예전에는 국민연금 투자기업에 대해 의결권행사를 하지 않았다. 그런데, 노무현 정부 때에 많은 좌파들이 국정에 참여한 것으로 보인다. 그리고 박근혜 정부 때 국민연금 등에 대대적인 좌파적 현상이 나타났는데, 국민연금이 의결권행사를 하기 시작한 것이다. 이때 분명히 국민연금운용본부에서 매우 감각적인 억지해석이 나타났다. 그 최종결정은 <국민연금 운용위원회>에서 하는데, 이들은 비전문가들이었던 것으로 보인다. 그래서 그러한 그럴싸한 감각적 해석에 넘어갔다.

국민연금기급운용본부는 기이한 해석을 일반화시켰는데, "주주제안과 의결권행사"를 동시에 할 경우에만 "경영통제와 경영관리"라는 해석이었다. 어떤 1대 주주가 "이 사람이 이번의 회사대표를 했으면 좋겠다"고 주주제안을 하였다. 이에 대해 국민연금은 2대 주주로서 찬성의 의결권행사를 할 수도 있고, 반대의 행사를 할 수도 있다. 이 찬성과 반대 양자 모두 국민연금의 의사가 경영에 반영된 것이며, 법적인 효력을 가진다.

이때 "주주제안"은 주총에 의견 상정하는 행위이다. 이 행위는 1% 이상의 주식만 있으면 누구든지 할 수 있다. 그러나 이것은 아무런 법적인 효력이 없다. 오직 의결권 행사만 법적인 효력이 있다. 그리고 이 주주제안은 다른 이해관계가 부합하는 자를 시켜서도 할 수도 있다. 예컨대, 과거에 대한항공의 경영진을 교체하는 스튜어드십 코드를 국민연금이 행사할 때, 주주제안은 강성부 펀드가 하고, 국민연금은 의결권행사만 하였다. 이때 모든 법적인 효력은 의결권행사를 통해서만 나타난다. 주주제안은 경영과 관련한 법률행위가 아니다. 이러한 주주제안은 1%이상의 주주이면 누구든지 할 수 있다.

③ 의결권행사 비율만큼의 경영참여

따라서 어떤 기업의 경영자를 선임하는데 있어서, 어떤 1% 주주의 주주제안과 또 어떤 20%를 가진 주주의 의결권행사가 있었다고 해보자. 그래서 그 주주제안의 내용이 찬성이 되든 부결이 되든 결정이 되었다. 이때 이 결정이 성립하는데 있어서, 1%의 지분을 가진 자는 여기에 얼마의 기여를 하였으며, 20%를 가진 주주는 얼마나 기여를 하였는가? 전적으로 20%를 가진 주주의 의결권이 여기에 기여를 한 것이다. 주주제안을 동시에 하지 않고, 의결권행사만 했다고 해서 경영자 선임에 관여한 것이 아닌가? 경영참여를 하지 않았으며, 경영자 선정에 영향을 미치지 않았나? 자신의 의결권행사의 비율만큼 법적효력이 발생한 것이다. 그 비율만큼 경영참여를 한 것이다. 그 비율만큼 경영자 선정행위를 한 것이다.

④ 유일한 경영통제방법 : 경영관련 의결권행사

국가가 경영을 통제 또는 관리하는 방법은 이와 같은 의결권 행사 외에는 존재하지 않는다. 국가가 직접 기업 안에 들어가서 직접 물리적으로 영향력을 행사하는 것은 보편적인 위법사항이 있을 때 뿐이며, 본문에 언급된 "그 경영을 통제 또는 관리"하는 행위는 오직 경영진(임원)의 선임해임을 통해서 뿐이다. "사영기업의 경영을 통제 또는 관리하는 행위"는 『자본시장법』147조와 『동시행령』 154조에 열거되어 있는데, 그 중 대표적인 것이 "이사 감사 선임해임"과 "유상증자"이다.

다. 국방상·국민경제상 긴절한 필요로 인하여 법률이 정하는 경우

① 경제적 자유의 예외 : 국방 등 긴절한 필요 + 법률제정

『헌법』 126조의 본문에 의하면, "국방상·국민경제상 긴절한 필요로 인하여 법률이 정하는 경우"에는 예외를 인정한다. 여기에서 우리가 분명하게 하여야 할 것은 이 문장은 두 개의 문장으로 되어 있다는 것이다. 먼저, 국방상·국민경제상 긴절한 필요로 인한 경우이다. 두 번째는 더 나아가 그것을 법률로 정하여야 한다. 이 중 하나라도 미흡하면 해당되지 않는다. 예컨대, 국민연금이 여유자금으로 주식을 투자한 후, 의결권행사를 했다하자. 이 경우는 "국방상·국민경제상 긴절한 필요한 경우"가 아니다.

국가가 어떤 국가적인 차원에서 지원을 하기 위하여 기금을 조성하였을 경우, 그 기금으로 일반 법인기업을 설립하여 그 기금목적을 이룰 수 있고, 더 나아가서는 그 기금으로 해당 업종을 지원함을 통해서 그 목적을 이룰 수 있다. 그 대표적인 사례가 『벤처기업 육성에 관한 특별법』『기업구조조정촉진법』『기술신용보증기금법』 등등이다. 이 경우에는 조성된 기금을 조성된 기금의 목적에 맞추어서 기금을 집행하여 투자를 한다. 그래서 이러한 자금으로 벤처기업과 구조조정회사에 투자한 경우에는 그 기업을 성장시키고, 원상회복시키기 위해서 법에 의하여 경영에 참여를 한다. 이때에는 법률에 정한 경우로서 의결권행사를 한다.

예컨대, 벤처캐피탈사 등에서 벤처기업에 투자를 한 후, 거의 경영에 참여하여 그 기업을 성장시킨다. 그와 같이하여 코스닥 시장 등에 상장하여 그 자금을 회수한다. 이것의 대표적인 기관전용펀드이다. 이와 같은 경우에는 의결권행사가 가능하다.

② 국방상·국민경제상 긴절한 필요가 요청되는 경우들

국민연금도 마찬가지이다. 국민연금으로 투자한 기업이 금융지주회사인데, 모두가 소액주주여서 국민연금이 1대 주주이다. 주인 없는 기업인 것이다. 이럴 경우, 국가가 의결권행사를 해서 그 기업의 경영에 참여하는 것은 국민경제상 필연적으로 필요할 수 있다. 그러나 이 경우 법률로 정하고 하여야 한다.

더 나아가 국민연금이 투자한 국내기업이 해외 헷지펀드에 의해 적대적 M&A 공격

을 받아서 금융자본에 의해 산업자본의 침탈을 당할 때, 국민연금이 흑기사 역할을
할 수 있다. 그런데, 이러한 경우에는 국방상·국민경제상 긴절한 필요로 인한 것이므
로 법률로 정하고 의결권행사를 하여야 한다.

그러나 지금처럼 모든 국민연금이라는 여유목적으로 투자하고 있는 투자기업에 대
해 무차별적으로 의결권행사를 하는 것은 말도 안 된다. 그것은 사회주의 법률이며,
사회주의에서나 가능한 행위이다.

③ 이익목적투자를 규정하고 있는 『국민연금법』 102조 1항

『국민연금법』 102조 1항에 의하면, 보건복지부장관이 국민연금기금을 관리한다. 즉
국가가 관리한다. 이 국민연금이 보유하고 있는 자금은 기금의 형성목적인 은퇴자의
연금지급이 발생할 때 비로소 사업목적에 따라 집행된 것이다. 이렇게 자금이 국민연
금으로 국민에게 집행되지 않은 자금은 그 성격이 '여유자금'이다. 그리고 여유자금의
수익극대화 목적으로 일반예금처럼 국내주식에 투자를 하였는데, 그 자금으로 경영권
의결권 행사를 한다는 것은 "국방상·국민경제상 긴절한 필요로 인하여 법률이 정하
는 경우"가 아니다. 그래서 『국민연금법』 102조 2항에 의하면, 국민연금을 "장기적
이익극대화 목적으로 투자한다"고 되어 있다. 여기에서 말하는 "이익극대화"가 바로
"재무적투자"이며, "단순투자"이다. 국가는 법적으로 사영기업의 주식으로 의결권행사
를 할 수 없다. 그런데, 지금 우리나라의 국민연금은 2022년 3월 613개 회사에 대해
의결권행사를 무차별적으로 하였다. 그리고 매해 이와 같이 하고 있다. 문재인 정부때
이것을 국민연금 내에 제도화하였다.

④ 『국가재정법』 64조의 '기금'의 범위

참조로 『국가재정법』 64조에는 "기금관리주체는 기금이 보유하고 있는 주식의 의결
권을 기금의 이익을 위하여 의결권행사를 하여야 한다"고 되어 있다. 이 법률 조문에
는 미흡함이 존재한다. 이 문장을 엄밀히 해석하자면, "기금이 보유하고 있는 주식"은
"기금이 기금법에 따라 투자하여 보유하고 있는 주식"이라야 한다. 그래야만 "국방
상·국민경제상 긴절한 필요"에 해당하기 때문이다. 이것이 헌법 126조의 단서조항에
대한 해석이다.

여기에 여유자금은 포함되지 않는다. "국방상·국민경제상 긴절한 필요"에 해당하
지 않으므로 예금의 일환으로 "이익극대화" 목적으로만 투자하면 되기 때문이다. 이
자금으로 기업들에 투자를 하고, 의결권행사를 해서 그 회사를 지배하고, 그 경영권을

교체하는 목적으로 이루려고 하면 안 된다. 좌파들은 소액주주보호를 위해 선의로 그와 같이 한다고 하는데, 그 의도를 누가 입증할 것인가? 그 의도 속에 4대기업을 국유화하여 이 나라를 국가자본주의(사회주의) 국가로 혁명을 실행하려 하는데, 그것이 선한 의도인가? 그것은 공개적으로 하는 양심에 위배된 거짓이며, 그 말을 하는 자는 대부분 사회주의자이다.

2. 『자본시장법』 147조의 "경영에 영향을 미치는 행위"

가. 『자본시장법』 147조를 통한 『헌법』 126조 해석

『자본시장법』 147조에는 "기업의 경영권에 영향을 주는 행위"가 무엇인지가 나타나 있다. 그 내용은 다음과 같다.

[자본시장법 147조의 일부] 이 경우 그 보유 목적이 발행인의 경영권에 영향을 주기 위한 것(임원의 선임·해임 또는 직무의 정지, 이사회 등 회사의 기관과 관련된 정관의 변경 등 대통령령으로 정하는 것을 말한다)

그리고 위의 내용을 좀더 구체적으로 『자본시장법 시행령』 154조에 "기업의 경영권에 영향을 주는 행위"가 열거되어 있다. 그 내용은 다음과 같다.

1. 임원의 선임·해임 또는 직무의 정지.
2. 이사회 등 「상법」에 따른 회사의 기관과 관련된 정관의 변경
3. 회사의 자본금의 변경
4. 삭제 <2020. 1. 29.> – 배당
5. 회사의 합병, 분할과 분할합병
6. 주식의 포괄적 교환과 이전
7. 영업전부의 양수·양도 또는 중요한 일부의 양수·양도
8. 자산 전부의 처분 또는 중요한 일부의 처분
9. 영업전부의 임대 또는 경영위임, 타인과 영업의 손익 전부를 같이하는 계약 등
10. 회사의 해산

즉, 기업이 위의 행위를 하고자 할 때, 여기에 영향을 미치는 행위가 "기업의 경영

권에 영향을 주는 행위"라는 것이다. 그렇다면, 이때의 영향을 미치는 행위는 어떻게 법적 효력을 발생하는가? 그것은 의결권행사를 통해서이다. 위의 행위는 오직 주주총회의 주주들의 의결권을 통해서만 결정된다. 이 의결행위를 통하지 않고, 위의 행위를 하면 그것은 불법이다. 따라서 이에 대한 '의결행위(의결권행사)'가 곧 경영참여인 것이다.

국민연금은 2022년 3월에 우리나라 613개 회사에 대해서 위의 의결권행사를 무차별적으로 하였다.

나. 『자본시장법』 147조 : 주식 등의 대량보유 등의 보고

『자본시장법』 2장은 "기업의 인수·합병 관련제도" 즉 M&A에 관련한 내용을 안내하는 장이다. 이 안에 147조 "주식 등의 대량보유 등의 보고"에 대한 조항이 존재한다. 이 조항은 "주식 대량보유자의 보고"에 대한 조항인데, 이제 주식 보유자로서 의도가 현재의 경영진의 경영에 불만을 갖고, 현재의 경영진에 반대의 의견을 게재하는 경우이다. 그 중에는 경영자 교체라는 극단적인 경우도 있다. 이러한 '주주제안' 중의 하나를 '스튜어드십코드'라고 한다.

그 동안 어떤 2대 주주가 의결권행사를 해오다가, 어느 날 1대 주주가 임명하는 경영자에 불만을 갖게 되었다. 이때 '경영자 교체'와 같은 극단적인 '주주제안'을 한다고 하자. 그런데, 일반적으로 이러한 주주제안은 회사의 '경영권 장악'과 관련이 있으며, 그후 유상증자 등이 일어나서 기존의 1대 주주의 지위를 박탈해 버린다. 이러한 반대 의도가 생겼을 경우, 사전에 보고하라는 조항인 것이다. 여기에서는 '경영자 선임·해임'만 말하였지만, 앞에서 언급한 『자본시장법 시행령』 154조의 10가지에 대해서 반대의 '주주제안'을 하려는 자는 미리 공시를 하라는 것이다. 이것이 『자본시장법』 147조의 내용이다. 그 내용은 다음과 같다.

[자본시장법 147조] (주식 등의 대량보유 등의 보고)

① 주권상장법인의 주식 등을 대량보유(본인과 그 특별관계자가 보유하게 되는 주식등의 수의 합계가 그 주식 등의 총수의 100분의 5 이상인 경우를 말한다)하게 된 자는 그 날부터 5일 이내에 그 보유상황, 보유 목적(발행인의 경영권에 영향을 주기 위한 목적 여부를 말한다), 그 보유 주식 등에 관한 주요계약내용, 그 밖에 대통령령으로 정하는 사항을 대통령령으로 정하는 방법에 따라 금융위원회와 거래소에 보고하여야 하며,…. 이 경우 그 보유 목적이 발행인의 경영권에 영향을 주기

위한 것(임원의 선임·해임 또는 직무의 정지, 이사회 등 회사의 기관과 관련된 정관의 변경 등 대통령령으로 정하는 것을 말한다)이 아닌 경우와 전문투자자 중 대통령령으로 정하는 자의 경우에는 그 보고내용 및 보고시기 등을 대통령령으로 달리 정할 수 있다. <개정 2008. 2. 29., 2016. 3. 29.>

위의 법률본문의 밑줄 친 내용을 자세히 보자. 여기에는 "그 보유 목적이 발행인의 경영권에 영향을 주기 위한 것"이라고 언급한 후, 그 내용으로서 괄호를 통하여 "임원의 선임·해임 또는 직무의 정지, 이사회 등 회사의 기관과 관련된 정관의 변경 등 대통령령으로 정하는 것을 말한다"고 하고 있다. 따라서 이에 따른 시행령은 "경영권에 영향을 주는 내용"을 언급하고 있는 내용이다.

[자본시장법 시행령 제154조] (대량보유 등의 보고에 대한 특례)

① 법 제147조제1항 후단에서 "대통령령으로 정하는 것"이란 다음 각 호의 어느 하나에 해당하는 것을 위하여 회사나 그 임원에 대하여 사실상 영향력을 행사(「상법」, 그 밖의 다른 법률에 따라 「상법」 제363조의2·제366조에 따른 권리를 행사하거나 이를 제3자가 행사하도록 하는 것과 법 제152조에 따라 의결권 대리행사를 권유하는 것을 포함하며, 단순히 의견을 전달하거나 대외적으로 의사를 표시하는 것은 제외한다)하는 것을 말한다.

1. 임원의 선임·해임 또는 직무의 정지.

2. 이사회 등 「상법」에 따른 회사의 기관과 관련된 정관의 변경.

3. 회사의 자본금의 변경. 다만, 「상법」 제424조에 따른 권리를 행사하는 경우에는 적용하지 않는다.

4. 삭제 <2020. 1. 29.> - 배당

5-10. 이하생략

위의 괄호 안에 있는 「상법」 제363조의2·제366조의 내용이 곧 '주주제안'이다. 『자본시장법』 147조와 『자본시장법 시행령』 154조는 대량주식을 보유한 자가 기존의 회사 경영진에 대하여 위의 시행령에 언급한 10가지에 대하여 반대의 '주주제안'을 하고자 할 때에는 기습적으로 하지 말고, 반드시 '사전공시'를 하라는 조항이다. 기존 경영진에 대한 배려를 통해서 기본적인 자본시장의 질서를 잡고자 하는 입법인 셈이다. 위 법률본문은 문장이 말하는 "그 회사나 그 임원에 대하여 영향력을 행사하는 것"은 무엇인가? 국민연금운용본부에서는 위의 본문을 근거로 해서 "주주제안과 의결권행사를 동시에 할 때"라고 해석을 하고 있다.

그런데 위의 본문에 의하면, 단순히 "그 회사나 그 임원에 대하여 사실상 영향력을 행사하는 것"이라고 말하고 있으며, 그 중에 괄호 안에 있는 "「상법」 제363조의2(주주제안)·제366조에 따른 권리를 행사하거나 이를 제3자가 행사하도록 하는 것과 법 제152조에 따라 의결권 대리행사를 권유하는 것을 포함하며"라고 말하고 있다. 즉, 이 문장은 '주주제안'만이 경영통제가 아니라, 그 '주주제안'도 경영통제에 포함된다는 말을 하고 있는 것이다.

국민연금운용본부는 위의 본문을 근거로 해서 "주주제안과 의결권행사"만이 경영통제이다는 해석을 하고 있는데, 위의 본문은 '주주제안'도 경영통제에 해당한다는 설명을 하고 있는 본문이다. 실질적인 경영통제는 의결권행사인 것이다.

다. 『자본시장법』 147조의 올바른 해석

『자본시장법』 147조는 그 입법취지에 따라 올바르게 해석되어야 한다. 이것은 "적대적 M&A 공시"에 관한 법률이다. 이것은 『헌법』 126조에서 말하는 "경영통제"에 대한 해설이 아닌 것이다. 이 법조문과 헌법 126를 연결시킬 때에는 그 안에서 사용되고 있는 용어의 해석을 취하여야 한다.

헌법 126조의 "무엇이 경영통제인가?"에 대해서 "경영에 영향을 미치는 행위의 10가지 사례"에 대한 "예시"인 것이다. 즉 이 10가지의 행위에 대해서 영향을 미치면 경영통제라는 것이다. 그 중에 대표적인 것이 "시행령 154조 1호. 경영자 선임 해임"이다. 『자본시장법』 147조와 『동시행령』 154조 1항은 1-10호에 이르는 "경영에 영향을 미치는 행위(의결권행사)"를 "주주제안"을 하려면 "공시를 하라"는 내용인 것이다. 이 문장에서 "경영에 영향을 미치는 행위"는 무엇인가? "1-10호에 이르는 의제의 주총 의결권행사"에 대한 주주제안이다. 이 문장은 분명히 "1-10호에 이르는 안건"에 대한 "의결권행사"가 "경영에 영향을 미치는 행위"이다.

주식 대량보유자가 "적대적 M&A의 주주제안을 할 때, 반드시 대량보유자는 공시하라"는 내용을 "이 적대적 M&A의 행위를 할 때에만 경영참여이다"라고 해석하면 안 된다는 것이다. 즉, "주주제안+의결권행사라는, 적대적 M&A의 시도가 발생하였을 때에만 경영참여이다"라고 해석하면 안 된다는 것이다. 주식대량보유자가 평소에 주주총회에 참여하여 경영자 선임 해임 등과 관련한 의결권행사를 하면, 그때에도 경영에 참여한 것이며, "경영통제와 관리"에 그 지분비율만큼 영향력을 행사한 것이다.

별도의 반대 주주제안이 없어도 찬반 의결권행사를 해서 어떤 경영의사결정이 된다. 이것도 역시 경영참여행위인 것이다. 주식소유 비율만큼 경영에 참여한 것이다. 이 비율이 경영진 선정을 영향을 준 것이다. 주식회사에서 주주에게 주어진 권한은 모두에게 그 정도이다. 자신의 지분 비율만큼만 경영에 참여하는 것이다.

라. 좌파들의 억지주장

한편, 좌파에서는 이 법규해석을 교묘히 이용하려 한다. 그래서 주주제안과 의결권행사를 함께 할 경우에만 경영통제이며, 의결권행사는 단순한 의견표시라고 말한다. 그리고 그 해석을 밀어붙여버렸다. 법적인 효력은 의결권행사에서 모두 나타나며, 여기에는 얼마든지 음모가 개입할 수 있는데, 그것을 단순한 의견표시라고 말한다. 법적인 효과가 발생하는데, 그것을 단순 의견표시라고 하는 것은 잘못된 법해석이다.

사례를 통해서 살펴보자. ①"경영에 영향을 미치는 행위"(10가지 사안에 대한 의결권행사)를 "주주제안"하고 "경영에 영향을 미치는 행위"(의결권행사)를 한 경우, ②"경영에 영향을 미치는 행위"를 기존 경영진이 "주주제안"을 하고 "경영에 영향을 미치는 행위"를 한 경우, ③ "경영에 영향을 미치는 행위"를 다른 사람이 "주주제안"을 하고 "경영에 영향을 미치는 행위"를 한 경우, 모두가 다 "경영에 영향을 미치는 행위"인 것이다. 좌파들은 위에서 오직 ③만을 경영통제라고 주장한다. 그리고 무지한 우파의 지식인들은 여기에 모두 넘어갔다. 세상에 우리나라 대기업을 비롯한 대부분의 주요 상장사들(172개사)에 대해 경영 관련한 의결권행사를 하는데, 이것을 타당하다고 말하는 사람이 어디 있나? 도대체 우파 지식인들은 어디에 있는지 모르겠다.

마. "경영에 영향 미치는 행위"의 사례를 통한 이해

『자본시장법』147조는 주식대량보유 보유목적에 대한 공시를 규정하고 있다. 이때의 보유 목적이 갖는 의미에 대한 설명에서 "경영권에 영향을 주기 위한 경우"가 언급된다. 여기에서 말하는 "경영권에 영향을 주기 위한 경우"는 『동시행령』154조 1항에 따르면, "경영권에 영향을 미치는 행위에 대해 주주제안"을 하려는 경우로 풀어서 쓸 수 있다.

좀더 엄밀히 말하자면, "경영권에 영향을 미치는 어떤 행위들(1-10호)"이 있는데, 기존 경영진의 입장(주주제안)과 다른 견해를 가지고 있어서 이에 대한 "반대의 주주제안"을 하려 할 경우에는 "공시하라"는 것이 본문의 진정한 의미이다. 즉 "기존주주의 견해에 대해 반대의 견해"를 가진 경우는 "경영권에 영향을 미치는 행위"라는 것이다. 그리고 국민연금운용본부의 주장은 이 경우에만 '경영통제'에 속한다고 주장하고 있다.

그렇다면, 국민연금이 '주주제안'을 하지 않고, 다른 사모펀드가 기존 경영진의 어떤 제안에 대해 반대의 '주주제안'을 하였다고 하자. 그리고 국민연금은 기존 경영진이 아닌 다른 '주주제안'을 선택하여 의결권행사를 하였다고 하다. 그래서 경영권이 교체되어 "기존 경영권에 영향을 미치는 행위"가 나타났다. 대한항공이 이와 같은 사례이다. 이때 국민연금은 경영에 영향을 미치는 행위를 하지 않았나? 그렇다면, 누가 대한항공의 경영권을 박탈하여 경영에 영향을 미치는 행위를 하였나? 주주제안을 한 강성부 펀드인가? 그렇지 않다. 국민연금의 의결권이 법적효력을 발휘해서 경영권교체가 이루어졌다.

3. 국가재정법 64조 : "주식의 의결권을 기금의 이익을 위하여"

가. 기금 의결권행사의 원칙 : 사회주의국가 법률?

우리나라 국가재정법의 62조에서 85조는 '기금'에 관한 조항들이다. 그런데, 이 조항들이 매우 단편적이고 애매모호하다. 특히 갑작스럽게 폭발적으로 불어난 국민연금기금 등에 대해서는 제대로 규율하지 못하고 있다.

제5조(기금의 설치) ①기금은 국가가 특정한 목적을 위하여 특정한 자금을 신축적으로 운용할 필요가 있을 때에 한정하여 법률(8호:국민연금법)로써 설치하되, 정부의 출연금 또는 법률에 따른 민간부담금을 재원으로 하는 기금은 별표 2에 규정된 법률에 의하지 아니하고는 이를 설치할 수 없다. ②…생략…

제62조(기금관리·운용의 원칙) ①기금관리주체는 그 기금의 설치목적과 공익에 맞게 기금을 관리·운용하여야 한다. ②…생략…

제64조(의결권 행사의 원칙) 기금관리주체는 기금이 보유하고 있는 주식의 의결권을 기금의 이익을 위하여 신의에 따라 성실하게 행사하고, 그 행사내용을 공시하여야 한다.

제77조(자산운용 전담부서의 설치 등) ①기금관리주체는 자산운용위원회의 심의를 거쳐 자산운용을 전담하는 부서를 두어야 한다. ②기금관리주체는 자산운용위원회의 심의를 거쳐 자산운용평가 및 위험관리를 전담하는 부서를 두거나 그 업무를

외부 전문기관에 위탁하여야 한다.

제78조(국민연금기금의 자산운용에 관한 특례) ①제77조에도 불구하고 국민연금기금은 자산운용을 전문으로 하는 법인을 설립하여 여유자금을 운용하여야 한다. ② 제1항의 규정에 따른 법인의 조직·운영 및 감독에 관하여 필요한 사항은 「국민연금법」에서 따로 정한다.

일반적으로 기금과 연금기금은 큰 차이가 존재한다. 그러나 이 기금 안에 연금기금도 포함이 된다. 그래서 만일 국민연금기금도 위의 64조에 따라 기금이 보유하고 있는 모든 주식에 대하여 의결권행사를 한다면, 우리는 나라는 사회주의 국가라고 불리울 수 있다. 그러나 64조는 그렇게 해석될 수 없다.

국민연금기금이 국민연금기금의 이익극대화를 위하여 의결권행사를 한다는 것은 넌센스이다. 이 의결권행사는 사실 모든 안건들이 경영 관련한 행위이다. 특히 좋은 경영자를 선임하여야 기업의 이익이 극대화된다. 즉 국민연금이 이익의 극대화를 위해서 '경영자 선임 등'에 의결권행사를 한다. 만일 위의 법조문이 이렇게 해석된다면, 우리나라는 언제든지 사회주의를 실현할 수 있는 국가가 된다. 국가재정법 64조를 잘못 해석하면, 좌파정권으로 하여금 국민연금으로 첨단대기업을 국유화할 수 있는 여지를 제공한다.

그러나 위의 『국가재정법』 78조에서 언급하고 있는 바와 같이 '여유자금'으로서의 국민연금기금은 별도의 '자산운용' 전문법인을 두고, 그 인에서 운용히여야 한다. 그리고 '의결권 행사'는 '자산운용'의 일환이다. 따라서 의결권 행사여부는 별도의 법인에서 규정하여야 한다. 그런데 이때 별도의 법인은 『국민연금법』의 지배를 받는다. 따라서 『국민연금법』에서 규정하여야 한다. 이때 『국민연금법』 102조는 "수익(이익) 극대화 목적"의 투자만을 언급하고 있다.

나. "기금이 보유하고 있는 주식"에 대한 해석

① 기금이 보유하고 있는 주식의 의결권 행사

"기금관리주체는 기금이 보유하고 있는 주식의 의결권을 기금의 이익을 위하여 신의에 따라 성실하게 행사하고, 그 행사내용을 공시하여야 한다"는 조항은 매우 애매하다. 이 본문에서 "기금이 보유하고 있는 주식"의 범위를 기금관리주체들이 가진 모든 주식이라고 무차별적으로 정의해 버리면, 이것은 국가자본주의(사회주의) 법률에 해당한다.

기금에는 "기금법에 따라 집행된 자금"이 있고, "여유자금"이 있다. "기금법에 따라 집행된 자금"으로서의 '투자주식'이 있다면, 이 경우에는 모두 의결권행사를 하여야 한다. 즉, 그렇게 해서 기금의 원래의 목적을 달성해야 한다. 예컨대, 벤처기업특별법이나 구조조정법에 따라 집행된 자금이 그 대표적인 예이다.

그런데, 여유자금이 존재한다. 이 여유자금은 기금법에 따라 모집은 되었지만, 아직 집행은 되지 않았다. 이것은 예금의 일환으로 보유한다. 이때 그 "이익을 극대화"하기 위해서 주식에 투자된다. 이것을 가리켜서 '단순투자' '재무적투자' '이익극대화 목적의 투자'라고 한다. 이 경우, 이 자금으로 보유하고 있는 기금이 거액이어서 우리나라 172개사의 2대 주주가 되어 있을 경우, 의결권행사를 하면 국가의 경영참여가 되어 버린다. 따라서 이 '여유자금'은 "기금이 보유하고 있는 주식"의 범위에 해당하지 아니 한다. 이러한 큰 틀 안에서 위의 "기금이 보유하고 있는 주식"이 어떻게 해석되어야 할지를 살펴보도록 한다.

② "기금이 기금법에 따라 보유하고 있는 주식"

먼저, "기금이 보유하고 있는 주식"을 "기금이 기금법에 따라 보유하고 있는 주식"으로 해석하면 된다. 그리고 그것이 본질에 부합한다. 이 경우 '여유자금'은 '의결권행사의무'에서 벗어나는 것이다.

이러한 해석을 뒷받침하는 것이 『국가재정법』 78조의 "국민연금기금의 자산운용에 관한 특례" 조항이다. 이 조항은 '여유자금'으로서의 국민연금은 별도의 법인을 통해 관리 운영하도록 되어 있다. 그 내용은 다음과 같다.

> 제78조(국민연금기금의 자산운용에 관한 특례) ①제77조에도 불구하고 국민연금기금은 자산운용을 전문으로 하는 법인을 설립하여 여유자금을 운용하여야 한다. ②제1항의 규정에 따른 법인의 조직·운영 및 감독에 관하여 필요한 사항은 「국민연금법」에서 따로 정한다.

일반적으로 국민연금기금은 이 기금의 이익을 극대화하는 방향으로만 운영되면 된다. 이것을 위해 기금의 '자산운용'을 전문으로 하는 법인을 설립하여 그 '여유자금'을 운용한다. 여기에서 의결권행사는 '자산운용'의 일부에 속한다. 따라서 보유주식에 대한 의결권행사 여부는 국민연금기금운용본부에서 독자적으로 결정해서 운용해야만 한다. 『국가재정법』이 아닌 『국민연금법』에 의해야만 한다.

　그렇다면, 『국민연금법』에서는 기금을 어떻게 운영하고 있나? 102조 2항에서는 "이익극대화 목적으로 운용한다"고 되어있다. 여유자금이기 때문이다. 그리고 이렇게 이익극대화 목적으로 운용한다면, 의결권행사는 할 수 없는 것이다.

　문재인 정부 이전까지는 국민연금이 이 해석에 따라 행하였다. 그래서 기금법에 의해 투자된 것에 대해서는 철저히 의결권행사를 하였으며, 여유자금에 대해서는 『국민연금법』 102조 2항의 '이익극대화 목적'에 맞게 '단순투자' 즉 '재무적목적의 투자'만을 하였다.

② 『국가재정법』 78조 국민연금기금의 자산운용에 관한 특례

　『국가재정법』 78조 "국민연금기금의 자산운용에 관한 특례" 본문에서는 국민연금이 여유자금임을 명시하여 별도의 법률을 통해서 관리한다고 되어 있다. 그리고 그 관리에는 기금의 운영도 포함되어서 의결권행사 여부는 자체적으로 규정하도록 해석된다.

　78조의 1항은 "제77조에도 불구하고 국민연금기금은 자산운용을 전문으로 하는 법인을 설립하여 여유자금을 운용하여야 한다"고 되어 있다. 이 78조는 77조(자산운용전담부서의 설치 등)에 대한 대체규정인 것이다.

　여기에서 '자산운용'은 무엇인가? 국민연금이라는 여유자금을 극대화하는 운용인 것이다. 이때 '자산운용'을 극대화하기 위하여 '의결권행사'도 할 수 있다. 그러나 그것은 '경영참여'에 속한다. 국가가 사영기업의 국유(소유)·공유와 경영의 관리·통제를 위해서는 『국민연금법』에서 별도로 규정해야 한다. 이때 "국방상·국민경제상 긴절한 필요"가 있어야 한다. 그러나 국민연금은 "국방상·국민경제상 긴절한 필요"로 인하여 모집된 자금이 아니다. 그 자금이 연금으로 집행될 때까지는 '여유자금'일 뿐이다. 따라서 『국민연금법』에서 경영참여에 해당하는 의결권행사를 규정할 수는 없다. 만일 "국방상·국민경제상 긴절한 필요"가 있어서 의결권행사를 해야 한다면, 그 구체적인 사항을 『국민연금법』에 명기하여야 한다.

③ 기금의 이익을 위한 의결권행사

　『국가재정법』 64조의 본문에는 또 다른 중요한 용어의 이해가 필요한데, "이익극대화 목적의 의결권행사"를 말하고 있기 때문이다. 그 내용은 다음과 같다.

　『국가재정법』 64조(의결권행사의 원칙) 기금관리주체는 기금이 보유하고 있는 주식의 의결권을 기금의 이익을 위하여 신의에 따라 성실하게 행사하고…

위에서 "의결권 행사의 원칙"이 기금법에 의해 보유하고 있는 주식이건, 여유자금이건을 떠나서 모두에게 무차별적으로 적용될 여지가 존재한다. 여유자금으로 주식을 보유하면서 의결권을 행사하는 형태가 된다. 그리고 그 의결권행사가 주주총회에서 절대적인 영향력을 행사한다면, 이것은 분명히 경영참여이며, 경영통제이다. 이것을 국민연금에 적용하면, 그것은 사회주의 법률이 되어 버린다. 그리고 그 여유자금을 통한 주식보유가 회사의 경영에 영향을 미칠 만큼 방대하다면, 이것은 사회주의 법률이 된다.

우리는 법조문에 대해 문자적인 해석을 우선적으로 하여야 한다. 그렇다면, 입법기관은 진실로 이러한 사회주의적 법률을 제정하였다는 말인가? 그런데, 이 본문에서는 "기금의 이익을 위하여"라는 용어를 사용하고 있는데, 그것은 전문용어이다. 의결권행사의 종류가 많이 있는데, 그것은 "경영 관련한 의결권행사"와 "이익목적의 의결권행사"가 있는데, "이익목적의 의결권행사"만 참여한다 라고 해석될 여지가 존재한다.

기금은 이익을 극대화할 목적으로만 의결권행사를 한다는 것은 무엇인가? 여기에 대한 명확한 정의는 국내 법률에 존재하지 않으나, 다른 법률들을 이용해서 굳이 해석을 한다면, 『자본시장법 시행령』 154조 1항의 "경영에 영향을 미치는 1호~10호의 행위"를 제외한 의결권이다.

예컨대, 재무제표 승인이나 기타의 의사결정사항이다. 국민연금운용본부에서는 이와 같은 해석을 하려고 할 수 있다. 그러나 그것은 억지해석이다. '의결권행사' 자체가 '주주권 행사, 소유권 행사'에 속한다.

그런데, 국민연금에서는 무차별적으로 모든 기업들에 대해서 의결권행사를 하고 있다. 그들은 좋은 경영자가 선임되어야 장기적인 관점에서 이익이 극대화되기 때문에 경영자 선임 해임에도 의결권행사를 한다 라고 답변할 수 있다. 즉, 이익을 극대화하기 위해서 경영자 선임 해임 행위의 의결권행사를 한다는 것이다. 이것이 현재의 국민연금기금의 "기금의 이익을 극대화하기 위한 의결권행사"에 대한 해석일 수 있다. 그러나 그것은 엄연히 '경영참여'이다. 『헌법』 126조를 위배한 것이다.

다른 모든 기금들은 그 기금을 규율하는 법률에 "국방상·국민경제상 긴절한 필요로 인하여 법률에 정한 것들"이다. 그러나 국민연금은 『국민연금법』에 그것을 규정하지 못하고 있다. 국민연금기금의 수집 목적이 "국방상·국민경제상 긴절한 필요로 인한 것"이 아니라, 국민연금 수급자의 연금지급을 위한 것이기 때문이다.

문재인 정부는 모든 연기금의 여유자금도 "의결권행사를 하여야 한다"로 해석을 한 후 밀어붙였을 수 있다. 박근혜 정부 때에는 꼭 필요한 경우에 한하여(긴절한 필요로 인하여) 간헐적(약 25건)으로 의결권행사를 하기 시작하였는데, 문재인 정부 때에는 613개의 기업에 대해 "경영 관련한 의결권행사"를 하였다. 그리고 이것을 아예 『수탁자책임활동지침』을 통하여 정형화해 버렸다.

④ 『국가재정법』 64조의 보완

현재의 『국가재정법』 64조는 이용하는 자의 편리를 위하여 약간의 보완이 필요하다. 그렇지 않을 경우, 국가가 보유하고 있는 여유자금, 특히 국민연금기금 등이 사회주의자들의 대기업 해체의 도구가 될 수 있다. 『국가재정법』 64조는 다음과 같은 보완이 필요하다.

[현행] 『국가재정법』 64조(의결권행사의 원칙) 기금관리주체는 기금이 보유하고 있는 주식의 의결권을 기금의 이익을 위하여 신의에 따라 성실하게 행사하고…
[보완] 『국가재정법』 64조(의결권행사의 원칙) 기금관리주체는 기금이 "기금법에 따라 투자되어" 보유하고 있는 주식의 의결권을 기금의 이익을 위하여 신의에 따라 성실하게 행사하고…. 그리고 보유하고 있는 주식에서 여유자금은 제외한다.

다. "주주제안+의결권행사"의 경우에만 "경영통제"라는 해석

결론적으로 『국가재정법』 64조에 대한 해석을 할 때, 『헌법』 126조에 기반한 자유주의적 해석을 취하면 좋겠지만, 현재의 국민연금운용본부에서는 그러한 해석을 취하지 않는 것으로 보인다. 경영 관련한 의결권행사도 기금의 이익을 극대화하기 위해서 가능하다고 해석을 내릴 뿐만 아니라, 반드시 의결권행사를 하여야 한다고 말하고 있다. 그래서 우리나라의 경우 상장사 1위부터 172위까지의 우량기업에 대해서 2대주주이면서 그 모든 경영 관련한 의사결정행위를 하고 있다.

그렇다면, 무엇이 경영참여냐고 국민연금기금운용본부에 질문을 하였다. 이때의 한 전문가의 답변은 "주주제안 + 의결권행사"를 동시에 하였을 때, "경영통제"라고 말한다. 즉 『자본시장법』 147조와 『동시행령』 154조에 따라 "대량주식을 보유하고 있는 자의 주주제안 행위"만이 경영통제라는 것이다. 그리고 비전문가들로 구성된

<국민연금 운용위원회>의 구성원들이 이 속임수에 다 넘어갔다.

앞에서도 언급한 바와 같이 '경영통제'나 '경영참여'와 관련하여 '주주제안'은 아무런 법적인 효력이 존재하지 않고, 이 '주주제안'은 제3자를 사주해서 하게할 수도 된다. 오직 '의결권행사'를 통해서만 '경영통제'에 대한 법적인 효력이 발생한다. 그러나 어찌 되었건 국민연금기금운용본부에서는 이 해석을 견지하고 있다.

4. 『국민연금법』 102조 : 수익 증대를 위한 기금운용

가. 『국민연금법』 102조와 『국가재정법』 64조, 78조의 관계

국민연금기금은 기금의 일환이므로 국가재정법의 적용을 받아야 한다. 그런데, 국가재정법 78조(국민연금기금의 자산운용에 관한 특례)에 의하면, "국가재정법 77조(자산운용 전담부서의 설치 등)의 규정에도 불구하고, 국민연금기금은 자산운용을 전문으로 하는 법인을 설립하여 여유자금을 운용하여야 한다"고 되어 있다. 그래서 별도의 법인이 설립되었으며, 『국민연금법』이 별도로 제정되었다. 그렇다면, 국민연금의 관리는 이 『국민연금법』에 따라서 운영되어야 한다. 그리고 그 운영의 과정 속에 있는 것이 "연금 의결권행사 여부"이다. 즉 "연금 의결권행사 여부"는 『국민연금법』에서 정하여야 한다는 것이다.

『국민연금법』에서는 주식을 "이익극대화 목적으로 투자한다"고 되어 있다. 따라서 『국민연금법』에 의할 경우, 국민연금은 의결권행사를 할 수 없다. 의결권행사는 소유권행사의 행위이므로, 국가가 이 소유권을 행사하면, 앞에서도 언급한 바와 같이 소유행위가 발생해 버리기 때문이다.

그런데, 애석하게도 <국민연금기금운용본부>에서는 국민연금 의결권행사와 관련하여 『국민연금법』을 따르지 않고, 『국가재정법』 64조를 따르고 있지 않나라는 생각을 하게 한다. 앞에서도 살펴보았지만, 극단적으로 말해서 "국가는 국가의 기금으로 사영기업의 주식을 취득한 후, 최선을 다해서 경영의결권을 행사하라"는 형태로 되어 있는데, 그것을 따르고 있다는 것이다. 이것은 사회주의자들의 법 해석인데, 아무런 자유에 대한 철학을 가지지 않은 경제학자들이 여기에 무비판적으로 따라갔다.

나. 공적자금으로서의 국민연금

국민연금기금의 관리에 대하여 『국민연금법』 102조에서 규정하고 있다. 먼저, 1항은 국가의 공적자금으로서의 국민연금을 말하고 있다. 그 내용은 다음과 같다.

[국민연금법] 102조, ① 기금은 보건복지부장관이 관리·운용한다.

국민연금을 다른 나라들에서는 모두 국가기관으로부터 독립된 민간기관이 관리한다. 간혹 국가가 관리하는 나라들이 있는데, 이 나라들에는 헌법과 법률을 통하여 연기금이 의결권행사를 하지 못하게 명문화되어 있다. 세계에서 우리나라의 국민연금이 유일하게 정부가 직접 관리하고 있다. 한편 대부분의 다른 나라에서는 모두 민간 전문가가 연금을 위탁받아 운영한다. 해외 5대 연기금을 비교하면 다음과 같다. 먼저 5대 연기금은 일본-GPIF, 캐나다-CPPIB, 미국-CalPERS, 네덜란드-ABP이다. 한편, 다음의 자료는 2020년말의 자료이다.

① 차이점1 :
우리나라는 기금운용위원회 위원장을 현직 장관이 수행하지만, 외국의 경우 모두 민간전문가가 수행한다.
a. 일본 GPIF 경영위원회 : 에이지 히라노, 2016년 취임, 前 도요타 파이낸셜 상무, 現 Metlife Japan 부회장
b. 캐나다 CPPIB 이사회 : 헤더 먼로블럼, 2010년 취임, 前 토론토 대학교 부학장, 前 McGill 대학교 총장
c. 미국 CalPERS 관리 이사회 : 헨리 존스, 2008년 취임, 前 캘리포니아 대학교 교수, 前 LA교육구 CFO
d. 네덜란드 ABP수탁자위원회 : 코리엔 보트만-쿨, 2015년 취임, 前 유럽의회의원
<참조> GPIF, CPPIB, ABP 의 경우 이사회 내에 정부인사가 전혀 없으며, 모두 경제 금융, 연기금 전문가이거나 기금을 조성하는 사용자 노동자 대표로 구성

② 차이점2
의결행사권의 주체가 누구에게 있는가? 국민연금은 2018년에 스튜어드쉽 코드 도입하고, 2019년 3월 주총부터 본격적으로 경영에 참여하고 있다. 한편, 국민연금은 지배구조상 독립성을 갖추지 못한 상태이다. 이에 반하여 외국 연기금은 외부 전문기관에 의결권 행사 위임하고 있다.
- ABP, CPPIB, 캘퍼스 : 자체 의결권 행사지침을 마련, 그 이후 외부 전문기관에 의결권 행사 위임

- 일본 GPIF : 의결권 뿐만 아니라 스튜어드십 코드까지 모두 위탁운용사에 위임, 위탁운용사들이 자체적으로 의결권 행사기준을 정함, 그 이후에 의결권 행사 결과를 GPIF에 보고
- 의결권행사 외부 위탁기관
  캐나다 CPPIB : ISS, Fairvest Corp (CPPIB의 자회사)
  美 Calpers : ISS, Glass Lewis
  네덜란드 ABP : ISS, Glass Lewis, CGI

③ 차이점3

국내 증시에 끼치는 영향력 차이
- 18년 기준 국민연금의 자산 내 주식 보유 비중 : 34.8%, 이 중 절반이 국내 주식, 액수로 109조원 가량, 주식시장 시가 총액의 7%에 해당하는 규모
- 네덜란드 ABP와 캐나다 CPPIB의 경우 : 국내 주식 보유 비중이 각각 0.5%, 2.4% 정도에 불과
- 일본 GPIF의 경우 국내주식 비중이 25.3%, 그러나 연기금의 주주권 행사가 과도한 기업경영 개입으로 변질되지 않도록 GPIF의 주식 직접 매매를 금지
- 미국 캘퍼스의 경우 국내 주식 보유 비중이 17.7%, 그러나 미국 증시에서의 비중은 0.2%에 불과
- 자산 중 국내주식 보유비중 (각 연기금 Annual Report)
  국민연금 17.1%('18), 일본 GPIF 25.3%('18.2Q), 네덜란드 ABP 0.5%('17), 캐나다 2.4%('18), 美 CalPERS 17.7%('18.2Q)

④ 해외의 법적 장치들 사례

해외 연기금들의 경우 독립성이 훼손되는 일을 방지하기 위해 법 제도적 장치를 마련해둠
- 미국 캘퍼스의 경우 캘리포니아 주 정부가 기금을 이용해 재정적자를 해소하려 하자 1992년 캘리포니아주 헌법을 개정하여 기금운용의 자율성과 독립성 확보
- 캐나다 연금 역시 90년대에 정부의 과도한 간섭으로 기금 고갈 위기를 맞자 1998년에 별도의 공사인 CPPIB를 설립하여 완전한 독립된 지배구조 확보
- 네덜란드 ABP의 경우 1922년 설립 당시 기금운용위원회가 내무부 장관의 지배를 받는 구조였는데, 1996년에 독립자회사 형태로 민영화 시키고, 기금을 독자

적으로 관리 운영 중
- 일본의 경우 GPIF가 주식에 직접 투자할 수 있도록 허용하는 방안을 추진하였으나, 정부의 경영 간섭과 시장 왜곡 우려에 대한 반발이 커져서 그 이후 법 개정 무산되었으며, 현재 GPIF는 정부로부터 기금운용에 대한 전권을 위임 받아 독립적으로 운용중

다. 『국민연금법』 102조 2항(기금관리 및 운용) : 재정의 안정과 수익 극대화

국민연금법 102조 2항에서는 기금운용의 목적을 밝히고 있는데, 그것은 "재정의 장기적인 안정과 수익 극대화"이다. 그 내용은 다음과 같다.

제102조(기금의 관리 및 운용) ② 보건복지부장관은 국민연금 재정의 장기적인 안정을 유지하기 위하여 그 수익을 최대로 증대시킬 수 있도록 제103조에 따른 국민연금기금운용위원회에서 의결한 바에 따라 다음의 방법으로 기금을 관리·운용하되, 가입자, 가입자였던 자 및 수급권자의 복지증진을 위한 사업에 대한 투자는 국민연금 재정의 안정을 해치지 아니하는 범위에서 하여야 한다. 이하 1...7호.(생략)

『국민연금법』에서는 "그 수익을 최대로 증대시킬 수 있도록"이라고 말하는데, 그 내용은 『국가재정법』에서 언급한 "이익극대화"와 그 내용이 대동소이하다. 일반적으로 '수익'은 '매출'을 말하며, '이익'은 '수익-비용'을 의미한다. 이익극대화를 위해 국민연금의 스튜어드십 코드 통한 경영진 교체는 논리적 연관성이 없다. 그것은 이익극대화를 위한 경영참여행위이다. 이 양자는 구분된다. 그렇지 않으면 국가의 기업소유행위에 해당한다.

또 하나는 "재정의 장기적인 안정을 유지하기 위하여"라는 조항도 "수익극대화"의 일환으로 파악하는 것이 타당하다. "재정의 장기적인 안정"을 위해 올바른 경영자를 세우고자 의결권행사를 하는 것은 "수익극대화 + 경영참여"이다. 따라서 『국민연금법』 102조 2항을 근거로 국민연금이 의결권행사를 할 수 없다. 만일 투자회사의 기업운영에 문제가 생겼을 때의 국민연금의 수탁책임활동은 국민연금기금의 투자처를 옮기는 것이다.

5. 국민연금 의결권행사로 인한 피해사례

우리나라 국내 주요 상장사의 최대주주(경영주)들이 경영권위험에 노출 되고 있으며, 상당한 회사들이 적대적 M&A세력에 의해 경영권을 상실하였다. 국민연금이 10%를 투자하여 172개사의 2대 주주인데, 이 국민연금이 의결권을 행사하기 시작함에 따라, 이제 최대주주는 자신의 경영권을 유지하기 위해서는 이 국민연금의 지분까지 방어를 해야 한다.

2022년 말의 SM엔터테인먼트와 오스템임플란트는 국민연금의 의결권행사 가능성 때문에 경영권을 상실하였다. 그런데, 공개되지 않은 이러한 회사는 굉장히 많다. 예를 들어 SM엔터테인먼트의 경우, 이수만의 지분이 18.46%였으며, 국민연금이 9%를 가지고 있고, 기관전용사모펀드인 KB자산운용이 5%를 보유하였다. 여기에 카카오가 9%를 지분을 인수하면서 적대적 M&A를 시도하여 SM엔터테인먼트의 경영권을 탈취하였다. 이수만은 18.46%의 지분을 가지고 있었지만, 국민연금과 KB자산운용이 14%를 보유한 상태에서 카카오가 9%의 지분을 취득하여 경영권을 탈취한 것이다. 오스템임플란트 또한 이와 유사하다. 만일 국민연금이 국가기관으로서 소유권(의결권)행사를 하지 않는다면, 이수만은 경영권을 유지하였을 것이다.

국민연금 의결권행사로 인해 국민연금은 모든 국민연금 투자기업들에 대해 적대적 M&A 동조세력이 되어 있다. 국가가 사영기업의 소유권행사를 이와 같은 형태로 하고 있다. 따라서 국민연금 의결권행사로 인한 피해사례는 방대하게 속출하였다.

< 칼 럼 > 국민연금의 사영기업 소유권(의결권)행사

가. 국민연금의 투자기업 현황

국민연금기금의 규모는 2021년말 현재 949조원으로서 상장사 시가총액 2,580조의 37%에 이른다.(2022년도: 시가총액 2079조, 국민연금 890조, 43%) 4대기업의 최대주주의 지분율이 20-30%이므로, 만일 연기금이 모두 국내주식에 투자된다면, 우리나라 기업 전체가 국유화되어 버린다. 이에 따라, 국민연금기금은 총기금액의 약 17% 정도를 국내기업에 투자하고 있으며, 동일기업에 대해서는 10%를 한도로 하여 소유하고 있다. 그럼에도 불구하고 현재 우리나라 최우량기업(대기업 포함) 172개사의 2대 주주인데, 올 2022년도 3월 주주총회에서 613개 회사에 대해 경영의결권 행사를 하였다. 현재 국민연금은 기업의 주식을 소유할 뿐 아니라, 이에 대한 주주권(의결권) 행사를 일반투자자들과 똑같이 무차별적으로 하고 있다. 이것은 분명 헌법 정신을 크게 벗어나 있다.

나. 『헌법』126조, "국가는 사영기업의 경영을 통제 또는 관리할 수 없다"

국가와 사영기업의 관계에 대해 헌법 126조에서는 "국가는 사영기업을 국유 또는 공유할 수 없으며, 그 경영을 통제 또는 관리할 수 없다"고 규정되어 있다.

이 본문의 전반부는 국가는 사영기업을 국유(소유)할 수 없는데, 사영기업은 법인기업과 개인기업으로 구분된다. 이때 법인은 주식을 소유함을 통해서 그 기업을 소유하게 된다. 그런데, 법인에는 많은 주주들(주인들)이 존재하며, 이들의 의견을 하나하나 기업운영에 반영할 수 없다. 그래서 법인 기업은 주주총회를 통하여 주주권(의결권) 행사를 통해 경영자를 선정하여 기업을 통제 또는 관리하며, 그 외의 경영 관련한 주요 의사결정을 한다.

따라서 국가는 법인형태의 사영기업의 주식을 보유하는 순간 소유행위가 발생해 버린다. 그리고 이때의 소유는 부분적 국유에 해당하지만, 국민연금의 방대한 규모로 인하여 상장사 172개사의 2대주주로서의 소유가 발생한다. 따라서 국가가 개인기업의 주식을 소유할 때에는 소유권(주주권·의결권) 행사를 하지 않는다는 단서 하에 그 보유가 허용된다. 이러한 형태의 주식보유를 '재무적 투자', '이익 목적의 투자'. '단순투자'라고 말한다.

한편, 위 본문의 후반부는 "그 경영을 통제 또는 관리할 수 없다"인데, 우리는 여기에서 "무엇이 경영통제인가"에 관하여 규정하여야 한다. 국가가 사영기업의 경영을 통제하는 방법은 공권력을 이용하여 무력으로 통제하는 방법이 있다. 이것은 불법행위에 속한다. 그런데, 합법적인 방법으로 통제하는 방법이 있는데, 그것은 주식을 보유하고 주주총회에서 경영 관련한 의결권행사를 하는 것이다. 이 경영 관련한 의결권행사에는 당연히 "이사·감사의 선임·해임"이 포함되어 있다.

따라서 헌법 126조에 의하면, 국가 혹은 국민연금은 연금으로 투자하고 있는 기업에 대하여 의결권행사를 하면 안 된다. 여기에서 경영자 선임 해임의 의사결정이 이루어지기 때문이다. 따라서 의결권 행사는 명백한 경영참여이며, 경영통제이다. 현재 우리나라 국가는 해마다 국민연금 투자기업의 주총에 나아가 이러한 의결권행사를 하고 있다. 여기에는 물론 경영자 선임 해임 의결권행사도 포함되어 있다. 이것은 맹백한 위헌·위법행위이다.

다. 『국가재정법』 64조 : "국민연금기금의 의결권행사"

우리나라 『헌법』 126조는 "국방상·국민경제상 긴절한 필요로 인하여 법률에 정하는 경우를 제외하고는, 국가는 사영기업을 국유 또는 공유할 수 없으며, 그 경영을 통제 또는 관리할 수 없다"고 되어 있다. 그래서 "국방상·국민경제상 긴절한 필요로 인하여 법률"에 정할 경우에는 "의결권 행사"가 가능하다.

『국가재정법』 64조는 "기금관리주체는 기금이 보유하고 있는 주식의 의결권을 기금의 이익을 위하여 신의에 따라 성실하게 행사하고"라고 말하고 있다. 여기서 "기금이 보유하고 있는 주식"은 "기금법에 의하여 조성되고 지출(투자)된 주식"으로 해석하여야 한다. 그 대표적인 사례가 『벤처기업특별법』 『구조조정법』 등 특수목적을 위하여 조성된 기금들이다.

그런데, 이 조문에 문제가 있는데, 본문의 기술이 "기금법에 의하여 조성되고 지출(투자)된 주식"이 아니라, "기금이 보유하고 있는 주식"으로 명기되어 있다는 것이다. 그러다보니 여기에 "아직 기금의 목적에 따라 아직 집행되지 않은 '여유자금'"이 애매하게 된다. 일반 예금처럼 재무적 투자목적으로 투자되어 있는 주식들도 마치 '의결권 행사'를 해야 하는 것으로 이해될 수 있다. 이 여유자금이 여기에 묻혀 들어가서 의결권행사를 해도 무방한 것처럼 되어 버린다. 그것이 곧 국민연금기금으로 보인다. 국민연금기금은 "국방상·국민경제상 긴절한 필요로 인하여 법률에 정하는 경우"에 해당되지 않으며, 일반예금과 같은 여유자금일 뿐이다. 그런데 그 규모가 949조(2021년, 2022년 890조)에 이른다. 국민연금기금운용본부에서는 이 자금의 일부로 투자된 국내 상장사주식에 대해 무차별적으로 의결권행사를 하고 있다.

라. 『국가재정법』 78조와 『국민연금법』 102조

『국가재정법』 78조(국민연금기금의 자산운용에 관한 특례)는 "①제77조(자산운용 전담부서의 설치 등)에도 불구하고 국민연금기금은 자산운용을 전문으로 하는 법인을 설립하여 여유자금을 운용하여야 한다. ②제1항의 규정에 따른 법인의 조직·운영 및 감독에 관하여 필요한 사항은 『국민연금법』에서 따로 정한다."라고 되어 있다.

이 본문의 ①항은 국민연금을 '여유자금'으로 파악하고 있다. 그래서 이 자산을 운용하는 전문법인을 세워서 별도로 운용할 것을 규정하고 있으며, 별도의 『국민연금법』에서 별도로 정할 것을 규정하고 있다. 그리고 '자산운용' 내에 '의결권행사'가 존재한다.

『국가재정법』 78조 2항은 "제1항의 규정에 따른 법인의 조직·운영 및 감독에 관하여 필요한 사항은 『국민연금법』에서 따로 정한다"고 되어 있다. 그리고 『국민연금법』 102조 2항은 "보건복지부장관은 국민연금 재정의 장기적인 안정을 유지하기 위하여 그 수익을 최대로 증대시킬 수 있도록… 기금을 관리·운용한다"라고 되어 있다. 『국민연금법』에 의하면, "그 수익을 최대로 증대시킬 수 있도록 관리·운용"하며, 의결권 행사는 명기되어 있지 않다. 일반적 금융시장에서는 "그 수익을 최대로 증대시킬 수 있도록"의 의미를 "의결권 행사는 재무적 투자"라고 해석한다. 따라서 『국민연금법』 102조 2항에 의지하여 국민연금이 의결권행사를 하는 것은 불가하다.

마. 『헌법』 126조와 정면으로 배치될 수 있는 『국가재정법』 64조

국민연금기금은 여유자금으로서 이 기금이 『국가재정법』 64조에서 말하는 바와 같이 보유주식에 대한 의결권행사를 한다면, 이것은 헌법 126조에 정면으로 위배된다. 그러나 국가재정법 64조에서는 기금의 종류를 구분하지 않고, 포괄적으로 "기금이 보유하고 있는 주식"이라는 용어를 사용함으로써 연금기금의 여유자금마저도 의결권행사를 하고 있는 것으로 보인다. 만일 그렇다면 우리나라의 헌법은 자유민주주의 시장경제 헌법인데 반하여, 법률은 (연금)사회주의 법률이다.

그러나 다행스럽게도 『국가재정법』 78조는 국민연금의 '자산운용'은 별도 법인을 세우고, 『국민연금법』을 따를 것을 말하고 있다. 『국민연금법』 102조는 "수익극대화 목적의 투자"만을 말하고 있다. 따라서 국민연금 기금운용본부가 『국가재정법』 64조를 따라 의결권행사를 한다면, 이것은 명백한 위법행위이다. 『국가재정법』 64조가 말하는 기금보유주식은 각각의 기금법에 따른 보유주식이다. 그리고 각각의 기금법들은 "국방상·국민경제상 긴절한 필요로 인하여 법률이 정한 경우"이다. 그러나 국민연금법에는 이러한 '의결권 행사' 규정이 없다.

바. 법률을 통한 의결권행사

헌법 126조에 의하면, "국방상 국민경제상 긴절한 필요로 인하여 법률로 정하는 경우"에는 국민연금도 의결권행사가 가능하다. 예컨대, 주인 없는 기업이 되어 버린 금융지주회사, 해외펀드에 의한 적대적 M&A의 타겟이 된 기업 등에 대해서는 의결권행사를 가능하게 법률을 제정하면 된다.

3장 국민연금 스튜어드십코드와 『이사회 구성·운영안내』

<서 론 > 주주제안과 의결권행사를 가능하게 한 법규제정

가. 국민연금 의결권행사와 스튜어드십코드 규정

국민연금기금의 규모는 2022년말 현재 890조원으로서 상장사 시가총액 2,079조원의 43%에 이른다. 국민연금기금은 총기금액의 약 17% 정도를 국내기업에 투자하고 있는데, 그럼에도 불구하고 현재 우리나라 최우량기업(대기업 포함) 172개사의 2대 주주인데, 2022년도 3월 주주총회에서 613개 회사에 대해 경영 관련한 의결권 행사를 일반 투자자들과 동일하게 하였다. 한편, 국민연금의 경영의결권행사는 그 안에 이미 국민연금의 스튜어드십코드(경영권 관련한 '주주제안')의 가능성을 야기시킨다. 설령, 국민연금이 직접 스튜어드십코드의 발동을 하지 않더라도 다른 자를 통해서 그것을 발동하면 된다. 대한항공의 경우에도 강성부 펀드로 하여금 주주제안을 하게 한 것으로 모두 인식하고 있다.

자유민주주의 국가에서 국가가 생산수단(기업)을 장악하는 상황이 발생하고 있다. 국내 상장사 주요기업의 2대 주주로서 경영 관련한 의결권행사를 한다는 것은 자유주의 국가에서 있을 수 없는 일이다. 이에 대해 전문가들은 "국민연금의 의결권행사는 경영참여이며, 경영통제이다"고 하며 국민연금기금운용본부에 답변을 요청하자, 연금운용본부는 "의결권행사는 단순한 의견표시"일 뿐이라고 말하며, "주주제안과 의결권행사를 함께 할 경우에만 경영통제이다"고 『자본시장법』 147조를 이용하여 답변을 하였다. 이것은 분명히 법을 잘못 해석하고 이용한 것이다. 즉, 주총에서 중요한 경영에 영향을 주는 행위에 대해 주주제안(예: 경영자 선임 해임)을 하고, 이와 동시에 의결권행사를 하는 것만이 경영통제라는 궤변이다. 그렇지 않다. "경영 관련한 의결권행사"가 경영참여이다. 결국 국민연금기금운용본부는 '주주제안'만 하지 않으면, 그것은 경영통제가 아니다는 결론을 내렸다. 그리고 맘껏 주총에서 의결권행사를 해오고 있으며, 박근혜 정부에서 처음 간헐적으로 시작된 의결권 행사(25건)가 문재인 정부 들어서는 아예 이것을 법제화하여 전체의 해당기업에게 확산하였으며, 지금은 전체 기업들 613개 회사(2021.10-2022.3 자료)에 대해서 의결권 행사를 하고 있다.

이때 문재인 정부는 2018년 7월 국민연금 스튜어드십코드 규정도 함께 만들었다.

이것의 원래 이름은 "『국민연금 수탁자책임활동지침』 18조의 '주주제안'"을 일컫는 말이다. 이것은 국민연금이 투자기업에 대해서 해당 기준에 미달될 경우, 주주제안을 하겠다는 것이다. 즉, 주주제안과 의결권행사를 함께 하겠다는 것이다. 이것은 위의 답변을 스스로 뒤집은 것이다. 그리고 스스로 얽혀들었다. 한편, 그들의 집권기간 동안 이루어진 다른 법 개정 등을 보면, 그들의 이러한 시도의 타겟은 삼성전자(Ex, 삼성생명법)나 현대자동차(Ex, 순환출자 의결권제한) 등을 비롯한 4대기업이었던 것으로 보인다.

나. 대한항공 스튜어드코드십 행사

'주주제안'은 주식 1%(1년 미만 보유시 3%)이상을 소유한 자가 주주총회에 "경영 관련한 주요 안건"을 상정하는 것을 말한다. 이때 "경영에 영향을 미치는 주요 안건들"의 종류는 『자본시장법 시행령』 154조 1항에 10가지 정도 열거되어 있는데, 1호가 "이사·감사의 선임·해임"에 관한 것인데, 일반적으로 이 행위에 대한 '주주제안'을 스튜어드십코드 행사라고 말한다. 결국 스튜어드십코드란 경영자와 관련하여 "주주제안과 의결권행사"를 함께 하는 행위를 지칭한다.

문재인 정부는 이렇게 스튜어드십코드 조항을 만든 후, 그 이듬해 2019년 3월에 대한항공 조양호 회장에 대한 스튜어드십코드 규정을 적용하여 기존의 조양호 독자경영 체제를 붕괴시켜 버렸다. 그 후 대한항공은 결국 기존 조양호 일가와 국민연금과 강성부 펀드의 공동운영체제가 된 것이다. 따라서 대한항공은 언제든지 국가가 마음만 먹으면 국유화가 가능했다. 다른 경영자를 세워버리고, 유상증자를 해버리면 되기 때문이다.

다. 『이사회 구성·운영 안내』 통한 스튜어드십코드의 일반화(모든 기업 적용)

문재인 정부에서는 이렇게 스튜어드십코드 규정을 제정한 후, 2020.1.29 이 규정에 기반하여 『자본시장법 시행령』 154조를 대대적으로 개정하여 국민연금이 각 회사에 이사를 파견할 수 있게 하였으며, 각 회사의 배당정책에 참여할 수 있게 하였다. 이것은 명백한 경영참여인데, 연금이 172개사의 2대 주주라는 규모로 보았을 때, 이것은 연금사회주의 혁명에 해당하였다고 볼 수 있다.

먼저, 2020.1.29. 『자본시장법 시행령』 154조⑤항을 신설하여 '일반투자' 제도를 창설하고, 2020.2-5 사이에 72개 기업에 대해서 '단순투자'에서 '일반투자'로 그 투자목적을 변경하였다.

두 번째, 2020.1.29. 『자본시장법 시행령』154조①항의 '괄호'의 내용을 수정함을 통하여 국민연금이 "일반적인 안내를 했을 경우, 그것은 '주주제안'이 아니다"는 문구를 집어넣었다. 그리고 국민연금은 『이사회 구성·운영 안내』를 시달했는데, 그 내용은 국민연금이 '일반투자'로 전환 된 기업에 대해서 '이사'를 추천할 때, 그 '이사추천'을 받으라는 것이었다. 그리고 그 안에서 '주주평등권'까지 주장하였다. 이것은 주식비율만큼 이사를 파견하겠다는 이야기였다. 그런데, 여기에서 중요한 것은 이 안내에 불응할 경우, <국민연금 수탁자책임활동지침>(국민연금 스튜어드십코드)을 적용하겠다는 것이었다. 그렇다면 그것은 "이사 추천"이 아니라, "이사파견을 강제하는 것"이었다. 그리고 2020년부터 국민연금은 여기에 파견할 사외이사 풀을 구성하기 시작하였으며, 2021년초와 2022년초에도 삼성물산을 비롯한 7개 회사에 대해 이러한 이사파견을 시도하였다. 그리고 이 일은 이제 모든 일반투자로 투자목적을 전환한 기업들, 2020년도에 72개사였는데 이들 모두에게 확산될 것이다. 그런데 문제는 『이사회 구성·운영 안내』에서 말하는 '사외이사'는 일반적 '사외이사'가 아니라, "이사 감사의 기능" 모두를 수행하고, "경영진을 감독"할 뿐 아니라, 기존의 이사회와 독립된 <위원회>까지 구성된다. 마치 중국 공산당이 각 국유기업들에게 설치한 <공산당 위원회>와 그 기능이 유사하다. 어떤 측면에서는 각 기업들의 기존의 <이사회> 위에 위치한다.

세 번째, 2020.1.29. 『자본시장법 시행령』154조①항의 10개호에 대해서 4호의 배당을 삭제해 버렸다. 이것은 '이익 배당'에 대한 주주제안은 경영에 영향을 미치는 주주제안이 아니다는 것이다. 즉, 국민연금이 이익에 대한 배당안(案)을 주총에 회부하면, 이제 그대로 주총을 통해서 논의되어야 한다. 즉, 배당정책을 회사의 경영자가 마음대로 할 수 없게 만든 것이다. 이것은 『한국자본주의』에서 언급된 대기업 해체전략으로 해석되어야 한다. 왜냐면, 그 책의 당사자들이 이 법규제정에 연루되어 있기 때문이다.

라. 국가 자본주의를 향하는 사회주의 혁명의 시작인가?

이렇게 해서 국민연금 스튜어드십코드의 규정은 이제 모든 국민연금의 투자기업들에게 적용되도록 조치가 취해졌다. 국민연금이 이제 172개사의 2대 주주로서 경영에 적극 개입을 하게 된 것이다. 특히 이사선임 문제에 대해서 법적인 권한을 얻은 것이다. 그리고 더 나아가서 모든 주요기업들의 이익처분과 관련해서 국가가 개입을 하게 된 것이다. 기업의 한 해 동안의 이익을 이제는 경영자가 마음대로 처분하지 못한다.

『한국자본주의』는 이렇게 배당을 소액주주운동을 통해서 제기하고, 그리고 국민연금이 여기에 합세하면, 경제민주화가 실현된다고 하였다. 왜냐면, 기업은 유상증자와 차입을 통해서 사업확장을 해야 하기 때문이다.[13] 그렇게 되면, 기업의 최대주주의 지분은 희석화 되어 최대주주의 지위를 상실하고, 국민연금이 최대주주의 자리에 오르게 된다. 『한국자본주의』는 이렇게 해서 '경제 민주주의'를 실현하려 하였다. 그런데 그것은 곧 '국가 자본주의'였던 것이다.

이것은 헌법 126조의 파괴이며, 사회주의 혁명에 해당한다고 볼 수 있다. 국민연금 투자기업 172개사는 우리나라 전체의 주요기업 모두에게 해당하기 때문이다. 이렇게 해서 대한민국의 모든 주요기업들을 국민연금의 통제 아래에 들어오게 하였고, 국가가 여기에 직접적으로 개입할 수 있도록 만들었다.

사회주의 혁명이 이렇게 시작된 것으로 보아야 하며, 그 법규가 지금도 여전히 상존하고 있다. 언제든지 좌파가 집권하기만 하면 이 일은 실행된다. 그래서 현행 법규가 존재하는 한, 대한민국에서 연금 사회주의는 시작되었다고 보아야 할 것이다.

1. 『자본시장법』 147조의 '주주제안'과 '의결권행사'

가. 『자본시장법』 147조를 통한 『헌법』 126조 '경영통제' 해석

국민연금기금운용본부가 경영통제의 기준으로 자꾸 내세우는 법률이 『자본시장법』 147조와 『자본시장법 시행령』 154조 1항의 '주주제안'과 관련된 본문이다. 국민연금 운용본부에서는 이 조항을 의손하여 국민연금의 의결권행사는 하나의 의견표시일 뿐이며, 주주제안과 의결권행사가 동시에 이루어질 경우에만 경영통제라고 주장을 해왔기 때문이다. 그런데, 『자본시장법』 147조와 『동시행령』 154조는 "공개매수를 위한 공시"규정일 뿐이다. 이것은 『헌법』 126조에 대한 해석조항이 아니며, 이것을 참조로 하여 『헌법』 126조를 해석하여야 한다. 그런데, 국민연금운용본부는 이것을 해석규정으로 차용하고 있다.

『자본시장법』에서는 경영권에 직접적으로 영향을 미치는 행위로서 "공개매수"를 규정하는 조항들을 147조부터 151조까지 언급하고 있으며, 이들의 적대적 M&A행위로부터 기존의 경영권을 보호해 주기 위해서 "주식 등의 대량보유상황의 보고" 규정들을 두고 있다. 『자본시장법』 147조에서는 다음과 같이 구체적으로 언급하고, 그것을 『자본시장법 시행령』 154조를 통해서 부연설명하고 있다.

---

13) 이에 대한 방어책으로 대주주는 배당을 한 후, 동일한 금액을 유상증자하는 방법을 사용할 수 있다. 그런데, 이때 대주주는 배당액의 상당부분(40%-Gross up)을 세금으로 부담하여야 한다.

147조(주식 등의 대량보유보고) ① 주권상장법인의 주식 등을 대량보유(100분의 5 이상)하게 된 자는 그 날부터 5일 이내에 그 보유상황, 보유목적(발행인의 경영권에 영향을 주기 위한 목적 여부를 말한다), 그 보유주식 등에 관한 주요계약내용, 그 밖에 대통령령으로 정하는 사항을 대통령령이 정하는 방법에 따라 금융위원회와 거래소에 보고하여야 한다.

이 경우 그 보유목적이 <u>발행인의 경영권에 영향을 주기 위한 것(임원의 선임·해임 또는 직무의 정지, 이사회 등 회사의 기관과 관련된 정관의 변경 등 대통령령으로 정하는 것을 말한다)</u>이 아닌 경우와 전문투자자 중 대통령령으로 정하는 자의 경우에는 그 보고내용 및 보고시기 등을 달리 정할 수 있다.

위의 내용 중에서 "발행인의 경영권에 영향을 주기 위한 것"의 내용을 『자본시장법 시행령』 154조에서는 다음과 같이 규정하고 있다.

154조(대량보유 등의 보고에 대한 특례) ① 법 147조 1항 후단에서 "대통령령으로 정하는 것"이란 다음 각 호의 어느 하나에 해당하는 것을 위하여 회사나 그 임원에 대하여 사실상 영향력을 행사(<u>『상법』 363조의 2, 366조에 따른 권리를 행사하거나 이를 제3자가 행사하도록 하는 것과 법 152조에 따라 의결권 대리행사를 권유하는 것을 포함하며, 단순히 의견을 전달하거나 대외적으로 의사를 표시하는 것은 제외한다, 2020.1.29.개정)</u>하는 것을 말한다.

1. 임원의 선임·해임 또는 직무의 정지…

2. 이사회 등 『상법』에 따른 회사의 기관과 관련된 정관의 변경…

3. 회사의 자본금의 변경…

4. 삭제 (2020.1.29.)

5. 회사의 합병, 분할과 분할합병

6-10. …

위의 시행령은 일차적으로 "발행인의 경영권에 영향을 주는 것"의 내용을 "임원의 선임·해임 또는 직무의 정지, 이사회 등 회사의 기관과 관련된 정관의 변경 등"이라는 『자본시장법』 147조의 내용을 명백하게 밝히고 있다. 여기에 대해서는 <국민연금 운용위원회>에서도 "임원의 선임·해임 또는 직무의 정지, 이사회 등 회사의 기관과 관련된 정관의 변경 등"이 "발행인의 경영권에 영향을 주기 위한 것"에 포함된다는 사실을 피할 수는 없다.

나. 경영에 영향을 미치는 두 종류의 행위

위의 본문에 의하면, 경영에 영향을 미치는 행위는 두 종류가 존재한다. 하나는 경영자 교체 등에 관한 '주주제안'이고, 또 하나는 이것이 실제로 진행되는 '의결권행사'이다. 이 둘다 모두 경영에 영향을 미치는 행위이다. 물론 이 둘 다를 동시에 하면, 더 적극적인 경영참여일 것이다. 따라서 경영에 영향을 미치는 행위의 경우의 수는 다음과 같이 분류된다. 우리는 이것을 2대 주주의 관점에서 분류해 보고자 한다.

첫째, 최대 주주가 경영권 '주주제안'을 하고, 그 주주제안에 대해서 '의결권행사'를 하는 경우가 있다.

두 번째, 2대 주주가 경영권 '주주제안'을 하고, 자신의 주주제안에 대해서 '의결권행사'를 하는 경우가 있다.

세 번째, 소액주주가 경영권 '주주제안'을 하고, 그 소액주주의 주주제안에 대해 '의결권행사'를 하는 경우가 있다.

이때 어떤 경영자의 선정과 관련한 법적 효력은 어떻게 발생하는가? 위의 경우의 수에서 모두에서 '주주제안'은 아무런 상관이 없고 '의결권행사'의 경우에만 발생한다. 따라서 경영에 영향을 미치는 두 종류의 행위 중 법적인 효력이 있는 것은 모두 '의결권행사'이다. '주주제안'은 누가하든 상관없다.

'주주제안'과 '의결권행사'를 동시에 할 경우에만 '경영에 영향을 미치는 행위'라는 해석은 잘못된 것이다. 『자본시장법』 147조와 『동시행령』 154조는 공개매수시의 공시규정이다. 『헌법』 126조는 이 조항을 원용해서 해석하여야 한다. 이때 『자본시장법』 147조와 『동시행령』 154조는 "경영에 영향을 미치는 행위"의 종류로서 154조 1항의 1-10호를 말하고 있다는 것이다. 이 행위에 영향을 미치면, "경영에 영향을 미치는 행위"를 한 것이다. 그리고 그것의 법률행위는 '의결권행사'인 것이다. '주주제안'은 부수적인 영향행위일 뿐이다. 주주제안과 의결권행사를 놓고 비중을 따지라고 하면, 오직 의결권행사만이 절대적 비중을 차지한다. 왜냐면, 의결권행사만이 법적인 효력을 내기 때문이다.

다. 헌법을 위배하고 있는 국민연금 의결권행사

국민연금이 의결권행사를 하는 문제는 헌법에 위배된 행위이다. 국가 부처의 장이 국민연금을 통해 의결권행사를 할 경우, 이것은 자신의 직무를 벗어난 분명한 배임행위이다. 이에 대한 경고가 필요하며, 경고에 응하지 않을 경우 배임혐의로 고발을 당할 수 있다.

더 나아가 『국가재정법』 64조의 "기금관리주체는 기금이 보유하고 있는 주식을 기금의 이익을 위하여 의결권행사를 하여야 한다"의 조항은 보완되어야 한다. "기금관리주체는 기금이 보유하고 있는 기금법에 의하여 투자된 주식을 기금의 이익을 위하여 의결권행사를 하여야 한다. 그러나 여유자금은 재무적목적으로만 투자되어야 한다." 그리고 여기에 더 부가하여서 "국가가 관리하고 있는 재무적 목적의 투자주식은 의결권행사를 할 수 없다"고 하여야 한다. 즉, 스튜어드십코드의 행사를 할 수 없는 것이다.

한편, 국민연금과 같은 국가자금이 의결권행사를 하여야 할 때도 있다. "국방상·국민경제상 긴절한 필요가 있을 경우"이다. 예컨대, 해외 행동주의 펀드의 적대적 M&A 시의 국내기업 경영권보호를 위해서, 또는 금융지주회사와 같이 주인이 없는 회사의 관리를 위할 경우이다. 이러한 경우에는 법률에 정하고 의결권행사를 하면 된다.

라. 국민연금운용본부의 『헌법』 126조 해석

위와 같은 현실임에도 불구하고, 국민연금기금운용본부에서는 줄곧 『자본시장법』 147조와 『동시행령』 154조 1항에 따른 "주주제안"과 "의결권행사"를 동시에 할 경우에만 『헌법』 126조의 "경영통제"이다고 말한다. 그리고 172개 기업의 2대 주주로서 경영의결권행사를 매해하고 있다.

이 일은 박근혜정부의 말기에 시작되었다. 이때는 꼭 필요하다고 간주되는 20여개의 회사에 대해서 실시되었다. 우리는 이러한 결정을 누가했는지를 조사해 보아야 한다. 노무현 정부 때의 인물들이 대거 국정에 진입하였기 때문이다. 그리고, 문재인 정부 들어서는 613여개 회사 모두에 대해서 의결권행사를 하고 있으며, 아예 규정을 만들어서 강제적으로 의결권행사를 하게 하고 있다. 김경수 판결문에서는 "국민연금의 결권행사 강화"가 "경제민주화"의 한 방법론으로 등장한다.

그리고 이제 문재인 정권이 들어서자, 여기에서 한 걸음 더 나아간다. 그것은 바로 『국민연금 수탁자책임활동지침』(18조, 주주제안, 국민연금 스튜어드십 코드규정)의 제정이었다. 이것은 국민연금으로 하여금 "주주제안과 의결권행사"를 모두 할 수 있게 한 규정이었다. 의결권행사만으로도 경영통제였는데, 이것을 넘어서서 주주제안까지 할 수 있게 한 것이다.

그런데, 지난 정부에서는 여기에서도 한 걸음 더 나아가는데, 그것은 "『시행령』 154조 ①항 중에 괄호 내의 '주주제안 제외' 규정"을 통해 『국민연금 투자기업의 이사회 구성·운영 안내』의 제정이다. 이 『안내』를 통해 "국민연금 스튜어드십 코드규정"을 모든 국민연금 투자기업에 일반화시켜 버렸다. 국내 대기업 1위에서 172위까지를 모두 장악해 버린 것이다. 1대 주주인 최대주주의 가장 큰 경계대상은 이들의 2대 주주인 국민연금이다. 국민연금이 다른 사모펀드와 연합을 하면, 그 경영권을 즉시로 교체해 버릴 수 있기 때문이다. 국민연금은 이러한 권한을 이용해서 각각의 기업들의 경영에 간섭하기 시작하였다. 국민연금의 폭력적 지위가 펼쳐진 것이다. 그것이 바로 다음에 언급되는 『시행령』 154조 ①항 중에 괄호 내의 '주주제안 제외' 규정이다.

마. 『시행령』 154조 ①항 중에 괄호 내의 '주주제안 제외' 규정

한편, 위의 『시행령』 154조 ①항 중에 괄호 내에 있는 규정이 2020.1.29.자로 개정되었는데, 다음에 언급된 바처럼 "단순히 의견을 전달하거나 대외적으로 의사를 표시하는 것은 제외한다"고 말하고 있다. 그 내용은 다음과 같다.

『상법』 363조의 2(주주제안), 366조에 따른 권리를 행사하거나 이를 제3자가 행사하도록 하는 것과 법 152조에 따라 의결권 대리행사를 권유하는 것을 포함하며, 단순히 의견을 전달하거나 대외적으로 의사를 표시하는 것은 제외한다.(2020.1.29. 개정)

지난 정권에서는 2020.1.29. 『자본시장법 시행령』 154조 1항의 괄호 안에 "추가적인 문단"을 삽입하였다. 그것은 "단순히 의견을 전달하거나 대외적으로 의사를 표시하는 것은 (주주제안에서)제외한다"는 규정으로서 위의 밑줄친 부분이다.

여기에는 중요한 음모가 도사리고 있는데, 이것을 기반으로 하여 국민연금은 『국민연금 투자기업의 이사회 구성·운영 안내』를 제정하였다. 그리고 이 『안내』에 불응시에는 『국민연금 수탁자책임활동지침』(18조, 주주제안, 국민연금 스튜어드십 코드규정)이 적용된다. 즉, 이 『안내』는 이 『국민연금 수탁자책임활동지침』의 하위규정이 되는 셈이다. 그런데, 이 『안내』에는 국민연금이 투자기업에 대해 '이사를 추천하겠다'는 것이었다. 그런데, 이것을 받지 않으면 『국민연금 수탁자책임활동지침』을 적용하겠다는 것이다. 이렇게 해서 국민연금 스튜어드십 코드규정과 시행령개정을 통해서 국민연금 투자기업들을 국가기관(국민연금) 아래에 복속시켰다.

더 나아가 『시행령』 154조 ①항 중에서 '배당'을 제외시켜서, 각 기업의 "배당정책"에 관여할 수 있게 하였다. 그리고 이것이 궁극적 이유이다. 『한국 자본주의』는 배당의 강제를 통해 경제민주화를 실현하자고 말하고 있기 때문이다.

2. 『수탁자 책임활동에 관한 지침』의 '주주제안(스튜어드십코드)' 규정

『국민연금법』 102조 6항 및 『동법 시행령』 76조의 규정에 따라 국민연금공단은 『국민연금기금운용규정』을 제정하였으며, 『동 운용규정』은 "보유 상장주식에 대한 수탁자책임 활동"으로서 "36조, 수탁자책임활동"의 조항을 두고 있으며, 이 조항 ①항에서 『국민연금기금 수탁자 책임활동에 관한 지침』을 마련하고 있다.

그래서 이 지침은 2018년 7월에 제정이 되었으며, ②항 1호에서 "의결권 행사"를 언급하고 있다. 이때 "수탁자책임활동"의 범위가 "경영 관련한 의사결정"은 제외되어야 하는데, 이 모든 것을 포함하고 있다.

그 이전에 국민연금 운용본부 내에 의결권행사에 대한 규정은 어디에도 없었다. 다만 절실한 필요로 인하여 부득이 실행되고 있었다. 그러나 이때부터 국민연금 의결권 행사는 국민연금기금운용본부의 본분이 되었으며, 지난 정권 때부터 본격적으로 시작이 된 것이다.

우리는 『수탁자 책임활동에 관한 지침』의 내용을 개략적으로 살펴보고자 한다.

가. 『수탁자 책임활동에 관한 지침』 내의 의결권 내용

국민연금기금의 규모는 2022년말 현재 890조원으로서 상장사 시가총액 2,079조원의 43%에 이른다. 4대기업의 최대주주 지분이 20-30%에서 유지되고 있는 것을 보았을 때, 국민연금은 국내의 모든 상장사들의 지배권을 확보할 수 있다. 국민연금은 총 기금액의 17-20%를 국내주식에 투자하고 있음에도 불구하고, 국내기업 172개사의 2대 주주이다.

이 국민연금이 공적자금이라는 신분을 벗어나서 일반적인 자금으로 간주되고, 이 국민연금이 경영과 관련한 의결권 행사를 하게 된다면, 그것은 곧 연금 사회주의를 의미하게 된다. 이 의결권 행사의 구체적인 내용을 『국민연금기금 수탁자 책임활동에 관한 지침(2018.7)』 11조(안건별 세부기준)에서 다음과 같이 언급하고 있다.

제11조 (안건별 세부기준) 주주총회 안건별 의결권 행사 세부기준은 국내주식의 경

우 별표1, 해외주식의 경우 별표2와 같다.

[별표1] 국내주식 의결권행사 세부기준

Ⅲ. 이사, 감사 및 감사위원회 위원의 선임

30.이사의 선임, 31.사외이사의 선임, 32.감사 및 감사위원회 위원의 선임

위에서 언급한 바와 같이 <국민연금기금운용위원회>는 국민연금의 '이사회 구성과 운영'에 대한 사항에 의결권행사를 체계적으로 하고 있음을 알 수 있다. 이것은 '국민연금 스튜어드십 코드'의 발동을 자연스럽게 귀결시킨다. 이것이 허용되면, '국민연금 스튜어드십 코드'는 당연시 된다. 만일, 국가가 정면에 나서고 싶지 않으면, 주주제안에 사모펀드를 내세우면 되기 때문이다. 대한항공의 경우 그렇게 하였다. 이렇게 지난 정권에서는 의결권행사를 명문화하였다. 그 이전에는 이런 명문화된 규정이 존재하지 않았다. 『헌법』126조를 따라 국가가 '경영참여'를 하지 않았던 것이다.

한편, 『국가재정법』64조는 "기금의 이익을 극대화하기 위하여 의결권 행사를 한다"는 조항이 있다. 이것은 "이익목적의 의결권행사는 가능하다"는 논리를 제공한다. 그리고 『국민연금법』102조 2항에서도 "국민연금기금은 장기적 이익극대화 목적으로 투자한다"고 되어 있다. 따라서 『국가재정법』이나 『국민연금법』 모두 이익관련한 의사결정에만 참여하라는 형태로 해석 할 수 있다. 그러나 '의결권행사' 자체가 '소유권행사'이며, '경영참여'이다.

한편, 경영 관련한 의결권은 『자본시장법시행령』154조 1항에 열거된 10기지 의제이다. 우리는 이것을 앞에서 살펴보았다. 이 중에서 가장 중요한 것이 "1호, 이사 감사의 선임 해임"에 관한 사항이다. 그런데, 위의 『수탁자 책임활동에 관한 지침』 11조와 별표 1의 Ⅲ을 보라. 경영자 선임 해임이 있는데, 이에 대해 의결권행사를 하라는 것이다. 이것은 잘못된 규정이다.

우리는 이에 대해서 헌법소원을 하는 것이 마땅하다. 이렇게 국민연금이 의결권 행사를 할 수 있으면, 『수탁자 책임활동에 관한 지침』의 18조 주주제안(국민연금 스튜어드십 코드규정)은 자동적으로 성립한다. 국민연금이 자금을 위탁한 사모펀드가 33조원에 이른다. 이들 가운데 어느 하나에게 '주주제안'을 하라고 하면 되기 때문이다. 대한항공의 경우에도 주주제안은 강성부 펀드가 하였으며, 국민연금은 의결권행사만 하였다.

나. 『국내주식 수탁자 책임활동 가이드라인』 등

　<국민연금기금운용본부>는 상기 『국민연금기금 수탁자 책임활동에 관한 지침』을 충실하게 이행하기 위해 『국내주식 수탁자 책임활동 가이드라인』을 2019년 1월 제정하였으며, 2019년 12월 『적극적 주주활동 가이드라인』을 추가적으로 제정하고, 이것을 『국내주식 수탁자 책임활동 가이드라인』(이하, 『가이드 라인』이라 함)에 추가적으로 반영하였다. 이에 의하면, 다음 3단계를 거쳐서 "수탁자 책임활동"을 한다. 다음 내용은 "2020년도 7차 국민연금운용위원회 보고사항(2020-13호)-2020.7.3."의 내용이다.

① 1단계 : 중점관리사안에 대한 수탁자책임활동

　지분율 5% 또는 보유비중 1% 이상 투자기업을 대상으로, <1st> "비공개대화 대상기업으로 선정"하여 비공개대화를 한다. <2nd> 비공개대화 대상기업 중 별도의 개선여지가 없을 경우, 동 기업을 "비공개중점관리기업으로 선정"하여 비공개대화를 한다. <3rd> 그럼에도 불구하고 개선의 여지가 없을 경우 "공개중점관리기업으로 선정"을 하고 또 다시 비공개대화를 한후, <4th> 마지막으로 주주제안을 한다. 이때 주주제안을 할 때, "자본시장법 시행령 154조 1항(경영참여 목적)에 해당하지 않는 주주제안에 한하여 적용한다."

　그런데, 이때 "비공개대화 대상기업 선정"시, 다음의 다섯 가지 요건중 4th 사안이다. 여기에는 외부적으로는 "지속적으로 반대의결권을 행사하였으나, 개선이 없는 사안"이라고 되어 있는데, 세부내역에 들어가 보면, 그것은 "이사 감사의 선임"에 관한 건으로서, 국민연금이 '이사 선임'에 반대한 이사를 계속 선임할 경우, 이것은 그 관리대상에 들어오는 것이다. 국민연금은 지배주주의 연임을 ESG를 이유로 반대할 수 있다. 이것은 "경영에 참여하는 행위"에 속한다. <중점 관리 사안별 대상기업 선정기준>은 다음과 같다.

구분	세부내역
1) 기업의 배당정책 수립	①배당관련 반대 의결권행사 기업, ②의결권행사 대상기업 중 배당성향 하위 기업, ③보유비중 상위 기업으로, 합리적인 배당정책을 수립·공개하고 있지 않거나, 그에 따라 배당하지 않는 기업을 선정
2) 임원보수한도의 적정성	이사보수한도가 경영성과와 연계되지 않거나 실지급액 대비 과다하여 최근 주주총회에서 이사보수 한도승인의 건에 반대한 기업 중, 이사보수한도 대비 실지급액 비율을 고려하여 선정
3) 법령상 위반 우려로 기업가치 훼손 내지 주주권익 침해 사안	국가기관의 조사 등 객관적 사실에 근거하여 ①횡령·②배임,③부당지원행위, ④경영진의 사익편취에 해당할 우려로 인해 기업가치를 훼손하거나 주주권익을 침해할 수 있는 기업을 선정

4) 지속적 반대의결권 행사에도 개선이 없는 사안	최근 5년 이내 이사 및 감사(위원) 선임의 건 중에서 동일한 사유 등으로 2회 이상 반대의결권을 행사한 기업 중, 보유비중을 우선 고려하되, 반대 의결권행사 횟수, 안건의 중요도, 개선여지 등을 종합적으로 고려하여 5개 내외 기업 선정
5) 정기 ESG 평가결과가 하락한 사안	정기 ESG 평가결과, 2등급 이상 하락하여 C등급 이하에 해당하는 기업으로, 그 하락사유 등에 대한 '정성평가체크리스트'를 기반으로 판단

② 2단계 : 예상하지 못한 우려에 대한 수탁자 책임활동

"국민연금운용위원회 보고서"에 의하면, 1단계의 활동에도 불구하고 개선사항이 뚜렷하지 않는 경우 "이사 감사 선임 안건 등에 대해 의결권 행사를 연계한다"고 말한다. 그 내용은 다음과 같다.

<후속조치>
(개선여부의 판단) 비공개대화 대상기업 선정으로부터 약 1년이 경과한 시점을 기준으로 수탁자책임전문위원회 의결을 통해 개선여부를 판단하며,…
(의결권행사 연계) 수탁자 책임활동에도 불구하고 개선이 없는 경우, 이사 감사 선임 안건 등에 대해 의결권 행사 연계
(후속조치) 비공개대화를 개시한 후 약 1년이 경과한 이후에도 개선이 없는 기업의 경우, 기금운용위원회에서 정한 『국민연금기금 적극적 주주활동 가이드라인』에 따른 주주제안 등을 추진

③ 3단계 : 소송제기

"국민연금운용위원회 보고서"는 3단계로서 "소송제기"를 말하는데 다소 모호하다. 그 기본방향을 다음과 같이 정하고 있다.

투자대상 기업의 장기적인 주주가치 증대에 기여를 목적으로 소송을 제기하며, 회사나 그 임원에 대하여 사실상 영향력을 행사하거나 다른 주주의 요청에 부응하기 위한 목적으로 소송을 제기하지 않는다.
제소요건이 충족되는 경우, 승소가능성, 소송에 따른 효과 대비 비용 등을 종합적으로 고려하여, 소송 제기가 장기적으로 주주가치 증대에 기여할 것으로 판단되는 경우에 한하여 소송을 제기한다.

위의 내용에 의하면, <국민연금기금운용위원회>는 "회사나 그 임원에 대하여 사실상 영향력을 행사하는 것"을 위법이라는 것을 알고 있다.

다. 주주제안(국민연금 스튜어드십코드) 규정

국민연금기금운용분부는 위에 따른 중점관리기업이 연도 말까지 개선이 없는 경우, 기금운용위원회의 결정으로 주주제안(스튜어드십 코드)을 행사할 수 있다. 『수탁자 책임활동에 관한 지침』 18조 '주주제안'(스튜어드십 코드)의 내용은 다음과 같다.

제18조(주주제안 등) ① 기금은 제16조에 따른 공개 중점관리기업이 선정연도 말까지 개선이 없는 경우, 기금운용위원회의 결정으로 상법 및 자본시장과 금융투자업에 관한 법률에서 허용하고 있는 주주제안 등을 행사할 수 있다. 다만, 주주제안을 추진할 경우 해당 공개중점관리기업의 산업적 특성 및 기업여건 등을 종합적으로 고려할 수 있으며, 주주제안 등을 행사하지 않거나 행사시기를 조정할 수 있다.
② 제1항에도 불구하고 제13조 제1호 및 제2호 중점관리사안의 경우, 전문위원회의 결정으로 **자본시장과 금융투자업에 관한 법률 시행령 제154조 제1항에 해당하지 않는 주주제안 등을 우선 행사할 수 있다.** 다만, 주주제안을 추진할 경우 해당 공개중점관리기업의 산업적 특성 및 기업여건 등을 종합적으로 고려할 수 있으며, 주주제안 등을 행사하지 않거나 행사시기를 조정할 수 있다.

위의 내용은 여러 가지 다양한 문장으로 위장을 하고 있으나, 궁극적으로는 국민연금이 '주주제안'을 할 수 있다는 내용이다. 위 내용은 모두 어떤 행위에 의해서 결정하는 것이 아니라, 결정권자의 의사에 의해서 결정되게 되어 있다. 자의적이라는 이야기이다. 전문가들은 그 이유를 판단할 때, 위의 규정은 기업을 관리할 목적으로 만들어진 것이 아니라, 특정기업들을 국유화하기 위해 만들어졌기 때문이라고 말한다.

이에 따라 우리는 "스튜어드쉽 코드 의사결정 체계의 문제점"을 살펴보아야 한다. 이에 의하면, 그것의 적용은 너무도 자의적이다. 그리고 지난 정권동안 그렇게 운영이 되어 왔다.

라. "수탁자책임활동(스튜어드쉽 코드 등)"의 의사결정 체계와 그 문제점들

국민연금 운용본부의 "수탁자책임활동(스튜어드쉽 코드 등)"의 의사결정 체계의 문제점을 살펴보면 다음과 같다. "수탁자책임활동" 중 "국민연금 스튜어드쉽 코드발동"

은 『헌법』 126조의 파괴라고도 볼 수 있는 위중한 사안이다. 국가가 사영기업의 경영권을 박탈할 수 있는 순간인 것이다. 만일 그 대상이 4대기업이라면, 국가의 운명과도 관련된 사안인 것이다. 그런데, 기가 막히게도 이 일을 결정하는 주체가 아무런 법적인 책임을 지지 않는 소수의 일반인들인 것이다.

① <국민연금기금운용위원회> 1/3의 찬성이면 <수탁자책임전문위원회>로 이관

수탁자책임활동(스튜어드십 코드의 발동 등)의 의사결정은 20인(상근 6인+비상근 14인, 보건복지부 장관을 비롯하여 사용자 단체에서 3인, 노동자단체에서 3인 등 각 단체의 추천인사)으로 구성된 <국민연금기금운용위원회>에서 결정하여야 한다. 왜냐면, 이들이 실질적인 법률적 책임기관이기 때문이다. 그런데, 그것의 중요성에 비해서 너무 쉽게 발의될 수 있도록 설계되어있으며, 쉽게 타 부처인 <수탁자책임전문위원회>로 이관되어 그곳에서 결정된다. (한편, 스튜어드십 코드 등의 수탁자책임활동은 <수탁자책임전문위원회> 자체적으로도 발의가 가능하다.)

수탁자책임활동(스튜어드쉽 코드의 발동 등)의 의사결정이 연금기금운용위원 20명 중에서 1/3의 찬성이면 발의되고, 이것이 <수탁자책임전문위원회>로 회부된다. 이것은 너무도 쉽게 발동될 수 있다. 그리고 어떤 의미에서 <국민연금기금운용위원회>가 법률적인 책임기관인데, 이 문제에 대한 책임은 <수탁자책임전문위원회>로 이관된다. 그러나 그들은 법적인 기관도 아니고, 아무런 책임을 지지 않는다. 여기에는 이것을 입안한 자의 어떤 계략이 존재할 가능성이 매우 크다. 이것은 스튜어드십코드를 입안한 정부 당국자들이 만들었다.

② 권한만 있고, 책임은 없는 <수탁자책임전문위원회>

그후 그 안건은 민간으로부터 선정한 9인으로 구성된 <수탁자책임전문위원회>에 회부되어 결정된다. 그런데, 이 <수탁자책임전문위원회>는 실질적인 책임기관이 전혀 아니다. 그냥 일반인들로 구성된 외부기관일 뿐이다. 이들은 마치 자신의 의견을 말해주는 자문기관과도 같다.

<수탁자책임전문위원회>에서 있었던 에피소드가 있는데, 대한항공 스튜어드쉽 코드 발동시 수택책임전문위원으로 활동했던 한 분의 이야기를 들어보면, 한 회사의 운명이 오가는 일이었는데도 즉흥적으로 수탁책임전문위외회가 소집되었다. 그래서 선약이 있는 다른 위원들은 참여할 수도 없었고, 아무런 자료 검토도 없이 또 떠도는 소문들만이 의사결정 자료의 전부였다고 한다.(참조: 오늘날에는 변했을 수도

있겠다.) 그리고 이들은 이 결정에 대해서 아무런 법적인 책임을 지지 않는다. 이들의 결정이 한 회사의 운명이 좌우하는 데, 너무 무책임하게 운영된다. 예컨대, 삼성전자가 여기에 올라왔다고 하자. 우리나라 경제의 운명을 걸머진 삼성전자가 아무런 책임이 없는 몇 사람의 판단에 의해서 그 운명이 좌우된다.

③ <수탁자책임전문위원회>의 자의적 의사결정

그리고 이들의 의사결정의 방법(예: 과반수 찬성 등)이나 그 구체적인 판단기준이 "수탁자책임활동지침"에 규정되어 있지 않다. 오직 이들의 전문성과 자의성에 의해서 결정할 수 있도록 되어 있다. 우리나라의 헌법을 위협하는 사인일 수도 있고, 한 기업의 운명이 결정되는 사안이 구체적인 책임도 지지 않는 몇몇 위원들에 의해서 결정되고 실행된다.

위의 국민연금기금의 수탁자 책임활동규정에 대해 많은 기업들에서는 이에 대한 공평성을 요구하였는데, 그러한 내용을 모아보면 다음과 같다.

① 국민연금의 수탁자책임활동(경영진에 관한 의사결정 외의 활동을 의미)에 대해 <국민연금 운용위원회> 1/3의 발의로 안건이 채택되어 그 안건이 <수탁자책임활동 전문위원회>로 송치되는데, <국민연금 운용위원회> 2/3의 발의 또는 의결로 결정이 되어야 한다. 진정한 책임 기관은 20인으로 구성된 <국민연금 운용위원회>이기 때문이며, 이것은 헌법 126조(국가의 사영기업 경영참여 금지)를 침해하는 조항이기 때문이다.

② 수탁자책임활동 대상기업 선정시 그 기준이 분명히 설정되어야 한다. 주식가치를 현저히 하락시키는 요인이 발생했을 때 수탁자책임활동이 개시되는데, 그 기준이 열거주의에 의해서 열거되어야 한다. 그리고 <수탁자책임활동 전문위원회>에서는 그 기준에 따라 의사결정을 해야 한다. 현재는 모두 자의적으로 수탁자책임활동이 개시되고 있다.

③ 스튜어드십코드 규정을 적용받게 된다면, 기업에게 항변권이 주어져야 한다. 기업은 <수탁자책임활동 전문위원회>에 참여하여 항변할 수 있는 기회가 주어져야 하며, <수탁자책임활동 전문위원회>의 의사결정이 부당할 경우, 이것을 상급기관에도 다시 항변할 수 있도록 하여야 한다.

마. 무소불위의 <수탁자 책임전문위원회>

① '주주권행사'를 총괄하는 <수탁자 책임전문위원회>

국민연금의 상장기업에 대한 의결권 행사의 모든 것은 <수탁자 책임전문위원회>에 일임하고 있다. 즉, <국민연금운용위원회> 위원의 1/3의 발의만으로 그 '의결권 행사'의 결정권이 <수탁자 책임전문위원회>로 이양된다.

여기에 추가하여 <수탁자 책임전문위원회>의 위원들 1/3이면 그 자체 내에서도 '수탁자책임활동(주주권행사) 등'의 발의가 가능하다. 『국민연금기금운용지침』 5조 "기금 운용 관련 조직의 역할과 책임"의 ⑤항은 "주주권 행사"에 대하여 다음과 같이 기술하고 있다.

제5조, 기금운영 관련 조직의 역할과 책임

⑤ 국민연금기금 수탁자책임전문위원회는…주주권행사에 관한 다음 각호의 사항을 검토·결정한다.

4. 다음 각목에 해당하는 주주권 행사 관련 사항 결정

가. 기금운용본부가 판단 곤란하여 (<국민연금운용위원회>의 재적위원 1/3의 발의로 성립) 수탁자책임전문위원회에 결정을 요청한 사안

나. 수탁자책임전문위원회 재적위원 1/3이상이 장기적인 주주가치에 미치는 영향이 크다고 판단하여 수탁자책임 전문위원회에 회부할 것을 요구하는 사안

다. …

위의 ⑤항에서 언급된 "주주권 행사"는 "수탁자책임활동"으로서의 "이사 감사의 선임 해임 행위 등"을 말한다. 물론 "수탁자책임활동"은 이 외에도 고려할 수 있는 것들이 존재하지만(예 : 투자처의 이동 등), 국민연금운용본부에서 사용하는 "수탁자책임활동"에서의 "주주권 행사"는 "이사 감사의 선임 해임 행위" 등의 "국민연금 주주권행사" 전체를 말한다.

쉽게 표현하면, 국민연금 기금운용본부의 모든 권한이 바로 이 <수탁자책임활동 전문위원회> 9인에게 이양되어 있다는 것이다. 국민연금 890조원이 가진 모든 주주의결권이 이들 9인의 손에 의해서 좌우된다. 이들이 국민연금기금이 투자한 모든 기업에 대한 주주권한을 관리한다. 그들은 그러한 권한을 행사한다. 그러나 그들은 수탁자책임활동에 대해 지는 책임은 아무 것도 없다. 현재 <수탁책임전문위원회>는 <국민연금기금운용위원회>로부터 '수탁책임활동'과 관련한 모든 권한을 위임 받았기 때문에 이

들이 이제 모든 국민연금 투자기업에 대해 "주주 의결권행사 결정"을 한다.

② <수탁자 책임전문위원회>의 구성

그런데, 이 <수탁자 책임전문위원회>는 <국민연금운용본부>에서 임의로 선정한 위원들이지, 법에 기반한 위원들이 아니다. 이들의 선정기준은 규정되어 있지 않으며, 각 유관기관의 추천을 받아서 임명한다. 그들은 어쩌면 그 유관기관들의 이익을 대변할 것이다. 각 유관기관은 그러한 자를 선발하여 추천할 것이기 때문이다. 결국, 아무런 법적인 책임을 지지 않는 위원들이 스튜어드십코드 행사 등의 여부를 결정하게 된다. 한편, 2021년말 현재의 <수탁책임전문위원회>의 위원은 다음과 같다.

번호	추 천 단 체	성 명	소 속
1	근로자(한국노총)	원종현	상근전문위원 위원장
2	사용자(대한상의)	오용석	상근전문위원
3	지역가입자(회계사회)	신왕건	상근전문위원
4	사용자(경총)	정우용	한국상장회사협의회
5	사용자(경총)	허희영	한국항공대학교
6	근로자(한국노총)	전창환	한신대학교
7	근로자(민주노총)	이상훈	서울시복지재단
8	지역가입자(회계사회)	조승호	대주회계법인
9	지역가입자(참여연대)	홍순탁	에셋인피플(주)

③ <수탁자 책임전문위원회>의 의사결정

위의 위원들의 구성을 한 번 보자. 그들은 분명히 자신들을 추천한 단체의 이익을 대변할 것이다. 일반적으로 모든 이해관계는 노동자 vs 경영자로 구분된다. 그리고 더 나아가 좌파 vs 우파로 구분된다. 여기에서 노동자와 좌파는 무조건 대기업 등 지배구조개편에 관심을 가지고 투표를 한다. 여기에서 과반수만 확보하면, 어떤 기업에 『수탁자책임활동지침』에 따른 조치들(Ex, 사외이사파견, 스튜어드십코드행사 등)을 부과할 수 있다.

『수탁자책임활동지침』이 주로 대기업 지배구조 개편목적으로 제정되었다. 그래서 이러한 일에 가장 적극적인 참여연대가 위에서 오피니언 리더로 알려져 있다. 메스컴들은 이 <수탁자 책임전문위원회>에 대해 매우 비판적이다.

바. 2021.2.과 2022.2. 수탁자책임전문위원회의 '사외이사 파견' 논의

조선일보 2021.6.28. 기사에 "대기업 7곳(삼성물산, 포스코 등)에 눈 부라린 국민연금, 사외이사 파견할 수 있다"라는 기사가 나왔다.(홍준기 기자, 입력 2021.02.18. 03:54 입력) "산재 등 문제 회사에 이사 파견"에 <수탁자책임전문위원회> 일부 위원이 제기하고, 세 차례 논의를 하였는데, 아직 국민연금기금에 사외이사 풀이 마련되지 않은 등의 이유로 인해 실행하지 않았다.

위의 일은 2022.2에 또 다시 논의되었다. 2023.2에는 윤석열 정부로 바뀌어서 인지 논의되지 않았다. 향후 좌파들이 집권하면, 이러한 '이사 파견'의 문제는 또 다시 논의되는데, 이제는 모두 준비되었으니 타겟으로 삼은 대기업에 대해서 곧바로 실행될 것이다.

3. 『이사회 구성·운영 등에 관한 기준 안내』의 위법적 내용

가. 『이사회 구성·운영 등에 관한 기준 안내』와 "스튜어드십코드"의 결합

① 2020.7.31. 『이사회 구성·운영 등에 관한 기준 안내』

국민연금기금은 2020.1.29. 다음 장에서 논의될 『자본시장법시행령』 154조를 대대적으로 개정하여 '일반투자'제도를 신설한 후, 이 개정 내용을 2020.2-5 사이에 곧바로 실행하여 72개 기입을 "단순투자에서 일반투자로 투자목적 전환"을 하고, 2020.7.31. 『국민연금기금 투자기업에 대한 이사회 구성·운영 등에 관한 기준 안내』(이하, 『이사회 구성·운영안내』로 표기)를 마련하여 이들 72개사에게 통보하였다.

만일 위의 『투자기업…이사회 구성·운영안내』가 "단순히 의견을 전달하거나 대외적으로 의사를 표시하는 것"에 한한다면, 위법행위라고 할 수 없다. 그러나, 『이사회 구성·운영 안내』가 "경영(이사추천·파견)개입"을 말한다면, 그것은 국가의 헌법적 체제와 정체성을 파괴하는 행위가 된다. 국민연금은 우리나라 상장사 대기업들 전체(172개사)에 대해서 2대 주주이기 때문이다. 이것은 『헌법』을 위배한 것이다.

② 『이사회 구성·운영 안내』와 연금스튜어드십코드와의 관계

중요한 것은 이 『이사회 구성·운영 안내』의 서두에, 이것은 2018.7 도입한 『국민연금 수탁자 책임활동 지침』(18조, '주주제안(스튜어드십 코드규정)')의 후속조치임을 명기하고 있다. 만일 이 『이사회 구성·운영 안내』를 거부할 경우, 그 기업은 『국민

연금 수탁자 책임활동 지침』(스튜어드십 코드규정)에 따라 관리되는 것이다. 따라서 이 『이사회 구성 · 운영 안내』에서 제시하는 것은 '강제조항'이 된 것이다. 그리고 『이사회 구성 · 운영 안내』에서는 '주주 평등권'을 주장하며, '이사추천'을 말한다. 그래서 국민연금이 추천하는 이사를 받지 않을 경우, '스튜어드십 코드규정'에 따라 관리되는 것이다. 이렇게 이제 국민연금은 이사를 파견할 수 있는 권한을 얻게 되었다. "국가가 국민연금으로 사영기업(주요 대기업들)을 지배할 수 있다"는 법규를 만든 것이다.

③ 2021.2, 2022.2. 사외이사 풀 구성과 사외이사파견 논의

그래서 곧바로 이어서 국민연금운용본부는 본부 내에 투자기업들에게 파견할 '사외이사 pool'을 구성하기 시작하였다. 2020.7.31. 나타난 『이사회 구성 · 운영안내』가 발표됨과 동시에 시작되었으며, 그해 말에 <운용위원회>에서 한 위원은 그 사외이사 풀 구성의 진행상황을 물었고, 국민연금 담당자는 '사외이사 법규'를 준비 중이며, 이것이 준비되면, 곧바로 구성되기 시작한다고 답변하였다. 이것은 <운용위원회> 회의록에 나타난다.

그리고 매해 주총이 있는 2021.2과 2022.2에 삼성물산(삼성전자의 지주회사) 등 7개 회사에 대해 사외이사 파견문제를 수탁자책임전문위원회에서 논의하였다. 그런데, 여러 여건이 아직 맞지 않아 파견(추천)하지 못한다. 2021년도 사외이사 풀이 구성되지 않아서 파견을 하지 않았다는 이야기가 있으며, 2022년도는 세 차례 회의를 거듭하면서도 결론을 내지 못하는 가운데에 주총이 끝났다.

별도의 위법한 사항도 없는데, 일단 수탁자책임전문위원회에서는 국민연금의 투자기업에 대한 모든 권한을 가지고 자신들의 판단대로 모든 것을 결정한다. 수탁자책임전문위원회 9인이 900조에 이르는 국민연금 투자기업의 모든 의결권 행사 등을 모두 관리한다. 한국경제신문의 2023년 연초 보도에 의하면, 수탁자책임전문위원회 9인 중에서 6인은 자신들의 파견단체를 대변하여 3:3으로 서로 대립하여 자신들의 의견을 밝히는 경향이 있고, 결국 3인이 이 모든 것을 결정하는데, 그중 1인이 참여연대인데, 이에 의해서 모든 것이 결정되는 것 같다고 보도하였다. 한국경제신문은 이러한 뉘앙스로 보도하고 있다.

④ 법규의 정체성

결국 『이사회 구성 · 운영안내』는 『국민연금법』의 하위 법규의 성격을 갖는다. 왜냐면, 『수탁자 책임활동 지침』이 『국민연금법』에 규정되어 있기 때문이다. 그리고 『이

사회 구성·운영안내』의 서두에서 이 안내는 『수탁자 책임활동 지침』의 하위법규임을 밝히고 있다. 결국 『수탁자 책임활동 지침』이나 『이사회 구성·운영 안내』는 『국민연금법』의 하위법규이다.

『수탁자 책임활동 지침』을 보완하는 내규로서 2019년 1월에 제정한 『국내주식 수탁자 책임활동 가이드라인』과 2019년 12월에 제정된 『적극적 주주활동 가이드라인』이 있다. 이에 의하면, <국민연금기금운용본부>는 3단계를 거쳐서 수탁자 책임활동을 전개하는데, 이에 불응하는 기업에 대해서는 스튜어드십 코드를 발동한다.

대통령과 보건복지부장관은 '시행령'과 '각종 지침'을 통해서 '헌법'을 위반하고 있다. 이러한 행위는 국가의 정체성에 깊은 영향을 미치고 있으며, 사회주의 혁명도구로서의 기능을 하고 있다고 보아야 한다. 왜냐면, 그 일을 추진한 자들이 사회주의 추종자들이기 때문이며, 이 법규가 정상적으로 가동되면 우리나라가 사회주의화 되기 때문이다. 따라서 우리나라는 헌법은 자유민주주의인데 반하여, 법규나 시행령 등은 연금사회주의로 되어 있다. 이것은 사회주의 혁명가들이 정권을 잡은 후, 국민연금 스튜어드십코드와 대통령시행령을 통해서 한 행위인데, 이것은 헌법적 질서를 파괴하는 사회주의 혁명행위로 간주될 수 있다. 우리는 그러한 논의를 제기하는 것이다. 그것은 사회주의 혁명과 관련한 법률인 『국가보안법』 혹은 『형법』에 따라 조사되어야 한다.

만일 『국민연금기금 투자기업 이사회 구성·운영 등에 관한 기준 안내』가 법률에 의한 내부규정인 『연금 수탁자 책임활동에 관한 지침』의 후속조치여서, 이것이 『국민연금법』의 하위 법규의 성격을 갖는다면, 그 내용이 『헌법』 126조, 『자본시장법』 147조, 『국민연금법』 102조 2항의 규정을 위배하면 위헌인 법규가 된다. 그리고 그 위헌적인 내용이 헌법적 질서를 파괴하고, 사회주의 혁명적 성격을 띠고 있다.

나. 서두, <수탁자책임전문위원회>의 "검토의견"

『이사회구성·운영 안내』의 서두에는 <수탁자책임전문위원회>의 "검토의견"이 나타나 있는데, 여기에는 "··· 강제력은 없으나, 지나치게 구체적이고 과도하다고 느낄 수 있다"라는 의견을 내놓고 있다. <국민연금기금운용위원회>는 자신들의 전문성을 극복하기 위해서 <수탁자책임전문위원회>를 두고 있다. 이 기관은 "『이사회 구성·운영 안내』에는 강제력이 존재하지 않는다"고 검토의견을 내고 있다.

이 "강제력 존재 여부"는 이 사안의 판단과 관련하여 매우 중요하다. 만일 『이사회 구성·운영 안내』에 강제력이 존재한다면, 이것은 국가의 사영기업 개입에 해당한다.

그런데, 이 『이사회구성·운영 안내』의 결론은 "국민연금 투자기업에 이사를 추천하겠다"는 내용이었다. 그런데, 『이사회구성·운영 안내』는 서두에서 이 안내를 거부할 경우, 『수탁자책임활동지침』(국민연금 스튜어드십코드 규정)을 적용하겠다고 한 것이다. 이것은 『이사회 구성·운영 안내』가 강제규정이라는 것이다.

『이사회 구성·운영 안내』에서 이사회 구성과 관련한 강제적 내용이 존재한다면, 그것은 위법적 내용으로서 그것은 "헌정질서 파괴"에 해당한다. 그리고 이것은 법규로 만들어져서 계속 그 기능을 하고 있기 때문에 그것은 "헌정질서 파괴"이면서, 동시에 그 귀결점이 사회주의 혁명이라면, 이것은 『자본시장법 시행령』 등을 통하여 "사회주의 혁명의 길"을 만든 것으로 보인다.

다. "핵심원칙 3, 이사회의 기능"에 대한 잘못된 규정

『이사회 구성·운영안내』에는 하나의 지향점이 존재하는데, 그것은 투자기업에 '사외이사'를 파견하는 것이다. 그리고 이 사외이사의 역할을 『이사회 구성·운영안내』에서 말하고 있는데, "경영의사결정의 기능"과 "경영감독의 기능"이라고 말한다. 즉, "대표자를 감독하겠다"는 것이다. 많은 전문가들은 이것을 첨단 대기업(예, 4대기업)의 스튜어드십 코드를 위한 사전포석으로 이해한다.

한편, 『상법』상의 '이사' 정의에 의하면, '이사'는 '상근이사'이건 '사외이사'이건 아무런 차별이 없다는 것을 먼저 밝힌다. 그리고 이사의 기능은 "경영의사결정의 기능"이라고 말한다. 그리고 "경영감독의 기능"은 이사의 기능이 아니라, 감사의 기능이라고 말한다.

『이사회 구성·운영규정』은 이와 같이 상법을 넘어서서 이사의 기능을 "경영의사결정의 기능"과 "경영감독의 기능"이라고 선언한다. 그러면서 소액주주의 보호를 위해 이사회 구성에 국민연금기금에서 보유주식수의 비율만큼 이사를 추천할 수 있으며('주주평등권'에 대한 주장의 의미), 회사는 이것을 정당한 이유 없이 거부할 수 없다고 규정하고 있다. 그리고 2020.12. 회의록에 의하면, <국민연금 운용회의>에서는 회사가 이것을 거부할 경우, 스튜어드십코드를 발동하는 것을 결의하였다.

『이사회 구성·운영안내』에서 "Ⅲ.이사회 기능"의 '핵심원칙'과 '세부원칙'은 다음과 같이 밝히고 있다.

(핵심원칙 3) 이사회 기능

이사회는 회사와 주주의 이익을 위하여 회사의 경영목표와 전략을 결정하고, 경영진을 효과적으로 감독하여야 한다.

(세부원칙 3-①)

이사회는 경영의사결정 기능과 경영감독 기능을 효과적으로 수행하여야 한다.

한편, 위의 진술 중에 상법과 일치하지 않는 진술이 존재하는데, 『상법』 393조 '이사회의 권한'은 다음과 같이 규정되고 있으며, 『상법』 412조 '감사의 직무와…권한'은 다음과 같이 규정되고 있다.

『상법』 393조(이사회의 권한) ①…회사의 업무집행은 이사회의 결의로 한다. ②이사회는 이사의 직무의 집행을 감독한다. ③이사는 대표이사로 하여금 다른 이사 또는 피용자의 업무에 관하여 이사회에 보고할 것을 요구할 수 있다.…

『상법』 412조(감사의 직무와 보고요구, 조사의 권한) ①감사는 이사의 직무의 집행을 감사한다.…

이에 의하면, 『이사회 구성·운영안내』는 ①『상법』상의 감사의 기능인 "감사는 이사의 직무의 집행을 감사한다"는 본문을 마치 이사의 기능인 것처럼 표기하고 있다. ②『상법』상 이사는 "회사의 업무집행을 수행"하는데, 『이사회 구성·운영안내』는 "주주의 이익을 위하여"를 추가하고 있다. ③『상법』은 "이사회가 이사의 업무집행을 감독해야 한다"고 되어 있는데, 『이사회 구성·운영안내』는 "이사회는 경영진을 효과적으로 감독해야 한다"고 언급하고 있다.

요약하자면, 『이사회 구성·운영안내』는 이사의 기능으로서 주주의 권익을 넣고 있으며, 이중 소액주주의 권익을 보호하기 위해 국민연금의 개입을 타당화 시키고 있다. 그런데, 상법상의 이사의 업무로서 그러한 기능은 존재하지 않는다. 그러나 『이사회 구성·운영안내』는 이사의 업무에 감사의 업무를 추가하여 신설한 후, 소액주주를 대신하여 자신들이 개입하여야 한다고 말한다.

결론적으로, 『이사회 구성·운영안내』는 전문에서 밝히고 있는 바와 같이 법률에 의한 내부규정인 『수탁자 책임활동지침』의 후속조치이다. 즉 국가기관에서 제정하는 법규에 해당한다. 그런데 왜 『상법』과 다른 조항을 생산해 내는가?

그래서 궁극적으로 국민연금의 국가와 소액주주의 민중이 결합하여 '민중 민주주의 혁명' '국가자본주의 혁명'을 일으키려 하는가? 장하성의 『한국자본주의』의 이념과 방법론이 여기에 반영된 것이다. 우리는 지금까지 계속 논의한 『국민연금 수탁자책임활동지침(스튜어드십 코드)』과 『국민연금 이사회 구성·운영안내』는 『한국자본주의』의 사상을 정권을 창출하여 국정에 반영한 것으로서, 사회주의 혁명에 해당하며, 『헌법』을 심각하게 훼손하였다고 주장하고자 한다.

라. "핵심원칙 4, 이사회 구성(이사선임)"에 대한 잘못된 규정

『이사회 구성·운영규정』의 '핵심원칙 4'의 제목은 '이사회 구성'으로 되어 있다. 그리고 그 내용은 '이사선임'에 관한 사항이다. 다음의 내용에 의하면, 국민연금이 투자한 사영기업들에게 "이사의 구성을 이렇게 하라"는 형태로 되어 있는데, "경영진과 지배주주로부터 독립적으로 기능을 수행할 수 있도록 충분한 수의 사외이사를 두도록 한다."라고 되어 있다. 지금 국가가 사영기업의 이사회 구성기준을 마련한 것이다. 이 규정은 기업이 스스로 이사회 운영규정을 만드는 것인데, 국가가 그것을 만들어서 적용하고 있으며, 이에 의하면 "경영진과 지배주주로부터 독립적으로 기능을 수행할 수 있는 충분한 수의 사외이사"라고 되어 있다. 그리고 그 사외이사는 누가 파견하는가? 그것은 국가가 파견한다. 국가가 이사회구성에 적극 관여하고 있는데, 이 사외이사 조직은 "경영진과 지배주주로부터 독립적으로 기능을 수행할 수 있도록 충분한 수의 사외이사를 두도록 한다"라고 하여서 중국 공산당이 각각의 기업에 "공산당 위원회"를 만드는 것과 같은 성격의 행위이다.

그리고 "경영자로부터 독립적인 기능을 할 수 있는 사외이사를 두라"고 말한다. 헌법과 법률로 정하여야 할 사항을 지금 『이사회 구성·운영안내』를 통해서 하고 있다. '핵심원칙 4'의 내용은 다음과 같다.

(핵심원칙 4) 이사회 구성

이사회는 효율적으로 의사를 결정하고 경영진을 감독할 수 있도록 구성하여야 하며, 이사는 다양한 주주의견을 폭 넓게 반영할 수 있는 투명한 절차를 통하여 선임되어야 한다.

(세부원칙 4-①) 이사회는 효과적이고 신중한 토의 및 의사결정이 가능하도록 구성하여야 하며, 경영진과 지배주주로부터 독립적으로 기능을 수행할 수 있도록 충분한 수의 사외이사를 두도록 한다.

『이사회 구성·운영안내』의 "이사회 구성"의 내용은 『상법』 382조 "이사의 선임,

회사와의 관계 및 사외이사"의 내용과 전혀 다르다. 국가가 각 기업에 독자적인 기구를 하나씩 만들겠다는 것이다. 중국 공산당이 각 기업에 <공산당 위원회>를 설치하는 것과 전혀 다르지 않다. 지난 정부는 국민연금의 막대한 기금을 이용하여 이렇게 연금 사회주의를 열고자 한 것으로 보인다. 이 법규가 지금 그대로 상존하는데, 좌파가 집권하면 곧바로 4대기업을 중심으로 작동을 할 것이다. 한편, 『상법』은 이사를 주주총회에서 선임한다고 되어 있다.

> 『상법』 382조(이사의 선임, 회사와의 관계 및 사외이사)
> ① 이사는 주주총회에서 선임한다. ② 회사와 이사의 관계는 「민법」의 위임에 관한 규정을 준용한다. ③ 사외이사(社外理事)는 해당 회사의 상무(常務)에 종사하지 아니하는 이사로서 다음 각 호의 어느 하나에 해당하지 아니하는 자를 말한다.(이하 생략)

마. "핵심원칙 4, 이사회 구성(이사선임)"에 대한 비판

위의 『상법』에 규정되지 않은 『이사회 구성·운영안내』의 '이사선임'에 관한 내용은 다음과 같다.

먼저, "이사회는 경영진을 감독할 수 있도록 구성하여야 한다"는 내용은 잘못된 내용이다. 그것은 이사가 아닌 『상법』상의 감사의 의무이다. 왜 자꾸 소액주주를 빙자하여 회사의 경영진인 이사회에 참여하려 하는가? 국가기관이 이사회에 참여하는 것은 사회주의 체제일 수 있다. 특히 기존의 경영자를 넘어서서 경영자를 관리 감독하는 법규는 중국 공산당이 각 기업에 <공산당 위원회>를 설치한 것과 크게 다를 바가 없는 사회주의 법규에 해당한다고 볼 수 있다.

두 번째, "다양한 주주의견을 폭 넓게 반영할 수 있는 투명한 절차를 통하여 선임되어야 한다"는 규정을 신설하고 있는데, 이미 『상법』은 그와 같이 '주주총회'를 통해서 이사를 선임하고 있다. 그러나 국민연금(국가)이 기업에서 소액주주(민중)를 대변하여 위와 같은 행위를 하겠다고 하는 것은 민중 민주주의 혁명에 해당한다. 국가는 대기업 경영진과 소액주주의 민중 모두를 위하여야 한다. 민중의 모든 일자리가 대기업의 경영진에서 나오기 때문이다. 그것은 민중의 권익을 위한다고 하면서 국가가 혁명을 시도하는 민중 민주주의와 국가자본주의의 전형적인 모습이다.

세 번째, 『이사회 구성·운영안내』는 『상법』과 다른 "사외이사" 규정을 신설하고 있다. 현행 『상법』상의 '이사'와 '사외이사'는 오직 상근과 비상근에 의해서만 구분된다. 『이사회 구성·운영안내』의 '사외이사'는 '이사'와 '감사'의 직무를 넘어서서 경영진과 독립되어서 경영진에 실력을 행사하도록 되어 있다. 이것이 곧 사회주의 혁명일 수 있다는 것이다. 이것이 중국 공산당이 각 기업에 설치한 <공산당 위원회>와 다른 점이 무엇인지를 <국민연금운용위원회> 등은 소상히 밝혀야 한다.

바. "세부원칙 4-③, 이사회 구성(이사선임)"에 개입하겠다는 국민연금

국가기관으로서의 국민연금은 『이사회 구성·운영안내』의 "세부원칙 4-②와③"을 통해 "이사회 구성(이사선임)에 대한 구체적 규정"을 기업에 제시하고 있다. 국민연금은 2020.7.31. 『이사회 구성·운영 안내』와 『국내주식 수탁자 책임활동 가이드라인』과 2019년 12월에 제정된 『적극적 주주활동 가이드라인』에 의해, 동 규정을 거부하는 기업에 대해 "스튜어드십 코드의 발동"을 한다는 지침을 공포하였다. 그렇다면 이것은 '단순한 안내'(『자본시장법 시행령』 154조 1항의 '괄호')가 아니라, 명백한 '강제 행위'이다.

국민연금은 우리나라 주요기업들 대부분에 대해서 2대 주주인데, 여기에서 스튜어드십 코드를 발동하면, 무수히 많은 사모펀드들이 여기에 가세하여, 해당 기업의 경영진을 즉각적으로 교체해 버릴 수 있다. 국민연금은 이렇게 국내 대기업들의 2대주주의 의결권 권한과 스튜어드십 코드를 이용하여 모든 기업들에 이사를 파견할 수 있도록 『이사회 구성·운영안내』를 만들었다.

한편, 국민연금은 이사 후보 추천과 선임과정에서 일정한 룰을 제시하고 있으며, 여기에서 "이사후보추천위원회와 주주의 이사후보 제안"을 말하고 있는데, 국민연금이 이것을 하겠다는 것이다. 국민연금의 행위는 2대 주주의 행위로서, 말을 듣지 않으면 스튜어드십 코드를 발동하겠다는 경고와 함께 이루어졌으므로, 이것은 명백한 경영침해이다. 우리나라 대기업 전체를 장악하고 있는 국민연금이 이러한 행위를 법규를 만들어서 전체의 기업에 대해서 하겠다는 것이기 때문에, 이것은 단순한 침해를 넘어서서 혁명수준이다. 국민연금은 이것을 우리나라 대기업들 전체에 확산시키기 위하여 사외이사 풀을 만드는 중에 있었다.

다음의 내용을 국민연금이 각 기업들에게 실행하겠다고 한 것이었는데, 이것이 혁명이 아니고, 무엇이 혁명인가? 국민연금은 시범적으로 이 일을 2021.2과 2022.2의 주총시기에 삼성물산 등 7개 대기업에 대해서 시도를 하였다. 2023.2에는 정권이 우파정권이 되어서 시도하지 못했다. 그러나 이 법규는 살아있다.

(세부원칙 4-③)

이사 후보 추천 및 선임과정에서 공정성과 독립성이 확보되도록 하여야 한다.

(이사후보추천위원회)

이사회는 이사후보를 공정하게 추천하기 위해 이사후보의 자격요건, 이사후보 추천절차를 마련하여 공개합니다. 이를 위해 과반수의 사외이사로 구성된 이사후보 추천위원회를 둘 수 있습니다. 이사후보 추천 위원회를 둘 경우 대표이사가 위원이 되지 않도록 하며, 자격요건에 부합한 사내이사 및 사외이사 후보군을 정기적으로 검토, 관리합니다.

(주주의 이사후보제안)

이사회는 법령상 요건 등을 만족하는 주주들의 이사후보 제안을 합리적인 이유 없이 거부하지 않으며, 해당 후보에 대해 면밀히 검토하고 그 내용을 공개합니다.

국민연금은 자신들의 2대 주주로서의 의결권과 스튜어드십코드를 기반으로 위의 문안을 작성하여 공표하였다. 그렇다면, 위의 글은 강제성이 있는 공표에 해당한다. 만일 위의 문안에 강제성이 있다면, 그리고 국민연금에 경영 관련한 의결권이 존재한다면, 우리나라는 연금 사회주의라는 것을 알아야 한다. 국민연금이 의결권을 가지는 한 우리나라는 연금 사회주의이다.

위의 내용 중 "주주의 이사후보제안"에 의하면, 국민연금은 "법령상 요건 등을 만족하는 주주들의 이사후보 제안을 합리적인 이유 없이 거부하지 않으며"라고 말하고 있다. 국민연금은 앞서 "핵심원칙 2, 주주의 공평한 대우"에서 "주주는 보유주식의 종류 및 수에 따라 공평한 의결권을 부여받아야 한다"고 말하고 있다. 이 양자가 연결이 되면, 그것은 국민연금은 국내 172개사의 2대 주주로서 자신들의 지분율만큼 이사선임을 의도하고 있다는 것으로 간주된다. 국민연금이라는 공적자금을 이용해서 국내 주요기업의 경영에 관여하겠다는 것이다. 그 내용에 의하면, "국민연금의 이사후보 제안에 합리적인 이유가 없으면 거부할 수 없다"고 규정하고 있다. 그리고 이 규정을 준수하지 않을 경우, 스튜어드십 코드의 발동을 통한 경영권 교체 등의 조치를 단행하겠다는 것이다. 이렇게 국가의 정체성을 위반하는 행위에 대한 의사결정을 국가기관인 <국민연금운용위원회>에서 행한 것이다. 이들은 모두 조사를 받아야 한다.

사. "핵심원칙 5, 사외이사의 책임"의 부적절성

국민연금 『이사회 구성·운영안내』의 "핵심원칙 5, 사외이사의 책임"은 상법과 상이한 규정을 하고 있다. 이에 의하면, 사외이사는 "경영진을 감독, 지원한다"고 규정하고 있다. 그 내용은 다음과 같다.

(핵심원칙 5) 사외이사의 책임
사외이사는 독립적으로 중요한 회사경영정책의 결정에 참여하고 이사회의 구성원으로서 경영진을 감독, 지원할 수 있어야 한다.

위의 내용은 앞에서 한 번 언급하였다. 우리나라 상법상의 규정에 의하면, 위의 업무는 감사의 의무에 해당한다. 상법상의 규정에 의하면, ①이사회가 이사의 업무수행 여부를 감독한다. 특히 이사회를 대표하는 대표이사가 이사들의 업무를 감독한다. 이사들은 자신들에게 맡겨진 분야에 대한 업무를 수행한다. 이들 전체를 가리켜서 경영진이라고 말한다. ②이때 사외이사는 이사와 전혀 다르지 않다. 다만 상근여부로만 구분될 뿐이다. 일반적으로 그 분야의 전문가가 사외이사로 참여한다. 사외이사가 비상근직으로서 회사를 방문하여 경영진의 업무를 감독하는 것이 아니다. 사외이사는 경영진에 속한다. ③ 대표이사를 포함한 전체의 이사진을 경영진이라고 하는데, 이들을 감독하는 기관은 감사이다.

그런데, <국민연금 운용위원회>에서 신설한 '사외이사제도'는 이와 판이하게 다르다. 이사와 감사의 기능을 모두 가지고 있으며, 이 사외이사는 경영진을 관리 감독한다. 일반적인 이사와 감사로 구성된 '이사회' 위에 '사외이사'라는 기관을 신설한 것이다. 그리고 이 '사외이사'는 경영자를 관리감독한다. 무엇을 위해서? 소액주주(민중)들을 위해서 국가(국가 자본주의)가 나서는 것이다. 여기에서도 『한국자본주의』의 정신이 고스란히 재현되고 있다.

아. 기존의 경영진을 축출하는 "세부원칙 5-①"

<국민연금 운용위원회>는 위의 "핵심원칙 5, 사외이사의 책임"에 이어서 다음의 "세부원칙 5-①"의 기준을 제시함을 통해서 기존의 사외이사를 대거 탈락시키고 있다. 즉, 국민연금에서 구성하고 있는 사외이사 풀을 여기에 대거 참여시키겠다는 의도이다. 이사진의 구성에 국민연금이 강제적으로 개입하고 있는 것이다. 다음의 내용에 의하면, 기존 경영진(대주주)이 자신의 뜻대로 이사를 선임할 수 없게 하고 있다. 그 내용은 다음과 같다.

(세부원칙 5-①) 사외이사는 해당 회사와 중대한 이해관계가 없어야 하며, 회사는 선임단계에서 이해관계 여부를 확인하여야 한다.

(사외이사의 독립성) 사외이사는 이사회의 구성원으로서 경영진과 지배주주로부터 독립적인 의사결정을 할 수 있도록 다음의 사항에 해당하지 않는 자가 선임되도록 합니다.

- 당해외사 또는 계열회사(비영리법인 포함)의 최근 5년 이내 상근 임직원
- 중요한 지분, 거래, 경쟁관계 등에 있는 회사(비영리법인 포함)의 최근 5년 이내 상근임직원
- 해당 상장회사에서 6년 이상 사외이사로 재직하였거나 해당 상장회사 또는 그 계열회사에서 사외이사로 재직한 기간을 합산하여 9년 이상인 자
- 그 밖에 법률자문, 경영자문 등의 자문계약을 체결하고 있는 등 회사와의 이해관계로 인해 사외이사로서 독립성에 우려가 있는 자

일반적으로 상장사에서 '사외이사'는 전문가를 대주주가 소신껏 영입한다. 그런데, 이제 국민연금에서는 대주주로 하여금 이 행위를 하지 못하게 하고 있고, 여기에 자신들이 양성한 사외이사 pool의 구성원들을 파견하려 한다. 이들에게 경영진을 감독할 권한을 부여하여 각각의 상장회사에 파견하고자 하는 것이다. 이것이 사회주의가 아니고, 무엇이 사회주의인가?

자. "핵심원칙 8, 이사회 내 위원회

국민연금은 각 상장회사의 이사회 내에 위원회를 구성하도록 규정하고 있다. 그리고 이사회 내의 위원회는 과반수를 사외이사로 구성하되, 감사위원회와 보상 위원회는 전원 사외이사로 구성하도록 하고 있다. 중국 공산당이 각 회사에 <공산당 위원회>를 구성하게 하였는데, 이것이 각 기업들에 지금 실현되고 있는 것이다.

(핵심원칙 8) 이사회 내 위원회
이사회는 효율적인 운영을 위하여 그 내부에 특정기능과 역할을 수행하는 위원회를 설치하도록 한다.
(세부원칙 8-①) 이사회 내 위원회는 과반수를 사외이사로 구성하되 감사위원회와 보상(보수) 위원회는 전원 사외이사로 구성한다.

(세부원칙 8-②) 모든 위원회의 조직, 운영, 및 권한에 대하여는 명문으로 규정하도록 하며, 위원회는 결의한 사항을 이사회에 보고하여야 한다.

차. 『이사회 구성 · 운영 등에 관한 기준 안내』에 관한 쟁점의 요약

<국민연금기금운용본부>가 주장하는 바와 같이 국민연금기금이 자신들이 투자한 기업들에 대한 "경영과 관련한 의결권"의 권한을 갖는다면, 위의 모든 내용은 강제력을 지닌다. 위의 내용에 순응하지 않을 경우, 2020.12.00 자의 <국민연금기금운용위원회>의 회의록에서 의결한 바와 같이 "스튜어드십 코드"를 발동하여 경영권 교체의 작업을 할 것이기 때문이다. 지난 몇 년 동안 사모펀드가 우후죽순처럼 일어났다. 국민연금 자체적으로 투자한 사모펀드만 하더라도 33.5조원에 이르고 있다. 국민연금기금에서 스튜어드십 코드를 발동한다면, 모든 사모펀드들이 경영권이라는 기득권을 좇아 달려든다. 따라서 위의 『이사회 구성 안내』는 상장기업들에게 아주 완전한 강제력을 지니고 있다.

그런 상태에서 모든 기업에 국민연금이 추천하고 파견한 사외이사 풀을 구성하려한다. 이 사외이사 풀은 기존 경영진의 이사와 감사의 이사회의 위에 위치한다. 왜냐면, 이사회와 독립적인 지분을 가지며, 그 기능이 대표이사를 관리 감독하는 기능이기 때문이다. 이들은 회사 내의 모든 자료들을 다 요구하여 볼 것이다. 이들은 이 기업들의 법률적인 이사들이기 때문이다. 심지어는 감사의 기능까지 가지고 있다. 대표이사를 직접적으로 관리 감독한다.

그런데, 여기에 파견할 사외이사 풀은 기업자체적으로 구성할 수 없다. 국민연금이 정한 기준 따라 구성하여야 한다. 즉 국민연금이 조성한 사이외사 풀에서 추천되고 파견된다. 이런 규정은 지금 살아 있는 규정이다. 해마다 2021.2.과 2022.2.에 <수탁자책임활동 전문위원회>에서 논의된 내용이 이러한 사외이사를 파견하는 문제였던 것이다. 문재인 정권 내내 이 일이 진행되었다. 이 사외이사의 기능은 중국 공산당이 모든 기업들에게 명령한 <공산당 위원회>와 유사하다. 이 사외이사 풀에 이제 이념만 탑재하면, 그 사이이사 풀은 각 기업들에서 소액주주를 대신하여 경영권 분쟁을 일으킬 것이며, 궁극적으로 그 기업은 국가가 대주주가 되는 그림을 만들 것이다. 이러한 법규가 지금 살아있다. 이것이 사회주의가 아니고, 무엇이 사회주의인가? 이 모든 것이 국민연금 의결권행사가 가능하다는 전제하에서 비롯된 사태였다.

4. <국민연금운용본부>의 상장사 의결권 행사 등

가. 이사 감사 선임 의결권 행사

주식회사 제도는 주주와 경영자가 분리되어 있다. 이때 이 기업의 주주를 소유자라고 한다. 주주는 자신의 의결권에 해당하는 지분만큼 그 기업의 소유권을 가진다. 따라서 주식 보유비율과는 무관하게 1주부터 그 비율만큼 소유권을 가진다. 주식회사의 설립자는 자신의 원래의 전체 소유권을 나누어 가지며, 주권을 공개시장에 상장한다.

이러한 소유권 행사 시스템은 이미 주주총회를 통해서 갖추어져 있다. 그것은 주주총회에서의 이사 감사 선임의 행위로서, 소유권행사 시스템은 주식회사 제도 하에서 이 행위가 유일하다. 이 소유자들 모두가 항상 경영에 참여할 수 없기 때문이다. 만일 공적자금이 이 행위에 참여하면, 그것은 소유권을 주장한 것이 된다. 이때 1회적으로 결정한 이 소유에 관한 의결권 행사는 1년 동안 유지된다.

이에 따라 우리나라 헌법 126조에서는 국가는 사영기업의 경영과 관리에 참여할 수 없다고 말한 것은 그 경영과 관련의 행위가 자본주의 주식회사 제도에서의 기업의 소유권에 해당하기 때문이다. 이에 따라 『자본시장법』 147조와 『자본시장법 시행령』 154조에서는 이사 감사 선임행위가 경영에 영향을 미치는 행위라고 명기되어 있는 것이다. 이에 따라 다음의 이사 감사 선임시의 의결권 행사는 헌법과 법률과 시행령을 위배한 것으로서, 이것은 국가 자본주의 혹은 사회주의 시장경제의 정체성 하에서만 가능한 행위인 것이다.

국민연금 운용본부는 의결권행사를 한 기업을 다음과 같이 공시하고 있다. 문제인 정권 동안 의결권행사는 계속 강화되었다.

행사년도	투자기업수	행사주총수	행사안건수	찬 성	반 대	이사감사반대	기타반대
2020년	1,033	854	3,397	2,854	535	245	290
2019년	1,059	767	3,278	2,647	625	251	374
2018년	764	768	2,864	2,309	539	226	313

나. 7개 회사에 대한 사외이사 파견논의

2021. 2-3월에 세 차례에 걸쳐서 국내 7개 회사에 대한 사외이사 파견을 <수탁자 책임 전문위원회>에서는 심도 있게 논의하였다. 그리고 2022.2-3월에도 동일한 논의가 있었다. 이 시기가 주총의 시기이기 때문이다. 2013년도는 정권이 바뀌고, 더불어

민주당에 내부문제가 너무 커서 이러한 논의를 하지는 않았다. 그러나 어지 되었건 이러한 것은 이미 국민연금 내부규정으로 자리잡고 있다. 그리고 이 국민연금 내부규정은 국민연금법의 하위규정들이기 때문에 법률적 차원으로 작동하고 있다. 다음의 내용은 2021년 2월의 기사이다.

국민연금이 삼성물산, 포스코, CJ대한통운과 4대 금융지주사에 사외이사를 추천해야 한다는 주장이 제기돼 논란이 일고 있다. 국민연금이 민간 기업에 사외이사를 추천한 것은 전례가 없는 일이다.

국민연금 몫의 사외이사 추천 주장의 핵심은 공룡급 주주인 국민연금이 가입자인 국민을 대신해 청지기처럼 충실하게 국민연금 자산을 운용하는 이른바 '스튜어드십'을 제대로 실행한다는 차원에서 각종 문제가 있는 기업에 사외이사를 보내서 감독을 하자는 것이다.

지난달(1월) 29일 열린 국민연금 최고의사결정기구인 기금운용위원회에서 참여연대 소속 위원(이찬진 변호사), "삼성물산(지배구조 문제), 포스코 CJ 대한통운(산업재해), 신한·KB·우리·하나 등 4대 금융지주사(사모펀드 사태)가 노동계 등 6명 위원의 동의를 얻어와 사외이사를 추천해야 한다"는 안건을 올린 것이 발단이다. 그 뒤로 기금운용위원회 산하 기구인 수탁자책임전문위원회가 지난 5일, 9일, 16일 세 차례나 회의를 열어 이 문제를 논의했다. 반대 의견에 막혀 결론을 내지는 못했다. (조선일보, 홍준기 기자, 2021.02.18.)

국민연금 『이사회 구성·운영안내』에서 말하는 사외이사, 즉 위에서 언급된 사외이사는, 우리가 지금까지 일반적으로 이해하고 있는 그러한 사외이사가 아니다. 이 사외이사는 경영자 특히 대표이사를 감독하며, 기존의 이사회에 종속되지 않는 사외이사이다. 그리고 이들은 하나의 위원회를 구성하기까지 발전한다. 중국 공산당은 모든 기업들에 <공산당 위원회>를 구성하여 그 경영을 감시한다. 국민연금이 말하는 사외이사는 이사와 감사의 업무를 모두 수행하며, 대표이사를 감독한다.

문재인 정부는 처음 집권을 하였을 때, 그동안의 모든 운동권 주사파들 60여명을 다 데리고 청와대에 들어갔다(김문수 유투브에서 인용). 문재인은 간첩왕 신영복을 가장 존경하는 사상가라고 말하였으며, 1948.8.15.의 대한민국의 정부설립의 정통성을 부인하였고, 헌법에서 '자유민주주의'에서 '자유'를 빼는 방안을 야당 측에 제시하였다. 그런데 사회주의의 본질은 경제이다. 이 나라가 사회주의화 되려면, 국가가 대기업들을 장악하여야만 한다. 우리는 위의 『이사회 구성·운영안내』를 통해서 이것을 시도하였다고 보는 것이다. 참으로 무모한 시도였다. 만일 위의 법규들이 그대로 상존하면 그렇게 될 것이다. 따라서 어떤 의미에서는 법규를 통한 사회주의 혁명이 일어난 것이다. 자유우파에서는 이 문제를 반드시 해결하여야 한다. 우리나라 헌법은 자유민주주의 시장경제의 헌법이기 때문이다.

다. 일반투자목적 회사들에 파견할 '사외이사 풀'

『상법』상 사외이사는 모든 권리와 의무에 있어서 이사와 전혀 다르지 않다. 경영자로 분류된다. 다만 일반이사와 사외이사는 상법상 상근·비상근 여부로만 구분될 뿐이다. <국민연금기금 수탁자책임 전문위원회>에서는 "사외이사 파견"을 금번 2021.2.에 세 차례에 걸쳐 적극적으로 논의하였다. 다만, 사외이사 풀이 마련되지 않는 등 몇 가지 이유로 인해 가결 되지 못했다.

그러나 이 문제는 계속 될 것인데, 무엇보다도 사외이사 풀을 구성하는 문제가 이미 <국민연금기금 운용본부>에서는 이미 논의 되었고, 내부적으로는 발표되었기 때문이다. 다음은 "2020년도 <국민연금운용위원회> 제7차 회의록 (2020.7.31.)"의 내용 중 일부를 발췌하였다.

> (이상철 위원) …스튜어드십코드 도입할 때 쭉 보면 로드맵에 작년(2019년도)에 인력풀, 사외이사 인력풀을 마련하겠다고 하셨는데, 그 진행상황도 간단하게 말씀을 해 주셨으면 좋겠고,…
> (최0근 연금재정과장) …로드맵 상의 사외이사 인력풀 이 부분은 먼저 바람직한 이사회 구성을 어떻게 하면 바람직하냐 이런 것에 대한 안내서 같은 것을 저희가 먼저 작업을 하고 있고, 그것 끝나고 나면 인력풀을 (어떻게) 해야 되는지를 좀더 추가적으로 검토할 계획임.(2020년도 <국민연금운용위원회> 제7차 회의록, 2020. 7. 31.)

위의 대화내용은 <국민연금기금운용본부>에서는 2020.2-5 사이에 "단순투자에서 일반투자로 전환"한 72개 회사에 해당하는 이야기이다. 이것은 당시에 이 72개 회사에 대한 사외이사 파견을 내부적으로 결정을 했다는 것이다. 2021년 2-3월에 삼성물산 등에게 사외이사를 파견하지 못한 이유는 이 사외이사풀이 마련되지 못한 것도 하나의 이유였다.

<국민연금기금 수탁자책임 전문위원회>는 앞으로 매해 '사외이사' 파견의 문제를 논의할 것이다. <국민연금기금 수탁자책임 전문위원회>가 존재하는 한 이 활동은 계속 된다. 그런데, 그것은 사회주의 혁명일 수 있다. 지난 정권에서는 『이사회 구성·운영 안내』를 통해 이 세계를 우리나라 모든 대기업들과 상장사들 향하여 열었으며, 이 일은 진행되고 있다.

< 칼 럼 > 위법행위의 의도 : 사회주의 혁명(?) 의도

가. 문재인 정부와 국민연금운용본부의 위법행위 여부

국민연금 의결권행사는 실질적으로 위헌·위법적 행위이다. 『헌법』 126조에 의하면, "국가는 사영기업을 국유 또는 공유할 수 없으며, 그 경영을 통제 또는 관리할 수 없다"고 되어 있다. 이때 '국유'는 '국가의 소유'로서 '국가의 부분적 소유'도 포함된다고 보아야 한다. 그래서 국가가 의결권행사를 하면, 일차적으로 소유행위가 발생해 버린다. 그리고 경영통제 행위가 그 지분비율 만큼 발생한다. 이때 의결권행사의 내용 중에서 『자본시장법』 147조와 『동시행령』 154조 1항에서는 1호-10호까지를 경영에 영향을 미치는 행위라고 규정하고 있다. 1호.이사 감사선임해임, 2호.정관변경, 3호.증자, 4호.배당 등등 10가지이다. 이 조항에 대한 의결권행사는 경영통제에 해당한다. 사실은 의결권행사 자체만으로도 국가가 위법행위를 한 것이다.

국민연금운용본부에서는 『국가재정법』 64조에서 "기금관리주체는 기금이 보유하고 있는 주식을 의결권행사를 하여야 한다"고 말한다. 그런데, 『헌법』 126조에 의하면, "국방상·국민경제상 긴절한 이유로 인하여 법률로 정하는 경우를 제외하고는"이라고 되어 있다. 『국가재정법』 64조에서 아무리 법률로 정해져 있다고 하더라도, 국민연금이 보유한 주식은 기금의 목적에 따라 운용되어 투자된 주식이 아니라, 일반 예치금 형태의 여유자금이다. 여유자금은 "국방상·국민경제상 긴절한 이유"에 해당하지 않는다. 『헌법』 126조 본문에 의하면, "국방상·국민경제상 긴절한 이유"와 "법률로 정하는 경우"의 양자를 충족하여야 한다. 그러나 국민연금은 『국민연금법』 102조 2항에서 말하는 바와 같이, 여유자금으로서 단순 예치금 형태인 '이익극대화' 목적으로만 운용되어야 한다. 그런데 이와 같이 모든 투자기업에 대한 의결권 행사는 엄명히 '경영통제'에 해당한다.

『자본시장법』 147조와 『동시행령』 154조 1항에서는 1호-10호까지를 경영에 영향을 미치는 행위라고 규정하고 있으며, 이러한 사항에 대한 '주주제안'(국민연금 스튜어드십코드 규정)은 더욱 직접적인 경영통제로서, 이것은 "『자본시장법』 147조와 『동시행령』 154조 1항"을 정면으로 위배한 행위이다.

그리고 문재인 정부는 『자본시장법시행령』 154조 1항과 5항의 개정을 하였는데, 그 내용은 "국민연금의 이사추천"과 "배당정책에의 참여"에 관한 것이었다.

그래서 국민연금기금운용본부는 "국민연금 스튜어드십코드 규정(주주제안)"의 존재로 인하여 『자본시장법시행령』 154조 1항과 5항의 개정사항인 "국민연금의 이사추천(파견)"과 "배당정책에의 참여"를 회사들에 강제할 수 있게 하였다. 그리고 이에 따라 매해 삼성물산을 비롯한 6개-7개 회사에 대해 사외이사 파견을 논의하는 가운데에 있으며, 이것은 우리나라 대기업 상장사 전체로 확장될 것이다. 국민연금은 172개사의 2대주주이다. 국민연금은 이렇게 다른 많은 기업들에 파견할 사외이사 풀을 구성하는 중에 있다. 그리고 국민연금 『이사회 구성·운영 안내』에서 말하는 사외이사는 대표이사를 감독하는 사외이사로서 기존의 이사회 위에 자리한다. 마치 중국의 각 기업들에 설치된 <공산당 위원회>와 그 기능이 유사하다. 국민연금은 이제 실질적으로 사영기업에 이사를 파견하고, 배당정책에 관여할 수 있게 되었다. 이것이 지난 정부에서 행한 일들이다.

『헌법』 126조, 『국민연금법』 101조, 『자본시장법』 147조, 『자본시장법 시행령』 154조는 대한민국의 정체성인 자유민주주의 시장경제의 내용을 구체적으로 명시해주는 법률이다. 이 법률은 한 국가의 생산수단인 기업의 소유권(경영권)을 국가가 아닌 민간이 소유할 수 있도록 해주는 법률로서 경제적 자유(소유)에 관한 헌법정신의 반영이다. 그럼에도 불구하고, 국가기관의 공권력을 집행하는 정부가 국가의 자금을 이용하여 사영기업을 국가의 경영과 관리 아래에 두려고 시도하였다. 이것은 『헌법』 126조, 『자본시장법』 147조, 『자본시장법 시행령』 154조의 위배하고 자유주의 시장경제체제에서 사회주의 시장경제체제로의 전환을 시도한 혐의로 볼 수 있다.

나. 소액주주를 대변하는 국민연금의 본질 : 민중 민주주의(?)

지난 정부는 국민연금의 일반 사영기업 경영참여를 소액주주 보호의 일환이라고 선전하고 있다. 기업을 향한 배당요구도 또한 소액주주 보호라고 말한다. 그러나 소액주주들은 주가의 하락이 이루어지기 때문에 국가의 경영개입을 원하지 않는다. 그 판단을 경영자에게 맡기는 것이다. 소액주주의 진정한 이슈는 주식가치의 극대화이다.

무엇이 주식가치의 극대화인가? 국민연금은 국가가 소액주주를 대변하기 위하여 사영기업의 경영에 개입하고, 더 나아가 이익을 모두 배당하게 하여 소액주주의 부를 증대시킨다. 그러나 모두 배당을 해 버리면, 기존의 경영주는 더 이상 기업을 확장시킬 수 없게 된다. 그래서 성장을 포기하게 된다. 그러면 주가는 곤두박질 친다. 그러면 무조건적인 이익배당의 극대화가 주식가치 극대화가 아니다. 『한국자본주의』에서는 이때 유상증자와 차입금을 통해 사업을 확장하라고 하는데, 그것은 기존 사업자는 경영권을 상실하고, 국가(국민연금)만 대주주로 남게 된다.

국민연금이 경영자가 아닌 소액주주의 편을 일방적으로 들면서, 소액주주들을 위해 국민연금이 경영에 참여하는 것은 민중 민주주의의 사회주의를 의미한다. 민중 민주주의는 국가가 소액주주의 편을 들어서 대주주의 지배권을 박탈하고 대주주를 소액주주화 한다. 그리고 이것을 경제민주화라고 부른다. 국민연금의 경영참여는 이 일환으로 진행된 것이지, 주식가치 극대화를 위해 진행된 것이 아니다. 대부분의 소액주주들은 국가가 아닌 민간에서 기업을 주도할 때, 주식가치가 극대화된다는 일반적인 지식을 가지고 있다. 국민연금은 검증되지 않은 지식을 가지고 사영기업의 지배구조를 개편하려 한다. 국가가 소액주주를 대신하여 그 경영권을 장악하려는 행위는 사회주의 혁명에 해당한다.

국민연금은 소액주주를 보호한다는 명분을 말하며, "지배주주개편"의 논리를 가지고 국민연금의 지분만큼의 경영참여를 시도하고 있다. 이것은 소액주주 보호의 명분을 이용한 사회주의의 시도인 것이다. 그렇기 때문에 만일 국가가 지배주주개편의 논리에 따라 그 기업의 주요주주가 되어, 소액주주를 대신하여 경영에 참여할 때, 그것은 사회주의 시장경제라고 불린다. 국가의 소액주주 대변논리는 곧 민중민주주의 논리인 것이다.

다. 『국가보안법』 또는 『형법』의 적용[14]

지난 정부는 위의 위법행위를 통하여 개인들의 사익을 취한 것이 아니라, 공산·사회주의 혁명이라는 이념을 실천한 것으로 보인다. 즉 사회주의 혁명이 그들의 위헌·위법행위의 목적이다.

---

14) 법률전문가에 의해 법률검토를 한 결과, 국가보안법은 '외환(외부와의 연계를 통한 환란)'에 해당되었다. 이에 따라 형법 87조(내란)와 91조(국헌문란의 정의)에 해당되었다. 전문가의 법률검토의 결과 해당 행위는 국가보안법이 아닌, 형법상의 내란과 국헌문란에 해당되는 것으로 판단된다. 왜냐면, 국가보안법에 개념적으로 일치는 하지만, '외환'의 경우만 열거되어 있기 때문이다. 내부적으로 일어난 내란('내우')도 국가보안법에 포함되어야 할 것이다. (필자)

① 『한국자본주의』를 통한 국가자본주의(사회주의) 찬양·고무·선동

지난 정권의 정책실장인 장하성은 2014년도에 『한국자본주의』라는 책을 썼는데, 이것은 대한민국 내의 사회주의자들에게 국가자본주의를 찬양·고무·선동을 한 것에 해당한다. 따라서 이 『한국자본주의』는 민중 민주주의, 국가 자본주의, 사회주의 혁명 지침서로 결론될 수 있다. 그들은 입법행위를 통해 국민연금기금이 사회주의 혁명의 도구가 될 수 있도록 하였다.

장하성 『한국자본주의』 1부는 『헌법』 119조 '경제민주화' 개념의 확장으로서 '더 넓은 경제민주화' 개념의 창안이다. 그는 '재벌해체'를 경제민주화라고 규정하고 있으며, 이것이 '실질적 민주주의'이고, 이것은 '절차적 민주주의'를 이용하여 달성된다고 말한다. 여기에서 절차적 민주주의는 선거를 통한 정권창출을 의미한다. 여기에서 장하성은 '재벌해체'의 방법으로서, 모든 기업은 모든 이익을 '배당'을 하고, 사업확장은 증자 등을 통해 해야 한다고 말한다. 이 내용이 『자본시장법 시행령』 154조 1항 4호의 '배당' 삭제에 반영된 것으로 보인다.

2부는 다양한 '국가 자본주의'에 대한 고찰이다. 그는 국가가 사영기업 특히 대기업의 운영자가 되는 것을 소개한다. 그러면서 그는 이것의 실현방법으로서 다양한 M&A 가능성을 놓고 소개하는데, 그 중심에 삼성전자가 있다. 그러면서 그는 재벌들의 황제 경영을 타파하자고 결론을 짓는다. 지난 정부(국민연금 수탁자책임활동위원회)에서는 2021.3과 2022.3에 삼성전자의 지주회사인 삼성물산에 이사파견의 문제를 계속 시도하였다.

3부는 "민주주의로 자본주의를 타파하자"고 한다. 여기에서 민주주의는 노동자편이고, 자본주의는 자본가편이라고 말한다. 이것은 용어사용에서 장하성의 민주주의는 민중 민주주의(프롤레타리아 민주주의)라는 것을 말해 준다. 그는 민주주의의 힘은 투표이며, 자본주의의 힘은 자본인데, 민중 민주주의를 추구하는 정당을 통하여 이 일을 이루자고 말한다. 입법행위를 통한 사회주의 혁명이 여기에 해당한다.

장하성의 『한국자본주의』가 정책과 법률에 고스란히 반영되었으며, 그 책의 저자가 정책실장이 되어서 진행되었다면, 이 『한국자본주의』의 의도하는 바가 곧 지난 정부의 위법행위에 대한 해설인 것이다. 그렇다면, 지난 정부의 이와 같은 법률행위는 사회주의 혁명이었다고 볼 수 있다.

② 『국가보안법』 2조 : '자유민주주의 헌법파괴'의 '반국가단체'의 구성

2017년도에 문재인은 대통령으로 당선되자 장하성을 정책실장으로 초빙하고, 장하

성의 『한국자본주의』를 대한민국에 실현할 체제를 구축하였다. 그리고 그 내용들이 대거 정책에 반영되었다. 이것은 헌법적 질서에 위배되는 반국가잔체의 결성에 해당한다.

우리는 "문재인-장하성-김상조-박능후"의 법률위배의 "배임 혐의"를 적시하였다. 이들은 헌법 126조와 자본시장법 147조와 동시행령 154조를 위배하였다. 그래서 사회주의 혁명으로 귀결되는 법률을 만들었다. 이것은 분명한 범법행위이다. 우리는 그들의 의도에 헌법파괴의 혐의가 있음을 주장한다.

위의 『수탁자책임활동지침』 18조와 『자본시장법 시행령』 154 법규들은 전 대통령과 정책실장, 보건복지부 장관에 의해서 제정되었다. 우리는 이들의 사상이 사회주의자라는 것을 다른 사건들을 통해서 인지하고 있으며, 그 일환으로 이러한 위법행위가 저질러진 것으로 추정된다. 이들은 집단을 이루어서 이와 같은 행위를 하였으므로 『국가보안법』 2조의 '반국가 단체'의 적용을 받아야 한다.

『국가보안법』 제2조(정의) ①이 법에서 "반국가단체"라 함은 정부를 참칭하거나 국가를 변란할 것을 목적으로 하는 국내외의 결사 또는 집단으로서 지휘통솔체제를 갖춘 단체를 말한다.

전 대통령과 정책실장, 보건복지부 장관 등은 함께 공모하여 『수탁자책임활동지침』의 "국민연금 스튜어드십 코드"규정을 만들었다. 그리고 그들은 또한 공모하여 『자본시장법 시행령』 154조를 개정하였으며, 『국민연금투자기업 이사회 구성·운영 안내』를 제정하였다.

이 사건의 최고책임자인 문재인 전 대통령은 "자신은 신영복을 가장 존경하는 사상가이다"고 공식적인 선언을 하였으며, 김문수 지사와 고영주 변호사는 "그렇다면 문재인은 김일성 주체사상(주사파) 신봉자이다"고 답변하였다. 문재인은 지난 주사파 신봉자들인 전대협출신의 사회주의 운동가들 60여명을 데리고 청와대와 민주당에 들어가서, 그들로 하여금 입법과 행정을 장악을 하게 하였다. 그리고 그러한 구성원들 내에 위의 구성원들이 위치하고 있다.

③ '국가의 안전'과 '국민의 생존권'과 '자유'의 훼손

『헌법』 126조는 '자유민주주의 시장경제'를 정의하고 있는 조문이다. 따라서 이 조문을 흔드는 것은 자유민주주의 시장경제의 질서를 훼손하는 것이다. 따라서 이에 대한 위배는 『국가보안법』 1조를 통해서 조명되어야 한다. 『국가보안법』 1조 1항은 다음과 같다.

> 『국가보안법』 제2조(정의) 이 법은 국가의 안전을 위태롭게 하는 반국가활동을 규제함으로써 '국가의 안전'과 '국민의 생존' 및 '자유'를 확보함을 목적으로 한다.

먼저, 헌법 126조의 훼손은 국가의 안전을 해친 것에 해당한다.

오늘날의 국가의 안전은 '정치적 안전'과 '경제적 안전'으로 구분된다. 우리는 『헌법』 126조의 '자유민주주의 시장경제'의 핵심은 '사영기업의 보호'인데, 국민연금기금 운용본부는 이 조항을 훼손하는 규정을 마련하여 '사영기업'을 대상으로 집행하였다. 이것은 경제적 안전의 침해에 해당한다.

둘째, 국민의 생존권을 훼손하였다.

오늘날의 국민 생존권은 국민들의 소득을 창출해 내는 일자리에 있다고 보아야 한다. 이 일자리와 국민소득은 국내총생산(GDP)의 산출과정에서 나옵니다. 국민연금에서 주요 타겟으로 설정한 기업이 우리나라 4대기업인데, 이 4대기업의 매출액[15]은 GDP의 17% 정도를 차지한다. 이것은 우리나라 부가가치의 17%가 4대기업을 통해 창출되고 있음(하청사 부가가치를 모두 포함할 경우)을 말한다. 여기에서 이들의 소비를 통해 발생하는 낙수효과로서의 파생 GDP를 배분하면 37%에 이른다(물론, 여기에는 많은 전제가 따른다).[16] 우리나라 GDP와 일자리와 국민소득의 37%가 4대기업과 관련이 있다는 이야기이다. 이것의 국유화(국가의 기업운영)는 국민생존권의 위협을 의미한다. 이것은 자유민주주의 시장경제의 대전제에 해당한다.

세 번째, 국민들의 소유의 자유를 침해하였다. 자유의 종류는 종교와 사상의 자유, 언론, 집회, 결사의 자유, 소유의 자유(경제적 자유)로 구분된다. 이 중에서 가장 최상위에 위치하는 자유가 곧 "소유의 자유(경제적 자유)"이다. 국민연금기금운용본부는 경영자의 경영권 박탈이라는 소유의 자유를 해치는 법규를 제정하고 실행하였다. 일반적으로 경영권 프레미엄은 주식가치의 40-50% 정도로 추산한다.

문재인 정부의 정책집행자들은 『헌법』 126조의 "자유민주주의 시장경제" 조항을 위배하였으며, 이것은 『국가보안법』을 위배하였고, 사회주의 혁명에 해당할 수 있다.

---

15) 부가가치 기여도를 계산할 경우, 4대기업 하청사들의 모든 부가가치는 4대기업에게 귀속되어야 한다. 따라서 4대 기업의 매출액과 그 부가가치기여도는 서로 일치한다.
16) 여기에서 주요부가가치의 기준이 애매하다. '요식'이나 '금융' 중에서 일부는 주요 부가가치로 분류될 수 있는 여지가 매우 많기 때문이다. 따라서 이 책의 파생(낙수)부가가치의 기준은 전통적인 방식에 따른 것이다. 이러한 한계를 유념하고 그 내용을 이해하여야 한다.

4장 '배당'을 통한 '경제민주화(재벌해체)' 실현

< 서 론 > 자본시장법 시행령 154조 개정

가. '사외이사 파견'과 '배당정책 참여'를 가능하게 한 시행령 개정

문재인 정부는 국민연금 '스튜어드십코드 규정'(수탁자책임활동지침 18조의 '주주제안')을 제정(2018.7)한 다음 그 이듬해(2019.3)에 대한항공 땅콩회항 사건을 빌미로 하여 대한항공의 경영권을 교체하였다.

또 그 이듬해 2020.1.29. 『자본시장법 시행령』 154조를 대대적으로 개정하였는데, 이것은 위의 '스튜어드십코드 규정'을 국민연금 투자기업 전체에 적용을 시키는 법령이었다. 그렇게 해서 국민연금은 투자기업들에 대한 '이사파견(추천 형태)'과 '배당(이익처분)정책'에 실질적으로 참여할 수 있게 하였다. 그리고 투자기업들에게 파견할 '이사 pool'을 구성하는 것을 확정하였다. 그리고 그 이듬해 2021년, 2022년 해마다 주총 시즌에 삼성물산 외 6-7개 회사에 대해 이사파견의 문제를 거론하였다. 만일 이것이 성공하면, 이제 해마다 그 숫자는 늘어날 것이다. 그래서 172개사의 2대 주주인 국민연금은 이 회사들 모두에게 사외이사를 파견할 것이다. 그런데 『이사회 구성·운영안내』를 보면, 이 '사외이사'는 <사외이사 위원회>로 발전하며, "경영자를 감독"하는 역할을 한다. 각 대기업마다 이제 중국의 <공산당 위원회>와 같은 기능이 <사외이사 위원회>라는 명칭으로 설치 될 것이다. 지난 정권에서는 이러한 꼼수를 통해서 대한민국 기업을 장악하기 위한 여러 가지 법령을 만들었다.

국민연금이 이렇게 각 기업에 무소불위의 '사외이사'를 파견(추천 통해)하며 감독하는 이유는 '배당정책'에 관여하기 위해서로 추정된다. 그런데, 여기에서의 '배당정책' 관여는 『한국자본주의』의 그 배당으로 보이는데, 장하성 『한국자본주의』에서는 대주주들로 하여금 이익을 모두 '배당'하게 함을 통해서 '경제민주화'(재벌해체)를 이루자고 하는, 바로 그 '배당'으로 보인다는 것이다. 이것은 일명 '소액주주운동'으로도 불리운다.

나. 국민연금 스튜어드십코드 규정과 『자본시장법시행령』 154조의 개정

문재인 정부에서는 『자본시장법시행령』 154조를 대대적으로 개정하였는데, 그 내용은 다음과 같다.

① 자본시장법시행령 154조 1항 경영에 영향을 미치는 '주주제안'의 대상에서 4호의 '배당'을 삭제하였다. 이것이 의미하는 바는 '배당'에 대한 '주주제안'은 경영에 영향을 미치는 행위가 아니라는 것이다. 이것은 이제 국민연금이 투자기업의 배당정책에 대해서는 적극적으로 개입하겠다는 의미이다. 국가가 주요기업의 이익처분에 관여하겠다는 것이다. 『한국자본주의』에 의하면, 이 '배당'을 기업들에게 강요하면, 재벌들이 지배구조가 해체되어 경제민주화가 달성된다.

② 자본시장법시행령 154조 5항의 신설을 통하여 '일반투자' 제도를 만들었다. 즉, 국민연금이 그 동안에는 '단순투자'만 해왔는데, 이제 '일반투자'로 전환 할 수 있게 한 것이다. 그러면 무엇이 '일반투자'인가? 참으로 애매모호한 개념을 설정하고 있다. '단순투자'도 아니고, 주주제안을 하는 '경영에 영향을 주기위한 투자'도 아닌 것으로 규정하고 있다.

그것이 또한 무엇이냐고 질문을 하자, 국민연금기금운용본부에서는 '배당'과 같은 이익 관련한 문제에 대해서는 적극적으로 참여하는 것이라고 말하였다. 국민연금기금은 국민연금 기업의 배당정책에 적극 참여를 위해 작심을 하고 있는 것이다.

문재인 정부가 왜 이렇게 '배당' 정책에 개입하려 하고 있는가? 우리는 이러한 주장을 『한국 자본주의』에서 찾아볼 수 있다. 여기에서 장하성은 대기업들이 이윤을 통해서만 사업을 확장하는 태도에 대해서 아주 크게 분노하고 있다. 이것을 대기업들의 꼼수라고 지칭하고 있다. 경영주가 소액주주에게 사업소득 참여의 기회를 제공했는데, 이제 소액주주가 주인이 되어야 한다고 말한다. 그런데 결론은 국가가 주인이 되는 구도이다.

③ 154조 1항의 '괄호' 안에 "단순한 의견표시나 제안 등은 주주제안이 아니다"는 문구의 삽입이다. 즉, 국민연금기금은 투자기업에 대한 "단순한 의견표시나 제안 등"은 "'경영통제'의 '주주제안'이 아니다"는 것이다.

이것은 또 무슨 의도인가? 문재인 정부에서는 2020.1.29.에 이와 같은 시행령을 개정한 후에 2020.2-5월 사이에 72개의 국민연금 투자회사에 대해서 '단순투자'에서 '일반투자'로 그 목적전환을 하였다. 그리고 이어서 2020.7.31. 『국민연금 투자기업의 이사회 구성·운영기준 안내』(이하 『이사회 구성·운영안내』라 함)를 시달하였다. 그런데, 그것은 국민연금기금이 연금투자기업에 대해 사외이사를 '추천(스튜어드십코드로 인해 강제가 됨)'하겠다는 것이다. 이제 이들은 경영에 참여하여 배당문제에 적극적으로 개입하고자 하는 것이다.

다. 『자본시장법 시행령』의 '배당' - 『한국자본주의』의 '소액주주운동'

자본시장법시행령 154조의 개정은 2018.7에 제정된 국민연금 스튜어드십코드 규정을 모든 투자기업에 일반화한 조치이다. 이렇게 하여 주요 투자기업에 이사를 파견할 수 있는 기반을 마련한 국민연금기금은 2021년 3월, 2022년 3월 매해에 걸쳐서 삼성물산 외 6개사에 대해 사외이사 추천(파견)을 논의하였다. 그리고 일단 이것이 성공하면, 그 숫자는 계속 증가될 것이다. 그래서 172개사의 2대주주인 국민연금은 모든 대기업들에 이러한 사외이사 위원회를 설치하려 할 것이다. 이러한 방향성이 『이사회 구성ㆍ운영안내』에 적시되어 있다. 좌파정부가 들어서면 이 일은 곧바로 시도되며, 더 나아가 유상증자를 통하여 기존의 대주주들을 아웃시킬 것이다. 이것이 국가자본주의(사회주의)이다.

1. 『자본시장법시행령』 154조 1항, '배당'의 삭제

가. 자본시장법시행령 154조 1항 : 주주제안

『자본시장법』 2장은 "기업의 인수ㆍ합병 관련제도" 즉 M&A에 관련한 내용을 안내하는 장이다. 이중 『자본시장법』 147조는 "주식 등의 대량보유 등의 보고"에 대한 조항이다. 이 조항은 단순한 "주식 대량보유 보고"에 대한 조항이다.

> **[자본시장법] 147조 (주식 등의 대량보유 등의 보고)**
> ① 주권상장법인의 주식 등을 대량보유하게 된 자는 그 날부터 5일 이내에 그 보유상황, 보유 목적(발행인의 경영권에 영향을 주기 위한 목적 여부를 말한다), 그 보유 주식 등에 관한 주요계약내용, 그 밖에 대통령령으로 정하는 사항을 대통령령으로 정하는 방법에 따라 금융위원회와 거래소에 보고하여야 하며,…. <u>이 경우 그 보유 목적이 발행인의 경영권에 영향을 주기 위한 것(임원의 선임ㆍ해임 또는 직무의 정지, 이사회 등 회사의 기관과 관련된 정관의 변경 등 대통령령으로 정하는 것을 말한다)</u>이 아닌 경우와 전문투자자 중 대통령령으로 정하는 자의 경우에는 그 보고내용 및 보고시기 등을 대통령령으로 달리 정할 수 있다. <개정 2008. 2. 29., 2016. 3. 29.>

한편, 위의 본문에서 "주식의 보유목적"에 대한 해설이 나타난다. 그 보유 목적이

"발행인의 경영권에 영향을 주기 위한 것(임원의 선임·해임 또는 직무의 정지 등)"인 경우의 보고를 말한다. 그리고 이 본문에 대한 해설이 『자본시장법 시행령』154조 1항인데, 여기에서 언급되는 것은 "그 보유 목적이 발행인의 경영권에 영향을 주기 위한 것"으로서의 '주주제안'이 언급되고 있다. 그 내용은 다음과 같다.

『자본시장법시행령』 제154조(대량보유 등의 보고에 대한 특례)

① 법 제147조제1항 후단에서 "대통령령으로 정하는 것"이란 <u>다음 각 호의 어느 하나에 해당하는 것을 위하여 회사나 그 임원에 대하여 사실상 영향력을 행사(「상법」, 그 밖의 다른 법률에 따라 「상법」 제363조의2(주주제안)·제366조에 따른 권리를 행사하거나…생략…)</u>하는 것을 말한다.

1. 임원의 선임·해임 또는 직무의 정지.
2. 이사회 등 「상법」에 따른 회사의 기관과 관련된 정관의 변경.
3. 회사의 자본금의 변경.
4. 삭제 <2020. 1. 29.> - 배당
5. 회사의 합병, 분할과 분할합병
6. 주식의 포괄적 교환과 이전
7. 영업전부의 양수·양도 등
8. 자산 전부의 처분 또는 중요한 일부의 처분
9. 영업전부의 임대 또는 경영위임 등
10. 회사의 해산

『자본시장법시행령』 154조 1항의 내용은 위의 1-10호까지의 "발행인의 경영권에 영향을 주는 행위(예: 이사의 선임해임 등)"에 대해 "주주제안"을 하는 것이 "발행인의 경영권에 영향을 주기 위한 것"이며, 보유목적이 이렇게 바뀌었을 경우에는 미리 공시를 하라는 것이다.

『자본시장법시행령』 154조 1항에는 용어사용의 중첩이 있다. 즉, "발행인의 경영권에 영향을 주는 행위(예: 이사의 선임해임 등)"에 대해 "주주제안"을 하는 것이 "발행인의 경영권에 영향을 주기 위한 것"이라는 문장 속에 있는 용어사용의 중첩이다. 그렇다면, "발행인의 경영권에 영향을 주는 행위"에는 '주주제안'까지 직접 수행하는 적극적 행위(154조)가 있고, 타인 등이 한 '주주제안'에 대해 간접 수행하는 소극적 행위가 있다. 이 모두 "발행인의 경영권에 영향을 주는 행위"이다.

나. '4호 배당'의 삭제

『자본시장법시행령』 154조 1항에서 "경영권과 관련한 행위(경영에 영향을 미치는 행위)"의 의결권 종류가 1-10호까지로 열거되어 있다. 이에 대한 의결권행사는 "경영에 영향을 미치는 행위"로서 "경영권"과 관련이 있다는 것이다. 이때 문재인 정부에서는 대통령의 권한을 이용하여 이 열 가지 중에서 '4호 배당'을 삭제해 버렸다. 각 회사들의 '배당'에 대해서 '주주제안'을 해서 이 안건을 주총에 회부시키는 것은 "경영권과 관련한 행위(경영에 영향을 미치는 행위)"가 아니라는 것이다.

그리고 이것은 다른 말로 표현하면, 국민연금이 이 일에 적극적으로 참여를 하겠다는 것이다. 다음 문단에서 언급하겠지만, 문재인 정부에서는 『자본시장법시행령』 154조에서 5항을 신설하였는데, 그 내용은 "일반투자 제도"의 신설이다. 그 동안에는 국가나 한국은행과 같은 전문투자자는 '단순투자' '재무적 목적의 투자'만 하였다. 즉, 의결권행사에도 참여를 하지 않았고, '주주제안'을 하는 것은 상상하지도 못했다. 이것이 '단수투자자'이다.

그런데 문재인 정부 들어서서 모든 투자기업에 대해서 의결권행사를 하고 있다. 그리고 여기에서 한 걸음 더 나아가서 '일반투자자' 제도를 마련하였는데, 이 '일반투자자'가 무엇이냐의 질문에 대해 『자본시장법시행령』 154조 1항 1-10호 외의 것에 대해서 '주주제안'을 하는 것이라고 말하였다. 그 예로서 '배당'을 말하였다. 각 회사의 '배당정책'에 국가가 개입을 하겠다는 것이다.

다. '소액주주운동'으로서의 '배당정책 참여'

장하성은 그의 책 『한국자본주의』(2014)에서 "이익의 유보를 통한 사업확장"에 대하여 "대기업들의 꼼수"라고 분노를 토한다. 대기업들이 "이익의 유보를 통한 사업확장"을 하여서 자신들의 지배권을 계속 유지하였다는 것이다. 이것은 당연한 것인데, 왜 이것을 "대기업들의 꼼수"라고 하며 분노하는지는 알 수 없다.

그러면서 장하성은 "대기업들은 이익은 모두 배당을 하고, 사업확장이나 신규사업 진출은 유상증자와 은행차입을 통해서 해야 한다"고 말한다. 이것이 장하성이 주장하는 정의이다. 그러면, 대주주의 지분이 희석되어 대주주는 경영권을 모두 상실하게 된다. 그래서 결론으로 그는 이것이 경제민주화라고 말한다.

장하성은 이러한 내용을 말하기에 앞서서 '소득주도성장'으로서의 '배당'을 말한다.

장하성의 소득주도 성장은 두 가지인데, 하나는 최저임금의 인상이고, 다른 하나는 '소액주주 배당'이다. 즉, 근로자와 같은 서민들의 소득을 높이면, 그들이 그 '소득의 소비'를 통하여 경제가 발전한다는 것이다.

그러나 경제의 실질적인 성장은 기업의 유보에서 나온다. 이윤이 배당되지 않고, 내부에 유보가 되면, 그것으로 기업들은 사업확장을 하면서 '투자소비'를 일으킨다. 그리고 이러한 '투자소비'가 일자리를 만들어낸다. 이것이 시장경제의 창시자인 애덤 스미스 『국부론』의 핵심이다. 그래서 애덤 스미스는 기업가의 이윤(영리행위)을 보장해야 한다고 말한다.

한 기업이 1년 동안 일하여서 이윤을 내었다. 이 이윤으로 사업확장을 해 나가며, 축적하여서 새로운 신규사업에도 진출한다. 그런데, 이 이윤에 국가가 개입하겠다는 것이다. 그것을 모두 소액주주들에게 배당을 하여서 경제민주화를 실현하겠다는 것이다.

그러면서, 두 가지 종류의 경제민주화를 말하는데, 현행 헌법 119조에 있는 '소득재분배'로서의 '경제민주화'는 진정한 의미의 경제민주화가 아니고, 이와 같은 재벌해체가 진정한 의미의 '경제민주화'라고 말한다. 그는 이것을 '더 넓은 의미의 경제민주화'라고 부르며 새로운 용어를 창안하였다. 따라서 좌파들이 말하는 '경제민주화'는 '재벌해체'인에, 이것은 '소유의 재분배'에 해당한다.

장하성은 장을 달리하여서 이렇게 해체된 재벌의 자리를 누가 대체할 것인지를 논한다. 그것은 국가자본주의였다. 국가가 그 사리를 대세하는 깃이다. 그러면서 그는 국가자본주의는 공산주의가 아니라고 말한다. 그러나 이것은 그가 마르크스를 전혀 모르던지, 아니면 거짓을 말하여서 국민들을 속이고 있는 것이다. 마르크스는 그것을 사회주의라고 불렀고, 사회주의는 프롤레타리아 독재(정부와 사회주의자들이 생산수단 장악)의 시기로서 자본주의(자유주의)에서 공산주의로 이행하기 위한 과도기적 단계라고 말하였다. 그러나 그들은 그 이후의 세계로 나아가지 않는다. 중국과 러시아가 그러한 단계에 속해 있다.

라. 국민연금의 기업참여 이유 : 소액주주운동

국민연금이 스튜어드십코드 규정을 만들고, 시행령을 고쳐서 일반투자자라는 제도를 만들어 투자기업에 이사로 참여하며, 배당에 관한 정책에 대해서 적극적·체계적으로 주주제안을 하는 것은 모두 "소액주주보호"의 일환이라고 천명하고 있다. 『국민연금 투자기업의 이사회 구성·운영 안내』에서 이것을 밝히고 있다. 소액주주보호의 일환으로 이러한 행위를 한다는 것이다.

그리고 그와 같이 소액주주보호를 통해 대기업들로 하여금 이윤을 모두 배당으로 처분하게 하면 경제가 발전한다는 것이다. 이것이 그의 "소득주도성장론"이다. 따라서 그들에 의하면, 국가 혹은 국민연금의 투자기업에 대한 배당압력은 나라를 살리는 일이다. 이렇게 해서 경제성장을 이루자는 것이 좌파들의 경제정책이다. 그러나 앞에서도 말한 것과 같이 이렇게 해서 나타나는 소비는 '소득소비'이다. 그러나 기업의 이윤축적을 통해 재투자로 나타나는 소비는 '투자소비'로서 일자리를 창출한다. 그리고 일자리를 통해 나타난 투자소비는 일자리를 통해 '지속적인 소득소비'를 불러일으킨다. 그러나 '배당과 최저임금인상' 등을 통한 '소득 소비'는 '일시적 소득소비'에 불과하다. 따라서 '소득주도성장론'은 잘못된 성장이론이다. 그것은 거짓말이다.

그러나 문재인 정부에서는 '수득주도성장론'을 입에 달고 살았다. 그러나 여기에는 진정한 의도가 있었는데, 그것은 '배당정책'을 통한 '재벌해체'였다. 기업으로 하여금 이윤을 배당하게 하면, 기업은 사업기회가 왔을 때, 유상증자와 차입을 통해 하여야만 한다. 그러면 대기업의 지배구조가 해체된다. 이것이 그들의 원래 목적이다.

마. 배당 통한 기업해체 시나리오

국민연금기금 운용본부의 '일반투자제도'의 신설, 투자기업 '이사파견(추천)', 소액주주 위한 '배당'관여는 국가자본주의의 실현 방법으로 이해될 수 있다.

문재인 정부 기간중 발표된 반도체 투자규모 : 510조

소액주주피해발생

3rd, 80조원증자 해야함 → 증자 안하면 100조 못받음 ⤵ 소액주주위해 스튜어드십코드 실행

정부 100조 투자제안 ──────────
(금융지원)

S사 10년간 투자계획발표 : 180조

2nd, 주주제안을 통해 이익을 배당하게 함 → 일반투자 제도 만든 이유: 소액주주운동

1st, 국민연금의 이사참여 : 노동이사 → 근로자와 소액주주 위한 활동
(국민연금 수탁위에서 매년논의) (장하성의 "소득주도성장론)
삼성물산 포함 7개사

문재인 정부는 지난 2021년 3월경에 반도체 회사들 전체를 향하여 향후 10년 동안의 투자계획을 제출하게 하였다. 우리나라 기업들은 510조의 투자계획을 제출하였다.

이 중 S사는 10년 동안 180조를 투자하겠다고 하였다. 이제 좌파가 집권을 한 후, 위의 시나리오가 진행된다고 가정을 하자. 그 가정 하에서 다음과 같은 시나리오가 또다시 가능해진다.

먼저, 이 S사에 노동이사를 추천하여 파견한다. 앞에서 살펴보았지만, 이것을 거스를 수는 없다. 이때 노동이사의 업무는 소득주도성장론을 좇아서 근로자의 임금인상과 소액주주의 권익을 위한 활동을 한다.

두 번째, 이 노동이사는 이사회에 참여하여 모든 이익을 배당하자고 말한다. 기업은 이것을 거절하므로, 주주제안을 통해 주주총회가 소집된다. 사회주의 정부 하에서는 이것이 관철되고, 기업은 이익의 대부분을 배당하고 더 이상의 투자여력을 상실한다.

세 번째, 정부에서는 기존의 180조 투자계획을 거론한다. 즉 반도체의 세계화는 국민 생존권이라고 하며, 정부가 100조를 투자하겠다고 발표를 한다. 이때 나머지 80조는 증자를 하여야 한다. 왜냐면, 금융기관은 부채비율을 관리하기 때문이다.

네 번째, S사 대주주와 경영진은 80조 유상증자를 거부한다. 왜냐면, 자신들은 여기에 따라갈 자금이 없으므로, 유상증자를 하면 경영권을 상실하게 되기 때문이다.

다섯 번째, 정부와 메스컴은 S사의 대주주와 경영진이 80조의 유상증자를 거부하여서 100조의 정부자금을 쓸 수가 없게 되었으며, 기업은 세계경쟁력을 상실하게 되었고, 국민생존권이 위협을 받게 되었다. 즉, 소액주주의 권익을 훼손한 것이 된다. 국민연금은 그 명분으로 대주주의 경영진에 대해서 스튜어드십코드를 실행하여 경영진을 아웃시킨다.

시행령 154조의 개정, 즉, ①배당 삭제, ②이사추천(파견), ③일반투자제도 신설은 사회주의 정부 하에서 위와 같은 시나리오를 가능하게 한다.

2. 『자본시장법시행령』 154조 1항, '괄호'의 수정

가. 괄호의 내용 : "단순한 의견전달과 의견표시" 추가

문재인 정부에서는 『자본시장법시행령』 제154조(대량보유 등의 보고에 대한 특례) ①항에서 괄호의 내용을 다음과 같이 개정하였다. 그 내용을 비교식으로 나타내면 다음과 같다.

『자본시장법시행령』 제154조(대량보유 등의 보고에 대한 특례)

① 법 제147조제1항 후단에서 "대통령령으로 정하는 것"이란 다음 각 호의 어느 하나에 해당하는 것을 위하여 회사나 그 임원에 대하여 사실상 영향력을 행사「상법」, 그 밖의 다른 법률에 따라 「상법」 제363조의2·제366조에 따른 권리를 행사하거나 이를 제3자가 행사하도록 하는 것과 법 제152조에 따라 의결권 대리행사를 권유하는 것을 포함한다.)하는 것을 말한다.

1. 임원의 선임·해임 또는 직무의 정지. …이하생략…

『자본시장법시행령』 제154조(대량보유 등의 보고에 대한 특례)

① 법 제147조제1항 후단에서 "대통령령으로 정하는 것"이란 다음 각 호의 어느 하나에 해당하는 것을 위하여 회사나 그 임원에 대하여 사실상 영향력을 행사(「상법」, 그 밖의 다른 법률에 따라 「상법」 제363조의2·제366조에 따른 권리를 행사하거나 이를 제3자가 행사하도록 하는 것과 법 제152조에 따라 의결권 대리행사를 권유하는 것을 포함하며, <u>단순히 의견을 전달하거나 대외적으로 의사를 표시하는 것은 제외한다</u>)하는 것을 말한다.

위의 조항으로 인해, 이제 국민연금은 투자기업들에 대해 "배당에 대한 주주제안"을 넘어설 뿐만 아니라, "단순한 의견전달"이나 "대외적 의사표시"를 할 수 있게 되었다. 그 내용은 『국민연금투자기업의 이사회 구성·운영 안내』였다.

나. 『국민연금투자기업의 이사회 구성·운영기준 안내』

한편 위의 조항 중에서 2020.1.29.자에 괄호의 내용이 신설되었는데, 그것은 "주주로서의 단순한 의견전달, 대외적 의사표시"는 "회사나 임원에 대해 사실상 영향력을 행사"하는 "주주제안"이 아니라는 것이다. 국민연금기금은 이 조항을 이용하여 『이사회 구성·운영 안내』를 제정하였다.(우리는 이 내용을 앞 장에서 살펴보았다.)

여기에 의하면, 마치 "단순한 의견전달, 대외적 의사표시"처럼 "이사회 구성 운영기준"을 안내하는 것처럼 들린다. 이 『국민연금투자기업의 이사회 구성·운영기준 안내』(이하 『이사회 구성·운영안내』라 표기)는 맨 먼저 이 안내의 이유에 대해 "소액주주보호"라는 명분을 밝힌다. 자신들은 소액주주의 보호를 위해서 이 행위를 한다는 것이다. 그런데 이것은 여기에서 한 걸음만 더 나가면, 민중 민주주의가 된다. 국가가 민중(소액주주)만 보호하고, 경영진은 보호하지 않기 때문이다. 그것이 『한국자본주의』의 혁명 방법론이다.

그리고 서두에 밝히는 또 하나가 있는데, 이것은 『수탁자 책임활동지침』(18조, 주주제안=스튜어드십코드)의 후속조치라는 것이다. 따라서 이 추천을 거부하면, 해당기업은 스튜어드십코드 관리규정에 따른 관리에 들어간다. 궁극적으로 스튜어드십 코드를 행사하겠다는 것이다. 그래서 이 『이사회 구성·운영안내』는 강제조항인 것이다.

그리고 그 안내의 내용은 "국민연금의 사외이사 추천"에 관한 것이었다. 즉 "경영참여의 내용"이었다. 『상법』상 이사와 사외이사는 아무런 구분이 없다. 오직 상근과 비상근 여부로만 구분될 뿐이다. 그래서 이사를 추천하겠다는 것이다.

그렇다면, 기업이 그 추천을 거부할 수는 있는가? 거부할 수 없다. 이 『이사회 구성·운영 안내』는 앞에서 언급한 바와 같이 『수탁자책임활동지침』의 후속조치이기 때문이다. 이 『수탁자책임활동지침』은 이 안내를 거부할 경우, "안내-재안내-스튜어드십코드"의 단계를 거쳐 기업지배구조개편을 단행하기 때문이다.

따라서 국민연금은 경영참여인 사외이사 추천을 하고, 이것을 거부할 경우에 경영권을 교체하기 위한 조치를 취한다. 이것은 "단순한 의견전달, 대외적 의사표시"가 아니다.

다. 스튜어드십코드규정을 모든 기업에 일반화한 시행령

국민연금이 의결권을 행사할 수 있으면 곧바로 등장하는 문제가 '주주제안'의 '스튜어드십 코드'의 문제이다. 물론 의결권행사를 할 수 있으면, 이것이 없어도 기업의 지배권을 교체할 수 있다. 다른 제3자를 통해 주주제안을 하면 되기 때문이다. 그러나 이것을 명문화시키는 것과 은밀히 행하는 것에는 큰 차이가 있다. 명문화할 경우, 그 다음 조치를 취할 수 있기 때문이다. 문재인 정부에서는 2017. 8 『수탁자책임활동지침』을 통해 국민연금 스튜어드십코드 제도를 만든 후, 이어서 2020.1.29. 위와 같은 시행령의 개정을 통해 『이사회 구성·운영안내』를 만들어서 국민연금 스튜어드십코드 제도를 즉각적으로 모든 기업에 적용을 시켜버렸다. 이 안내에 따르지 않으면, 그 기업에 대해서는 "국민연금 스튜어드십코드 제도"를 적용시키겠다는 것이었다.

그리고 이 『이사회 구성·운영안내』에는 '주주평등권'에 대한 언급도 한다. 주주평등권이란 경영참여시 이와 같이 하겠다는 것이다. 2대주주로서의 평등한 대우를 요청한 것이다. 조금 지나면, 국민연금은 자신이 보유한 지분만큼 이사추천(파견)을 허용하라고 요구할 것이다.

이것은 마치 사회주의 혁명과도 같다. 법규를 통해서 이 모든 것은 마련이 되었다. 이제 사회주의 정부만 출현하면 이런 일들은 진행된다. 그런데, 우파의 지식인들과 국회의원들은 여기에 대해 일언반구도 없다. 심지어는 이러한 것을 인지하지도 못한 것이 우파 지식인들의 실상이다.

라. 『수택책임활동지침』과 『이사회 구성·운영 안내』

국민연금은 2020.1.29. 『자본시장법』 시행령 154조의 개정을 통해 2020.2-5 사이에 72개회사에 대해 '단순투자'에서 '일반투자'로 그 투자목적을 전환하고, 이것을 금감원 사이트를 통해서 금감원과 각 회사에 통보하였다.

그리고 이어서 2020.7.31.에 『이사회 구성·운영 안내』를 제정하였는데, 이 『안내』는 일반적인 안내인 것처럼 명칭을 선정했으나, 그 본질은 『수택책임활동지침』의 후속조치라고 서두에 선언하였다.

그리고 곧바로 국민연금은 2020.9-2021.3의 기간 동안 208개 회사의 주총에 참여하였다. 2021.2월에는 삼성물산을 비롯한 7개의 상장사에 대한 사외이사 파견을 <국민연금운용위원회>에서는 결의 혹은 발의하였고, <수탁책임전문위원회>에서는 이에 대해 논쟁을 하다가 결론을 내리지 못하고 기간이 경과하였다.

바. '경영참여형투자'로 바뀐 국민연금의 본질

『이사회 구성·운영 안내』와 『수탁자책임활동 지침』이 결합됨을 통해서 어떤 일이 발생하였는가? 『이사회 구성·운영 안내』에 불응할 경우, 『수탁자책임활동 지침』에 따라 두 차례 정도를 권유한 후, 스튜어드십 코드를 발동하는 것이다. 이것은 국민연금의 모든 국내주식 투자금이 '단순투자'에서 '경영참여형의 투자'로 바뀐 것을 의미한다.

『이사회 구성·운영 안내』는 『수탁자책임활동 지침』의 후속조치이다. 그렇다면, 이제 『이사회 구성·운영 안내』는 국민연금을 "단순히 의견을 전달하거나 대외적으로 의사"에서 "경영참여"로 그 본질이 바뀌게 한 것이다. 따라서 국민연금의 지위는 "경영참여목적의 투자"로 그 목적이 바뀐 것이다.

『자본시장법 시행령』 154조 1항의 '괄호'를 이용하여 국민연금은 자신의 정체성을 "단순히 의견을 전달하거나 대외적으로 의사표명"하는 것에서 "경영참여"로 그 본질을 바꾼 것이다. 이것은 하나의 사회주의 운동에 해당할 수 있다.

3. 『자본시장법시행령』 154조 5항, 일반투자제도의 신설

가. '투자자의 종류'에 대한 기존 개념

일반적으로 공통적으로 이해하고 사용되고 있는 주식투자의 종류는 '단순투자'와 '일반투자'이다. 그리고 예외적(극단적)으로 '경영참여형 투자'이다.

여기에서 '단순투자'는 국가, 기관투자자 등의 투자로서 '재무적 목적의 투자', '이익극대화 목적의 투자'이다. 투자기업의 경영에는 관심이 없으며, 오직 재무적목적에만 관심이 있다. 주가시세차익과 배당 정도에만 관심을 가진다. 한편, 소액주주들도 여기에 속한다. 경영참여목적은 하나도 없는 것이다.

'일반투자'는 '단순투자자' 외의 투자자인데, 사실은 '경영참여목적의 투자'도 이 범주에 들어있다. 회사를 직접 운영하고, 혹은 경영의사결정에 직접 참여하는 투자자를 말하는 것이다. 이것이 원래의 개념이다.

굳이 또 하나의 투자자를 말하라고 한다면, '경영참여 목적의 투자자'가 있는데, 이것은 어떤 창투사나 자산운용사가 비상장회사인 '벤처기업에 대해 투자'(『벤처기업 특별법』)를 한후 상장을 시켜서 자금을 회수하는 형태의 투자이다. 그리고 상장회사나 비상장회사중 갑자기 자금경색에 빠진 회사에 대한 '구조조정 투자'(『산업발전법』, 『구조조정법』)가 있다. 그리고, 예외적으로 상장회사들에 대해 나타나는 '적대적 M&A투자'이다. 그리고 『자본시장법시행령』 154조 5항에 나타난 '경영참여형 투자'는 위에서 세 번째 '적대적 M&A투자'를 말한다. 국민연금 스튜어드십코드 발동을 위한 투자도 여기의 세 번째에 속한다.

위의 세 가지가 일반적으로 통용되고 있는 용어의 정의이다. 그런데, 문재인 정부에서는 용어사용에 혼선을 주는 이상한 투자개념을 창안한다. 그것은 국민연금은 의결권행사를 할 수 없는데, 의결권행사를 할 수 있다는 잘못된 논리를 마치 정상인 것처럼 만들기 위해 꾸며낸 전략으로 보인다.

나. 투자의 개념을 만들어내는 '국가(정부)'

문재인 정부가 만들어낸 투자의 개념에 의하면, 국가나 금융기관과 같은 전문기관이 주식에 단순투자만 할 뿐 아니라, 의결권행사를 할 수 있다. 문재인이 만들어낸 일반투자의 개념은 이것을 제도화한 것이다. 따라서 문재인 정부가 만들어낸 '일반투자자'와 일반적으로 통용되는 '일반투자자'는 그 개념이 다르다. 문재인 정부가 만들어낸 '일반투자자'는 국가와 같은 기관은 단순투자만 하는데, 이들이 여기에서 넘어서서 각 기업의 '의결권행사'에 참여하는 형태의 투자를 '일반투자'라고 한 것이다. 국가나 금융기관이 '단순투자'만 하는 것이 아니라, '의결권행사'도 하는 형태로 투자목적을 전환하였을 때, 그것을 '일반투자'라고 한 것이다. 그러나 기존의 일반인들이 인식하는 '일반투자자'는 국가나 금융기관은 '단순투자자'이고, 그 회사의 경영이나 의결권에 관심을 갖는 모든 투자자를 말한다.

　기존의 개념을 잘못 사용하고 있기 때문에, 이것을 먼저 이해하고 다음의 시행령 154조 5항의 신설문제를 검토하여야 한다.

다. 『자본시장법시행령』 154조 5항의 신설 : 일반투자제도

　시행령 154조 5항에 의하면, 투자는 "경영에 영향을 주기 위한 투자"와 "일반투자", 그리고 "단순투자"가 존재한다. 그 내용은 다음과 같다. 다음의 개념에 의하면, "경영에 영향을 주기 위한 투자"와 "단순투자"가 아닌 경우의 투자가 '일반투자'이다.

『자본시장법 시행령』 154조

⑤ 법 제147조제1항 후단에 따라 전문투자자 중 제2항 제4호에 해당하는 자는 다음 각 호의 구분에 따라 보고할 수 있다. <신설 2020. 1. 29.>

1. 보유 목적이 발행인의 경영권에 영향을 주기 위한 것인 경우: …

2. 보유 목적이 발행인의 경영권에 영향을 주기 위한 것이 아닌 경우로서 단순투자 목적인 경우: …

3. 보유 목적이 발행인의 경영권에 영향을 주기 위한 것이 아닌 경우로서 단순투자 목적이 아닌 경우:…

　위에서 "법 제147조제1항 후단"은 "전문투자자 중 대통령령으로 정하는 자의 경우"를 말하며, 2항 4호는 "금융위원회가 정하여 고시하는 자"로서 국민연금도 이에 해당한다. 즉, 국민연금도 이제는 '일반투자자'가 될 수 있는 것이다. 이러한 규정을 신설함을 통해서 이제는 모든 기관투자자들도 '일반투자자'가 될 수 있다.

라. 일반투자자의 권한 : 시행령을 통한 국민연금의 권한강화

　국민연금이 단순투자자가 아닌 일반투자자로 그 투자목적을 변환하여 관리할 수 있다면, 이때의 국민연금의 권한에는 무엇이 있는가? 일차적으로 주주총회에서 의결권

행사에 참여한다. 그래서 경영자 선임 해임 등의 모든 주주권을 행사하는 것이다.

그러나 『자본시장법 시행령』 154조 1항의 '주주제안'만은 하지 않는다. 그런데, 여기에서 제외된 모든 안건에 대해서는 '주주제안'도 가능하다. 그래서 일반투자자로서 '주주제안'을 하면, 해당기업의 주주총회에서 그 안건은 반드시 다루어야 한다. 그 대표적인 것이 '배당'의 안건이다. 모든 회사들에 대해서 한 해의 이익을 '배당'할 때, 모든 '배당정책'에 대해 관여하여 '주주제안'에 회부할 수 있다. 이것은 소액주주들을 위한 행위로서, 이제 전자투표까지 하게 하였으므로, 국민연금과 소액주주들이 연합하여 각기업의 '배당정책'에 적극적으로 참여하겠다는 것이다.

그리고 앞에서 언급한 바와 같이 『투자기업의 이사회구성·운영 안내』에서 해당기업에 이사를 추천형태를 통해서 파견하겠다고 했는데, 이 이사의 역할이 바로 이것이 가장 크다. 기업으로 하여금 배당을 시키는 것이다.

그리고 이러한 조치에 불응하면, 이제 여론을 일으킨 후, 스튜어드십코드에 들어간다. 이때에는 그 '투자목적'을 '경영참여목적의 투자'로 투자목적만 전환하면 된다. 문재인 정부에서는 이러한 행위를 할 수 있도록 시행령을 통해 법제화하였다는 것이다. 이것이 연금사회주의가 아니고 무엇이겠는가.

4. '일반투자제도' 신설의 목적 : '배당'을 통한 사회주의 시도(?)

가. 사외이사 파견과 배당을 통한 사회주의 혁명전략(?)

① 『헌법』 119조의 '경제민주화'

우리나라 『헌법』 119조 2항에서는 "경제주체간의 조화를 통한 경제의 민주화"의 실현을 위하여 "경제에 관한 규제와 조정을 할 수 있다"고 말하고 있다. 그런데 이때에도 『헌법』 119조1항을 통해 "소유(경제상의 자유와 창의)의 기본적 존중"의 범위 내에서 이것을 적용한다고 말하고 있다. 즉, 경제민주화는 "소득의 재분배"를 말하고 있지, "소유의 재분배"가 아니다는 것이다. 소유의 재분배는 공산주의 개념이기 때문이다.

즉 사영기업의 '지배구조 해체(재벌해체)'는 '경제적 소유(경제상의 자유와 창의)'의 해체를 의미한다. 119조 2항은 사영기업의 경영권에 "경제에 관한 규제와 조정"을 말하고 있지, 스튜어드십 코드와 같은 "경영권의 박탈"을 의미하고 있지 않다. 경영권은 구체적으로 환산 가능한 사유재산(예: 경영권 프리미엄)[17]에 속하기 때문이다. 일반적으로 경영권 프레미엄은 해당 주식의 가격에 50% 정도에 해당한다. 어마어마한 금액이다.

> 『헌법』 제119조, ①대한민국의 경제질서는 개인과 기업의 <u>경제상의 자유와 창의를</u> 존중함을 기본으로 한다. ②국가는 균형 있는 국민경제의 성장 및 안정과 적정한 소득의 분배를 유지하고, 시장의 지배와 경제력의 남용을 방지하며, 경제주체간의 조화를 통한 경제의 민주화를 위하여 경제에 관한 규제와 조정을 할 수 있다.

『헌법』 119조는 "경제민주화" 규정으로 불린다. 이때 ①항은 먼저 "대한민국의 경제질서는 개인과 기업의 경제상의 자유와 창의를 존중함을 기본으로 한다"고 말한다. 여기에서 "개인과 기업의 경제상의 자유와 창의"는 무엇인가? 경제상의 자유는 소유를 의미한다. 자유에서 가장 소중한 것이 소유의 자유이기 때문이다. 그리고 창의는 기업활동을 의미한다. 따라서 경제상의 자유와 창의는 "기업에 대한 소유권"으로서의 "기업 경영권"을 의미한다. 따라서 "대한민국의 경제질서는 기업에 대한 경영권을 존중하는 것을 기본으로 한다." 공적자금은 "그 경제적 자유의 기본"을 해쳐서는 안 된다. 이 틀 안에서 119조 2항을 이해하여야 한다. 그리고 제2항도 이것을 고스란히 존중하고 있다.

② 장하성의 '경제민주화'

헌법 119조의 본문에서 ②항은 다음과 같은 세 개의 문장으로 구성되어 있다. "국가는 (1)균형 있는 국민경제의 성장 및 안정과 적정한 소득의 분배를 유지하고, (2)시장의 지배와 경제력의 남용을 방지하며, (3)경제주체간의 조화를 통한 경제의 민주화를 위하여 경제에 관한 규제와 조정을 할 수 있다"고 말한다.

이때 (1)은 적정한 소득 재분배를 의미하며, (2)는 대기업의 시장지배와 경제력남용의 방지를 의미하고, (3)은 경제주체간의 조화를 의미한다. 이것들을 위하여 경제에 관한 규제와 조정을 할 수 있다는 것이다.

---

17) 경영권 프리미엄의 사례 : "13일 투자은행(IB)업계에 따르면 한샘은 IMM PE를 비롯한 PEF 운용사, 대기업 등과 매매 협상을 진행 중이다. 조창걸 명예회장 지분 15.45%와 특수관계자 지분을 묶어 20~30%를 거래하는 방안을 논의하는 것으로 알려졌다. 매각 주관사를 따로 두지 않고 회사 측이 직접 협상을 진행 중인 것으로 전해진다. 거래 금액은 경영권 프리미엄을 포함해 1조~1조5000억원 수준으로 관측된다. 매각 측은 20만원 안팎의 지분 가치를 요구하고 있는 것으로 알려졌는데 이는 13일 종가인 11만7500원의 두 배 수준이다."(매일경제, 2021.7.13.)

따라서 여기에서 (3)의 "경제주체간의 조화를 통한 경제민주화"는 소득재분배를 의미한다고 볼 수 있다. 예컨대, 장하성씨는 『한국 자본주의』에서 국가가 개입하여 유상증자 등을 통해 대주주 지분을 희석화(경영권 빼앗음)시켜서 대주주의 소액주주화를 "더 넓은 경제민주화"라고 말하고 있는데, 이것은 소유 곧 경영권을 빼앗는 것이다. 이러한 해석은 여기에서는 금지 당한다. 여기에서 의미하는 (3)"경제주체간의 조화" 혹은 "경제민주화"는 (1)소득재분배와 (2)대기업의 경제력 남용의 방지와 같은 행위를 의미하며, 굳이 연장해서 해석을 하자면 "소득재분배를 통한 사회복지"와 같은 것을 의미한다. 장하성 『한국자본주의』의 경제민주화(재벌 지배구조해체)는 헌법에 위배된다.

③ 『이사회 구성 · 운영 안내』 : '사외이사 파견'의 일반화

국민연금이 대기업의 '경영에 참여'하여, 이것을 국가에 굴복시키는 행위는 "경제상의 자유외 창의(경영권)의 찬탈"로서 위헌이다. 따라서, 이것을 의미하는 국민연금의 "스튜어드십 코드의 일반화", 그 결과 "일반투자로 투자목적이 변경된 72개사"에 대한 "사외이사 파견"은 위헌인 것이다. 지금 시도되고 있는 사외이사 파견은 삼성물산을 비롯하여 7개사에 불과하지만, 이것이 성공하면 그 다음 사외이사 파견은 '일반투자'로 목적전환 된 72개사(2020년도초)로 발전할 것이고, 그 다음에는 국민연금이 2대주주로 있는 172개로 확장될 것이다. 이것은 『이사회 구성 · 운영 안내』에 나타나 있는 내용이다.

그리고 『이사회 구성 · 운영 안내』에서 말하는 사외이사는 경영자(대표이사)보다 상위에 존재한다. 경영자를 감독한다. 마치 각 기업에 파견된 중국 공산당의 <공산당위원회>와 다를 바가 없다. 이와 같이 사외이사 파견의 명분이 "소액주주 보호"인데, "소액주주에 대한 피해"가 발생하지도 않았는데, 그것은 있을 수 없는 일이다. 도리어 사영기업에 대한 국가의 경영권개입은 "소액주주 피해"를 유발시키는 행위인 것이다. 논리성이 결여된 이러한 주장은 그 의도가 규명되어야 한다.

왜냐면, 문제는 여기에서 한 걸음만 더 나가면, 그것은 연금 전체주의 혹은 연금 사회주의를 의미하고 있기 때문이다. 왜냐면 우리나라의 연금규모는 총상장사 시가총액의 37%에 해당하고, 172개 대기업 상장사의 2대 주주인데, 여기에 "기존 이사회와 독립되어서 경영자를 감독"하는 <사외이사 위원회>가 모두 설치된다면, 그것은 사회주의라고 불리울 수 있는 것이다. 『이사회 구성 · 운영안내』를 보면, 주주평등권을 주장하며, 일반투자기업으로 전환된 모든 회사에 이러한 <사외이사 위원회>를 설치하고

자 한다.

④ 배당강요를 통한 기업지배구조 해체

국민연금이 위와 같은 사외이사를 파견하는 이유는 무엇인가? 그것은 앞에서도 살펴본 바와 같이 기업의 '배당정책'에 관여하여 그 기업지배구조를 해체하기 위해서 이다. 이것을 위해서 문재인 정부에서는 『자본시장법 시행령』 154조 1항에서 4호 배당을 삭제하였다. 이에 대한 주주제안은 경영권에 영향을 미치는 행위가 아니라고 시행령을 개정하였다. 여기에 참여하고 하는 것이 사외이사제도가 등장한 이유이다. 왜냐면, 배당을 강요하면 자연스럽게 대주주의 지배구조가 해체되기 때문이다.

한편, 이러한 행위의 중심에는 4대기업의 국유화가 존재한다. 우리나라는 경제구조가 특이하여서 4대기업이 국유화되면, 모든 주요산업이 국유화된 것이나 다름없다. 문재인 정부에서는 그의 임기 중에 반도체 회사들을 향하여서 투자계획서를 제출 받았다. 그리고 그것을 메스컴을 통해서 발표되었다. 정부는 삼성전자 등에 대해 이 투자계획에 따라 투자하기를 강요할 것이다. 그리고 여기에 파견된 사외이사는 모든 잉여금을 배당하라고 압력을 행사할 것이다.

삼성이 이익을 내지 못하거나, 모두 잉여금을 배당하여 잉여금으로 투자계획을 실행하지 못할 때, 국가경제를 위한다는 명목 하에 삼성전자에 대한 스튜어드십코드를 실행하여 그 경영권을 교체할 것이다. 문재인 정부의 삼성전자에 대한 여러 행태들을 많은 전문가들은 이렇게 분석하고 있다. 따라서 상기의 소액투자자 보호가 재벌해체의 방편으로 이용되었다면, 그것은 심각한 헌법위반이며 국가의 정체성을 위협하는 중대한 범죄행위에 해당한다. 일반적으로 전문가들은 그 의도를 "연금 통한 국가자본주의(사회주의 시장경제)"의 일환으로 보고 있다. 그렇다면, 『한국자본주의』에서의 '경제민주화'는 '국가자본주의'(사회주의)를 의미하는 혁명의 용어이다. 그리고 그 방법론을 기술한 『한국자본주의』는 '사회주의 혁명기획서'로서 조사를 받아야 한다.

나. '더 넓은 경제 민주화' 이슈 : 사회주의 선동과 단체의 구성

장하성은 위의 내용을 그의 『한국 자본주의』에서 "더 넓은 경제민주화"개념을 논하였다. 그리고 그는 문재인 정부의 정책실장이 되어서 국민연금 스튜어드십코드를 창설하고, 그의 추종자들은 대통령시행령을 통해 그것을 모든 주요기업들에 일반화시켰다. 그리고 국민연금운용본부는 이것을 실행하였다.

결국 『한국 자본주의』는 사회주의에 대한 선동에 해당할 수 있으며, 여기에 일치된 견해를 가진 자들은 이 일을 정권을 통해서 진행하기 위하여 단체를 구성하였다. 이 책은 이제 많은 좌파 지식인들의 지침처럼 되었다. 그래서 모든 좌파 지식인들은 이 『한국자본주의』를 혁명지침서로 간주하고 있는 것 같다. 김경수의 판결문에 나타난 문재인의 대선에서 드루킹의 김동원씨의 댓글 조작은 바로 이러한 '경제민주화'를 이루고자 한 것이었다고 밝히고 있다. 그리고 김경수 판결문에서 그러한 경제민주화의 도구로서 "국민연금의결권 강화, 국민연금 스튜어드십코드, 전자투표"가 언급되고 있다. 위의 『한국자본주의』를 중심으로 좌파들이 결집하고 있는 것이다.

다. 경제분야에서의 혁명인가?

다른 모든 영역, 예컨대 정치의 영역에서 어떤 사회주의 운동이 일어나도, 그것은 사회주의라고 부르지 않는다. 공산주의·사회주의는 경제와 관련된 용어이다. 한 국가의 생산수단(기업)이 국유화되지 않으면, 그것은 사회주의가 아닌 것이다. 생산수단은 일자리인데, 이것을 국가가 장악하면, 일자리를 통해서 사람들의 모든 경제석 사유를 국가에 예속시킬 수 있다. 이 일을 사회주의자들은 먼저 민중이라는 이름으로 대기업을 향하여서 한다. 민중들은 자신들의 일이 아니기 때문에 이것을 인식하지 못하고, 관심도 없다. 지난 정권에서는 경제의 측면에서 이와 같은 사회주의 혁명이 일어나고 있었던 것으로 보인다.

장하성씨는 위의 『한국 자본주의』를 2014년에 쓰고, 이 책의 추종자들이 이제 대선을 통하여 정권을 창출하였다. 그러자, 이 책의 저자 장하성씨는 2017년에 대통령 정책실장이 된 후, 그의 모든 사상을 나라의 정책에 반영하였다. 그의 정책은 '소득주도성장'이라는 미명하에 진행되었는데, 대표적인 것이 최저임금인상과 배당을 통한 소액주주운동이었다. 그리고 이러한 내용은 모두 『한국 자본주의』에서 언급한 그대로 문재인 정부의 정책에 반영되었다.

따라서 문재인 정부에서의 '소득주도성장론'의 정책들은 이제 이 책의 저자인 장하성의 『한국자본주의』에 따라서 해석되어져야 한다. 그럴 경우, 장하성의 '소득주도성장론'으로서의 '소액주주운동의 배당'은 '더 넓은 경제민주화'(재벌해체)의 방법론이었던 것이다. 자유시장경제체제에서 한 해의 이익의 처분에 대해 국가가 관여하는 행위는 소유권침해인 것이다. 그리고 이러한 소유권침해가 결과적으로는 대주주의 지분을 희석화하는 방법이게 된다. 장하성은 『한국자본주의』에서 이러한 사회주의 혁명을 기획하였고, 그들은 정권을 잡자마자 이러한 것을 고스란히 시행령을 통해 법령에 반영하였다고 볼 수 있다. 문재인 정부는 헌법을 위배하는 행위를 시행령을 통해서 한 것이다. 그런데, 이때 헌법을 위배하는 행위는 자유 민주주의체제를 사회주의체제로 전복시키는 행위였다고 말할 수 있다.

라. 사회주의화의 일환으로 추진된 정책들

문재인과 그의 일당들은 대한민국의 정권을 잡은 후, 다음의 정책들을 국정과 법률에 반영하였는데, 그것은 『한국자본주의』에 기술된 방향으로 일관성 있게 나아간 사회주의 운동의 일환이었던 것으로 추정된다. 다음의 모든 행위가 이러한 한 가지의 주제로 해석되어야 한다.

1. <국민연금운용위원회>는 2018.7.30.자로 국민연금기금운용본부 내에 『수탁자책임활동지침』(18조, 주주제안의 스튜어드십코드 규정)을 마련하고, 동위원회를 설치하였으며, 『수탁자책임활동지침』 내에 국민연금 투자기업에 대한 "의결권 행사"에 관한 규정을 마련하였다. 이때 의결권을 행사할 구체적인 내용이 부록에 수록되어 있는데, 여기에는 국민연금 투자기업의 "이사회 구성"에 관한 관여도 여기에 포함되어 있다.

2. <국민연금운용위원회>는 2019.3.27.자로 사모펀드와 합세하여 대한항공에 대한 스튜어드쉽 코드를 발동하였으며, 그 결과 대한항공의 경영권을 교체하였다. 이것은 국가가 사영기업의 경영권을 침탈한 것이다. 경영권 프레미엄은 주식가치의 50% 정도에 이른다.

3. <국민연금운용위원회>는 2020.2.-2020.5.에 국민연금기금운용본부에서 투자한 국내 72개의 주요상장사에 대해 "단순투자에서 일반투자로 투자목적 변경"을 하고, 2020.7.31. 『국민연금투자기업 이사회 구성·운영 기준안내』를 시달하였는데, 그 내용은 국민연금은 필요시 투자기업의 이사회구성과 운영에 관여하겠다는 것이었다. 국민연금은 이사를 추천할 수 있으며, 이 추천을 받지 않으면 스튜어드십코드 관련 규정이 적용된다. 그렇다면, 그것은 강제규정이다.

4. 한편, 2020.7.31.부터 현재에 이르기까지 상기 일반투자로 전환한 72개의 상장기업에 이사 파견을 위해 상장기업에 파견할 이사 pool 구성을 내부적으로 결정하였고, 내부운영규정 등을 만드는 가운데에 있었다. 문재인 정부가 종료될 때까지도 그 작업이 중단되었다는 소식은 들리지 않았다.

5. 2020.9.30.부터 2021.3.31.까지 208개 기업의 주주총회에 참여하였고, 이때 이사선임 해임과 관련한 의결권도 무차별적으로 함께 행사하였다. 2022년 1-3월에는

613개 회사에 대하여 의결권 행사를 하였다.

6. 2021.3.삼성물산(삼성전자의 지주회사)를 포함한 7개 회사에 대해 사외이사 파견을 <수탁자책임전문위원회>에서는 세 차례에 걸쳐 논의하였으며, 당시 사외이사 풀이 마련되지 않았고, 요식절차의 미비 등에 대한 이유로 인해 사외이사 추천은 실행하지 않았으나, 이사 선임과 관련한 구체적인 활동은 계속하였다. 이러한 행위는 2022.3.에도 삼성물산을 포함한 6개 회사에 대하여 동일하게 논의되었다.

7. 2021.3.24. 국민연금, 산업은행, 공제기금 등이 벤처기업 등을 육성하기 위해 마련한 기관전용 사모펀드를 10%이상 지분 매입규정을 해제하여 그 방대한 기관 전용사모펀드(약 126조원)를 증권시장에 밀어 넣었다. 국민연금의 의결권 행사를 위해 기관전용 사모펀드를 이용하여 첨단 대기업에 대한 주주제안을 할 수 있게 만든 것이다. 그런데, 그러한 음모이전에 공적인 금융자본을 이용한 산업자본 파괴 (정상적인 기업들의 적대적 M&A)현상이 지금 폭발적으로 일어나고 있다.<이 내용은 다음 장을 통해 기술할 것임>

마. ‘국가의 안전’과 ‘국민의 생존권’과 ‘자유’의 훼손

『헌법』 126조는 ‘자유민주주의 시장경제’를 정의하고 있는 조문이다. 따라서 이 조문을 흔드는 것은 자유민주주의 시장경제의 질서를 훼손하는 것이다. 따라서 이에 대한 위배는 『국가보안법』 1조를 통해서 조명되어야 한다. 『국가보안법』 1조 1항은 다음과 같다.

『국가보안법』 제2조(정의) 이 법은 국가의 안전을 위태롭게 하는 반국가활동을 규제함으로써 ‘국가의 안전’과 ‘국민의 생존’ 및 ‘자유’를 확보함을 목적으로 한다.

① 먼저, 헌법 126조의 훼손은 국가의 안전을 해친 것에 해당한다.

오늘날의 국가의 안전은 ‘정치적 안전’과 ‘경제적 안전’으로 구분된다. 우리는 『헌법』 126조의 ‘자유민주주의 시장경제’의 핵심은 ‘사영기업의 보호’인데, 국민연금기금 운용본부는 이 조항을 훼손하는 규정을 마련하여 ‘사영기업’을 대상으로 집행하였다. 이것은 경제적 안전인 ‘자유민주주의 시장경제’의 파괴행위에 해당한다.

② 둘째, 국민의 생존권을 훼손하였는 지에 대한 조사이다.

오늘날의 국민 생존권은 국민들의 소득을 창출해 내는 일자리에 있다고 보아야 한다. 이 일자리와 국민소득은 국내총생산(GDP)의 산출과정에서 나온다. 우리나라 4대기업의 기업의 매출액[18]은 GDP의 17% 정도를 차지하는데, 여기에 파생 GDP[19]를 배분하면 37%[20]에 이른다.[21] 우리나라 GDP와 일자리와 국민소득의 37%를 4대 기업이 산출해 내고 있는데, 그러한 경영진을 흔드는 것은 국민의 생존권을 흔드는 것이다. 우리나라 4대기업의 국유화(국가의 기업운영)는 국민생존권의 위협을 의미한다. 지난 정부에서는 삼성생명법을 통해서는 삼성전자의 경영권을, 현대는 순환출자 의결권 제한 등을 통해서 그 지분을 희석화시키려 하였다. 기업경영권을 침해하는 행위는 자유 민주주의 시장경제의 헌법적 질서와 국민생존권을 침해한 것이다.

③ 세 번째, 국민들의 소유의 자유를 침해하였다. 자유의 종류는 종교와 사상의 자유, 언론, 집회, 결사의 자유, 소유의 자유(경제적 자유)로 구분된다. 이 중에서 가장 최상위에 위치하는 자유가 곧 "소유의 자유(경제적 자유)"이다. 국민연금기금운용본부는 경영자의 경영권 박탈이라는 소유의 자유를 해치는 법규를 제정하고 실행하였다. 일반적으로 경영권 프레미엄은 주식가치의 50% 정도로 계산된다.

< 칼 럼 > 정권을 통한 체제 변혁?

가. 금융을 이용한 사회주의 시도들

2000.6.15. 김정일과 김대중은 남북평화협정을 맺으며, 낮은 단계의 연방제 통일 방안을 수립하였다. 많은 사람들이 알고 있듯이 조사된 자료에 의하면, 김대중은 사회 주의자였던 것으로 보인다. 이것은 분명히 역사 앞에서 재평가 되어야 한다. 그는 그의 재임시절에 주사파 운동권 인사들이 대거 국회에 입성을 하였으며, 그는 모 국회의원에게 사회주의 혁명을 제안(1985.3)하였다.

2001.9.22. 우리나라 사회주의 운동권 세력들은 축복 괴산에 모여 '군자산의 약속' 을 하였는데, 그것은 제도권 속으로 들어가서 사회주의혁명을 한다는 것이었다. 그리

---

18) 부가가치 기여도를 계산할 경우, 4대기업 하청사들의 모든 부가가치는 4대기업에게 귀속되어야 한다. 따라서 4대 기업의 매출액과 그 부가가치기여도는 서로 일치한다.

19) 4대 기업의 파생 GDP배분이란, 4대 기업구성원들과 그 하청사들의 소비활동을 말한다. 예컨대, 17%의 GDP를 창출하였다면, 그것은 모두 그 기업구성원들의 소득으로 배분된다. 그러면 이들은 이것을 소비하거나, 은행에 예치함을 통해(대출이 되어져서) 다른 기업의 투자소비를 유발한다. 어떻게 보면 17%와 동일한 GDP를 또 다시 연쇄적으로 타산업에서 일으킨다. 이것을 파생효과라고 말한다.

20) 여기에는 주요 GDP와 파생 GDP의 구분에서 많은 차이가 발생할 수 있다. 여기에서의 37%의 숫자는 도소매, 사업 서비스, 금융, 교육 등을 파생GDP로 단순 재분류한 것이다. 그러나 요식업에도 주요 GDP가 있다. 특히 이제 화폐 저장기능의 발달로 인해서, 별도의 소득이 없어도 다른 소비활동이 일어날 수 있기 때문이다.

21) 여기에서 주요부가가치의 기준이 애매하다. '요식'이나 '금융' 중에서 일부는 주요 부가가치로 분류될 수 있는 여지가 매우 많기 때문이다. 따라서 이 책의 파생(낙수)부가가치의 기준은 전통적인 방식에 따른 것이다. 이러한 한계를 유념하고 그 내용을 이해하여야 한다.

고 이 시기를 기점으로 해서 좌파 시민단체들은 경제분야에서의 사회주의혁명 방법을 연구하기 시작하였다.

2006년 장하성은 <한국지배구조펀드>를 만들어서 적대적M&A를 통해 이러한 대기업 지배구조개혁을 이루고자 하였다. 이때, 좌파계열의 한 시민단체의 논문에 의하면, 이것을 가리켜서 "금융을 이용한 지배구조 변혁"이라고 하였다. 극단적으로 말하자면, 금융(Fund)을 이용한 사회주의 혁명 방법이 연구되기 시작한 것이다.

그러면서 2014년 장하성은 『한국자본주의』라는 책을 썼으며, 이 책은 '최저임금인 상'과 '배당'을 통한 '소득주도성장론'을 말하는데, 특히 대기업들로 하여금 '배당'을 하게 하고 '유상증자와 차입금'을 통해서 사업확장을 하게 하면, 그 지분이 희석화 되어 궁극적으로 '국가'가 '대주주'의 자리를 대체하여 '더 넓은 경제민주화'(재벌해체)를 이룰 수 있다는 것이었다. 이것이 사회주의 혁명의 방법으로 제시된 것이다. 『한국 자본주의』는 이렇게 해석될 필요가 있다.

이러한 '(더넓은)경제민주화'이론은 모든 좌파들에게 공유된 것으로 보이는데, 이러한 방법론을 위하여 김경수 판결문에 의하면, 김동원은 댓글조작을 하여 문재인을 대통령에 당선시킨다. 그러자 이제 대통령에 당선된 문재인은 장하성과 그의 추종자 김상조를 정책실장에 취임을 시키고, 박능후를 복지부장관으로 임명하여 이러한 스튜어드십코드와 자본시장법 시행령 개정을 통해 우리나라의 대기업을 비롯한 주요 상장사들을 국가에 복속시키는 사회주의 법령을 만들어 헌법적 법질서를 파괴하였다고 말해질 수 있다. 문재인 정부와 그의 추종자들은 사회주의적 법규를 대한민국에 만든 것이다. 그래서 우리나라가 이러한 법규와 제도에 따라 계속적으로 나아가면 사회주의가 실현된다. 문재인과 그의 추종자들은 사회주의에 이르는 길을 마련한 것이다. 이제 좌파가 또 다시 집권하면, 이 일은 가속될 것이다.

나. 지난 정권의 사회주의적 정체성

우리가 객관적인 증거에 의해서 익히 알다시피 문재인은 사회주의자라고 말해진다. 그는 간첩왕 신영복을 가장 존경하는 사상가라고 말하여서 그의 사상을 좇고 있음을 공개하였다. 그는 1948.8.15. 이루어진 자유 대한민국의 건국을 부정한다. 그는 그의 재임 초기에 우리나라의 헌법에서 자유를 빼고, 민주주의로 개정하려고 시도했는데, 그들이 사용하는 민주주의의 개념은 민중민주주의로서 사회주의에 해당한다고 보아야 한다. 그러나 공산 사회주의는 경제분야에서 이루어진다. 생산수단(토지와 기업)이 국유화되지 않으면, 그것은 자유 민주주의라고 불리우는 것이다. 이에 따라 경제분야에 대해서도 대한민국을 사회주의화하려는 시도가 있었는데, 그것이 곧 다음에서 언급되는 헌법과 법령위반의 사실들이다.

다. 헌법위배

헌법 126조에 의하면, "국가는 사영기업을 국유 또는 공유할 수 없으며, 그 경영을 통제 또는 관리할 수 없다"고 되어 있다. 국가는 사영기업을 소유(부분적 국유도 국유에 해당)할 수 없는데, 법인기업의 소유는 주식보유와 의결권행사(특히 경영자 선임 의결권행사)를 통해서 이루어진다. 이 양자가 이루어지면 국가의 사영기업 소유가 일어난 것이다.

먼저, 『자본시장법』 147조와 『동시행령』 154조에 의하면, "대주주가 주주제안과 의결권행사"는 "기업의 경영권에 영향을 미치는 행위"라고 적시되어 있다. 그럼에도 불구하고, 문재인과 정책실장 장하성 등은 2017.8. <국민연금 스튜어드십코드 규정>을 만들어서 국민연금으로 하여금 모든 투자기업에 대해 "주주제안과 의결권행사"를 할 수 있도록 만들었다. 우리나라 대기업 등 172개사의 대주주로서의 국민연금이 투자기업의 경영권에 영향력을 행사할 수 있도록 한 것이었다. 그리고 이에 대한 본보기로 2018.3. 대한항공의 경영권을 교체하였다. 이것은 헌법과 법률을 위반한 것이다.

두 번째, 2020.1.29. 『자본시장법시행령』 154조의 개정을 통하여 일반투자제도를 만들고(154조 ⑤항), 기업들에게 의견을 제시하는 것은 주주제안이 아니다는 규정(154조 ①항)을 만들어서, 국민연금 투자기업들에게 『투자기업의 이사회 구성·운영 안내』를 통해 '이사추천'을 할 수 있도록 하였다. 그런데, 이 여기에서 '이사추천'을 받지 않으면, 스튜어드십코드가 적용되게 되어 이것은 '강제조항'이 되었다. 이렇게 해서 국민연금은 모든 투자기업에 이사를 파견할 수 있게 되었다. 그리고 국민연금은 파견할 '사외이사 pool'을 구성 중이었으며, 이 일은 문재인 정권 내내 계속 진행 중이었다. 그리고 2021, 2022년에는 삼성물산 등을 비롯한 6-7개 회사에 대해 이사파견의 문제가 구체적으로 논의되었다. 이러한 사외이사 파견의 시도는 72개(2020년초)의 일반투자목적으로 전환한 회사들로 확장될 것이고, 더 나아가서는 국민연금이 2대 주주인 172개사로 확장될 것이다. 이것을 위해 국민연금에서는 사외이사 풀을 구성하는 중이었다. 그리고 2021년에는 208개 기업의 주총에 참여하여 경영의결권을 행사하였고, 2022년도에는 613개의 상장사에 대해 경영의결권행사를 하였다.

세 번째, 『자본시장법시행령』 154조 1항에서 '4호 배당'을 삭제하여, 국민연금이 투자기업의 배당정책에 적극적으로 개입할 수 있게 하였다. 위에서 언급한 이사가 하는 행위가 바로 이 '배당정책'에 관여하는 것이었다. 이것은 우리나라의 대기업들의 배당정책에 국민연금이 적극적으로 개입하겠다는 의지였으며, 그 길을 마련한 것이었다. 그런데, 이것은 장하성의 『한국자본주의』에서 대한민국을 향한 '사회주의 혁명방법'으로 제시된 것이었다. 그리고 그 당사자(장하성과 김상조)가 이 일을 시행한 것이었다. 그래서 우리는 이것을 시행령을 통한 사회주의 혁명으로 규정하고자 하는 것이다.

네 번째, 위의 시행령을 통한 사회주의적 혁명 시도 외에도 문재인 정권은 법률개정을 통해서도 이러한 시도한 것으로 보이는데, 그것은 기관전용 사모펀드에 관한 법률을 개정하여 그들로 하여금 상장사 주주제안을 할 수 있도록 만든 것이다. 문재인 정권은 사회주의적 혁명을 위한 많은 악법들을 양산하였다. (사모펀드에 관한 것은 장을 달리하여서 논한다.)

라. 국헌문란 : 형법 제91조의 위반

> 제91조(국헌문란의 정의) 본장에서 국헌을 문란할 목적이라 함은 다음 각호의 1에 해당함을 말한다.
> 1. 헌법 또는 법률에 정한 절차에 의하지 아니하고 헌법 또는 법률의 기능을 소멸시키는 것

우리나라 헌법 126조에 의하면, 국가는 사영기업을 국유(소유)·공유할 수 없도록 되어 있으며, 그 경영을 통제·관리할 수 없도록 되어 있다. 그런데, 지난 정부에서는 이러한 헌법을 위반함으로 형법 91조의 국헌문란을 야기하였다.

먼저, 국가는 "국방상·국민경제상 긴절한 필요로 인하여 법률에 정하는 경우"를 제외하고는 사영기업을 국유(소유)·공유할 수 없다. 그런데, 지난 정부에서는 <국민연금기금운용본부> 내에 『수탁자책임활동지침』을 만들어서 "국가가 사영기업을 소유(부분적 국유)·공유할 수 있도록" 하였다.

<국민연금기금운용본부>는 국민연금기금의 여유자금을 수익극대화를 위해 상장시장의 증권을 수익극대화목적으로 단순보유를 하였다. <국민연금기금운용본부>는 우리나라 상장사 대기업들 모두를 포함한 2대주주이지만, 주주권(의결권, 소유권)을 행사하지 않았던 것이다. 그런데, 지난 정부는 <국민연금기금운용본부>내에 『수탁자책임활동지침』(2017.8)을 만들어서 국민연금 보유 주식에 대한 '주주권(의결권) 행사'를 강제하여, 우리나라 172개사(5%이상 324개사)에 대해 "2대 주주로서의 국가 소유권"을 발생시켜 버렸다. 즉, 『수탁자책임활동지침』을 통해 "대한민국의 연금 사회주의"를 실

현시켜 버린 것이다. 즉, 사회주의 혁명을 완성한 것이다.

　그러나 이와 같은 "사영기업의 국유(소유) 또는 공유" 행위는 『헌법』 제126조에 의하면, "국방상 또는 국민경제상 긴절한 필요로 인하여 법률이 정하는 경우"에만 가능하다. 그런데, 지난 정부에서는 <국민연금기금운용본부>내에 존재하는 『수탁자책임활동지침』을 통하여 이 일을 완성하였다.

　두 번째, 지난 정부는 더 나아가서 <국민연금기금운용본부>내의 『수탁자책임활동지침』을 통하여 스튜어드코드십(주주제안) 규정을 신설한 후, 『자본시장법시행령』 154조 4항 등을 개정(2020.3.)하고, 『수탁자책임활동지침』의 후속조치로서 『국민연금투자기업 이사회 구성 운영 안내』를 규정하였다. 이것을 통하여 <국민연금기금운용본부>는 상기의 모든 회사들에 대해서 ①이사회로부터도 독립되면서도 ②기업의 경영에 참여할 수 있으며, ③대기업들의 대표이사를 관리·감독하는 무소불위의 사외이사를 파견할 수 있도록 하였다. 이에 따라 2018년부터 <국민연금기금운용본부> 내에 사외이사풀을 구성하기 시작하였으며, 2021년·2022년 초에는 몇몇 대기업들(삼성물산 등 7개회사)에게 사외이사 파견을 논의하였다. 이 일은 현재 법규를 통하여 완성되어 있으며, 언제든지 사외이사를 파견할 수 있다. 즉, 국가가 사영기업의 경영에 참여할 수 있게 하였다. 더 나아가서는 스튜어드십 코드를 이용하여 사영기업의 대표자 변경까지 할 수 있도록 하였다.

　대한민국 내의 모든 주요 기업들에게 실행된 이러한 조치들은 현재 법률적으로 유효하며, 계속 진행 중에 있다. 다만, 현재의 자유민주주의 체제를 수호하는 정부이어서 중단되어 있을 뿐이다. 그런데, 이와 같이 무차별적으로 사영기업의 경영에 참여하는 행위는 헌법 126조에 위배된다. 헌법 126조는 "국방상 또는 국민경제상 긴절한 필요로 인하여 법률이 정하는 경우"에만 가능하다. 합

　세 번째, 지난 정부에서는 상기의 스튜어드십 코드와 의결권행사를 기반으로 한 후, 『자본시장법 시행령』 154조의 1항 4호의 '배당' 삭제와 5항의 '일반투자 제도의 신설'을 통해, 국민연금은 국민연금이 투자하고 있는 상기의 기업들의 배당정책에 까지 참여할 수 있게 하였다. 사영기업의 1년 동안의 이익에 대한 처분에 국가가 관여하겠다는 것은 엄연한 사회주의를 의미한다. 지난 정부는 법률로 정하여야 할 사항을 일개의 지침과 시행령을 통하여 국가로 하여금 이러한 일들을 가능하게 하였다.

　한편, 여기에서의 국가의 배당정책 참여는 장하성이 『한국자본주의』에서 제시하고

있는 소득주도성장을 가장한 사회주의 실현방법으로 보인다. 장하성은 모든 기업들로 하여금 모든 이익을 배당하게 하고, 사업확장은 유상증자와 차입금을 통해서 하게 하라고 주장한 후, '더 넓은 경제민주화(재벌해체)'로 결론을 맺는다. 이것은 국가가 배당정책에 개입하여 회사로 하여금 잉여금을 고갈시켜서, 재벌해체를 하는 전략으로 해석될 수 밖에 없다.

이와 같이 장하성의 『한국자본주의』는 금융을 이용한 사회주의 실현방법을 제안하였으며, 문재인 정권은 이것을 철저히 대한민국 체제에서 실현하였다. 그래서 법률적으로는 이미 사회주의를 실현하였다. 이미 사영기업에 대한 소유행위가 발생하였고, 이제는 법규에 따라 경영에 관련한 통제가 시작되고, 심지어는 재벌해체 작업도 시작된 것이다.

위의 세 가지 행위는 헌법 126조를 정면으로 파괴한 행위로서, 이미 법규적으로 완성되어 있다. 따라서 이 법규에 따라 <국민연금기금운용본부>의 업무가 진행되며, 우리나라는 국가가 우리나라 대기업 등의 주요기업을 공동지배하는 사회주의 국가가 된다. 이것은 사회주의 혁명으로 이해될 수 있으며, 이 법규가 폐지되지 않는 한, 그 혁명은 성공한 것으로 까지 이해될 수 있다.

마. 『형법』 제87조 '내란'행위 적용

> 제87조(내란) 대한민국 영토의 전부 또는 일부에서 국가권력을 배제하거나 국헌을 문란하게 할 목적으로 폭동을 일으킨 자는 다음 각 호의 구분에 따라 처벌한다. (이하 생략)

<국민연금운용본부> 내에 『수탁자책임활동지침』을 신설하고, 『자본시장법시행령』 154조의 개정을 통하여, <국민연금운용본부>는 국내 대기업 등 172개사(5%이상 지분 324개사)에 대해 2대 주주로서의 소유자가 되었다. 이것은 『형법』 91조의 헌법적 질서의 파괴를 의미하며, 『형법』 87조의 '내란'이 성공한 것을 의미한다. 그들은 물리적인 '폭동' 대신 법률적인 '폭동'을 통하여 내란을 성공시켰다고 볼 수 있다. 『형법』 87조의 '내란'은 '물리적 폭동'만 의미하는 것이 아니라, 이와 같은 '무형의 폭동' 특히 '법률적인 폭동'도 포함된다고 보아야 한다. 왜냐면, 이것은 법치주의 국가에서 법률적 효과를 산출하는 '성공한 내란'이기 때문이다.

3부 기관전용 사모펀드의 반란

1장 금융자본의 산업자본 침탈
- 집합투자기구의 반란 -

< 서 론 > SM엔터테인먼트와 오스템임플란트 적대적 M&A

가. 금융자본의 산업자본 침탈

케인즈 경제학의 한계는 국가의 재정정책과 금융정책이 모두 통화량을 증가시킨다는 데에서 시작한다. 이렇게 누적된 통화량이 이제는 산업자본의 수십 배에 이르게 되었는데, 이때 이렇게 증가된 통화량은 각 개인들에 의해 사적으로 보관되는 것이 아니라, 모두 집합투자기구(금융기관)에 수탁되어 운영된다. 그래서 수없이 많은 집합투자기구[22])들이 출현하였는데, 이들이 의결권 행사를 하기 시작하였고, 이들 집합투자기구 2-3개만 연합하면,[23]) 상장회사의 어떤 회사라도 적대적 M&A를 할 수 있게 되었는데, 특히 우수한 기업 순으로 그 현상이 나타난다. 우리는 이것을 집합투자기구의 반란, 혹은 금융자본의 산업자본침탈이라고 부르고자 한다.

2023년 초에 일어난 SM엔터테인먼트와 오스템임플란트의 적대적 M&A는 금융자본의 산업자본 침탈이라는 심각한 사태가 우리에게 닥쳤음을 경고하고 있다. 집합투자기구의 반란이 대한민국 핵심부에서 시작되고 있는 것이다. SM엔터테인먼트에 얼라인파트너스가 1%의 지분을 취득하고, 얼라인파트너스의 대표인 이0환씨가 SM의 감사로 취임하였다. 김상조가 2021년 3월에 개정한 대주주 감사선임 의결권 제한의 입법이 고스란히 현실에 나타났다. 세계에서 대주주가 경영자인 감사선임 의결권을 3%로 제한한 나라는 대한민국 밖에 없을 것이다.[24])

---

22) 집합투자기구 : 집합적인 투자를 수행하기 위한 기구인데, 궁극적으로 모든 금융기관, 투자기관, 연기금, 펀드 등이 불특정 다수인의 자금을 관리하는 곳이 여기에 해당한다. 오늘날에는 모든 현금을 금고에 보관하는 것이 아니라 은행 등에 보관한다. 이제 은행 등의 금융기관은 그 자금들을 이용하여 투자행위를 한다.

23) 우리나라의 대부분의 상장사들의 경우, 최대주주의 지분이 20-30%이다. 이때 『자본시장법』에서는 집합투자기구의 의결권을 10%까지 허용하고 있다. 그러다 보니 이제 2-3개의 집합투자기구가 연합하면, 대부분의 우수 상장사들에 대해 적대적 M&A를 할 수 있게 되었다. 이 문제는 시급히 공론화 되어야 할 문제이다.

24) 우리나라의 상장사들의 경우, 최대주주의 지분이 20-30%인데, 이들에게 이제는 감사선임과 관련하여서는 3%의 의결권 밖에 허용하지 않는다. 이때 이 회사가 우량하여서 국민연금이 10% 정도 들어오고(국민연금은 우리나라 우량회사 모두에 대해 10%정도 투자하고 있음), 또 다른 집합투자기구(자산운용사 등의 금융기관)가 1-2개 투자를 하고 있다고 하자. 이런 회사는 이제 행동주의 펀드의 영락 없는 표적이다. 행동주의(적대적 M&A)를 할 펀드가 먼저 1% 정도의 지분을 취득한 후, 감사후보에 들어간다. 그러면, 대부분의 모든 집합투자기구는 최대주주의 전횡을 막는다는 명분하에 1%의 주주에게 감사의 권한을 준다. 그러면 이제 이 1% 주주로서의 감사는 회사 내부사정을 모두 파악한 후에, 경영권 교체 "주주제안"을 한다. 경영권 분쟁이 붙은 것이다. 이때 대부분의 집합투자기구는 최대주주의 반대편에 서게 되는데, 그렇게 하면 주식가치가 50% 정도 상승한다. 앉아서 투자금액의 50%의 소득을 올리는 것이다. 지난 문재인 정부에서는 "기관전용 사모펀드 10%룰 해제"와 "대주주 의결권

이렇게 감사로 취임한 이0환은 1년 동안 회사의 내부사정을 모두 파악한 후, 카카오(9%지분 확보)와 연합하여 적대적 M&A를 시도하였다. 그러자 SM의 이수만은 지분을 18.45%를 소유하고 있었는데, 1%를 소유한 이0환씨의 적대적 M&A세력에 곧바로 백기를 들어버렸다. 18.45%를 가진 이수만이 왜 1%의 주식을 가진 얼라인 파트너스의 도전에 곧바로 경영을 포기해 버렸을까? 그것은 카카오와 또 다른 집합투자기구 때문이었다. 다른 집합투자기구로서는 국민연금이 9%, KB자산운용 5%를 가지고 있었다. 이들 집합투자기구들의 지분이 24%에 이르기 때문이다. 다른 집합투자기구들은 최대주주(이수만)의 편을 들지 않는다. 그래야 주가가 폭등을 하기 때문이다. 이제 집합투자기구의 세상이 된 것이다. 대한민국의 산업계에 경종이 울리고 있다.

나. 집합투자기구에 허용된 10%의 의결권

현재 주권상장시장에서는 집합투자기구들의 의결권을 10%로 제한하고 있다. 그 법률이 나온 때에는 집합투자기구가 많지 않았기 때문에 이렇게만 해도 산업자본이 보호가 되었다. 그런데, 끝없는 통화의 발행과 신용창조 등을 통해 금융자본이 산업자본에 비해 폭발을 하였다. 예컨대, 10% 인플레이션이면 특정실물자산의 가격이 19년 후에는 10배가 되는데, 그것은 그만큼 통화량이 증가하였다는 것이다. 그리고 그 증가된 통화량은 고스란히 집합투자기구(금융기관 등)에 가서 머문다. 그 통화를 집에 쌓아두지 않기 때문이다.

오늘날 우리나라 상장사들 대부분은 대주주가 20-30%의 지분을 보유하고 있다. 과거에는 이렇게 해도 경영권이 보장이 되었던 것이다. 그런데, 최근 들어 통화량이 급팽창을 하자, 이제는 우리나라 상장사 어느 기업이든지 행동주의 펀드 2-3개만 연합하여 공격을 하면 그 기업은 버틸 재간이 없다. 오늘날 증권시장에 쌓이고 쌓인게 집합투자기구의 투자자들이다. 엎친대 덮친 격으로 지난 문재인 정권에서는 상장시장 밖에 주로 활동하는 산업진흥용 자금인 기관전용 사모펀드 126조원의 고삐를 풀어서 증권시장의 일반상장기업 투자를 허용해버렸다. 이것은 매우 큰 사건으로 보인다.

오스템임플란트도 SM엔터테인먼트와 유사하다. 최대주주 최규옥씨는 19.62%의 지분을 보유하고 있었다. 이때 KCGI(강성부)의 에프리컷 펀드가 6.92%를 매집한 후, 적대적 M&A를 시도하였다. 그러자 최규옥씨는 곧바로 손을 들고, 자신의 지분을 또 다른 집합투자기구이자 기관전용사모펀드인 유니슨캐피탈과 MPK파트너스에 의뢰하여

3%제한"을 통해 증권시장을 행동주의 펀드의 세계로 만들어 버렸다. 이번에 일어난 SM엔터테인먼트와 오스템임플란트는 이러한 패턴에 의해 이루어졌다.

그들에게 지분을 모두 넘겨버렸다. SM과 동일한 그림이 이곳에서도 펼쳐졌다. 지금 주식시장에는 무서운 바람이 불고 있다. 집합투자기구 2개만 연합하면, 어느 기업이든지 인수할 수 있다. 이에 대한 대안마련이 시급하다. 특히 증권시장 밖에 머물던 기관전용 사모펀드가 이번 "기관전용사모펀드 10%룰 해체"를 통해 증권시장 진입을 시작한 것이다.

다. 집합투자기구에 몰려든 금융자본

이 문제의 뿌리는 매우 깊다. 이것은 케인즈 경제학의 한계를 말하고 있기 때문이다. 케인즈 경제학은 재정정책이나 금융정책 등을 통하여 유효수요를 창출하는 방식을 택하는데, 이때 항상 통화발행과 신용창조가 뒤 따르며, 통화량을 폭발시킨다. 그리고 그 폭발한 통화는 집합투자기구에 가서 머문다.

이러한 문제는 특히 사회주의자들이 정권을 잡았을 때, 더 큰 통화량 폭발을 가져온다. 사회주의자들은 포퓰리즘을 통해서 정권을 유지하려 하기 때문에 통화발행과 국채발행을 통하여 경기부양을 한다. 이러한 유동성 증가에는 신용창조가 일어나서 통화량이 폭발을 한다. 그래서 하이퍼 인플레이션을 가져온다. 이때 또 하나의 부작용으로서 증가된 통화량은 모두 집합투자기구(금융기관)에 머물게 된다. 그리고 그 금융기관의 모든 자금은 이제 또 다시 산업자본이 몰려 있는 증권시장에 유입된다. 이때 증권시장에 유입될 때, 개인 각각의 명의로 유입되는 것이 아니라, 그 모든 자금을 위탁 받은 집합투자기구의 이름으로 들어온다. 이들은 개인들의 모든 보유자금을 모아서 자신의 명의로 가지고 금융시장에 들어오는 것이다. 그리고 이제 자칫 도덕적 해이가 일어나거나 정책이 미흡하면, 이들의 금융자본이 산업자본을 침탈하게 된다.

현재 집합투자기구의 각각의 기업(종목)에 대해 보유와 의결권을 10%로 제한하고 있다. 그러나 이제는 집합투자기구의 주식보유 문제는 별개로 하더라도, 그 의결권을 제한하는 문제는 차별을 두어야 할 필요가 있다. 상장사 대주주들의 지분이 20-30%인데, 집합투자기구에 10%의 의결권을 허용한다는 것은 너무도 가혹하다. 금융자본과 산업자본의 크기의 균형이 깨어진지 오래되었다. 금융자본이 산업자본의 크기에 비하여 10-20년 전에 1-2배 이던 것이 이제는 10-20배에 이르게 되었다는 것이다.

우리는 이러한 통화량의 증가를 지난 문재인 정권 4년을 통해서 살펴봄을 통해서 지난 수십년 동안 누적된 금융자산의 폭발이 어떠한 지를 감 잡아 보고자 한다. 이렇게 산업자본에 비해 증가된 금융자본을 측정하여 집합투자기구에게 허용하던 10%의 의결권을 그렇게 비정상적으로 증가된 통화량의 반대비율로 감소 시켜야 한다.

1. <거시경제학에 대한 이해> 케인즈의 경제정책과 금융자본

금융자본과 산업자본의 관계를 이해하기 위해서는 어렵더라도 거시경제학에 관한 이해가 어느 정도 필요하다. 문재인 정권에서 290조(통화 80조+국채 210조)원의 재정정책이 어떻게 1,211조원의 예금통화 증가(36%)를 가져와서 부동산가격을 폭등시키고, 더 나아가 순증가된 통화량 450조원 정도의 금융자산이 자산운용사 등의 집합투자기구에 흘러가서 산업자본을 위협하게 되었는지를 설명하기 위한 예비지식이다. (다음의 내용은 일반 대학교 경제학과 출신 정도의 지식으로 우리나라 경제정책의 원리를 이해할 수 있다. 어려우면 이 장은 간과하여도 된다.)

가. 케인즈 경제학

오늘날의 20세기의 산업화된 사회는 케인즈 경제학이 열었다고 해도 과언이 아니다. 케인즈 경제학의 원리는 경제가 침체상태에 빠졌을 때, 통화발행(국채발행 포함) 등을 통해 유효수요(소비)를 창출해 낸다.(케인즈의 유효수요원리) 즉, 돈을 풀어서 소비가 일어나게 하여, 공장이 다시 돌아가고 고용(소득)이 다시 일어나게 하는 것이다. 여기서 가장 중요한 것이 고용이다. 그래서 경제가 계속 돌아간다. 이렇게 하여 경제가 다시금 선순환 구조를 회복하게 하는 것이다. 그런데 문재인 정부의 재정정책은 고용과 무관하여 통화량만 증가시키고 1회성으로 끝나 버렸다. 그리고 증가된 통화량은 부동산을 끼고 신용창조를 일으켜서 예금 통화량의 폭발을 가져왔다. 시사경제용어사전은 케인즈 경제학을 다음과 같이 소개한다.

20세기 영국의 경제학자이자 정부자문역인 존 메이너드 케인즈의 이론 및 그 이론을 이어받은 케인즈 학파의 경제이론을 말한다. 케인즈학파는 고전학파 이론의 맹점을 비판하면서 대공황의 타개를 위해 정부가 민간경제에 대하여 보다 적극적으로 간섭하고 정부지출을 늘려 유효수요를 창출함으로써 대량실업을 없애고 완전고용을 달성할 것을 제창하였다. 케인즈의 일반이론은 주로 1930년대의 자본주의 경제의 병폐인 불완전고용, 즉 불황을 주로 분석의 대상으로 삼았다는 데서, '불황의 경제학'이라고 평하는 학자도 있다. 동 이론은 세계의 많은 나라의 경제정책에 이론적 기초를 제공하여 새로운 경제정책을 수립하게 하였다.
[네이버 지식백과] 케인즈경제학 (시사경제용어사전, 2017. 11., 기획재정부)

위의 케인즈 경제학에서 주의해야 할 것이 있다. 케인즈 경제학으로는 장기적이고도 궁극적인 경제성장을 이룰 수는 없다. 케인즈경제학은 경기가 불황에 빠졌을 때 회복용으로 적절하다. 회사마다 재고가 쌓여서 실업자가 생겨날 때, 정부에서는 통화를 발행하거나 국채를 발행하여 그 재고를 소진시켜 줌을 통해서 공장이 정상적으로 가동하게 하여, 완전고용을 달성하게 한다. 이렇게 완전고용이 이루어지면, 이제 그들은 공장에서 주어진 소득으로 또 다시 소비를 하여 경제가 정상으로 돌아오게 하는 것이다. 케인즈 경제학은 새로운 부가가치를 일으키는 것은 아니다. 다만 쌓인 재고를 소진하게 하고, 다시금 고용을 일으키는 것이다.

그래서 경제가 정상적으로 돌아왔을 때, 발행된 국채를 상환하여 자금을 다시 회수해야 하는데, 일반적으로 대부분의 국가에서 그러한 행위를 하지 않는다. 그런데, 이때 좌파정권이 들어서면, 완전고용의 상태임에도 불구하고 포퓰리즘을 위하여 재정정책이나 금융정책을 통한 경기부양책을 쓰는데, 이때 하이퍼 인플레이션이 발생하기만 한다. 문재인 정부의 포퓰리즘이 이러한 현상을 가져왔다.

나. 경제정책의 주요도구가 된 재정정책

이러한 경제정책이 개발되다 보니, 경기침체가 나타나면, 이러한 방법이 즉각적으로 동원되었다. 각 나라가 이러한 방법을 즐겨쓰기 시작한 것이다. 그 결과, 지난 1930년대의 세계대공황 이후 모든 나라가 경기침체를 겪지 않고 1970년대까지 꾸준한 성장을 해왔다. 이러한 케인즈 경제학은 두 가지 방향으로 나타나는데, 하나는 재정정책이고 또 하나는 금융정책이다. 먼저 재정정책을 살펴보면 다음과 같다.

① 재정정책

재정 정책이란 국가가 개입하여, 특히 정부지출을 통하여 총수요(예 : 기업의 생산물 구매)를 늘리는 것을 말한다. 그렇게 해서 경기를 끌어올린다(확장 재정정책=적재정). 물론 경기가 과열이 되면, 이 반대로 하여 총수요를 줄이는데(긴축 재정정책), 각국의 정부는 이 행위를 그다지 하지 않는다. 『다음백과』는 다음과 같이 소개한다.

경제가 불황인 상태를 생각해 보자. 경제 활동이 전반적으로 위축되어 제품의 재고는 쌓여 가고, 기업들은 생산을 줄여 실업률은 계속 높은 상태를 유지하게 된다. 이러한 상태에서 벗어나려면 경제 전체의 총수요가 늘어나면 된다. 총수요가 늘어나면 재고가 줄어들면서 생산과 고용이 활발해질 것이다. 그렇다면 총수요를 어떻게 증가시킬 수 있을까?

총수요는 민간 소비, 민간 투자, 정부 지출, 순수출로 구성되어 있다. 만약 정부가 정부 지출을 조절한다면 총수요도 영향을 받게 된다. 또한 정부가 소득 세율을 조정할 때에도 가계가 쓸 수 있는 소득(가처분 소득)이 달라져 민간 소비에 영향을 미침으로써 총수요를 변화시킨다. 이렇게 정부가 세입(조세)과 세출(정부 지출)을 조절하여 총수요에 영향을 주어 경제를 조절하는 정책을 '재정 정책'이라고 한다. (다음백과, 개념톡톡 용어사전 사회편, 김지혜 | 푸른길)

그런데 여기에서 경기를 부양시키려고 확장재정정책을 사용할 때, 적자재정을 일으켜야 한다. 즉 돈이 있어야 시중의 물품을 구매하는 것이다. 이때 통화를 발행하던가, 아니면 국채를 발행한다. 이때 이 두 가지 모두 통화발행과 똑같은 효과를 가져온다. 일반적으로 국채는 10년 만기의 장기성으로 발행되는데 비하여, 물품구매효과는 단기성의 유동성을 증대시키기 때문이다.

② "정부지출"의 경로들

확대재정정책의 자금이 소비를 통해 기존의 재고를 소진시켜서 다시 기업이 가동시켜 고용을 창출하는 것이 본래의 취지이다. 원래 케인즈 경제학은 이렇게 출발하였다.

그런데, 이때 정부가 마냥 시중의 물품을 구매할 수는 없는 것이다. 즉, 정부지출을 어떻게, 누구에게 할 것인가의 문제가 되는 것이다. 이때 정부에서 유념하여야 할 것은 이러한 재정정책이 일자리를 만들어내지 못하면, 그것은 고스란히 실물경제는 그대로인 채 물가인상만 가져오는 인플레이션으로 귀착된다는 것이다.

그래서 재정정책을 실행할 때에는 그 후의 고용창출효과를 면밀히 분석하면서 재정지출을 하여야 한다. 즉 향후의 일자리를 감안하여 국가가 재정지출을 통한 수요를 창출해야 하는 것이다. 이것이 원래의 재정정책의 본질이다. 그 대표적인 것이 신산업이 일어날 때에 정책적으로 집행하는 연구개발에 대한 투자이며, 기간산업에 대한 투자이다. 이렇게 투자하여 신규산업을 일으켜서 고용을 창출하거나, 건설공사 등을 통하여 일자리를 만들어내면, 그 증가된 통화량은 실물경제에 유익을 가져오고, 경제성장과 함께 이루어지는 인플레이션이 되기 때문이다.

그러나, 지난 문재인 정권에서처럼, 고용(일자리)과는 무관한 복지 관련한 재정정책을 사용하면, 그것은 고스란히 인플레이션으로만 귀착될 뿐이다. 실물경제에는 아무런 유익을 가져오지 않는다. 그래서 가급적이면, 복지정책은 고용과는 무관하기 때문에,

가급적이면 소득재분배(세금)를 통해서 하여야 한다.

③ 통화량의 증가

궁극적으로 재정정책은 통화량의 증가를 초래한다. 이것이 케인즈 경제학의 한계인 것이다. 모든 정권을 가진 자들이 우파나 좌파 할 것 없이 국민들의 표를 의식해서 국채를 발행하여 확대재정정책을 사용하는 것이다. 현금을 찍어내면, 표가 나기 때문에 국채발행이라는 방법을 이용한다. 그러나 결과는 통화발행과 동일하다.

그러나 문제는 신용창조이다. 통화발행이나 국채발행은 유동성을 증가시키는데, 이 증가된 유동성은 이자율에 민감하게 반응하여 신용창조를 일으킨다. 즉, 자연스럽게 금융정책의 영역으로 이동하는 것이다. 즉, 이자율이 부동산소득보다 낮을 경우, 유동성은 부동산 시장으로 흐르면서 신용창조를 통해 유동성을 폭발시키는 것이다. 자칫 금융정책(특히 이자율)이 잘못 적용되면 하이퍼 인플레이션이 일어나는 것이다.

그런데 문재인 정부에서는 이런 것을 고려하는 각료가 하나도 없었다. 그래서 이자율을 그대로 놓은 채, 국채발행 등을 통한 유동성만을 공급하였다. 그러자 자금이 부동산 시장으로 흘러들어왔고, 여기에서 낮은 이자율로 인해 신용창조가 폭발적으로 발생하여 통화량을 폭발시켜 버린 것이다. 그것이 지난날 문재인 정부에서 일어난 부동산 가격폭등이었다.

다. 금융정책(통화정책) : 문재인 정부의 최대 실패작

재정정책과 금융정책은 이렇게 서로 긴밀히 연결이 되어 있다. 먼저, 재정정책으로 통화량이 증대된다. 그 다음, 이렇게 증가된 통화량은 이자율이 낮을 경우, 신용창조를 어마어마하게 일으킨다. 통화량이 폭발을 하는 것이다. 오늘날에는 통화가 실물이 아닌 금융기관에 예금의 형태로 존재하기 때문에, 정부에서 돈을 찍어내지도 않았는데도, 돈을 찍어낸 것과 동일한 효과를 낸다. 우리는 이 원리를 이해해야 한다.

① 신용창조

정부에서 통화발행과 국채발행을 통해 100조의 유동성을 시중에 공급하였다고 하자. 그러면 이 돈은 소비 혹은 저축이라는 경로를 통해 은행에 예금이 된다. 그러면 은행에서는 이에 대한 이자를 지급하여야 하기 때문에 지급준비율(약 10%)을 제외한 모든 금액, 즉 90조원을 대출을 통해 밀어내어야 한다. 그런데, 대출된 자금은 또 다시 다른 유통경로(부동산 매도자의 소비활동)를 통해 금융기관으로 유입된다. 그러면

은행은 또 다시 81조원을 대출해 주어야 한다. 이 경로가 반복된다. 그러면서 통화량은 궁극적으로 100조를 발행했는데, 100조÷0.1(10%)=1,000조원이 되는 것이다. 시사경제용어사전에서는 다음과 같이 말하고 있다.

신용 창조는 예금액의 일부만 지급 준비금으로 남겨두고 나머지는 대출하는 부분 지급 준비 제도에서 은행이 반복적인 대출 과정을 통해 예금 통화를 창출하는 현상을 말한다. 중앙은행이 화폐를 100만큼 발행하여 A은행에 공급했을 때 은행은 그 중 일부만 지급 준비금으로 남겨두고 나머지는 민간에 대출하여 그만큼의 통화가 만들어지게 된다. 통화 창출 과정은 여기에 그치지 않는다. A은행으로부터 대출받은 사람이 B은행에 그 자금의 일부를 예금하면 다시 은행은 그 중 일부만 지급 준비금으로 나머지는 민간에 대출하여 그만큼의 통화가 추가적으로 만들어지게 된다. 이러한 대출 과정을 통해 통화 창출 과정이 반복되면 통화량은 애초에 중앙은행이 발행한 화폐액보다 훨씬 더 크게 늘어나는 승수 효과가 나타난다. 은행이 법정 지급 준비율(R) 이상으로 초과 지급 준비를 하지 않고 사람들은 보유한 화폐를 모두 은행에 예금한다고 가정하면 통화 승수는 1/R이 된다. 예를 들어 법정 지급 준비율이 10%일 경우 통화 승수는 1/0.1, 즉 10이 된다. 이 경우 중앙은행이 화폐를 100만큼 발행했을 때 통화량은 이에 10을 곱한 1,000만큼 늘어난다. 은행이 반복적인 대출 과정을 통해 900만큼의 예금 통화를 창출한 결과이다.… (신용 창조, 시사경제용어사전, 다음백과)

② 금융정책

재정정책으로 유동성이 시중에 공급이 되었을 때, 이제 이 돈은 은행의 대출 등을 통해서 유통되기 시작하는데, 이자율이 낮을수록 그 회전속도는 크다. 사업거리 혹은 투자거리가 방대할 경우, 앞에서처럼 100조가 1,000조가 되어 나타난다. 이렇게 이자율 등을 조절하여서 경기를 부양하는 방법을 금융정책이라고 한다.

중앙은행이 통화량이나 이자율을 조정하여 경제를 조절하는 정책을 '통화 정책'이라고 한다. 경제가 침체되어 있을 때, 중앙은행은 이자율을 낮추는 등 통화량을 증대시키는 정책을 실시하게 된다. 통화량이 증가하면 사람들이 당장 사용할 수 있는 돈이 많아진다. 가계는 소비 지출을 늘리고, 기업들은 투자할 여유가 생긴다. 이에 따라 총수요는 이전보다 증가하게 된다. 게다가 통화량이 증가하면 자금에

여유가 생겨 저축을 늘리는 등의 방법으로 다른 사람에게 돈을 빌려 주려고 한다. 돈을 빌리려는 수요는 일정한데 빌려 주려는 자금의 공급이 많아지면 대출 이자율은 하락하게 된다. 이자율의 하락은 기업의 투자 지출을 늘어나게 하여 총수요에 영향을 미친다. 반대로 경제가 과열되어 있을 때, 중앙은행은 이자율을 높이는 등 통화량을 줄이는 정책을 실시하게 된다.… (다음백과, 개념톡톡 용어사전 사회편, 김지혜 | 푸른길)

③ 금융정책의 효과와 위험성

금융정책은 투자거리에 따라서 그 효용성이 달라진다. 예컨대, 한 국가에 사업거리가 많이 생겨서 사업용도로 그 자금이 흐르면, 고용을 창출하며, 원래의 금융정책의 목적을 달성하게 된다. 그런데, 한 국가가 정체상태에 머물 때에는 그 자금은 부동산으로 흐른다. 특히 임대료가 이자율보다 높을 경우, 그때의 자금은 신용창조를 통해 폭발을 하게 된다. 지난 문재인 정권에서는 4년 동안 290조원(통화 80조, 국채발행 210조)의 유동성을 공급하자, 금융기관 수신고가 4년 동안 3,342조원에서 4,553조원으로 1,211조원이 증가하였다. 통화량이 290조원이 아니라 1,211조원으로 4.2배가 증가한 것이다. 이것이 바로 이자율을 매개로 하여 일어나는 신용창조의 원리이다.

우리는 이러한 모습을 지난 문재인 정부의 4년(그의 임기 마지막 1년은 코로나로 인해 제외) 동안 목격하였다. 문재인 정부4년의 기간 동안 290조의 유동성을 공급하였는데, 총통화량은 1,211조원으로 폭발해 버린 것이다. 이때의 그 매개체는 부동산이었다. 그래서 부동산에 그와 같은 수준(36%)의 인플레이션이 나타난 것이다. 대한민국의 유사 이래 최대의 금융(경제)사고였던 것이다. 이로 인해서 모든 근로소득자들은 앉은 자리에서 평생 소득의 36%를 날려 버렸다. 모든 젊은이들의 내 집 마련의 꿈을 앗아가 버렸다. 대한민국 국민들은 이 사건을 잊어서는 안 될 것이다.

라. 통화량 폭발의 2차 부작용 : 금융자본의 산업자본 침탈

그런데, 더 중요한 문제가 있다. 이렇게 갑자기 증가한 통화량은 이제 어디로 흐르나? 그것을 경제주체들은 모두 은행에 예금을 한다. 은행에 수신고가 폭발을 한다. 그것이 곧 집합투자기구이다. 이 은행과 같은 집합투자기구는 그 여유자금을 자산운용사를 설립하거나 그곳에 맡겨서 운용을 한다. 그러면 자산운용사들은 그 자금을 가지고, 여러 대체투자처를 찾는데, 그 중에 대표적인 곳이 산업자존이 모여 있는 증권시장이다. 모든 사람들의 여유자금, 특히 부동산 판매대금의 모든 자금을 모은 여유자금을 가지고 집합투자기구의 이름으로 주식시장에 들어오는 것이다. 증가된 통화량을 가진 집합투자기구들이 방대한 큰손들이 되어 증권시장에 들어오는 것이다. 이것을 잘못 관리하면, 금융자본의 산업자본침탈이 일어난다.

산업자본이 모여 있는 증권시장에는 아직 이 증가된 통화량이 반영되지 않은 상태이다. 이 금융자본이 볼 때, 자본시장의 주식가격은 현저히 낮은 가격이다. 여기에 더하여서 금융자본은 이제 집합투자기구의 이름 아래로 모두 집합을 하였다. 이제 이들이 산업자본을 침탈하기 시작하는 것이다. 그것이 행동주의 펀드이다.

모든 나라에서는 이 금융자본의 산업자본 침탈을 막기 위한 법률이 있다. 우리나라도 마찬가지로 『자본시장과 금융투자업에 관한 법률』이 있다. 이 자본시장법은 위의 금융정책으로 말미암은 신용창조를 반영하여야 한다. 그래서 산업자본을 금융자본으로부터 일정기간 보호하여야 한다. 금융시장의 통화량 증대가 실물자산에 반영될 때까지 보호를 하여야 한다. 금융자본의 집합투자기구에게 10% 의결권 행사권한을 주는 것은 산업자본의 입장에서는 너무 가혹하다.

2. 포퓰리즘(적자 재정정책)이 가져온 경제효과 분석

가. 본원통화와 국고채를 통한 재정적자

지난 문재인 정부 4년(2017-2020년) 동안 본원통화 80조원과 국고채권 210조원의 290조원의 유동성이 증가하였다. 여기에서 국고채권은 평균 10.64년 만기의 채권으로서 화폐발행과 동일한 효과를 가져왔다. 이 금액은 본원통화와 함께 동일한 신용창조의 대상이 된다. 한편 우리나라 지난 4년 동안의 통화발행과 국고채권의 내용은 다음과 같다. 한편, 다음의 내용은 코로나의 영향을 제거하기 위해 코로나가 오기 직전까지의 데이터이다. 원래 통화량의 증가는 GDP증가율과 일치하여야 한다.

< 국채와 본원통화의 증가 >

항 목 명	2016	2017	2018	2019	2020	4년 순증가
국고채권	517	547	567	612	727	210
본원통화	143	156	172	192	223	80
합 계	660	703	739	804	950	290
순증가		43	36	65	146	290
증가율		6.5%	5.1%	8.8%	18.2%	
국내총생산(GDP)	1,741	1,836	1,898	1,919	1,900	159
GDP증가율		5.5%	3.4%	1.1%	△1%	

(출처 : "한국은행 경제통계시스템"에서 수집하여 가공)

 일반적인 정부의 재정정책은 경제가 어떤 이유로 인하여 급격한 하강국면에 진입하였을 때(비상시에만), 적자재정의 국고채 발행을 한다. 그런데, 문재인 정부는 4년 동안 210조원의 포퓰리즘 적자재정을 실행하였다. 당시 정부는 소득주도성장이라는 명분으로 기본소득을 국민들에게 나누어주기 위해 적자재정을 실행하였기 때문이다. 그러면서 통화량(유동성) 증가가 GDP증가율을 급격히 넘어서 버렸다.

나. 적자재정의 GDP기여도 분석 : "동일한 GDP & 실업자 양산"

 우리는 위의 표를 예의주시해 보아야 한다. 위의 표에 의하면, 명목 GDP는 4년 동안 159조÷1,741조=9.1%(연평균 2.3%) 증가한 것으로 나타난다. 그러나 이것은 재계산 되어야 한다. 문재인 정부에서 4년 동안 290조원을 풀어서 소득으로 국민들에게 지급을 해주고, 그와 동일한 금액을 정부지출의 소비를 발생시켰다. 그렇기 때문에 적자 재정지출 290조는 여기에서 제외되어야 한다. 그래야 이 기간 동안의 정부가 개입하지 않은 순전한 경제성장율이 나온다.

 그렇다면, 이 4년의 기간 동안 실질적인 경제성장은 159조-290조=△131조원이라고 말할 수 있다. 실제적으로는 마이너스 경제성장이었던 것이다. 당시에 최저임금 인상으로 많은 자영업자들이 도산하였다. 2020년은 2016년 대비 △131조÷1,741조=△7.5%(연평균 △1.8%)이다. 외형적으로 나타나는 GDP경제지표는 연평균 2.3% 증가하였는데, 실질적인 GDP경제지표는 연평균 △1.9%가 된 것이다.

 그런데 어차피 소비해야할 소비는 소득의 유무를 떠나서 발생한다. 위의 표에서의 GDP 증가분 159조는 포퓰리즘 재정지출이 없었어도 발생하는 GDP 증가분이었다. 따라서 재정지출 290조원(본원통화 80조+국채발행 210조)은 GDP에는 아무런 기여를 못하였고, 통화량의 증가만을 가져왔다고 볼 수도 있다.

다. 통화량만 증가시키는 재정지출

 그것은 통화량의 유통속도를 측정해 보면 알 수 있다. 통화량은 늘어났는데, GDP가 동일하므로 통화유통속도만 떨어질 뿐이다. 다음의 표는 그것을 나타낸다.

<M1 통화량 증가로 인한 화폐유통속도의 감소 >

항 목 명	2016	2017	2018	2019	2020	5년간 순증가
M1(협의통화)	796	850	866	953	1,198	402
국내총생산	1,741	1,836	1,898	1,919	1,900	159
M1통화량/GDP	0.46	0.46	0.46	0.50	0.63	
화폐유통속도	2.19	2.16	2.19	2.01	1.58	

(자료출처 : "한국은행 경제통계시스템"에서 수집하여 가공)

위의 표에서 보면, 화폐유통속도가 떨어지고 있다. 그것은 재정지출을 통해 공급된 유동성(증가된 통화량)이 정상적인 소비를 일으키지 않고(즉 돈이 돌지 않고), 통화량만 증가시키고 있다는 것이다. 그래서 진정한 의미의 경기부양이 아닌 포퓰리즘 재정지출은 기존의 GDP에 별다른 영향을 미치지도 않으며, 그러한 돈은 모두 과잉통화량으로 자리잡게 된다는 것이다. 통화유통속도의 갑작스러운 감소가 이것을 말해 주고 있다. 그런데, 이렇게 증가된 과잉통화는 엉뚱한 곳으로 흐른다.

3. 문재인 정부 신용창조로 인한 통화량 폭발

가. 잉여통화량의 신용창조

이와 같은 재정지출은 통화량만 증대시킨다. 문제는 저금리 하의 신용창조이다. 포퓰리즘으로 배포된 290조(본원통화 80조+국채발행 210소)는 M1 통화로는 402조의 증가를 가져왔지만, 저금리의 기조 하에서 신용창조를 통해 총통화량 1,211조원의 통화 팽창을 가져왔다. 끔직한 일이 발생한 것이다. 경제활동과 무관한 잉여통화량은 이자율이 낮을 경우, 이제 부동산 시장으로 흘러간다. 그리고 이렇게 부동산대출을 통한 신용창조가 일어나는 과정 속에서 부동산 가격을 폭등시켜 버린다. 우리는 앞에서 살펴본 신용창조를 여기의 290조원에 적용시켜 볼 수 있다.

먼저, 금융시장에 290조원의 유동성이 공급되었다. 210조원의 국채발행(10.64년물)을 통해 시중에 유동성이 공급되고, 80조원의 통화발행을 통해서 유동성이 공급된 것이다. 이것은 290조원의 통화발행과 동일한 효과를 가져온다. 장기에 묻혀있던 자금이 지금 시중에 유동성으로 등장한 것이다.

이 290조원은 서민들에게 무작위로 공급된다. 이때 서민들은 이것을 소비함을 통해서 자영업자들의 손에 들어간다. 이 자영업자는 이 금액을 은행에 맡긴다. 이때 은행에서는 이 돈을 지급준비율(약 7-10%, 10% 가정) 해당액만 남긴 채 누군가에게 대출을 해 주어야 한다. 그렇지 않으면 이자만 물어내어야 한다. 290조×(1-10%)=261조원의 대출을 해 주어야만 하는 것이다. 이때 일반적으로 이 금액은 경제가 정체되어 있을 경우에는 부동산 거래대금으로 집행된다. 이렇게 부동산 거래대금으로 집행된 261조원은 또 다시 금융권으로 유입된다. 그 돈을 각 사람이 집에 금고를 만들어서 보관하는 것이 아니기 때문이다. 그러면 또 다시 은행은 261조×(1-10%)=235조원의 대출을 해 주어야만 하는 것이다.

이것은 계속 순환이 되어서 290조÷0.1=2,900조원에 이를 때까지 계속 되는 것이다. 이 순환의 고리를 이자율 인상을 통해서 끊지 않으면, 그 순환은 계속 된다. 경험이 많은 미국의 경우에는 먼저 이자율을 올려서 자금의 순환을 차단한 후에 재정지출을 단행한다(예: 인플레이션감축법). 그러나 문재인 정부의 각료들에게는 포퓰리즘에만 급급했지 아무도 이러한 문제를 인식하지 못했다.

나. 총예금 통화량의 증가 : 1,211조원

지난 4년 동안 본원통화와 국채의 증가는 290조원 증가하였지만, 은행의 신용창조를 통하여 783조원의 M2(본원통화+요구불예금+1년만기 정기예금) 통화량이 증가하였으며, 비금융기관의 예치금을 모두 합한 예금통화 증가금액은 1,211조원에 이르렀다. 아무런 경제효과도 없이 이러한 규모의 통화량만 증대시켰을 뿐이다.

M2(본원통화+요구불예금+1년 미만 정기예금)통화량

항목명	2016	2017	2018	2019	2020	4년간순증가
M2(광의통화)	2,407	2,530	2,700	2,914	3,194	787
국내총생산	1,741	1,836	1,898	1,919	1,900	159
M2통화량/GDP	1.38	1.38	1.42	1.52	1.68	

(출처 : "한국은행 경제통계시스템"에서 수집)

한편, M2 통화량 보다 더 진정한 통화량은 모든 금융기관이 가지고 있는 예치금(예금 통화량)으로서 다음의 내용은 각연도별 예금 통화량(유동성)과 4년 동안 증가된 통화량이다.

총예금 통화량과 그 증가액

항목명	2016	2017	2018	2019	2020	5년 증가
<예금은행>						
요구불예금	180	194	202	225	297	117
저축성예금	1,061	1,111	1,193	1,291	1,400	339
소 계	1,211	1,306	1,395	1,516	1,697	456
<비은행>						
종합금융회사	13	14	14	14	15	2
자산운용회사	475	501	554	650	694	219
신탁회사	367	394	435	479	502	135
상호저축은행	45	51	60	66	79	34
신용협동조합	65	73	81	92	99	34
상호금융	302	327	347	372	399	97
새마을금고	122	133	146	170	186	64
생명보험	594	630	656	678	702	108
기 타	118	126	130	140	180	62
소 계	2,101	2,250	2,424	2,661	2,856	755
총금융자산 합계	3,342	3,555	3,818	4,177	4,553	1,211
국내총생산	1,741	1,836	1,898	1,919	1,900	159

(출처 : "한국은행 경제통계시스템"에서 수집)

우리나라 모든 예금의 합계가 2016년도에 3,342조원인데, 여기에서 36%에 해당하는 1,211조원이 4년 기간 내에 증가하여 4,553조원이 되었다. 이 금액은 2020년 GDP의 64%에 해당하는 금액이다. 일반적으로 통화량은 GDP성장율 만큼 증가하여야 인플레이션이 방지된다고 말한다. 이로써 2016년부터 2020년까지 국내총생산은 159조원이 늘어났는데, 이 기간 대비 통화량은 1,211조원이 늘어났다.

가장 정상적인 국정운영은 국내총생산량 만큼 통화량이 증가된다. 이것이 가장 보수적인 국정운영이다. 이명박 정권 때의 국정운영이 이와 같았다.

다. 부동산 가격의 폭등

4년의 기간 중 늘어난 통화량 1,211조원은 이 부동산 가격 상승과 더불어 일어났다. 이때 대부분의 신용창조는 부동산 매매와 관련하여 발생하였기 때문이다. M1 통화량이 GDP 구성항목의 거래와 관련한 인플레이션을 야기 시킨다면, M1통화를 제외한 총통화의 증가는 장기성 예금으로서 부동산과 주식시장과 관련한 인플레이션을 야기 시킨다.

먼저, 보조가 필요한 사람은 290조원을 정부로부터 받아 그 동안 잘 사용했지만, 그 대가로 모든 국민은 1,211조원의 통화량 증가와 매매되지 않은 천문학적인 부동산 가격 급등을 맛보게 되었다. 그리고 그 이득은 대부분 부동산을 소유한 자들이 취하였다. 이렇게 해서 청장년들의 집을 구매하고자 하는 중산층의 꿈은 사라져 버렸다. 통화발행은 이와 같이 어마어마한 인플레이션, 곧 보이지 않는 경제적 재앙으로 모든 서민들을 덮쳤다.

두 번째, 일단 모든 근로자들의 급여는 이제 앉은 자리에서 36%정도 삭감이 되었다. 급여소득은 모두 내집 마련에 초점을 맞추고 있었다. 그런데, 이제 통화량 36%의 증가는 모든 사람들에게 실질급여 36%의 하락을 가져왔다.

세 번째, 이제 급등한 부동산에 더 이상 투자할 곳을 찾지 못한 현금 보유자들은 이제 주식시장의 주가지수를 급등하게 할 것이다. 그리고 이제 이 자금이 실물경제로 흘러나올 수 있다. 그러면 이제 생활비의 인상으로 귀착될 것이다. 그럴 경우, 위의 36%의 실질급여 하락에 이것은 추가적으로 작용할 것이다. 지난 4년 동안의 이 비정상적인 사건으로 인해 대한민국의 중산층은 몰락하였을 수도 있다. 일단 서민층은 몰락한 것으로 보이는데, 그래도 경제가 유지된다면 그것은 아마 부의 양극화로 나타날 것이다.

이렇게 이미 신용창조가 발생해 버린 상황에서는 위의 현실을 되돌릴 수 없다. 부동산 관련한 차입금을 모두 회수하여야 하는데, 그 과정에 모든 기업과 개인은 파산을 하게 되기 때문이다.

4. 증가된 통화량의 추적 : 펀드 투자여력의 폭발과 사모펀드

가. 증가된 예금 통화량의 추적과 구성

통화발행 또는 국채발행을 통한 유동성(예금 통화량) 증가가 발생하였을 경우, 이것은 금융기관의 대출 행위를 통해 신용창조가 일어난다. 따라서 증가된 유동성 중에서 대출로 반영된 것은 정상적인 금융자산이라고 말할 수 있다. 그리고 어떤 의미에서 그 대출로 제한을 받는 그 금액은 통화량의 증가라고 말할 수 없다. 그러나 그 금액만큼 인플레이션은 일어났다. 즉 돈을 손에 쥐어주지도 않은 채 인플레이션만 발생한 것이다.

이에 반하여 순(純)수신고의 증가로 존재하는 유동성은 순수한 투자여력이다. 이것이 바로 부동산 매매차익이다. 이 부동산 매매차익이 통화량의 순증가를 가져오는 것이다. 즉 부동산을 가진 자들의 부를 이렇게 증가시킨 것이다. 그리고 이것은 이제모두 집합투자기구라는 형태로 흘러들어서 존재하게 된다. 이것이 어떻게 보면 순수한 금융시장의 규모이다.

즉, 우리는 이렇게 폭발한 유동성이 어떤 형태로 존재하는지를 살펴볼 필요가 있다. 이것은 크게 두 가지 패턴인데, 하나는 대출금의 형태로 존재하며, 또 하나는 펀드나기금과 같은 집합투자의 형태로 존재한다.

나. 대출금의 증가 : 761조

지난 4년 동안 증가된 유동성(총 통화량) 1,211조원의 귀속처가 파악될 필요가 있는데, 먼저 761조원은 대출금의 형태로 존재하고 있다. 그 내용은 다음과 같다.

대출금의 증가 : 761조원

<예금은행대출금>						
항목명	2016	2017	2018	2019	2020	총증가
총대출금	1,424	1,504	1,600	1,699	1,894	470
소 계	1,424	1,504	1,600	1,699	1,894	470
<비예금은행대출금>						
항목명	2016	2017	2018	2019	2020	총증가
종합금융회사	12	13	14	14	15	3
자산운용회사	49	57	77	104	100	51
신탁회사	44	39	32	34	41	-3
상호저축은행	43	51	59	65	78	35
신용협동조합	52	59	65	71	79	27
상호금융	226	250	270	281	309	83
새마을금고	91	104	112	126	143	52
생명보험	120	130	140	145	153	33
기 타	88	86	88	91	98	10
소 계	725	789	856	931	1,016	291
합 계	2,149	2,293	2,457	2,630	2,910	761

(출처 : "한국은행 경제통계시스템"에서 수집)

한편, 위의 대출금은 비록 그 내용이 부동산 대출로 이어져서 부동산 가격의 폭등을 초래하기는 하였지만, 산업자본에 해악을 초래하지는 않는 정상적인 유동성의 실행일 수 있다.

다. 펀드 등의 수신고 증가 : 1,211조-761조=450조원

두 번째, 수탁 혹은 예치금 형태로 증가된 유동성 1,211조원이 위의 표와 같이 대출금 761조원으로 집행된 후에 잔여 수신고로 남아 있는 자금이 약 450조원이 있다. 즉 수신고가 대출금액을 초과하는 금액으로서, 각종 펀드의 형태로 자리잡게 된다. 한편 이러한 기관들은 주로 기금 혹은 투자전문회사들이다. 그 내용은 다음과 같다.

<투자전문 집합투자기구의 수신고>

항 목 명	16년 순 수신고	20년 순 수신고	4년간 순증가
자산운용회사	426	594	168
신탁회사	323	461	138
생명보험	474	549	75
기 타	118	187	69
합 계	1,341	1,791	450

문재인 정부에서 290조원의 유동성 증가가 위와 같이 자산운용회사와 같은 투자전문 집합투자기구의 유동성을 450조원을 증가시켰다. 290조원이 부동산 시장에 돌면서 부동산을 현금화시켰기 때문이다. 어찌 되었건 집합투자기구의 투자여력은 위와 같이 4년 만에 450조원이 증가되었다. 이 금액이 이 기간 중에 증가된 실물자산(산업자본)을 위협하는 증가된 금융자산이다.

원래 필요한 통화량은 GDP증가율 만큼으로서 문재인 정권동안 발행된 통화 80조원이 화폐의 교환기능을 위해 필요한 금액이었다. 그런데, 210조원을 재정정책으로 과잉통화를 공급하자 그 과잉통화의 금액이 450조원이 되어 고스란히 집합투자기구의 손으로 들어가서 금융자본의 증가를 이루었다. 그리고 그 금액은 이제 증권시장에 들어와서 산업자본을 위협하게 되었다.

위의 표에서 중복이 있을 수 있다. 생명보험회사나 기타의 금융기관들은 그 수신고를 자산운용회사 등에 투자하기 때문이다. 이런 수치는 위에서 차감되어야 한다.

그런데, 위의 투자여력을 계산할 때, 국민연금기금의 증가분도 고려에 넣을 필요가 있다. 국민연금기금의 모든 자금은 고스란히 투자여력이기 때문이다. 한편, 국민연금 증가분은 약 17-20% 정도가 국내의 증권시장에 유입된다. 따라서 국민연금까지 투자여력으로 간주할 경우, 투자전문 집합투자기구의 증가된 수신고는 725조이다. 증가된 국민연금 275조원 중에서 국내기업 주식투자분 55조원만 증권시장에 영향을 미치는 금융자산으로 고려하면 지난 4년 동안 일어난 집합투자기구의 수신고 증가액은 505조원이다. 산업자본에 필요한 통화량은 80조원이었는데, 포퓰리즘으로 금융자본의 증가량은 505조원이 되었으며, 그 금액은 고스란히 집합투자기구의 손이 가 있다.

<투자전문 집합투자기구의 수신고>

항 목 명	16년 순 수신고	4년간 순증가	20년 순 수신고
자산운용회사	426	168	594
신탁회사	323	138	461
생명보험	474	75	549
기 타	118	69	187
소 계	1,341	450	1,791
국민연금	558	275(55)	833
합 계	1,899	725(505)	2,624

한편, 위의 자금은 적절한 제한을 받아야 한다. 자칫 그 제한을 두지 않으면 산업자본을 혼란 속에 빠뜨릴 수 있는 자금이다. 위의 수신고는 집합투자단체 혹은 그 기구라 불리운다. 이 투자기구의 구성은 기금과 같이 단순한 고객의 예치금도 있으며, 혹은 투자를 위한 전문적인 개인들도 존재한다. 이러한 집합투자기구들에 대해서는 『자본시장 및 금융투자업에 관한 법률』에서 그 운용을 제한하고 있는데, 그 원래의 목적을 이탈하지 않기 위해서, 혹은 금융산업의 넘쳐나는 유동성이 M&A 등의 불순한 목적으로 이용되는 것을 방지하기 위해서이다. 이러한 행위는 주요 산업자본을 피폐케 하여 국가 경제를 파탄에 이르게 할 수 있기 때문이다.

라. 우리나라 상장사 시가총액 증가분과 집합투자기구 증가분

우리나라 상장사의 2020년말 시가총액은 2,367조원인데, 2016년말에는 1,510조원으로서 857조원이다.

우리는 투자전문 집합투자기구의 증가된 수신고는 국민연금 해외 투자분을 차감하면 505조이다. 물론 집합투자기구의 증가된 수신고가 모두 국내 증권시장에 들어오는 것은 전혀 아니다. 여기에서 말하고자 하는 것은 이 505조원은 이제 개인의 이름으로 영향력을 행사하는 것이 아니라, 집합투자기구의 단독명의로 영향력을 행사한다는 것이다. 모든 상장사 대주주들은 일개 개인에 불과하다. 그러나 이들에 대해 적대적 M&A를 시도할 수 있는 집합투자기구들은 개인들의 자금을 모은 단체들이다. 그리고 이들의 영향력이 인플레가 가속될수록 더욱 증대되고 있다.

금융감독원에서는 증권시장에서 차지하는 집합투자기구의 비중이 얼마인지를 파악하여야 한다. 지난 4년 동안 증가한 증권시장 시가총액의 증가가 857조원이다. 아마 이들 대부분은 집합투자기구일 것이다.

< 주식시장 시가총액 : 자본시장규모 >

항 목 명	2016	2017	2018	2019	2020/11
KOSPI_종목수	896	887	901	916	917
KOSPI_시가총액	1,308	1,606	1,344	1,476	1,981
KOSDAQ_종목수	1,212	1,270	1,326	1,408	1,454
KOSDAQ_시가총액	202	283	228	241	386
종목수합계	2,108	2,157	2,227	2,324	2,371
시가총액	1,510	1,889	1,572	1,717	2,367

(자료 : KRX 정보데이터 시스템)

5, 금융자본의 경로 조절

가. 금융자본으로부터 산업자본의 보호

투자전문 집합투자기구들은 이제 위의 자금을 가지고 각종 투자처를 찾아 투자를 한다. 그리고 그 중에 상당한 량이 주식시장에 들어온다. 특히 투자되기 전 단계의 예비자금도 주식시장에 들어와서 머문다. 이들은 모든 국민들의 여유자금을 다 모아서 몇몇이 관리를 하면서 주권상장시장에 진입을 한 것이다.

우리나라 증권시장이 태동한 이후로 지금까지 집합투자자 주식투자자 의결권을 10%로 제한하고 있다. 오늘날 대부분의 상장사 대주주들이 20-30%의 지분을 가지고 있는데, 위의 집합투자기구 2개만 모이면 어느 기업이든 다 M&A를 할 수 있기 때문이다. 이 중에 행동주의 펀드가 있다. 이들은 집합투자기구의 자금으로 우수한 상장사들에 대해 적대적 M&A를 하여 산업자본을 침탈한다.

그런데 문제는 행동주의가 아닌 일반 펀드의 경우에도 일단 그 자금이 증권시장에 들어오면 행동주의 펀드의 편에 서게 구조화되어 있다는 것이다. 왜냐면, 행동주의 펀드가 일어나면 자신의 보유한 주식의 주가도 50%가량 폭등하기 때문이다. 그래서 구조적 모순에 의해서 일반 집합투자기구들이 행동주의 펀드의 지원세력이 되어 있다는 것이다. 이 일은 지금 우리나라 증권시장에서 시작되었다. 지난 2023년초 SM엔터테인먼트와 오스템임플란트의 사건이 이것을 말해준다. 이제 이러한 집합투자기구의 의결권 10%는 통화량의 증대만큼 제한을 받아 하향조절 되어야 한다.

나. 금융자본의 경로 조절

통화량의 증가는 축장기능으로서의 화폐량을 증대시킨 것이다. 경제가 발전할수록, 소득이 증가될수록, 국민들이 부유해질수록 축장기능의 통화량이 증대한다. 특히 부동산이 현금화된 것이기도 하다. 따라서 중산층이 산출되어서 국가의 산업에 있어서 저변이 확산될 기회가 주어진 것이기도 하다. 이것은 어떤 면에서는 선기능도 존재한다. 이 물꼬가 잘 조절되면 신산업을 출현시키는 효과를 유발한다.

우리는 폭발한 금융자본을 기회로 이용할 수 있는지 고려하여야 한다. 이 자금이 산업자본의 침탈을 불러일으키는 증권시장에 흘러들어가는 것이 아니라, 전도유망한 비상장사와 구조조정기업과 벤처기업에 흘러들게 그 물꼬를 만들어야 할 필요가 있다. 지금은 4차산업이 일어나고 있다. 새로운 아이디어들이 나오고, 새로운 기술들이 출현한 이 시기에 이 자금들이 이러한 산업자본진흥에 흐르게 하여야 한다. 위의 자금이 신산업에 투자가 되면, 계속 신산업 출현이라는 선순환 구조를 가져갈 수 있다. 현재 우리나라는 이 국면에 접해 있다.

그러나 억지로 금융자본의 물꼬를 조절할 수는 없다. 많은 정책적 지원을 통해서 그 경로를 마련해야 한다.

다. "기관전용사모펀드의 10%이상 투자 규정" 해체

금융자본의 산업자본 침탈을 막아야 하고, 금융자본으로 하여금 신산업진흥용으로 흐르게 하여야 하는데, 도리어 이와 역행하여 산업진흥용 자본을 증권시장에 밀어넣어서 행동주의를 양산하는 법 개정이 지난 정권 때에 있었다. 그것이 바로 "기관전용사모펀드의 10%이상 투자 규정"(자본시장법 249조의12) 해체였다.

기관전용사모펀드는 국민연금·산업은행·교원공제기금·사학연금 등이 전주가 되어 운영되는 사모펀드로서, 그 규모가 최근 126조원에 이르고 있다. 그리고 이 기관전용사모펀드가 산업진흥용으로 흐르게 하기 위한 법률이 "기관전용사모펀드의 10%

이상 투자 규정"이었다. 그동안의 『자본시장법』상의 기관전용사모펀드의 10%룰은 기관전용사모펀드의 물꼬를 산업진흥으로 흐르게 하였다. 그동안 기관전용사모펀드는 우리나라에서 보이지 않게 저변을 확산시키는 역할을 잘 감당하였다. 중산층이 확산되면, 4대기업만 부가가치를 창출하는 것이 아니라, 이러한 스타트업기업들도 나라의 부가가치에 큰 기여를 하게 된다. 우리나라에 이러한 시대가 열려야 한다. 그래서 4대기업 의존도에서 벗어나야 한다. 그러한 신세계를 기관전용 사모펀드들이 열어야 한다.

이러한 선순환 구조가 우리나라에 출현하게 하기 위해서는 이러한 금융자본이 그리로 나아가게 하여야 한다. 그런데, 김상조씨가 기관전용 사모펀드법의 10%룰을 해체하였는데, 이것은 이러한 산업자본으로 하여금 증권시장에 들어가서 행동주의의 편에 서게 하는 법률을 만든 것이다. 이에 대한 보완입법 또는 대안이 반드시 필요하다. 기관전용사모펀드는 준 공적자금이다. 이러한 자금이 증권상장시장에서 적대적 M&A로 흐르게 해서는 안 된다. 그리고 이러한 파괴행위는 이미 시작되었는지도 모른다. 매해 10건 정도 일어나던 M&A가 위의 법이 통과된 후로 47건이 일어났다. 이에 대한 조사가 필요하다.

라. 집합투자기구의 의결권 제한

그동안 투자전문 집합투자기구는 그 규모가 미미하였다. 그런데, 통화량이 증대하면서 이러한 투자전문 집합투자기구가 폭발적으로 증가하고 있다. 이러한 집합투자기구가 증권시장에 들어와서 특정회사의 지분을 취득하고 있는 것 자체가 행동주의 펀드의 이용거리가 된다. 이들에게 10%의 의결권을 주다보니 이제 모든 상장사들이 이들 2-3개만 결합하면, 행동주의 펀드의 대상이 된다. 이런 상황 속에서 기관전용사모펀드마저 이 증권시장에 들어갈 수 있게 하였다. 그렇다면, 이제 우수한 상장사들 순으로 하여(특히 현금 보유를 많이 한 상장사) 행동주의 펀드의 대상이 된다. 이제 이 일은 우후죽순격으로 일어날 것이다.

이것을 제한하는 방법은 집합투자기구의 의결권을 10%에서 하향조정하는 것이다. 산업자본(상장사 시가총액) 증가비율과 집합투자기구 혹은 순통화량 증가비율을 비교한 후, 그에 맞추어서 집합투자기구 의결권을 하향조정하는 것이다. 예컨대, 10% 룰이 생긴지 20년이라고 가정하면, 그 기간 동안 산업자본 대비 금융자본이 10배가 증가하였으면, 그 비율만큼 하향조정을 하여야 한다는 것이다.

이렇게 의결권이 하향조정되면, 집합투자기구들이 증권거래 차익만을 목적으로 상장사 유가증권을 마음대로 취득해도 된다. 그래도 금융자본의 산업자본 침탈은 일어나지 않는다.

< 칼 럼 > 제목 : 집합투자기구의 반란

가. 서론, 금융자본으로부터 산업자본의 보호

케인즈 경제학은 2010년대의 경제공황을 해결하였으며, 오늘날까지 많은 국가들의 안정에 기여해 왔다. 모든 나라가 재정정책(통화와 국채발행을 통하여 유효수요를 창출)을 통해서 세계경제를 오늘날에 이르게 하였다. 큰 기여를 한 것이다. 그런데, 이 케인즈 경제학에 하나의 문제가 있는데, 이러한 재정정책은 인플레이션을 일으키며, 자칫 포퓰리즘이라도 진행될 경우 금융자본이 폭발을 하여 산업자본을 압도한다. 예컨대 양자 총량의 비율이 1:1이어야 할 것이 10:1 정도에 이르게 된다는 것이다. 그래서 금융자본의 산업자본 침탈을 막기 위해 법률이 제정되는데, 그것이 『자본시장법』이다. 이에 의하면, 집합투자기구는 특정회사(종목)의 주식을 10% 이내로 취득(또는 의결권행사)를 제한하여야 한다. 위와 같은 인플레이션의 누적으로 인하여 그 한도를 조정해야할 때가 이른 것이다. 급격히 증가된 통화량으로 인해 우리나라의 산업자본은 지금 금융자본의 반란에 의해 속절없이 무너지는 상황에 이르게 되었다.

나. 2021.3. 사모펀드법 개정이 갖는 의미 : 사모펀드의 반란

문재인 정권에서 2021년 3월 김상조에 의해 개정(2018년 최종구 금융위원장 발의)된 기관전용사모펀드법은 우리나라 증권시장을 파괴시킬 정도의 위력을 지니고 있다. 기관전용 경영참여형펀드(PEF)는 원래 벤처기업과 같은 비상장회사의 진흥을 위한 것이었다. 그래서 국민연금, 산업은행, 및 공제기금 등이 주요 LP(투자자)였다. 이들이 PEF(경영참여형펀드) 운용사(GP)에게 지원한 금액은 약 100조원(2021.6, 최근 126조원)에 이른다. 이 PEF사들의 협의회는 약 50여 펀드사로 구성되어 있는데, 1조원이 넘는 운용자금을 가진 펀드사가 이중 31개에 이른다. 국민연금을 비롯한 공공기관에서는 이들에게 벤처기업 등을 발굴하여 경영에 참여하여 코스닥 등의 상장시장으로 끌어올리라는 의미로 공적자금을 투자하였다. 그래서 이들에게 주어진 룰이 10%이상 취득규정인데, 10%이상 투자하여 경영에 직접 참여하여 그 기업을 일으키라는 것이었다.

그런데, 김상조 등은 이 10% 규정을 해체해 버렸다. 그러면 이들이 그들의 모든 운용자금중 아직 투자되지 않은 여유자금을 예금으로 할 것인가? 예금으로 몇천억원씩을 넣어놓나? 그렇지 않고, 이 126조원의 금액 중 투자되지 않은 여유자금과 회수한 여유자금이 모두 주식 상장시장으로 들어오는 것이다. 이들은 모두행동주의 펀드의 편에 설 수밖에 없는 것이다. 국민연금은 170조원 정도를 증권시장 상장회사에 투자하여 우리나라 172개사의 2대주주가 되었는데, 약 126조원 정도의 PEF 펀드가 증권시장에 들어올 수 있게 한 것이다.

다. 최근발생하고 있는 행동주의 사례

기관전용사모펀드의 10%룰이 해체된 후에 갑작스럽게 M&A건수가 법개정 1년 만에 5배가량 늘어났다. 우리는 그 행동주의 사례를 한 번 살펴볼 필요가 있다.

얼라인 파트너스(이0환)는 SM엔터테인먼트의 주식 1%(100억원)를 매집한 후에 다른 집합투자기구의 지원을 받아 감사로 들어갔다.(이렇게 1% 주주가 감사로 들어갈 수 있게 만든 것이 김상조의 공정경제3법 개정인데, 대주주 의결권을 3%로 제한을 하는 상법개정을 통해서 였다.) 이렇게 SM에 들어간 이0환은 먼저 SM과 이수만과의 프로듀싱 계약(1년 200억원의 수수료)을 해지하게 하였다. 그러자 이수만은 이제 더 이상 SM 운영의 의미를 느끼지 못하고, 그의 SM 보유주식 전체를 처분하고자 하였다. 이때 감사로 있는 얼라인 파트너스의 이0환은 SM의 공동대표(이성수 & 탁영준, 이수만은 최대주주일 뿐 대표는 아님)들과 공모하여 카카오에게 신주인수권과 전환사채를 발행하여 9%의 지분(2,500억원)을 유상증자해 버렸다. 그러자 이수만은 하이브에게 전량을 매도하기로 결정을 해버린 것이다. 한편, SM 내에는 보유한 유동자산이 7,600억원(현금 4,700억원, 2021년 기준)에 이른다.

SM지분 1%를 보유한 얼라인 파트너스가 주주제안을 하자, 18.46%를 가진 이수만은 SM에 관한 모든 경영권을 포기해 버렸는데, 왜 그렇게 했는가? 그것은 1%의 얼라인 파트너스 외에 9%의 카카오, 9%의 국민연금, 5%의 KB자산이 주주로서 들어와 있기 때문이었다. 이들은 이수만과 대립하여 경영권분쟁이 일어나야 그들의 주가가 오른다. 대략 경영권프레미엄에 해당하는 50% 정도 오른다.

김상조의 사모펀드법 개정은 이러한 행동주의 펀드의 편에 서게 될 수 있는 집합투자기구의 가능자금 126조원을 증권시장에 밀어 넣어 버린 것이다. 이제 기관전용사모펀드는 위의 국민연금, KB자산과 같은 역할을 하게 되는 것이다. 한 회사에 두 개의 집합투자기구만 들어와 있으면, 그 회사에 대한 적대적 M&A가 가능하다. 기관전용

사모펀드법의 개정은 이러한 집합투자기구를 증권시장에 밀어넣어버린 것이다.

다. 집합투자기구의 신사회주의 도구가능성

우리는 다음과 같은 극단적인 시나리오를 가정해 볼 수 있다. 얼라인 파트너스에서 어딘가에서 2,500억원의 LP(투자자)를 유치하여 JB금융지주(전북은행)의 2대주주가 되었는데, 1대주주도 언제든지 가능하다. 강성부의 KCGI 펀드는 최근 메리츠 자산운용의 주식 전량을 500억원에 인수하였는데, 메리츠자산운용의 운용자산은 3.7조에 이른다. 이제 이 메리츠자산운용도 그의 자금중 상당량을 사모펀드사로 투자할 수 있는데, 강성부 펀드의 본질이 행동주의 펀드이기 때문이다. 행동주의자들이 지금 집합투자기구를 장악하고 있다.

이제 이러한 사모펀드사와 집합투자기구가 증권시장에서 다른 유망기업을 공략한다고 하자. 그러면 모든 다른 집합투자기구들이 이들의 편을 든다. 왜냐면, 그렇게 경영권 분쟁이 일어나야 경영권 프레미엄이 주가에 반영되어 주가가 오르기 때문이다.

이런 추세라면, 심지어 삼성전자에 대해서도 경영권교체 주주제안을 몇몇 사모펀드만 결합하면 일으킬 수 있다. 삼성전자 주주제안을 하는 데에는 약 2조원 정도만 있으면 된다. 우리는 지난 문재인 정부에서 사모펀드들의 사태가 우후죽순격으로 일어났는데, 그 사모펀드들이 집합투자기구를 장악하면, 이제 한 나라를 흔들 수 있는 것이다. 우리는 이러한 보이지 않는 "제2의 군자산의 약속"의 존재가능성을 염두에 두어야 한다.

라. 집합투자기구 의결권제한

이제 집합투자기구의 의결권행사를 제한하여야 한다. 수십년 동안 발생한 인플레이션이 금융자본과 산업자본 사이에 반영되어야 한다. 현행 집합투자기구의 의결권을 10%로 제한하였는데, 이것을 1-2%(전략적 투자자 제외)로 하향조정하여야 한다. 아마 법제정시보다 현재의 통화량의 변화가 그럴 것이다. 의결권행사제한이 필요한 이유는 자본시장의 갑작스런 비대에 대한 조정도 있지만, 자칫 이러한 집합투자기구의 자금이 한 나라에 대한 사회주의 전략으로 악용될 수 있기 때문이다. 이러한 사회주의 펀드와 국가는 힘을 합하여 나라의 산업을 장악하려 할 것이기 때문이다.

2장 일반사모펀드 사태에 내재된 이념성

< 서 론 > 금융자본을 이용한 사회주의 방법론의 등장

가. 군자산의 약속

  군자산의 약속은 2000년 김정일과 김대중이 6.15 공동선언을 한 후, 이에 고무된 NL계열의 사회주의 혁명세력들이 1년 후 2001.9.22. 군자산에 모여서 제도권 내로 들어가서 사회주의 혁명을 전개하기로 다짐한 행위를 가리킨다. 군자산의 약속을 『나무위키』에서는 다음과 같이 소개하고 있다.

> 군자산의 약속이란, 충청북도 괴산군 군자산에 위치한 보람수련원에서 2001년 9월 22일에서 23일까지 개최된 2001 민족민주전선 일꾼전진대회에서 참석한 인천연합 계열 활동가들에 의해 채택된 선언을 말한다.
>
> 정식 명칭은 3년의 계획, 10년의 전망 - 조국통일의 대사변기를 맞는 전국연합의 정치 조직방침에 대한 해설서이며, 일반적으로 9월 테제, 혹은 해당 대회의 개최지 이름을 딴 군자산의 약속으로 통칭한다. 해당 선언은, 당시 NL 계열 활동가들의 정세 판단과 이를 기반으로 한 목표, 전략을 구체적으로 드러내고 있다. 특히 이들은 6.15 남북 공동 선언으로 인해 몇 년 내 낮은 단계의 연방제 남북통일이 실현되고, 10년 전후로 자주적 민주정부와 완전한 연방제 남북통일이 이뤄질 것으로 전망하였다. 그리고 해당 전망에 따라 3년 안에 광범위한 민족민주전선과 민족민주정당을 건설해, 10년 안에 자주적 민주정부를 수립하는 것을 목표로 삼았다.
>
> 해당 목표를 달성하기 위해 이들은 ①지역 토대를 강고히 하며 부문 조직을 포괄하고, ②정당을 포괄하여 정치전선으로서 성격을 분명히 하고, ③전국연합으로 결집하여 모든 지역에 조직을 가지는 것을 계획하였다.
>
> 지금까지 논의한 것처럼 전선체를 통한 전민중적 항쟁의 준비와 합법정당 건설을 통한 정치세력화는 서로 밀접히 결합될 때 모두가 성공할 수 있다.(군자산의 약속, 나무위키)

나. 금융자본을 이용한 방법론의 등장

  군자산의 약속은 주로 NL계열의 주사파에 의해서 작성되었다. 그런데, 이러한 약속이 대한민국 사회 속에 실현되기 위해서는 생산수단(일자리, 기업)이 국가와 사회주의

자들에 의해서 장악이 되어야 한다. 한편, 국제사회는 기존의 케인지안 자유주의 경제 이론이 새로운 한계를 맞았는데, 그것은 재정정책의 통화발행으로 말미암은 인플레이션이었다. 그 결과 금융자본이 폭발적으로 증대되어 산업자본과 괴리가 일어났다. 이 때 좌파의 통화론자들은 이 기회를 이용하여, 금융을 이용한 산업자본의 장악을 생각하게 되었다. 이러한 산업자본의 장악을 통해 국가의 생산수단을 장악하는 것을 기획하게 된 것이다.

즉, 우리나라의 좌파계열에서는 금융자본 곧 펀드를 통한 재벌해체의 지배구조 개편을 꿈꾸게 되었다. 이러한 사고는 자연스럽게 사회주의자들의 혁명방법론으로 발전하였다. 우리는 장하성의 『한국자본주의』에서 그와 유사한 주제를 접하게 된다. 한편, 이러한 『한국자본주의』(2014년) 이전에 <참여연대>와 그의 싱크탱크인 <좋은 기업 지배구조 연구소>(CGCG) 등을 중심으로 한 <경제개혁연대>가 이러한 연구를 한 것으로 보인다. 2006년도에 '장하성 펀드'가 출현하여 기업지배구조 개편에 대한 시도를 하였을 때, 김덕민은 <사회운동사회진보연대> 2006.11.에서 다음과 같이 말한다.

> 최근의 신자유주의에 대한 논의에 따르면, 신자유주의는 자본주의의 (새로운) 최근 단계를 나타내며 케인즈주의적 타협(논란의 여지가 있기는 하지만)에 상대적으로 억눌러 있던 소유자 계급의 복귀를 그 특징으로 한다. 소유자 계급은 자본주의 역사를 거치며 경영과 분리되었으며, 금융을 매개로 자신의 지배권을 확보한다. 신자유주의 시대, 금융이 헤게모니를 확보하게 되는 과정도 그 거버넌스와 떼어놓고 생각할 수는 없다.…
> 우리 사회에 대한 분석의 모호성과 '비논쟁'적 사례를 보여주고 있는 것 중 하나가 바로 '장하성 펀드'의 사례다. 또한 이로 인해 발생하고 있는 (사회)현상은 신자유주의적 금융화의 거버넌스에 대한 물음도 던지게 한다. 이 소고에서는 '장하성 펀드'를 중심으로 한 논쟁들과 그것들의 함의를 밝히고자 한다.
> 언론을 통해 잘 알려진 바와 같이 '장하성 펀드'는 올해(2006년) 8월 등장한 '한국기업지배구조개선펀드'(KCGF: Korea Coporate Governance Fund)를 말한다. 장하성 펀드는 태광그룹 계열의 대한화섬 지분 5.15% 매입한 후, 언론에 기업의 경영상 문제점 등을 밝히고 '주주명부열람' 가처분 소송을 통해 태광산업 측과 법적 분쟁을 진행 중이다.… 사실상 장하성 펀드의 등장은 참여연대가 꾸준히 진행해 온 '소액주주운동'의 결실이기도 하다. 장하성 펀드의 등장과 함께 참여연대의 이른바 '경제 민주화 운동'은 한 단계 도약했다고 평가할 수 있다는데, 그들의 싱크

탱크인 <좋은 기업 지배구조 연구소>(CGCG)를 중심으로 한 <경제개혁연대>가 설립된 것이다. 이들은 이러한 조직을 바탕으로 하여 '펀드를 기반으로 기업지배구조에 대한 적극적 개입', 그리고 이에 동반하는 법적 소송(로펌: 한누리 법무법인) 등을 전개할 예정이기도 하다.

하지만 장하성 펀드는 출범부터 논란을 불러일으켰다. 언론에 의해 제기되고 있는 논란의 핵심은 장하성 펀드의 실체, 즉 '사회적 책임투자'(SRI) 펀드인가, 아니면 외국계 투기자본인가라를 둘러싼 것이다. 이는 장하성 펀드의 구성이 모호하여 비롯되는 것이다. 언론을 통해 이미 밝혀진 것처럼 장하성 펀드의 공식 명칭은 '리자드 KCGF'로 리자드 에셋 매니지먼트에 의해 운용되며, 장하성 교수 자신이 밝힌 것처럼 이 펀드의 투자는 장하성 교수와는 상관없는 리자드 에셋 매니지먼트의 존 리(John Lee)에 의해 결정되는 역외펀드다. 또한 장하성 교수는 인터뷰를 통해 '장하성 펀드'는 그냥 '펀드'일 뿐이라고 했지만, 김상조 교수는 기업 지배구조 개선을 위해 모집된 '사모펀드'(PEF)라 구체적으로 밝혔다.…

(김덕민 고려대학교 경제학과 박사과정, '장하성 펀드', 신자유주의, 그리고 신자유주의 거버넌스, <사회운동사회진보연대> 계간지, 2006.11. 69호)

그후 2014년도에 장하성은 '더 넓은 경제민주화'(재벌해체)를 향한 『한국 자본주의』에서 이에 대한 구체적인 기획을 보게 된다. 그것은 금융을 이용하여 생산수단(대기업)을 장악하는 하나의 혁명기획서라고 불리울 수 있다.

다. 제2의 군자산의 약속 출현가능성

장하성의 『한국 자본주의』(2014년)는 '신자유주의' 안에서 새롭게 등장한 새로운 국가자본주의(사회주의) 방법론으로 보인다. 그것은 금융자본을 이용하여 한 국가에 국가자본주의(사회주의)를 실현하려는 방법론으로서, 우리는 이것을 PD계열의 '군자산의 약속'이라고 부를 수도 있을 것이다. 이렇게 이름을 붙이는 이유는 후에 보면 알겠지만, 금융을 이용한 기업장악의 행위가 하나의 사회주의자들에게 하나의 약속처럼 등장하고 있기 때문이다. 문재인 정권에서 사모펀드 문제가 그렇게 다발적으로 등장한 것은 이와 무관하지 않은 것으로 보인다.

국가가 생산수단으로서 기업을 장악하는 방법으로서 '사모펀드'가 등장했을 수 있다. 이때 왜 사모펀드인가를 물었을 때, 우리나라 첨단대기업에 대해 주주제안을 일으키기 위해서였다는 합리적 의심이 있다. 국민연금이 주주제안을 일으킬 수는 없기 때문이다. 즉, 대한항공처럼 사모펀드가 주주제안을 일으키고, 국민연금이 의결권행사를 하는 구조인 것이다.

장하성 펀드의 출현은 이러한 시도의 계기가 되었을 수 있다. 그래서 문재인 정권이 들어섰을 때 너도나도 할 것 없이 사회주의를 추구하는 자들에 의해서 사모펀드가 난립을 하였다. 마치 군자산의 약속과 같이 사회주의 리더들에 의해 사모펀드가 시작되었다. 이렇게 이념을 가진 자들이 만든 펀드가 이철의 VIK 펀드이며, 장하성의 동생 장하원의 디스커버리 펀드이고, 조국의 코링크 펀드이고, 이혁진ㆍ김재현의 옵티머스 펀드이다. 이 장은 이렇게 이념성을 지닌 자들에 의해 주도된 사모펀드들의 면면을 살펴보고자 하는 것이다.

1. 장하성 펀드에서 사모펀드법 해제까지

가. 2006년, 장하성 펀드

장하성은 참여연대의 경제민주화와 소액주주운동의 이슈를 행동으로 옮긴 인물이다. 그는 대기업 재벌로부터 소액주주를 보호하고자 한다고 말하였다. 그는 이것을 행동으로 옮기기 위해 리자드펀드를 끌어왔다. 이 펀드는 장하성 펀드로 불리웠으며, 태광산업에 주주대표 소송을 제기하며, 소액주주들을 향하여 동참을 요구하였다.

장하성은 애초 소액주주의 권리 보호로 유명할 뿐만 아니라 학계에서 유명한 학자였다. 자신의 신념을 따라 대기업을 줄기차게 비판해온 인물이었는데 행동으로 그러한 신념을 옮긴 결과물이 장하성 펀드였다. 가장 대표적인 사례가 태광그룹 계열의 태광산업에 소액주주로서 지배구조 개선을 요구하고, 합의에 이르는 등의 성과도 일부 있었으나 태광 측 돌변으로 주주대표 소송에 착수하는 충돌이 이어졌다.…

다만 펀드를 운영하기 위해 운용사로 선정된 곳이 미국의 헤지펀드인 리자드였다. …다만 헤지펀드라는 것의 목적이 돈만 벌면 발을 빼는 게 일반적인 관행인 가운데 장하성 본인은 라자드가 오랫동안 대한민국에 투자할 것이라면서 긍정적인 신호를 보냈지만, 10년 갓 지난 지금 라자드는 흔적조차 찾을 수 없다.… 당시 이름은 라자드 한국기업 지배구조 개선 펀드였지만 속칭 '장하성 펀드'라고 하면 잘 알려졌었다.…

리자드에서는 사실상 펀드매니저를 장하성으로 인정해놓고 장하성 펀드가 도덕성 논란에 휩싸이자 '그의 조언을 받았지만 투자종목을 정하는 것은 펀드 운용 매니저들의 전적인 권한'이라고 하였고 장하성 역시 '펀드에 편입된 모든 종목을 내가 동의한 것은 맞지만 그렇다고 펀드의 운용자체 어드바이저인 내가 이래라 저래라 할 수 없는 것'이라는 말로 발을 뺐다. 결국 이후 말한 대로 장하성 펀드는 온데간데 없이 사라지고 현재 리자드는 대한민국에 투자 자체를 하지 않고 있다.

(장하성, 나무위키)

나. 2014년, 『한국 자본주의』 출현과 그 내용

장하성은 2014년도에 『한국 자본주의』라는 책을 썼다. 『한국 자본주의』 1부에서, 그는 소득주도성장론을 소개하였는데, 서구에서 회자되고 있는 소득주도성장론을 한국식으로 가져온 것이었다. 그의 소득주도성장론은 최저임금인상과 이익 배당의 소액주주 운동으로 나타났다. 그는 특히 배당을 그 핵심으로 하는 소액주주운동을 여기에서 전개하였는데, 그것은 기업으로 하여금 이익을 전액 배당을 하게하고, 기업의 사업확장은 차입금과 증자를 통해서 하게 해야 한다고 주장하였다. 이것이 그의 소액주주 운동이다.

그런데, 이것은 기존의 기업인들에게는 사업확장을 하면서 경영권을 포기하라는 내용이었다. 왜냐면, 유상증자를 통해 사업을 확장하면, 대주주의 지분은 없어져 버리기 때문이었다. 그는 이 『한국자본주의』 1부의 결론으로서 '더 넓은 경제민주화'를 말하였다. 그의 더 넓은 경제민주화는 재벌해체를 말하였다. 결국 소액주주운동은 배당의 운동이었으며, 그 결론은 최대주주 지분의 희석화를 통한 재벌해체로 이어졌으며, 이것으로 재벌해체의 '더 넓은 경제민주화'가 이루어진다.

그래서 인지 훗날 모든 사회주의 경제학자들은 배당을 소액주주운동을 기치로 삼았으며, 모든 행동주의 펀드의 이슈가 배당이었다. 그리고 이 배당의 문제는 문재인 정권에서 고스란히 정책에 반영되어 『자본시장법 시행령』 154조 1항에서 '4호. 배당'을 삭제하는 결과를 가져왔다. 그리고 『자본시장법 시행령』 154조 5항에는 '일반투자' 제도가 신설이 되고, 이 '일반투자자'는 배당정책에 개입하는 투자자였다. 그리고 국민연금은 이 개정된 시행령을 좇아서 2021년도에 72개사에 대해서 '일반투자자'로 투자목적을 전환하였다.

장하성 『한국 자본주의』 2부는 '국가 자본주의'에 관한 이야기이다. 그는 한국의 자본주의를 고장난 자본주의라고 하며, 이것을 고쳐서 쓰자고 말한다. 그는 자본주의 자체는 인정하겠는데, 재벌들의 그 부는 인정하지 못하겠다고 말한다. 그렇다면, 그 재벌의 자리를 누가 대체할 것인가? 이때 그가 제안하는 것은 국가였으며, 그래서 그의 추구하는 바가 '국가자본주의'였던 것이다. 그는 이러한 모델로서 중국과 러시아의 예를 든다. 그런데, 그는 국가 자본주의는 공산주의가 아니라고 말한다. 그는 거짓말을 했을 수 있다.25) 그의 말에는 우파 경제학자들의 용어로 이해할 경우, 여러 결정적인 속임수가 많이 나온다. 그는 사회주의자들의 용어를 고스란히 사용하였기 때문이다. 덩샤오핑이나 시진핑에 의하면, 국가 자본주의는 명백히 중국특색 사회주의이다. 이것은 그들의 당장(헌법)에 명기되어있다. 장하성의 이러한 발언은 자유민주주의 국가의 정책실장으로서 많은 문제를 안고 있다. 국가자본주의는 명백히 사회주의이며, 마르크스에 의하면 사회주의는 자본주의에서 공산주의로 이행하기 위한 전단계로 이해되고 있다. 따라서 어떤 사람들은 공산·사회주의라는 용어를 사용하기도 한다. 따라서 사회주의는 준공산주의일 수 있다. 또 하나의 그의 대표적인 왜곡된 행위가 있는데, 그는 박정희의 경제개발을 계획경제라고 말한다. 계획경제는 스탈린과 김일성에 의해서 시도되었는데, 기업의 주인이 국가인 경우에 해당하는 용어이다. 그러나 박정희 시대의 모든 기업의 소유자는 국가가 아니라, 국민들이었다. 여기에 계획경제라는 이름을 붙이는 것이 아니다.

　장하성은 『한국 자본주의』 3부에서 '한 마을 이야기'를 하는데, 아주 이상적인 사회주의 이야기를 하고 있다. 국가가 대지주가 되어서 온 국민을 먹여 살리는 이야기이다. 그가 꿈꾸는 세상이었다. 그는 이러한 세상을 열고자 하였는데, "투표로 자본을 이긴다"고 하였다. 장하성의 용어사용에서 장하성의 '민주주의'는 '민중 민주주의'이다. 그의 용어사용에서 자본주의는 '소유의 자유'가 보장되는 "'자유주의'로서의 '자본주의'"가 아니다. 그의 자본주의는 '자본가 계급'을 말한다. 즉 그의 '민주주의'는 '민중이 주인 되는 것'을 말하며, '자본주의'는 '자본가가 주인 되는 것'을 말한다. 이것은 자유주의 세계(자본주의 세계)에서의 용어정의가 아니다. 사회주의 세계에서의 용어 정의이다.

---

25) 국가자본주의와 사회주의 : 사회주의자들의 논리를 자세히 들여다보자. 마르크스는 그의 『고타강령 비판』에서 자본주의에서 공산주의로 이행하기 전에 사회주의를 거친다고 하였다. 이때의 사회주의는 프롤레타리아 독재를 의미한다. 즉 민중(프롤레타리아)의 지도자들에 의해 독재가 펼쳐진다. 즉, 민중들에 의해 장악된 국가는 민중들의 지도자들과 함께 모든 생산수단을 장악한다. 이 민중들의 지도자라면 사회주의 세계에서는 공산당이며, 자본주의 세계 내에서는 노조를 말한다. 국가는 이들과 함께 생산수단을 장악하는 것이다. 그리고 이러한 방법론이 금융자본의 폭발과 더불어 출현을 한 것이다.

다. 2014년, 국민연금 의결권행사의 시작

국민연금기금운용본부의 자료에 의하면, 우리나라 국민연금은 2014년도부터 의결권 행사를 시작한 것으로 보인다. 국민연금기금은 국가자금인데, 어떻게 국가가 그렇게 사영기업의 경영의결권행사를 할 수 있었는지 의아하다. 우리나라 헌법에서는 국민경제상 긴절한 경우 법률로 정한 후에 할 수 있는데, 뭔가 소홀함이 있었다. 국민연금은 이때부터 의결권 행사를 시작하였는데, 오늘날 국민연금은 우리나라 1위부터 172위까지 2대주주이다. 지금 우리나라 대부분의 우량기업의 2대주주이다. 그러면서 의결권행사를 하고 있다. 우리나라의 헌법은 자유민주주의인데, 법률은 사회주의이다. 연금이 마음만 먹고 의결권행사를 하면, 모든 대기업들을 국유화할 수 있다.

라. 2015년, 사모펀드법의 해체

2015년 7월에는 사모펀드법이 대거 해체되었는데, 그 명분은 모험자본의 육성이었다. 그래서 사모펀드에 대해서는 모든 규제를 풀어 버렸다. 그리고 무엇보다 공모행위(금융기관 통해 모집)를 통하여 사모펀드를 모집할 수 있게 되었다는 것이다. 이것이 모든 사모펀드 사태의 핵심이고 본질이다.

① 법규의 해제 : 상호감시기능과 회계보고의무의 해제

펀드 판매사는 그 펀드 금액을 수탁사에 예치한다. 그러면 운용사는 이제 수탁사에게 펀드의 투자처를 지시한다. 이때 수탁사가 그것을 예탁원에 보고하고, 판매사는 이것을 확인할 수 있도록 하여야 한다. 그런데, 운용사가 직접 예탁원에 보고를 하였다. 그리고 자산운용사에 주어졌던 1년에 한 번, 회계보고의무도 면책되면서 감시 대상이 없어졌다.

그런데, 이러한 목적을 이루기도 전에 사고가 터졌다. 라임과 옵티머스는 공공채권 투자를 하겠다며 펀드를 모으고, 엉뚱한 이름도 모를 회사의 회사채를 매입하였다. 금융정의연대의 김득의는 사모사태의 주범은 사모펀드법의 해제라고 말한다.

라임, 옵티머스 사태는 과거 2015년 7월, 자본시장법을 개정한 시점부터 예견된 일이었다…. 당시 정부는 모험자본을 육성해 투자를 활성화하고, 금융산업 부가가치를 창출하겠다는 취지로 사모펀드 활성화 정책을 시행했다. 사모펀드 규제와 연관된 모든 빗장을 열면서 오히려 감시의 사각지대가 생겼다는 설명이다. 해당 법안을 살펴보면, 사모 자산운용사 운영에 필수적인 규제조차 풀어 사실상 불법행위에 대한 감독 자체가 불가능하도록 개정됐다.

우선 사모펀드 설립을 사전인가제에서 사후보고제로 만들고, 최소 자본금도 20억 원 수준으로 낮춰 업무 진입장벽이 낮아졌다. 김 대표는 "자본시장법 개정 이후에는 운용사, 수탁사, 판매사 간 상호 감시, 감독할 의무가 모두 사라지면서 어떤 자산에 투자했는지 서로 제대로 알지 못한 채 '깜깜이 거래'를 한 셈이다"고 말한다. "자산운용사에 주어졌던 1년에 한 번, 회계보고의무도 면책되면서 감시 대상이 없어졌고, 결국 옵티머스와 같은 사기 사건이 발생할 수 있었다"고 꼬집었다. (이투데이, 이인아 기자, "김득의 금융정의연대 상임대표, '사모펀드 사태 시작은 시스템 망친 모피아...규제 강화로 사전예방 해야'", 2020.10.29.)

라임·옵티머스 사태는 잘못된 법규가 산출한 사태이다. 우리가 이 법규해제를 시도한 자가 누구인지 찾아볼 필요가 있는 것은 그가 이 문제의 책임자이기 때문이다. 이러한 사모펀드의 해체는 사모펀드를 "브라인드 펀드"로 만든 것인데, 이러한 용어를 좌파적 인물들이 사용한 적이 있다. 그리고 문제를 일으킨 대부분의 사모펀드가 좌파 인물들에게서 나타났다. 혹시 그러한 계열의 사람들이 이 법규해체를 시도하였는지 여부도 살펴볼 필요가 있다.

② 사모펀드의 공모행위 : 50인 이상 권유

사모펀드는 49인 이하의 투자자로 구성된다는 것과 49인 이하의 자에게 권유행위를 한다는 것이 법률의 요건이다. 즉 사모펀드의 공모행위가 위법행위라는 것이다. 그런데, 벨류펀드·디스커버리펀드·옵티머스펀드·라임펀드는 모두 공모행위를 하였다. 공공기관에서 예금처럼 권유를 하고, 법규는 사모펀드법의 적용을 받았다. 그리고 나중에는 이렇게 금융상품처럼 사모펀드를 모집하는 행위가 아예 관행이 되어 버렸다.

자본시장법상 '사모'의 의미를 살펴보면, 사모는 "새로 발행되는 증권의 취득의 청약을 권유하는 것으로서 모집에 해당하지 아니하는 것"을 말한다(법 제9조 제8항). 여기서 '모집'은 "대통령령으로 정하는 방법에 따라 산출한 50인 이상의 투자자에게 새로 발행되는 증권의 취득의 청약을 권유하는 것"을 말한다(법 제9조 제7항). … 즉, 적격 일반투자자를 대상으로 청약 권유 상대방의 수가 50인 이상이 되면 설령 투자자의 수가 100인(50인) 이하가 되더라도 이는 '모집'에 해당하고, 따라서 '사모'에 해당하지 않게 된다.(고동원, 사모펀드 규제의 문제점과 개선 방안, 금융

감독연구 제8권 제2호 2021. 10, p.110)

현재 사모펀드의 공모행위가 아예 관행으로 자리를 잡아 버렸다. 금융기관에서 공공연히 판매가 되고 있기 때문이다. 그래서 49인이 초과되면, 아예 1호, 2호, 3호 이런 식으로 해서 묶어 버린다. 그리고 심지어는 라임펀드의 경우에는 이 각각의 49개의 사모펀드가 1단체가 되어서 모 펀드를 구성해 버린다. 그런데, 이러한 공모행위가 누구에 의해서 언제부터 시작되었는지를 조사하여야 한다.

③ 펀드 쪼개기 : 49인 이상 투자

펀드를 금융기관의 상품처럼 판매를 하다보니, 많은 사람들이 그 펀드에 가입하게 되었다. 이때 그들은 49인씩 묶어서 1호, 2호, 3호… 등으로 펀드를 만들었다. 심지어 라임의 이종필의 경우에는 각각의 펀드를 한 단체로 간주한 후, 49구좌를 묶어서 모 펀드를 만들어 버렸다. 이것은 공모펀드와 다를 바가 없다.

위의 문제들은 반드시 시정이 되어야 한다. 먼저, 사모펀드법의 제한규정들을 모조리 철폐한 인물들이 누구인지를 먼저 규명해야 한다. 두 번째, 누가 제일 먼저 금융기관에서 모집행위를 하여, 사모펀드의 공모행위를 일반화했는지도 확인해 보아야 한다. 세 번째, 사모펀드는 이미 공모펀드와 다를 바가 없이 되어 있다. 이제부터라도 공모와 관련한 모든 법규가 적용되어야 한다. 특히 사모펀드가 회계감사를 받으며, 그 감사의 내용이 이해관계자들에게 공시되어야 한다.

한편, 우리는 사모펀드와 국민연금의 관계를 살펴보아야 하는데, 사모펀드가 경영자 교체 주주제안을 하고, 국민연금이 의결권 행사를 한다. 주주제안까지 국민연금이 하면, 모든 국민이 사회주의를 눈치채기 때문이다. 좌파들은 정권을 잡은 후, 사모펀드를 조성하여 주주제안을 하고, 국민연금이 여기에 따라가서 의결권행사를 하는 것이다. 이것이 사회주의자들의 기업을 장악하기 위한 제2의 군자산의 약속으로 보인다.

마. 2016년, 드루킹 댓글조작과 김경수 판결문

2016년의 드루킹 댓글조작에 대해, 김경수 판결문이 공개되었는데, 이에 의하면 김동원은 "경제민주화"를 이루기 위해서 댓글조작을 하였다고 말한다. 여기에서의 그리고 여기에서의 그 경제민주화는 장하성 『한국자본주의』에서 나타나는 그 재벌해체의 경제민주화였다. 그리고 이 판결문에서는 그 경제민주화의 방법이 "국민연금 스튜어드십코드, 국민연금 의결권강화, 전자투표"를 말한다. 그리고 이러한 내용들이 문재인 정권에서 모두 반영이 되었다. 이것은 장하성의 『한국 자본주의』가 사회주의를 추구하는 사람들에게 중요한 지침이 되어 있음을 알 수 있다.

2. 디스커버리 펀드

가. 2017.7-2019.4. 장하원의 디스커버리 펀드

장하성이 정책실장에 재임할 때, 그의 동생 장하원은 디스커버리펀드 운용사를 세웠다. 회사설립은 2016년도이지만, 본격적인 펀드상품의 판매는 2017년도 하반기부터 이루어졌다.

장하성이 취임하기 이전에는 80억 원에 불과하던 것이 2017년 5월 취임과 더불어서 그 해 말에 3,833억원, 2018년도 말에 8,922억원, 2019년 4월 말에 9,450억원에 이르렀으며, 이때 첫 디폴트가 발생하였다. 이렇게 펀드 규모가 폭등한 이유는 장하원의 형이 장하성이 청와대 정책실장이었으며, 장하성이 60억 원을 투자하고, 김상조도 4억 원을 투자한 것도 한 몫 했다.

한편, 그들은 이 펀드를 금융기관을 이용해서 공개모집을 하였다. 그리고 이것을 49인씩 쪼개어서 사모펀드로 편입을 시켰다. 공모펀드로 편입시켜야 하는데, 꼼수가 등장한 것이다.

디스커버리자산운용 펀드 설정액
(단위: 억원, 자료: 금융투자협회)

| | | 9450
(첫 디폴트 발생) | | |
| 80
4월 말
2017년 | 3833
12월 말 | 8922
12월 말
2018년 | 4월 말
2019년 | 5693
12월 말 | 4933
4월7일
2020년 |

주요 금융사 디스커버리자산운용 펀드
판매잔액 (단위: 만원, 자료: 금융투자협회, 지난 2월 말 기준)

기업은행	941억6300
신한은행	861억3100
하나은행	220억5900
대신증권	654억4800
유안타증권	629억4600
신한금융투자	515억3300
IBK투자증권	428억5000
하나금융투자	307억7600

(아시아경제, 권해영·김민영 기자, 판매사에 불똥 튄 '장하성 동생 펀드'…많이 판 은행·증권사는?, 2020.04.10.)

13일 금융권에 따르면 디스커버리펀드의 미상환 잔액은 2021년 4월 기준으로 2천 562억원이다. 디스커버리펀드는 장 대사의 동생 장하원 디스커버리자산운용 대표가 운용한 'US핀테크글로벌채권펀드(글로벌채권펀드)'와 'US핀테크부동산담보부채권펀드(부동산채권펀드)'로, 국책 은행인 IBK기업은행 등 3개 은행과 대신증권 등 9개 증권사를 통해 팔렸다. 2019년 4월 미국 현지 자산운용사의 법정관리 등에 따라 환매가 중단되며 투자자 피해가 발생했다.

금감원의 부문검사에서 기업은행은 디스커버리펀드를 중소기업·개인 고객에게 판매하면서 "미국이 망하지 않는 한 손실이 나지 않는다", "수익률 3.x%" 등 문구로 안전성과 수익성을 호도하는 '불완전 판매'를 한 것으로 확인됐다. 부실한 상품 선정·판매, 판매 과정의 미흡한 내부통제도 드러났다.…

(연합뉴스, 강민지 기자, '장하성 동생 펀드', 제재·구제 지연…피해자들 당국에 분통, 2022.2.13.) (서울=연합뉴스, 신호경 하채림 이지헌 기자)

나. 2019.4. 환매중단 사태

디스커버리 펀드의 기초자산에 문제가 발생하여 환매중단 사태가 벌어졌다. 2019년 4월, 디스커버리 펀드 운용을 맡았던 미국 다이렉트랜딩인베스트먼트(DLI)가 현지 당국의 자산 동결 제재를 받아 펀드 환매가 중단되었다. 이에 1차 환매중단 사태가 발생하여 2019년도에 2,500억원의 투자손실이 발생하게 되었다.

한편, 경찰은 그후 디스커버리에서는 환매요청하는 고객들에 대해서 폰지수법을 사용하여, 새롭게 조달된 자금 등으로 기존의 환매에 응한 것으로 보고 있다. 그러나 이것은 오래 가지 못하고, 모두 들통 나게 되었다. 이에 경찰은 2021년 7월, 장하원 대표에 대한 출국 금지 신청과 함께 디스커버리 자산운용사 사무실과 펀드 판매사인 은행들에 대한 압수수색을 실시했다.

경찰이 환매 중단으로 거액의 소비자 피해가 발생했던 디스커버리 자산운용사 장하원 대표에 대해 구속영장을 신청했다. 9일 서울경찰청 금융범죄수사대는 장 대표를 자본시장법 위반 등의 혐의로 지난 6일 구속영장을 신청했다고 밝혔다.
지난 2016년 장 대표가 만든 디스커버리 펀드는 신생 운용사가 내놓은 펀드인데도 국책은행인 기업은행이 나서서 (2017년부터) 판매를 했다. 하지만 지난 2019년 4월 환매 중단 사태가 터지면서 지난해 기준 2500억원 이상의 투자금 손실이 발생했다. 이에 경찰은 지난해 7월, 장 대표에 대한 출국 금지 신청과 함께 디스커버리 자산운용사 사무실과 펀드 판매사인 은행들에 대한 압수수색을 실시했다. 또한 이 펀드에는 장 대표의 친형인 장하성 주중대사와 김상조 전 청와대 정책실장이 각각 60억여원과 4억원을 본인과 가족 명의 등으로 투자한 것으로 알려졌다. 이들이 펀드 가입 혹은 환매 과정에서 일반 투자자와 다른 대우를 받아 특혜를 받은 게 아니냐는 의혹이 제기되기도 했다.
(조선일보, 김광진 기자, "'디스커버리 펀드' 장하성 동생 장하원 대표 구속영장 신청", 2022.5.9.)
경찰은 장 대표가 이윤을 내지 못하는 상황에서 신규 투자금을 모아 기존 투자자에게 수익을 지급하는 이른바 '폰지 사기' 수법으로 범행한 것으로 보고 있다. 펀드 환매 중단으로 국내 투자자가 입은 피해만 2,562억 원(2021년 4월 기준 미상환액)에 달하는 터라, 장 대표의 사기 혐의가 인정될 경우 투자 피해 배·보상 문제가 쟁점화할 전망이다.… (한국일보, 박준규 기자, 단독 장하원 폰지 사기로 가닥 잡힌 디스커버리 수사… '윗선' 관여는 안 드러나, 2022.02.09.)

다. 늑장수사와 판결

이 펀드는 2019년 4월 환매 중단 사태로 미상환 잔액이 2,562억 원에 달할 정도로 사기성이 농후했다. 환매 중단 사태가 벌어진 지 34개월 만에, 디스커버리 사무실을 압수수색해 펀드 투자자의 실명과 투자액이 기록된 파일을 확보하고서도 7개월이 지나서야 장 대표를 소환했다. 늑장수사란 비판을 피하기 힘들다.(한국일보, 사설, "장하성·김상조 사기펀드 관련 의혹, 철저히 규명해야", 2022.02.11.)

그후, 2022년 6월 디스커버리자산운용 장하원 대표는 1심에서 다른 것은 모두 무죄 판결을 받았다. 다만, 디스커버리펀드 쪼개기 운용 의혹은 계속 수사 중이다. 공모펀드 규제를 피하려고 실제 50명 이상 대규모 펀드를 굴리면서 소규모 사모펀드를 여러 개 운용한 것처럼 속인 혐의이다. (서울신문, 김헌주 기자, '디스커버리' 장하원 대표 무죄…'펀드 특혜' 장하성·김상조 불입건, 2022.12.30.)

라. 동시다발적 펀드사태들

디스커버리펀드가 신생회사임에도 불구하고, 장하원의 형 장하성이 정책실장으로 들어가자 2017년 하반기부터 펀드들이 모이기 시작하였다. 한편, 이와 동시에 또 다른 펀드가 시작되었는데, 그것이 곧 2017년 6월부터 본격적인 상승세를 탄 옵티머스펀드이다. 이러한 모든 사건들이 좌파들의 세계에서 일어났다.(한국경제, 백광엽 논설위원, "文정부, 사모펀드 경제공동체인가", 2021.06.15.)

3. VIK 펀드와 신라젠 사태

가. 밸류 인베스트 코리아(VIK)

밸류인베스트는 2011년 9월부터 2016년 4월까지 웹이나 모바일을 통해 자금을 유치하는 '크라우드 펀딩 방식'을 통해 비상장 주식, 엔터테인먼트, 부동산 등에 투자한다는 명목으로 투자자들을 모았다. 하지만 밸류인베스트는 금융위원회 인가를 받지 않은 미인가 금융투자 업체였고 이러한 행위는 모두 불법이었다. (비즈한국, 장익창 기자, 1조 원대 밸류인베스트코리아 사기 피해자에 차관급 인사 포함, 2021.08.27.)

① 2011-2015년, 3000명 영업사원 통해 7,039억원 유치

그럼에도 밸류는 서울 강남에 버젓이 사무실을 차리고 영업사원 3000여 명을 동원해 투자자를 끌어들였다. 2011년 9월부터 2015년 8월까지 영업직원들을 통해 일반인들에게서 투자조합을 결성하는 방식으로 투자 자금을 끌어 모았다. 투자조합은 조합당 49인을 넘지 않도록 규정하고 있지만, 밸류가 조성한 투자조합의 투자자는 조합당 100명이 넘었다. 이들은 투자자 3만3000여 명으로부터 투자금 7039억원을 유치했다.

② 원금보장과 고수익 홍보, 20%는 영업사원 수당 등

이 회사 영업사원은 개인투자자들의 자금을 끌어들이면서 원금 보장과 고수익을 보장한다고 했다. 자금이 모이면 대표이사와 영업사원들은 운영자금 명목으로 20%를 떼어갔다. 나머지 80%를 투자해서 투자자들의 원금 보존은 물론 추가 수익까지 보장해야 했다. 적어도 매년 20% 이상의 투자 수익을 내야 투자자들에게 배분할 수 있는 구조다. 세상의 그 어떤 투자전문가도 매년 20%의 고수익을 내는 것은 불가능에 가깝다. 전설적 투자자 워런 버핏(Warren Buffett)의 연평균 수익률도 19.7%다.

③ 폰지수법

투자금을 모집하면서 원금보장과 확정수익을 약속하면 유사수신행위가 된다. 이 회사 대표인 이철은 투자금의 20%를 직원 월급과 회사 유지비로 써버렸고, 고객이 맡긴 투자원금 2000억원을 수익이라고 속여 되돌려주는 수법으로 손실을 본 사실마저 숨겼다.

(월간조선, 최우석 기자, "유시민 연루 의혹으로 관심 쏠린 밸류인베스트코리아 사기사건", 2020.3.10.)

나. 2015-2020년, VIK 사태의 발생

2011년부터 파렴치한 불법이 자행됐는데도 금융 당국이나 사법 당국은 모두 손을 놓고 있었다. 금융감독원은 밸류가 활동한 지 2년이 넘은 2013년 10월에야 경찰에 수사를 요청했고, 경찰은 이렇다 할 조치 없이 2014년 6월 이 사건을 검찰에 넘겼다. 금감원이 두 차례 더 수사 요청을 했지만, 검찰 수사는 2014년 9월에야 시작됐다.

그후 2015년 10월 이철은 구속되었다. 그는 1심에서 징역 8년형이 확정된 후, 6개월을 감옥에서 지내고 2016년 보석으로 풀려났다. 그는 이 보석 기간에도 불법으로 619억 원을 모집하고, 신라젠 1,000억 원의 투자자유치행위를 하였다. 그후 그는 2018년 12월 1심에서 8년, 2019년 9월 2심에서 12년으로 증가되고, 이로 인하여는 그후 또 다시 2년6개월 형이 확정되었다. 이 씨는 이 밖에도 아내에게 회삿돈으로 급여를 지급한 혐의, 방문판매법을 위반한 혐의 등으로 현재 재판을 받고 있다.

① 2015년 구속과 보석

2015년 11월 검찰은 이철 대표를 자본시장법 위반, 유사수신행위법 위반, 사기 혐의로 구속기소 했다. 2015년 구속됐다가 (6개월 후) 2016년 보석으로 풀려났다.

② 2015년도의 옥중경영과 보석기간중 투자유치행위

2015년 구속된 이 대표는 감옥에서도 '옥중경영'을 이어가며 불법 투자 유치를 지시했다. 하지만 밸류에 대한 수사와 재판으로 투자금을 예전처럼 모을 수 없게 되자 이 대표 등은 투자자들에게 밸류 투자사인 ㈜비피유홀딩스에 투자하도록 한 뒤 수수료를 받는 방식으로 5400여 명으로부터 619억원을 송금받은 것으로 나타났다. 금융 당국의 허가 없이 이뤄진 불법 투자 중개였다. (이 기간에 신라젠 1,000억원 투자유치 행위도 하였다.)

③ 2018.12. 8년형과 법정구속

이 대표는 2018년 12월 7000억원대 투자 사기에 대한 1심 선고로 징역 8년의 실형을 선고받은 이후에야 법정 구속됐다.

④ 2019.9, 2심에서 12년형 선고

1심(2018.12)은 "수익이 발생한 것처럼 꾸며 다시 새로운 투자를 권유하는 방식으로 투자자들을 속여 사기 피해액만 1800억원에 이르는 거액이며, 피해자들의 피해가 상당 부분 회복되지 않았다"면서 이철 대표에게 징역 8년을 선고했다. 이철 대표는 "형량이 지나치게 무겁다"며 항소했다. 그러나 2심(2019.9.15)은…이 대표에게 징역 12년을 선고하는 등 오히려 형량을 높였다.…

⑤ 2020.2. 추가(보석기간중 투자유치)기소로 2년 6개월 추가실형

그는 2020.2.6 추가로 기소된 불법 자금 유치 사건 1심에서 징역 2년6월의 실형을 선고받았다. 이번 형까지 확정되면 이 대표는 총 14년6개월을 복역해야 한다.
(월간조선, 최우석 기자, "유시민 연루 의혹으로 관심 쏠린 밸류인베스트코리아 사기사건", 2020.3.10.)

⑥ 아내명의 업무상 횡령혐의 재판중

이런 가운데, 이 전 대표이사는 VIK 자회사인 밸류인베스트파트너 사내이사 자리에 부인 손 모 씨를 앉힌 뒤 2014년 4월부터 2016년 9월까지 월급 명목으로 약 6300만 원을 업무상 횡령한 혐의로 검찰에 송치됐다.(익명의 블로거, "VIK 금융사기 9000억원 어디로?", 2021.5.7.)
https://blog.naver.com/mp4879/222341849846

⑦ 2022.8.19. 437억원 횡령혐의 추가기소

7천억원대 불법 투자 유치 등 각종 금융사기로 징역 14년6개월을 선고받고 수감 중인 이철(57) 전 밸류인베스트코리아(VIK) 대표가 또 다른 사기 범죄 혐의로 기소됐다. 19일 서울남부지검 금융조사1부(부장 이승형)는 2015년 9월~2016년 9월 밸류인베스트코리아 'VIK펀드' 투자자 4천여명을 속여 437억원4100만원을 가로챈 혐의(사기)로 이 전 대표를 기소했다고 밝혔다.(연합뉴스, 또 다른 사기혐의기소, 2022.8.19.)

⑧ **묘연한 9000억원의 행방**

이철 전 대표에 대한 조사와 재판은 진행 중이지만, 불법 투자금 9000억원의 행방은 묘연한 상황이다. 피투자회사의 공시에서도 투자금 용도·사용처는 확인할 수 없고, 검찰 수사 초반 자금추적이 이뤄졌음에도 좀처럼 투자금의 행적은 드러나지 않고 있다.(어반스트리트저널, 이무선 기자, "사라진 불법 투자금 9000억원…'VIK·이철' 수사 진행상황은", 2021.05.07.)

다. VIK와 이철의 이념성

이철의 이러한 VIK 사태는 단순한 부정에서 출발하지 않았고, 그의 이념으로부터 말미암은 것으로 보인다.

① 주목해야 할 세 가지

월간조선의 최우석는 VIK 사건과 관련하여 주목해야 할 세 가지가 있다고 말하며, 이철 대표란 사람 배후에 소위 어마어마한 '실력자'들이 버티지 않고서는 설명하기 어려운 사안이다고 말한다.

첫째, 크라우드 펀딩 분야의 큰손으로 불리던 업체라고 하더라도 3만3000여 명의 투자자는 뭘 믿고 7039억원을 투자했는가.
둘째, 2011년부터 밸류의 파렴치한 불법이 자행됐음에도 금융 당국이나 사법 당국은 왜 모두 손을 놓고 있었는가.
셋째, 이 같은 상황에도 어떻게 이철 대표는 보석으로 풀려났다가 2018년 12월 7000억원대 투자 사기에 대한 1심 선고로 징역 8월의 실형을 받은 이후에야 법정 구속됐는가.
이철 대표란 사람 배후에 소위 어마어마한 '실력자'들이 버티지 않고서는 설명하기 어려운 사안이다.(월간조선, 최우석 기자, "유시민 연루 의혹으로 관심 쏠린 밸류인베스트코리아 사기사건", 2020.3.10.)

② 참여한 강사들

그리고 최우석 기자는 취재 중 밸류가 매달 사무실에서 진행한 임직원들을 대상으로 한 명사특강에, 친노(親盧) 핵심인사들이 초청돼 특강 한 사실을 확인했다. 밸류 임원 신모씨가 본인 사회관계망서비스(SNS)에 올린 사진을 통해서다.(참조: 다음의 기사는 문재인 정부시절에 발표된 기사이다.)

ⓐ 2012년 9월 전 국정홍보차장 김창호 : 노무현 정부에서 국정홍보처장을 지낸 김창호 동국대 석좌교수.… 주제는 '대한민국의 정치·경제·사회'였다. 대학시절 학생운동 언저리에 있었던 그는 1995년 서울대 철학과에서 '마르크스 사적 유물론 형성에 있어서 인간의 지위에 대하여'라는 논문으로 박사학위를 받은 후《중앙일보》학술전문기자로 언론계 활동을 시작했다. 2005년 3월 김 교수는 기자 생활 10년을 청산하고 명지대 디지털미디어학과 학과장이 됐다. 교수 변신 한 달도 안돼 김 교수는 차관급인 국정홍보처장으로 '발탁'됐다. 노무현 정권의 국정홍보처장이 된 그는 브리핑룸 통폐합을 골자로 하는 사실상의 언론탄압 정책을 주도했다.…

ⓑ 2012년 10월 김현종 청와대 국가안보실 2차장 : 김현종 국가안보실 2차장은 2012년 10월 특강자로 나섰다.…김 차장은 미국의 반대에도 한·일 군사정보보호협정(지소미아)을 파기하거나, 미국 대사를 불러 항의하고 이를 언론에 공개한 것은 기존 외교 관료의 문법으로는 불가능한 일이다.

ⓒ 2012년 11월 김수현 전 청와대 정책실장 : 청와대 정책실장을 지낸 김수현 세종대 교수가 '부동산'에 대해 강연을 했다. 김 교수는 노무현 정부 때 부동산을 잡겠다는 명분으로 종합부동산세 도입에 주도적 역할을 했다.… 문재인 대통령은 노무현 정부 청와대에서 근무했을 때부터 호흡을 맞추고, 2012년과 2017년 대선 캠프에서 정책을 입안한 그를 사회수석비서관과 정책실장으로 기용했다. 김 교수는 문재인 정부 들어 탈(脫)원전, 부동산, 소득주도성장 등 논란이 된 정책을 사실상 진두지휘했다.…

ⓓ 2013년 1월 이재정 경기도교육감 : 이재정 교육감은 노무현 정부 통일부 장관을 지냈다. …6·25전쟁의 책임에 대한 통일부 장관 인사청문회 질문에 그는 잠시 머뭇거리다 "여기서 규정해서 말하는 것은 적절치 않다"고 했다.…"김일성에 대한 평가는 역사가 할 것이며 아직 과거사가 정리되지 않았다"고 했다. 그는 장관 임명 후인 2007년 1월 2일 신년사에서 '북한 빈곤에 대한 남한 책임론'을 주장, 파문을 일으키기도 했다.…

(e) 2013년 3월 변양균 전 청와대 정책실장 : 2013년 3월 특강자(주제 '경제정책의 오해와 진실')로 초청된 변양균 전 정책실장은 노무현 정부 시절 기획예산처 장관, 청와대 정책실장을 지냈다. 기획처 국장이던 2001년 민주당에 파견돼 당시 정책위 의장이었던 이해찬 전 총리를 보좌하면서 능력을 인정받은 것으로 전해졌다.…

(f) 2013년 4월 김용익 국민건강보험공단 이사장 : 2013년 4월 김용익 국민건강보험공단 이사장은 '공공의료, 한국 의료의 미운 오리 새끼'라는 주제로 강연했다.… 제19대 의원으로 보건복지위원회에서 활동했으며, 지난 대선에선 더불어민주당의 싱크탱크인 민주연구원장을 지내며 대선 공약을 다듬었다. '문재인 케어'의 설계자이기도 한 그는 2015년 서울대병원 대외협력실이 발행하는 웹진 'E-Health Policy'에 '공공의료, 한국 의료의 미운 오리 새끼'라는 제목의 기고문을 게재하였다.… 그런데 김 이사장이 설계한 '문재인 케어(건강보험 보장성 강화 정책)'를 두고는 '선심성 복지 포퓰리즘'이라는 비판의 목소리가 나온다.…

(g) 2014년 1월 도종환 국회의원 : 현직 국회이원인 전교조 출신 시인 도종환 전 문화체육관광부 장관은 2014년 1월 '시와 인문학'이라는 주제로 밸류에서 특강을 진행했다.… 지난 대선 때 문재인 캠프 문화예술정책위 상임위원장을 맡아 문화 공약을 주도했다. 2017년 5월 23일 노무현 전 대통령 8주기 때 봉하마을에서 헌시(獻詩) '운명'을 낭독하기도 했다.… 교직 생활 중이던 1989년 전국교직원노동조합 활동으로 해직됐다가, 1998년 복직됐다. 도 의원은 문재인 대통령과 인연이 깊다. 18대 대선 당시 대선 경선 캠프 이름인 '담쟁이 캠프'는 도 의원의 시 '담쟁이'에서 따온 것이다.…

(h) 2014년 4월 영화 〈변호인〉 양우석 감독 : 2014년 새해 1100만명의 관객을 뜨겁게 울린 영화 〈변호인〉의 연출자 양우석 감독도 밸류에서 강연을 했다. 〈변호인〉은 노무현 전 대통령의 변호사 시절을 소재로 한 영화다.…

공교롭게도 밸류는 양 감독에게 집중 투자했다.… 밸류는 445만명의 관객을 끌어모은 영화 〈강철비〉에도 투자했다. 〈강철비〉는 양 감독의 두 번째 영화다. 〈강철비〉는 한국 정권 교체기에 북한 최고지도자가 한국으로 숨어 들어오면서 발생하는 한반도 위기 상황을 가정한 영화였는데 개봉 전부터 ▲짙은 정치색 내포 ▲반미 감정 조장 ▲북핵에 대한 그릇된 인식 ▲이념적 편향성 등이 지적됐다.…

(i) 2014년 8월 유시민 : 이철 밸류 대표는 국민참여당의 의정부지역위원회 위원장으로 활동했다. 이 대표는 국민참여당을 매개로 유시민 노무현재단 이사장과 인연을 쌓은 것으로 알려졌다.… 유 이사장은 주가조작 혐의를 받는 바이오 벤처기업

신라젠의 '펙사벡'(신라젠이 보유한 항암바이러스 신약의 후보 물질) 기술설명회에서 축사를 하기도 했다.… 〈코스닥 시총 3위 '신라젠' 어떻게 상장했을까?〉라는 제목의 영상에는 유시민 노무현재단 이사장이 출연한다.

(월간조선, 최우석 기자, "유시민 연루 의혹으로 관심 쏠린 밸류인베스트코리아 사기사건", 2020.3.10.)

③ 이철의 노사모 인맥과 문재인의 노무현 정책학교

이철은 노사모의 중심인물로 보인다. 그는 노사모를 중심으로 한 친노 실세들과 방대한 인맥을 형성하고 있다. 그는 국민참여당의 의정부지역위원회 위원장으로 활동했으며 18대 총선에서는 경기 '의정부을' 출마를 검토했었다.

이철은 문재인이 이사장으로 있던 '노무현정책학교' 1기 수료생인데, 김수현 전 실장, 변양균 전 실장 등이 노무현정책학교에서 강의하고, 이들이 밸류가 마련한 직원 특강에도 참여했다. 당시 연구원의 원장은 김용익 이사장이었다. 그 또한 밸류에서 특강을 했다.

노무현 재단 이사장이었던 문재인 대통령은 노무현정책학교 개강을 홍보하였다. 결국 벨류 펀드는 노무현정책학교가 산파 역할을 한 것으로서, 이념을 실현하는 펀드로 보인다. (월간조선, 최우석 기자, "유시민 연루 의혹으로 관심 쏠린 밸류인베스트코리아 사기사건", 2020.3.10.)

우리가 알 수 있는 것은 이철이라는 사람이 부정축재를 목적으로 VIK를 운영한 것 같지는 않다는 것이다. 그는 그의 이념을 위해서 이 펀드를 운영한 것으로 보인다. 그는 무엇인가에 소신이 있었는데, 옥중에 있으면서도 펀드레이징을 하였다. 이 기간 중에 이루어진 영화감독 양우석을 향한 그의 투자는 문재인의 선거에 많은 영향을 미쳤다. 이러한 것이 이철의 수사 등을 미진하게 만든 이유일 수 있다.

라. 신라젠과 VIK

이철 VIK 대표는 여권 인사들이 연루됐다는 의혹이 있는 바이오 업체 신라젠과도 연관돼 있다. VIK가 2013년부터 450억여원을 투자한 덕분에 신라젠은 다른 바이오 업체인 제네렉스 인수에 필요한 초기자금 300억원과 임상시험에 필요한 비용 등을 댈 수 있었다. 그래서 VIK는 2014년 9월부터 신라젠 지분의 14%를 보유한 최대주주였는데, VIK는 2015년 말 주식을 청산했다고 말한다.

한편, 신라젠은 2016.12. 코스닥 상장으로 주가가 13,500원에서 2017.11에는 152,300원으로까지 치솟았다. 그런데 이때 2017.12.~2018.1, 신라젠 문은상 대표 등이 지분을 대량 매도했고, 이후 이 사실이 1월 초 공시되면서 신라젠 주가는 하락세로 접어들었다. 그후 2019.8. 미국에서 펙사벡 3상 중단권고가 나왔다.

마. 2020.1. 추미애의 증권범죄합동수사단의 폐지

윤석열 검찰총장은 신라젠 사건을 수사하는 서울남부지검에 검사 4명을 파견했다. 그러나, 추미애의 법무부는 비(非)직제 조직이라는 이유로 2020.1. 증권범죄합동수사단을 폐지했다.(월간조선, 최우석 기자, "유시민 연루 의혹으로 관심 쏠린 밸류인베스트코리아 사기사건", 2020.3.10.)

4. 옵티머스 사태

가. 2017.6. 옵티머스 자산운용의 설립 및 설계자

옵티머스 자산운용의 실질적 기획자는 이혁진이라고 보아야 한다. 즉, 이혁진의 에스크베리타스자산운용이 옵티머스자산운용으로 발전한 것이다. 김재현, 윤석호, 이진아, 이동열 등은 그 그림에 참여하였다. 그리고 이들이 모두 대주주들이 되었다. 전 나라행장 양호가 다음에 1대 주주가 되는데, 그는 이후에 옵티머스의 부족한 자본금을 채우기 위한 유상증자에 참여함을 통해서였다. 따라서 우리는 옵티머스자산운용 내의 이념성을 이해하고자 한다면, 먼저 이혁진의 이력부터 살펴볼 필요가 있다.

그는 한양대 경제학과를 졸업하였는데, 86학번으로서 임종석과 동년배이다. 임종석과 같은 서클 활동을 하였으며, 정치활동도 함께 하였다. 한편, 2016년도에 이혁진과 합류하는 김재현은 한양대 89학번으로서 경제학과이며, 윤석호는 한양대 98학번 법학과이고, 이진아는 윤석호의 배우자이다.

① 옵티머스 자산운용의 시작

자산운용사인 옵티머스자산운용은 원래 2009년 6월 15일 이혁진 전 대표가 설립한 에스크베리타스자산운용이 전신이며, 2015년 6월 30일 에이브이자산운용으로 사명을 변경하였고, 2017년 6월 30일 옵티머스자산운용으로 다시 사명을 변경하면서 김재현 대표가 취임하였다.(옵티머스 사태, 『나무위키』)

② 이혁진과 임종석

이혁진 전 대표는 임종석 전 청와대 비서실장, 송영길 더불어민주당 의원, 우상호 더불어민주당 의원 등과 같은 시기에 남북경제문화협력재단(경문협) 활동을 같이 했다. 경문협은 2004년 남북 교류를 위해 설립된 비영리 민간단체로 임종석 전 실장은 2대 이사장(2005~2007년)을 맡은 뒤 최근까지도 주도적으로 활동해왔다.

2006년 6월 2~5일 이혁진은 임종석 특보와 함께 평양을 방문했다. 남북경제문화협력재단(경문협)에서 주관한 김일성종합대학 과학도서관 참관단 자격이었다. 당시 임종석 특보는 경문협 이사장, 이혁진은 이사였다. 임종석 특보는 2005년 7월 경문협 이사장으로 부임했고, 이혁진 전 대표는 2006년 3월 총회에서 이사로 선출됐다. 통일뉴스의 2006년 3월 9일 <"北 인기가요, 남측 유명 가수가 부른다"> 기사를 보면 경문협은 이날 이혁진 전 대표 등 9명을 신임 이사로 선출했다. 이혁진 전 대표는 당시 CJ자산운용 상무였다.(이혁진, 『위키백과』)

③ 2009년 4월, 에스크베리타스자산운용의 설립

2009년 4월, 이혁진은 에스크베리타스자산운용을 설립했다. 이혁진은 신영증권, 씨티글로벌마켓증권, 마이에셋자산운용, CJ자산운용 등에서 근무했다. CJ 자산운용에서는 특별자산운용본부장으로 골프장, 보석, 영화 등 특별자산에 투자하는 독특한 펀드를 운용해 주목을 받기도 했다.(이혁진, 『위키백과』)

④ 2012년 4월, 더불어민주당에서의 정치활동

2012년 4월 11일 실시된 제19대 국회의원 선거에서 이혁진은 민주통합당(현 더불어민주당)의 서울 서초갑 후보로 출마했다 낙선했다. 낙선 후 2012년 제18대 대통령 선거 당시 이혁진 전 대표는 문재인 대선캠프에서 금융정책특보를 맡았다. 이혁진 전 대표는 블로그를 통해 "대선후보의 경선 일정대로 전국 곳곳을 다니며 문재인 후보님께 힘이 되고자 열심히 뛰고 있다" "정권교체만이 정답이고 그래야만 대한민국 역사가 새롭게 쓰이게 될 것" 등의 글을 남기기도 했다. 이혁진 전 대표가 정치 활동 당시 문재인 대통령, 안희정 전 충남지사, 故노무현 대통령의 부인 권양숙 여사, 박원순 서울시장, 조국 전 법무부 장관, 친여 방송인 김어준과 촬영한 사진이 블로그에서 발견되기도 했다.(이혁진, 『위키백과』)

그런데 이혁진의 신상 문제(강간치상 2년6개월형, 배임과 횡령 등의 혐의)등으로 인해 2017년 6월 30일 회사의 이름을 옵티머스 자산운용으로 바꾸고 김재현이 대표로 취임하였다. 그런데, 이 기간 동안 실질적으로는 이혁진·김재현 둘이 각자 공동대표였다고 한다. 그러다가 이혁진 2018년 3월 17일 주총에서 경영진에서 배제되었다. 그리고 문재인 각료들의 베트남과 아랍에미리트 해외순방 중에 따라 나갔다가 해외로 출국하였다. 그후 그는 인터뷰(해외 전화) 등을 통해서 자신과 임종석은 옵티머스 사태와 전혀 상관이 없다고 말하였으며, 해외도피도 아니었다고 말한다.

이렇게 이혁진은 옵티머스에서 배제되었으나, 결국 2018년 3월까지는 경영에 참여한 것이었다고 보아야 한다. 그런데, 옵티머스의 정체성과 관련하여 2017년 6월부터 2018년 3월까지가 가장 중요한 시기일 수 있다. 2017년 6월부터 한국방송통신전파진흥원으로부터 220억원(1차 100억원) 정도의 투자위임을 받았으며, 이 자금으로 성지건설을 인수하였기 때문이다.(그런데, 성지건설에 대한 실제의 상황은 무자본 M&A여서 이듬해 2018년 10월경 상장폐지를 당한다.)

나. 실질적 운영진들 : 경영진과 자문단

우리가 옵티머스의 이념적 실체를 확인하고자 한다면, 이제 또 다른 경영진을 살펴보아야 한다. 이혁진 대표가 운영하던 에이브이자산운용이 2017년 6월말 사명을 옵티머스로 변경하면서 김재현 대표가 취임하였다. 그리고 2018년 3월경에 이혁진 대표가 해외로 피신함(본인은 본래의 집으로 돌아갔다고 함)으로써, 김재현 체제로 전환되었다. 이혁진은 김재현이 자신의 경영권을 찬탈하였다고 말한다.

① 김재현, 윤석호, 이진아

김재현은 한양대 법대를 졸업하였다. 그는 임종석의 3년 후배로서 임종석과 함께 서클생활을 하였다고 한다. 서클이라면 추정컨대 전대협이 아닐까하는 생각을 하게 한다. 옵티머스의 사내이사로서 김재현을 도와 함께 옵티머스를 이끈 사람은 윤석호 변호사이다. 그리고 그의 처 이진아 변호사는 그후(2019.10-2020.6 추정) 청와대 행정관이 되었는데, 옵티머스의 지분을 9.8% 정도 보유하고 있었다. 그리고 트러스트올과 함께 옵티머스 펀드의 자금을 실질적으로 관리한 셉틸리언의 50% 대주주였다. 그리고 2020년 6월경에 옵티머스건이 드러나기 직전 금감원에서 조사준비를 하고 있을 때, 공인의 신분인데도 불구하고 옵티머스 사무실에 직접 자주 나와서 일을 하였다고 한다. 이들이 옵티머스 내의 한양대 인맥들이다.

이렇게 위의 세 인물들은 한양대 출신으로서 문재인 정부와 특히 가까웠다고 볼 수 있다.

② 정영제, 이동열, 유현권

또 이 외의 핵심인물들로서 정영제, 이동열, 유현권이 있다. 증권회사 부사장 출신의 정영제는 옵티머스의 부회장으로서 펀드 판매에서 핵심적인 역할을 하였다. 그리고 이동열은 옵티머스의 2대주주로서 관련 SPC사들의 대표를 하였는데, 그는 조폭 출신이었다. 이 SPC사들의 매출채권으로 펀드를 사유화하였는데, 그가 이 사기행각의 바지사장이 된 것이다. 그래서 그에게 2대주주 정도의 지분이 할애된 것으로 추정된다. 유현권은 정영제를 이혁진과 김재현에게 소개시킨 인물로서 증권사 출신이다. 그가 옵티머스에 합류한 후 또 다른 SPC사 대표를 하였는데, 그가 관리한 펀드에서 이익을 내지 못해서 옵티머스 사태가 터진 것으로 회자된다.

위의 인물들을 보았을 때, 그들은 결코 비정상적인 사람들이 아니었다. 그리고 그들의 행위가 범죄행위임에도 불구하고, 일치되게 연합하여 조직을 이루고 있다. 이것이 라임펀드의 사태와 다른 점이다. 라임펀드에는 범죄의 이유가 부정축재 이외의 요소는 보이지 않는다. 그런데, 옵티머스 펀드는 범죄와 관련이 되어 있는데, 서로 단합을 하고 있다. 이러한 사실들은 우리로 하여금 조심스럽게 이념적인 요소가 그 안에 작용하고 있지 않을까하는 생각을 하게 한다.

다. 2017.6-2018.3 한국방송통신전파진흥원과 성지건설 사건

① 옵티머스 초기단계 : 한국방송통신전파진흥원의 투자위임

한국방송통신전파진흥원은 2017년 6월부터 2018년 3월까지 1,060억원의 투자위임(회수완료는 2018년 10월)을 하였다. 어떻게 신생회사나 다를 바 없는 펀드사에 이러한 어마어마한 공적기관(전파진흥원 기금규모 : 2.5조 추정)이 자금을 맡길까? 옵티머스는 사실상 이 자금으로 살아났다.

옵티머스가 1조2천억에 달할 만큼 큰 펀드를 조성하였는데, 그 대외적으로 표방하고 있는 기본상품은 공공기관 매출채권의 유동화였다. 공공기관 등에 공사를 하고 받은 그 매출채권을 할인해주는 것이었다. 이런 경우 거의 떼일 염려가 없는 금융상품으로서 거의 정기예금 수준이었다. 그래서 수익률을 2.8-3.8%까지 책정할 수 있었다.

그리고 이 펀드상품에 맨 처음 가입해 준 곳이 한국방송통신전파진흥원이었다. 한국방송통신전파진흥원은 220억원의 펀드를 위탁하기로 하고, 먼저 1차로 100억원이 들어왔다. 이 전파진흥원의 자금은 일반적으로 옵티머스의 정영제가 전파진흥원의 최남용 본부장에게 영업을 하였다고 알려져 있다. 한편에서는 이 당시 전파진흥원 원장인 서석진씨의 개입여부에 대해 궁금해 한다. 2017년 6월부터 2018년 3월까지 748억원(총액 1060억원)이 투자되었기 때문이다. 이 서석진은 한양대 전자공학과 출신이다. 또 다시 한양대가 등장한다.

② 하자가 발생한 옵티머스 펀드상품

옵티머스에서는 이 자금으로 공공기관 매출채권을 유동화하기로 하고, 성지건설과 같은 공공기관 공사를 하는 기업과 합의가 이루어졌다. 그래서 LH공사와 같은 관급 공사를 하는 곳에 가서 매출채권을 양도 또는 담보를 설정하겠다고 하였다. 그런데, 이 일을 시도하는 과정에서 청천벽력과 같은 일이 벌어졌는데, 국공기관에서는 자신들에 대한 매출채권을 양도나 담보로 설정해주지 않는다는 것이었다. 옵티머스의 주력사업이 한 순간에 날아가는 사건이었다.

③ 브라인드 펀드의 법규를 이용한 편법의 상품개발

옵티머스의 경영진은 이 문제를 많은 골머리를 썼을 것이다. 그리고 결론을 내렸는데, 그것은 오히려 성지건설(LH공사 등의 하청사)과 같은 곳에 납품하는 하청사의 성지건설에 대한 매출채권을 할인한다는 것이었다. 그러기 위해서 옵티머스는 이제 성지건설과 같은 회사를 먼저 M&A하기로 한다. 그래서 공공기관 매출채권용의 펀드가 성지건설의 인수대금으로 사용된 것이다. 그런데, 이때 나중에 김재현의 말이 인상적이었다. "금융감독원 등에서 이에 대한 보고도 요구하지 않아서 이것이 가능한 줄 알았다"고 한다. 그리고 "그것은 이제 자신들의 일상(루틴)이 되었다"고 말하였다. 김재현의 이 발언은 사모펀드법의 취지가 이와 같이 Blind Fund 라는 것을 강조하고 있는 것으로 보인다는 것이다. 정영제도 또한 사법부들에게 사모펀드에 대해 가르치려는 태도를 보였는데, 그것은 아마 이러한 주장이었을 것이다. 그리고 그후 검찰이 이 사건에 대한 수사를 더 깊이 하지 못했던 이유도 이것이었을 수 있다.

한편, 옵티머스가 이렇게 성지건설을 인수하는 데에 MGB파트너스를 통해 인수하였는데, 이때 옵티머스는 MGB파트너스에 60억 원을 지원해 주었다. 이때의 옵티머스와 MGB 파트너스 사이에서 중간 역할을 한 자가 유현권이었다. (스토리오브서울, 박선정 기자, "옵티머스, 그것이 알고 싶다 (8) 법인 ③", 2021.09.12.)

④ 2018.4 이후의 옵티머스 : 증권사를 통한 편법의 펀드판매

옵티머스의 운영은 이렇게 전반부와 후반부로 나누어서 생각할 수 있다. 전반부는 2017.6-2018.3의 사업과 그 이후 2018.4-2020.6의 사업으로 나누어 생각할 수 있다.

그런데, 2017.6-2018.3의 사업의 핵심은 한국전파진흥원의 자금이었다. 다른 펀드는 존재하지 않는 것으로 보인다. 다른 펀드는 이제 한국전파진흥원과 관계가 경색 국면으로 들어가고, 이때부터 옵티머스펀드사 영업의 주체는 자문단이 되었다. 그리고 이때부터 증권사에서의 펀드 판매가 시작되었다.

그런데, 앞에서도 언급한 바와 같이 사모펀드의 블라인드 법규를 이용한 편법과 불법의 상품판매였다. 공공기관 매출채권은 양도와 질권설정이 되지 않는데, 성지건설과 같은 하청사를 인수하여 거짓의 매출채권을 할인하는 사업이었다.

라. 2018.4-2020.6. 옵티머스자산운용의 사업

이혁진은 2018년 3월 문재인 각료들의 베트남 순방시 따라가서 과학기술부 장관 유영민에게 전파진흥원의 자금이 원래의 용도로 사용되지 않고 있다는 신고를 하였다. 그래서 이제 전파진흥원에서는 더 이상 펀드를 위탁할 수 없었다. 전파진흥원의 투자금 회수는 2018년 10월경에 이르러서야 완료되었다. 그래서 2018년 4월부터는 이제 독자적인 영업을 하여야 했다.

이에 정영제의 영업으로 옵티머스 펀드를 NH투자증권에서 팔기 시작하였는데, 총 판매펀드의 85%가 NH투자증권에서 이루어졌다. 이때 펀드는 공공기관 매출채권의 유동화에 자금이 투자된다고 하였다. 불완전판매가 이루어진 것이었다.

펀드가 공공기관에 투자된다는 말은 모두 거짓이었고, 실상은 옵티머스사의 2대 주주(9.8%) 이동열(조직폭력배 출신)이 대표로 있는 씨피엔에스, 아트리파라다이스, 라피크와 유현권이 대표로 있는 대부디케이에이엠씨 등 비상장기업들의 사모사채를 매입하는데 쓰였다. 이들은 페이퍼 컴퍼니들이었다. 이렇게 페이퍼 컴퍼니에 자금을 이동시키고, 이 페이퍼 컴퍼니를 통해 부동산 프로젝트 파이낸싱(PF), 비상장 주식, 코스닥 상장사 인수합병 등 위험자산에 투자하고, 펀드 돌려막기에도 이용했다. 그런데, 상당한 자금은 트러스트올과 셉트리온으로 들어갔다. 그리고 이 트러스트올과 셉트리온은 이 자금으로 다른 주요 기업들을 인수 합병하였다. 대표적인 기업이 해덕파워웨이와 스킨앤스킨이었다. 이러한 옵티머스자산운용의 사업구조는 다음과 같다.

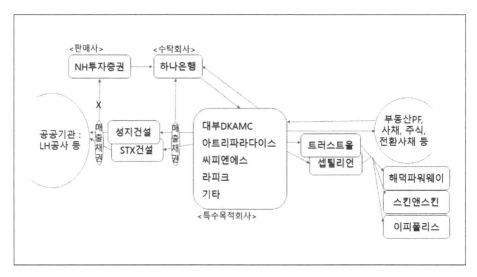

옵티머스사는 수탁기관과 사무관리기관, 판매사가 모두 분리되어 업무정보가 공유되지 않는다는 점을 악용하여 허위보고를 하였다. 이때, 수탁사는 하나은행이었으며, 사무관리기관은 한국예탁결제원이었다.

마. 판매사 : NH투자증권 외

옵티머스가 운용한 46개 펀드 5151억원(혹은 5,565억원)이 환매 중단됐거나 환매가 어려운 상태인 가운데, NH투자증권의 판매액은 4327억원(혹은 4,778억원)으로 전체의 84%(혹은 86%)를 차지한다. NH투자증권과 옵티머스를 연결한 사람은 정영제였다.

바. SPC회사-트러스트올-해덕파워웨이

판매사가 공공매출채권 투자용이라고 하며 유치하여 수탁사에 예치된 모든 자금은 공공매출채권은 단 하나도 사지 않고, 옵티머스 산하에 투자목적회사(SPC) 4개를 차리고 이들이 발행한 사모사채에 모두 투자하여 이 회사들로 빼돌려졌다. 그리고 이 자금은 또 다시 트러스트올이나 셉틸리언으로 흘러나와서 해덕파워웨이 등을 인수하거나 여러 부동산 PF, 전환사채, 상장 비상장 주식 등에 투자되었다. 그리고 일부는 펀드 돌려막기에도 이용되었다.

SPC회사의 대부분의 대표는 이동열이었으며, 그 중 대부DKAMC의 대표는 유현권이었다. 이 유현권에게서 여러 문제가 발생하였다. 그러면서 2019년 6월 펀드의 일부

상환 연기의 사태가 발생하였다.

사. 2019.6. 펀드의 일부상환 연기

유현권은 원래 골든브릿지 투자증권에서 일을 하는 젊은 사람이었다. 그의 부친 등이 재력가였던 것으로 보이며, 그는 자산운용사를 인수하고자 하는 꿈도 있었다. 김재현에 의하면, 유현권이 초기 펀드상품의 설계자였다고까지 말한다. 그리고 그가 정영제 부사장을 이혁진과 김재현에게 소개해주었다.

유현권은 옵티머스의 SPC사 중에서 대부DKAMC의 대표였는데, 이곳에서 다양한 사업을 벌인 것으로 보인다. 하지만 유 고문의 사업은 수익을 거의 내지 못했다고 한다. 유현권은 2018년 8월경에 잠적을 한 적도 있었다. 이동열은 이 유현권으로 인해 옵티머스 사태가 터졌다고까지 말하였다.

그러다가 2019년 6월 펀드의 일부펀드상환 연기의 사태가 유현권으로 인해서 발생하였다. 공공매출채권과 관련하여 안정적인 펀드로 인식하였는데, 환매불가사태가 발생한 것이었다. 이때부터 펀드 판매사와 금융감독원의 주목을 받기 시작한 것으로 보인다.

아. 2020.3. NH투자증권의 실사요청과 신규중단

안정적인 채권에 투자한다고 하던 자금이 일부 환매연장 사태가 발생하자, 판매사 NH투자증권은 펀드 투자에 대한 실사를 요청하였다. 이때 옵티머스는 부랴부랴 서류를 위조하여 공공매출채권에 투자한다는 서류를 꾸며서 제시하였다. 이때 윤석호는 자신의 법무법인 사무실을 이용하여 가짜 공증도 해 주었다. 그럼에도 불구하고 NH투자증권의 펀드에 대한 신규판매는 중단되었다.

문제는 판매사에서 실사 요청이 들어오면서였다. 신규 펀드 개설이 어려웠다. 돌려막기가 불가능해지자 피고인 김재현(옵티머스 대표)은 옵티머스 관계사가 보유한 현금을 빼내는 계획을 세운다. 환매 자금을 마련하기 위해서다. 목표는 스킨앤스킨이었다.(스토리오브서울, 박선정 기자, "옵티머스, 그것이 알고 싶다 (7) 법인②", 2021.09.05.)

자. 2020.5.10. 하자치유문건

2019.9. 라임사태가 터지자, 금감원은 사모펀드 전수조사에 들어갔다. 그러면서 2020. 5-6월 사이에 들통이 났는데, 그 이전에 2020.5.10. 하자치유문건이 김재현에 의해 작성되었다. (연합뉴스, 김주환 기자, "檢, '옵티머스 고문단' 이헌재 소환…로비 수사 속도", 2021.4.2.)

이때 옵티머스의 2인자격이라고 볼 수 있는 윤석호는 자신이 모든 문제를 뒤집어 쓸테니까 남은 자들이 사태를 수습하라는 "윤변커버스토리"가 작성되었다. 그러나 그 것은 실행되지 못하였다.

차. 2020.6. 스킨앤스킨 등

옵티머스 입장에서는 비상이 걸린 것이다. 그 무엇보다도 곧바로 만기가 되는 펀드 들이 있어서 환매를 해 주어야 하는데, NH투자증권 등에서 신규판매가 이루어지지 않자, 이제 그 상환자금을 스스로 만들어야 했다. 그래서 손을 댄 곳이 스킨앤스킨이 었다. 그곳에 150억원의 자금이 있어서 이 스킨앤스킨을 M&A한 후에, 그 내부에 있 는 자금을 상환자금으로 이용하였다. 그리고 청주 복합터미널, 봉현물류센터 등에 손 을 대었다.(스토리오브서울, 최호진·신다혜 기자, "옵티머스, 그것이 알고 싶다 (4) 인 물②", 2021.07.11.)

카. 2020.6.17. 금감원 현장조사와 환매중단 선언

2020.6-7 사이에 금감원의 옵티머스 현장조사가 있었다. 이때 옵티머스에서는 도장 을 가짜로 만들고, 천공기로 찍고, 수탁은행의 매출채권양도계약서를 만들면서, 윤석 호 변호사의 로펌에서 확인 보고서를 만들었다. 그러다가 들통이 났다. 결국 2020년 6월 17일 옵티머스사는 환매 중단을 선언하였다. 피해액은 5,000억여 원인데, 각판매 사들은 이에 대한 책임을 분담하여 보상하는 방안을 추진 중이다. (스토리오브서울, 박선정 기자, "옵티머스, 그것이 알고 싶다 (8) 법인 ③", 2021.09.12.)

<결 론> 사모펀드 사태의 출발점 : 2015년도 사모펀드 규제해체

가. 사모펀드 내에 존재하는 이념성 여부

여기에서 하나 추가적으로 확인해야 할 것이 있는데, 이 모든 펀드사태가 문재인 정부에서 일어났다는 것이다. 문재인 정부에서 일어난 사모펀드는 장하성의 동생 장하원의 디스커버리펀드, 조국의 코링크펀드, 이혁진의 옵티머스펀드가 있다. 그리고 2011년-2015년 사이에 문제가 되었던 이철의 밸류펀드도 문재인 정부의 인사들과 연결된다.

이러한 사모펀드의 유행은 2015년도의 사모펀드법의 모든 규제의 해체와 사모펀드의 공개모집에서 촉발되었다. 따라서 위의 사모펀드법의 개정과 사모펀드의 공개모집 행위가 누구에 의해서 시작되었는지를 조사해볼 필요가 있다. 그래야만이 이러한 문재인 정부에서 일어난 펀드 사태들의 본질이 규명된다. 그리고 사모펀드의 공개모집 행위는 법에 의한 처벌을 받아야 한다. 그리고 향후로도 공개 모집된 펀드는 모두 공모펀드의 법규를 적용하여야 한다.

많은 사람들은 좌파들이 그토록 사모펀드에 집착하는 이유는 무엇이었을까? 윤석호 변호사는 무엇 때문에 자신이 모든 책임을 뒤집어 쓰겠다는 '윤변 스토리'의 의기를 발휘한 것일까? 그 이면에 이념성은 존재하지 않는가? 만일 그 이면에 이념성이 존재한다면, 그 목적은 무엇인가? 일반적으로 전문가들은 이러한 사모펀드의 자금을 이용하여 4대기업과 같은 국내 첨단 대기업들에 대한 '주주제안'의 목적이었다고 말한다. 국민연금이 주주제안까지는 할 수 없기 때문이다.

나. 사모펀드 법규의 정상화

법규위반행태는 ①사모펀드인데 공모행위를 하였다는 것이며, ②이로 인해 넘쳐나는 펀드 구성원들을 분산시키기 위하여 수많은 자펀드 위에 모펀드를 만들었다는 것이고, ③사모펀드는 그 투자처를 판매사나 투자자들(투자조합원들)에게 투명하게 공시되어야 하는데, 그것을 은폐할 수 있도록 법률로 설계되었다는 것이다. 그 결과 자펀드와 모펀드 간의 돌려막기가 가능하게 되고, 자금유용 사태가 발생한 것이다.

① 법규의 해제 : 상호감시기능과 회계보고의무의 해제
펀드 판매사는 그 펀드 금액을 수탁사에 예치한다. 그러면 운용사는 이제 수탁사에게 펀드의 투자처를 지시한다. 이때 수탁사가 그것을 예탁원에 보고하고, 판매사는 이것을 확인할 수 있도록 하여야 한다. 그런데, 운용사가 직접 예탁원에 보고를 하였다. 그리고 자산운용사에 주어졌던 1년에 한 번, 회계보고의무도 면책되면서 감시 대상이 없어졌다. 라임·옵티머스 사태는 잘못된 법규가 산출한 사태이다. 우리는 이러한 공시의무를 법규내에 회복하여야 한다.

② 사모펀드의 공모행위 : 50인 이상 권유

사모펀드는 49인 이하의 투자자로 구성된다는 것과 49인 이하의 자에게 권유행위를 한다는 것이 법률의 요건이다. 즉 사모펀드의 공모행위가 위법행위라는 것이다. 그런데, 벨류펀드·디스커버리펀드·옵티머스펀드·라임펀드는 모두 공모행위를 하였다. 공공기관에서 예금처럼 권유를 하고, 법규는 사모펀드법의 적용을 받았다. 그리고 나중에는 이렇게 금융상품처럼 사모펀드를 모집하는 행위가 아예 관행이 되어 버렸다.

현재 사모펀드의 공모행위가 아예 관행으로 자리를 잡아 버렸다. 금융기관에서 공공연히 판매가 되고 있기 때문이다. 그래서 49인이 초과되면, 아예 1호, 2호, 3호 이런 식으로 해서 묶어 버린다. 그리고 심지어는 라임펀드의 경우에는 이 각각의 49개의 사모펀드가 1단체가 되어서 모 펀드를 구성해 버린다. 그런데, 이러한 공모행위가 누구에 의해서 언제부터 시작되었는지를 조사하여야 한다. 아울러서 이와 같이 공개적으로 판매되는 모든 펀드는 공모펀드로 간주되어야 한다.

③ 펀드 쪼개기 : 49인 이상 투자

펀드를 금융기관의 상품처럼 판매를 하다보니, 많은 사람들이 그 펀드에 가입하게 되었다. 이때 그들은 49인씩 묶어서 1호, 2호, 3호… 등으로 펀드를 만들었다. 심지어 라임의 이종필의 경우에는 각각의 펀드를 한 단체로 간주한 후, 49구좌를 묶어서 모 펀드를 만들어 버렸다. 이것은 공모펀드와 다를 바가 없다.

위의 문제들은 반드시 시정이 되어야 한다. 먼저, 사모펀드법의 제한규정들을 모조리 철폐한 인물들이 누구인지를 먼저 규명해야 한다. 두 번째, 누가 제일 먼저 금융기관에서 모집행위를 하여, 사모펀드의 공모행위를 일반화했는지도 확인해 보아야 한다. 세 번째, 사모펀드는 이미 공모펀드와 다를 바가 없이 되어 있다. 이제부터 라도 공모와 관련한 모든 법규가 적용되어야 한다. 특히 사모펀드가 회계감사를 받으며, 그 감사의 내용이 이해관계자들에게 공시되어야 한다.

다. 기관전용 사모펀드

다행스럽게도 좌파들의 일반사모펀드를 이용한 주주제안의 원대한 계략들은 실패를 한 것으로 풀이된다. 그런데, 이러한 시도는 이제 기관전용 사모펀드로 옮아간 것으로 보인다. 기관으로부터 위임 받은 자금을 활용하여 주주제안을 하는 것이다. 그것이 "기관전용 사모펀드의 10%룰 해체"와 "대주주 감사의결권 3% 제한"이다.

3장 기관전용 사모펀드의 반란

< 서 론 > 산업재편 도구로서의 기관전용 사모펀드

가. 기존의 기관전용 사모펀드의 역할

기관전용 사모펀드의 전주(錢主)는 대부분 공적기관이다. 국민연금, 산업은행, 교원공제기금, 사학연금 등이 그 기관전용 사모펀드의 주요 LP(유한투자자, 錢主)이다. 그렇다면, 이것은 거의 준공적자금이다. 국민연금의 경우, 연금총액의 약 5% 정도가 이러한 사모펀드에 투자되어지는데, 2021.6. 기관전용사모펀드는 100조(최근 126조) 가량이었다. 이중 국민연금이 약 33% 정도를 차지하여 약 33조원 정도였다.

원래 기관전용 사모펀드는 벤처기업이나 구조조정기업 회생으로 투자되어 진다. 더나아가 우수기술과 아이디어 중심의 스타트업 기업에 까지 참여한다. 이와 같은 성격때문에 이 기관전용 사모펀드는 개별 투자기업에 10% 이상의 지분에 투자하고, 거의경영에 참여하듯이 투자를 한다. 그래서 이 기관전용 사모펀드의 과거명칭이 "PEF(경영참여형)펀드"였다. 이때, 이 10%의 규정은 매우 중요하였는데, 이 규정 때문에 이기관전용 사모펀드는 상장사의 정상적인 주식에 대하여는 투자할 수 없었다. 상장사의 경우 구조조정 목적이나 우호적 M&A투자 정도 가능하였다. 그래서 그 자금은 주로 산업진흥용자금이었다. 국가에서 이 어마어마한 자금을 위탁할 때에는 이러한 명분이 있어야 했던 것이다. (그런데, 지난 정권에서는 자본시장법 249조의12의 10%룰을 없애 버림을 통해 기관전용 사모펀드의 고유목적을 해체해 버린 것이다.)

이 펀드로 인하여 많은 한계기업들이 회생을 하고, 유망한 기업들이 상장시장에 진입을 하였는데, 홈플러스, 롯데카드, 버거킹, 맘스터치, 아웃백, 투썸플레이스, OB맥주, 하림, 쿠팡, 공차 등이 이에 해당한다. 최근까지 이 기관전용 사모펀드는 이러한신흥산업진흥의 역할을 잘 해왔다. 많은 기업들이 이러한 펀드에 의해서 상장시장에진입을 하였다.

나. 4차 산업시대의 금융자본의 주요역할

우리나라는 지난 수십 년 동안 많은 경제적인 발전을 이루면서, 이제 금융기관에많은 유동성이 쌓이게 되었다. 우리는 앞에서 케인즈 경제학의 결정적인 한계를 보았는데, 그것은 인플레이션이었다. 화폐가 과잉 공급됨을 통해서 인플레이션을 야기시킨다. 이때 이 인플레이션으로 인해 증가된 통화량(유동성)의 중요한 특징 하나가 있는데, 그것은 이렇게 증가된 통화량은 대부분 화폐의 축장기능을 가진다는 것이다. 그래서 이 자금들은 개인들이 금고를 통해 보유하지 않고, 모두 집합투자기구(금융기관)에 모이게 되어 있다. 그리고 또 다시 그 자금들은 자산운용사와 같은 펀드들로 흘러 들어가는데, 그 중에 기관전용 사모펀드가 있다.

이때 정부에서는 이 금융자본의 경로를 잘 관리하여야 한다. 왜냐면 이러한 자금은 준공적 자금이기 때문이다. 그러면 이들은 앞에서와 같은 많은 한계기업들을 굴지의 기업들로 이끌어 낼 것이다. 이들이 우리나라의 산업을 골고루 발전시켜서 4대 기업에 치중하여 있는 경제 의존도를 탈피하게 해 줄 수 있다. 특별히, 오늘날은 4차 산업의 시대가 열리고 있다. 물론 그 큰 물줄기는 대기업들이 잡겠지만, 그 모든 하위 시스템들은 창의성을 가진 기업가들이 자리 잡아야 한다. 기관전용사모펀드는 이들의 자금원일 수 있다.

그런데, 만일 이 자금들을 이렇게 개정된 법규(10%룰 해체)따라 그대로 방치하면 어떤 일이 발생하는기? 그들의 그 방대한 자금이 상장시장에 들어오면, 어떠 현상이 발생할까? 그들은 모두 그들의 방대한 투자규모로 인하여 행동주의 펀드의 조력자가 된다. 아마 증권시장은 금융자본으로 인하여 산업자본이 초토화될 것이다. 지난 정부에서는 기관전용 사모펀드가 상장시장에 들어올 수 있도록 법 개정을 해서, 방대한 기관전용사모펀드를 증권시장에 밀어 넣어 버린 것이다. 이때 집합투자기구와 기관전용사모펀드의 의결권을 1-2% 정도로 제한을 하고 이러한 행위를 하면 그나마 다행인데, 이러한 조치도 없이 그와 같은 일을 저질렀다.

다. 기관전용사모펀드의 10%룰 해체(자본시장법 249조의12)

우리나라에 기관전용 사모펀드의 규모가 2021년 6월에는 100조, 최근에는 126조원 정도로 발표되었다. 이때 국민연금의 경우, 벤처와 구조조정 펀드의 비중이 22%이며, 나머지는 78%는 일반PEF펀드였다. 그렇다면, 거의 100조(98조)가량이 순수한 PEF(경영참여형)펀드이다. 이 자금의 고삐를 상장사 증권시장에 풀어버린 것이다. 소들이 뛰노는 초원(주권 상장시장)에 늑대떼(경영참여형펀드, 기관전용사모펀드)를 풀어버린 것이다. 우리나라 국민연금이 2021년말 기준으로 약 170조원 정도를 증권시장의 개별기업들에게 투자하고 있다. 그 정도의 투자로도 국민연금은 우리나라 대부분의 주요 대기업 상장사들의 2대주주가 되어 있다. 그런데, 기관전용 사모펀드 100조원의 자금이 증권시장에 들어와서 PEF(경영참여형 투자) 활동을 하며 활개를 칠 경우, 자본시장이 어떻게 되겠는가?

기관전용 사모펀드가 이제 서서히 증권시장에 들어올 것이다. 아직 투자되지 않은 여유자금과 투자처에서 회수되는 자금이 이제 서서히 증권시장에 들어올 것이다. 이제 더 이상 그렇게 험한 곳(산업자본진흥용의 모험자본)에 투자할 필요가 없다. 편안한 증권시장에 들어와 있으면, 행동주의 M&A 펀드들이 알아서 행동주의를 일으킨다. 그러면 주가가 50% 가량 급등을 한다. 이것이 2021년 3월의 기관전용 사모펀드의 10%룰의 해체에 대한 가장 실리적인 해석이다.

지금 급작스럽게 상장사 적대적 M&A가 일어나고 있다. SM엔터테인먼트와 오스템임플란트가 그 사례이다. 이들은 상장시장에서 아주 탁월한 회사들이었다. 앞으로 이러한 일들은 우수한 상장사 순으로 해서 연쇄적으로 발생할 것이다. 왜냐면 국민연금과 기관전용 사모펀드는 우량기업순으로 투자되기 때문이다. 2021년 이전에는 매해 10건 정도의 M&A가 일어났는데, 위의 법규가 통과된 후 47건의 M&A가 2022년도에 일어났다. 금융감독원에서는 신속히 이러한 내용을 조사해 보아야 한다.

기관전용 사모펀드는 신속히 원래의 신흥산업진흥자본 즉 모험자본의 세계로 돌아가야 한다. 우리나라를 지탱해주며 이끌어가고 있는 기존의 상장사들을 흔들 것(행동주의 펀드)이 아니라, 산업발전에 이바지하여야 한다. 왜냐면, 그들의 자금은 독자적인 자신들의 전용자금이 아니라, 집합투자기구의 자금이며, 공적자금이기 때문이다. 4차 산업이 시작되고 있다. 많은 아이디어들이 넘쳐 나고 있다. 기관전용 사모펀드의 금융자본은 원래 자신들의 세계로 돌아가서 우리나라의 산업발전에 이바지하여야 한다. 어떻게 보면 기관전용 사모펀드는 국가의 준공적인 자금인 것이다. Money Game을 하는 개인적인 자금이 아닌 것이다. 국가의 자금이며, 국민들의 자금이다. 이 자금으로 상장시장에 들어와서 적대적 M&A를 하면 안 되는 것이다.

라. 대주주 감사선임 의결권 3% 제한 등

지난 정권에서는 위의 기관전용 사모펀드 10%룰 해체 외에도 대주주 감사선임 의결권을 3% 제한하는 희한한 법을 만들었는데, 이것은 모든 행동주의 펀드가 감사로 선임될 수 밖에 없게 하는 그러한 법률이었다. 그래서 행동주의 사모펀드는 1%의 지분을 가지고 먼저 감사로 선임된 후에 모든 내부사정을 파악한 후에 행동주의 주주제안을 하면 된다. SM엔터테인먼트에서 이 일이 고스란히 발생하였다.

마. 기관전용 사모펀드를 통한 좌파들의 음모

좌파들의 목표는 국민연금과 같은 국가자금을 통해 4대기업 등의 소유권을 국가로 귀속시키는 것이다. 이것이 곧 사회주의자들의 궁극적 목표이다. 이 작업이 완료되어야 비로소 국가자본주의가 시작되기 때문이다.

좌파정권이 들어섰을 경우, 이들이 국가자금을 이용하여 4대기업을 국유화하려면, 여기에는 객관적인 명분이 있어야 한다. 4대기업 국유화의 명분은 이제 여론이 만들어낸다. 그 다음에는 그 기업의 경영진을 교체하자는 주주제안을 하여야 한다. 주주제안을 하려면, 상장사의 경우 1%(장기보유시 0.5%)의 주식만 가지면 된다. 좌파들이 끝없이 사모펀드의 세계에 진입을 시도하며, 물의를 일으킨 것은 바로 이러한 주주제안 때문인 것으로 추정된다. 그런데, 번번이 실패를 하였다.

그러면서 꾀를 낸 것이 이제 기관전용 사모펀드로 보인다. 국민연금 등의 어마어마한 자금이 기관전용 사모펀드를 구성하고 있다. 그리고 이들로 하여금 첨단 대기업의 경영자 교체 주주제안을 하게 하는 것이다. 그런데, 이 10%룰이 이것을 가로막고 있었던 것이다. 지난 정부의 기관전용 사모펀드 10%룰 해체는 이러한 의도를 가지고 신행되었을 수 있다. 기관전용 사모펀드 10%룰 해체는 여러 가지 다른 탈을 쓰고 있지만, 그 본질은 이것일 수 있다.

1. 기관전용 사모펀드에 대한 이해

가. 사모펀드와 공모펀드에 대한 통계적 이해

사모펀드는 소수의 투자자로부터 모은 자금을 주식, 채권 등에 투자하여 운용하는 펀드로 『투자신탁업법』에서는 100인 이하, 『자본시장법』은 49인 이하의 특정한 소수로부터 자금을 모아 운용하는 펀드이다. 사모펀드는 일반 공모펀드와는 다르게 사인 간의 계약의 형태를 띠고 있다. 따라서 사모펀드는 금융감독기관의 감시를 받지 않으며, 운용에 제한이 없다. 다음 자료는 지난 문재인 정부 때, 라임·옵티머스펀드 사태가 우리나라 경제계를 강타하자 금융감독원에서 공모 사모펀드 전체를 조사하였다.

공모·사모펀드 현황

(2021년 6월, 단위:조원)

연도	사모펀드	국내사모	해외사모[26]	공모펀드	국내공모	해외공모	전체
2016	250	191 (62)	6	212	180	32	462
2017	290	207 (63)	83	217	173	44	507
2018	331	221 (74)	110	214	176	38	545

2019	416	258 (84)	158	242	194	48	658
2020	443	263 (97)	180	275	217	58	718
2021.6	477	287(100)	190	313	244	69	790

* 괄호는 경영참여형 사모펀드 (출처 : 금융감독원), * 출처 : 금융투자협회

* ⌈ 공모펀드 : 『투자신탁업법』 100인, 『자본시장법』 50인 이상부터, 주식·채권 투자, 10-20%제한
　 ⌊ 사모펀드 : 사인간의 계약, 금융감독기관 감시X,<u>운용제한X</u>,100%까지도 가능, (cf. 10%룰 해제)
　　 ⌈ 헷지(전문투자자)펀드 : 절대수익추구　　　└→공시X,외부회계감사X, But합자회사
　　 ⌊ PEF(경영참여형)펀드 ⌈ 벤처캐피탈, 구조조정 : 3-4년내 코스닥 상장후 Exit → 벤처캐피탈협회
　　└→이 구분 사라짐　　 ⌊ M&A 펀드 : buy-out → PEF협의회, 50개사
* PEF 운영구조 : LP(유한책임사원, 기관투자자), GP(무한책임사원, 업무집행)
　 - 주요LP : 국민연금, 공제기금, 산업은행 등,　- GP : 벤처캐피탈, PE사

우리가 유념해서 바라보아야 할 펀드는 국내에 투자되고 있는 펀드이다. 이에 의하면, 국내펀드의 총합계는 사모펀드 287조원, 공모펀드 244조원이다. 여기에서 사모펀드는 일반개인의 사모펀드와 기관전용 사모펀드가 있는데, 이 사모펀드 중에서 PEF펀드는 대부분 기관전용 사모펀드이다. 그리고 2021년 펀드법을 개정할 때, 사모펀드의 구분을 일반 사모펀드와 기관전용 사모펀드로 구분하고 있다. 따라서, 위의 사모펀드는 결국 "개인사모펀드vs기관전용사모펀드vs공모펀드"로 구분되며, 그 금액은 "187조(개인사모)vs100조(기관전용사모)vs244조(공모펀드)"이다. 우리는 앞에서 디스커버리펀드와 옵티머스펀드를 살펴보았는데, 이것은 개인사모펀드이다. 그런데, 사실은 이들도 공모펀드였다. 우리가 이 장에서 살펴보고자 하는 것은 기관전용 사모펀드이다.

나. 일반사모펀드와 기관전용사모펀드(PEF, 경영참여형펀드)

지난 2021.3.24. 사모펀드법 개정이 있었다. 그 중에 경영참여형펀드를 기관전용 사모펀드로 명칭을 바꾼 것인데, 원래 경영참여형펀드에는 기관펀드와 개인들의 펀드가 있었다. 여기에서 개인펀드들을 모두 일반 사모펀드로 편입시켜 버리고, 기관들만으로 구성된 경영참여형펀드를 기관전용사모펀드라고 부르고 있다. 이 기관전용사모펀드의 LP(유한책임 파트너, 錢主)는 일반적으로 국민연금, 산업은행, 교원공제기금, 사학연금, 보험회사 등으로 준공적기관인데, 반드시 그런 것만은 아니다. 왜냐면, 그 금액이 크지는 않지만 여기에는 해외 헷지펀드가 LP로 있는 경우도 있고, 국내 자산

---

26) 위의 자료에서 국내와 해외가 있는데, 여기에서의 해외는 국내펀드가 해외에서 국내에 유입된 자금이 아니라, 국내의 자금을 해외에 투자한 것을 의미한다.

운용사들이 LP로 있는 경우도 있다. 따라서 기관전용 사모펀드를 모두 공적자금의 펀드라고 말할 수 있는 것은 아니다. 그러나 공적자금이 그 대부분을 차지한다.

다음의 표에 의하면, 사모펀드는 헤지펀드와 경영참여형펀드(PEF: Private Equity Fund)로 나뉜다. 다음의 표는 2021.3.24. 이전이 개념으로 구분한 것이다. 아래에서 경영참여형 펀드를 기관전용 사모펀드라고 보면 된다.

<우리나라 전체>
- 공모펀드(217조, 45%)
- 사모펀드(263조, 55%) ┬ 헷지펀드 (166조, 63%) - 전문투자자 펀드
  - 국내 480조 └ 경영참여형펀드 (97조, 37%) ┬ Project 펀드 : VC+구조조정
  - 해외 238조 (58+180조) └ 일반 펀드 : M&A
  - 계 718조 • 855개. 연금. 산업은행. 공제기금 등이 주요재원

<국민연금>
- 공모펀드 : N/A • 326개(2019년)
- 사모펀드 (33.4조) ┬ 헷지펀드 (6%) : 2조
  └ 경영참여형펀드 ┬ Project 펀드 : VC+구조조정, 23% : 7조
    (31조, 94%) └ 일반 PEF 펀드 : M&A, 77% : 24조

[평가] PEF 사모펀드 97조원 관리기관을 찾아야 함 (공시 안함, 외감법 위배 여부 필히 검토)
50개의 PEF협의회 회원사들 58조 관리 * LP들 대부분 공적기관, 사인간 계약X, 사인계약도
벤처 캐피탈 20개에서 26.7조원 관리, 합계 84.7조원 ("3.운용사 현황" 참조)

① 일반 사모펀드(구, 헷지펀드)

위의 표에서 헷지펀드가 일반 사모펀드이다. 이것은 주식, 채권, 파생상품, 실물 자산 등 다양한 상품에 투자해 목표 수익을 달성하는 것을 목적으로 하는 펀드이다. 우리는 이러한 펀드를 지난 장에서 디스커버리펀드와 옵티머스펀드 등의 사례를 통해 살펴보았다. 이들은 주식 등도 여러 상품 중 하나로 취급한다. 한편, 디스커버리펀드와 옵티머스펀드는 사모펀드로서 공모행위를 하였다. 즉 그 본질은 공모펀드였다.

② 기관전용 사모펀드(구, 경영참여형펀드=PEF펀드)

경영참여형 사모펀드는 투자 대상 기업을 신속히 성장시켜서 주권을 상장하기 위해 펀드가 경영에 적극적으로 참여하기도 한다. 그리고 어떤 경우에는 M&A를 통해 경영권을 교체하고 구조조정을 해서 기업가치를 높인다. 그리고 그 주식을 유가증권 시장에 상장시켜서 그 대금을 회수한 후, 그 수익을 투자자들에게 배분한다. 경영참여형사모펀드는 유동성이 부족한 자산에 투자해 장기적인 거대 차익을 목표로 한다.

과거에 벤처붐이 일어났을 때, 그 벤처중흥을 위하여 출현한 자금으로서 거의 기업

과 함께 경영에 참여한다. 이들을 신속히 성장시켜서 IPO에 이르러야 자신들의 투자금을 회수할 수 있기 때문이다.

이러한 경영참여형 펀드의 자금원은 대부분 공적 속성을 지닌 집합투자기구였다. 이들은 공적 자금의 성격을 가지고 있었기 때문에 일반적으로 상장회사에 투자하는 것이 아니라, 비상장회사들에 투자되었다.

다. 기관전용사모펀드(PEF 펀드)의 투자내용에 따른 구분

2015.10월 사모펀드 제도개편으로 PEF 명칭이 '사모투자전문회사'에서 '경영참여형 사모집합투자기구'로 명칭이 변경 되었다. 그리고 이 '경영참여형 사모집합투자기구(PEF 펀드)'는 2021.3.24. '기관전용사모펀드'로 그 명칭이 개편되었는데, 이때 일반 투자자들은 여기에서 모두 배제되었다.

국민연금이 이러한 기관전용사모펀드(PEF 펀드)의 주요 LP(투자자)인데, 그 분류법에 따라 이 기관전용사모펀드(PEF 펀드) 전체를 분류해 볼 수 있다. 이 기관전용사모펀드는 그 투자용도에 따라 창업·벤처전문 PEF(벤처캐피탈 펀드), 기업재무안정 PEF(구조조정 펀드), 일반 PEF로 구분된다. 이 중에서 벤처캐피탈펀드와 구조조정펀드는 프로젝트 펀드라고 한다. 이 펀드들은 법률에 의해 출현한 펀드들이다. 그리고 특히 일반PEF펀드는 이러한 성격을 더욱 강화하여 경영에 참여까지 하면서 유망기술이나 아이디어에 투자하라는 펀드이다. 이것이 원래 기관전용 사모펀드의 취지이다.

① 프로젝트 펀드 = 벤처캐피탈펀드와 구조조정펀드

창업·벤처전문 PEF는 창업·벤처기업, 기술·경영혁신형 중소기업 등에 투자·운용하는 PEF이다. 기업재무안정 PEF는 재무구조개선기업(부실징후기업, 재무구조개선약정 체결기업 등)에 투자·운용하는 PEF이다. 이것을 PEF 펀드 중에서도 프로젝트 펀드라고 한다. 국민연금의 경우 총 PEF 펀드 중에서 23%(31조원 중에서 7조원)를 여기에 투자하고 있었다.(2020년도 자료)

② 일반 PEF펀드

국민연금은 벤처와 구조조정의 프로젝트 펀드에 23%, 일반 PEF 즉 M&A펀드에 77%를 투자하고 있다. 그래서 31조원 중에서 24조원을 투자하고 있었다.(2020년도 자료) 이 자금은 위의 프로젝트 펀드를 더욱 심화시킨 펀드로서, 비상장기업에 투자하는 산업진흥용 펀드이다. 그리고 이 성격을 규명하는 법규가 『자본시장법』

상의 "기관전용 사모펀드의 동일종목 10%이상 투자" 규정이다. 특히 집합투자기구는 상장사 주식을 10%이상 투자할 수 없도록 되어 있다. 즉, 10%이상도 투자할 수 없고, 10% 이하도 투자할 수 없다. 그래서 일반 PEF펀드는 상장시장에 들어올 수 없는 자금이었던 것이다. 상장시장에 들어올 때에는 위에서 언급한 구조조정 목적으로는 들어올 수 있다. 이것은 법으로 10% 이상 투자할 수 있게 되어 있기 때문이다.

그런데, 이 자금이 상장시장에 들어올 수 있도록 만들어 버린 것이 위의 "기관전용 사모펀드의 동일종목 10%이상 투자" 규정해체이다.

그렇다면, 얼마정도의 자금이 상장시장에 들어올 수 있는가? 위의 표에서 우리나라 총 PEF펀드는 2020년말 현재 97조원이었다. 그리고 최근 발표된 자료에 의하면 126조원이었다. 이렇게 총 PEF펀드 126조원 중에서 일반 PEF펀드의 비율을 국민연금의 배분 기준따라 추정하여 배분해 보면, "126조원 × 77% = 97조원"이다. 기의 100조원 가량의 자금을 증권시장에 밀어넣은 것이다. 이 금액이 순식간에 증권시장에 들어오는 것은 아니다. 그러나 여유자금과 회수자금 등은 서서히 이동을 시작할 것이다.

③ 또 다른 기반의 PEF펀드

기관전용 사모펀드라고 불리우지만, 위의 내용과는 전혀 다른 성격의 자금이 존재한다. 그것은 또 다른 기반의 PEF펀드인데, 다른 자산운용사나 해외 헷지펀드가 그 전주(錢主)가 되어서 세운 펀드이다. 이들은 기존의 기관전용 사모펀드와 그 성격이 전혀 다르다. 이 중에 행동주의 펀드가 기숙한다. 이번의 기관전용사모펀드 10%룰 해체는 모든 기관전용사모펀드를 그 성격을 이와 같이 변화시킬 것이다.

예컨대, 2023년초에 얼라인 파트너스가 SM엔터테인먼트에 적대적 M&A를 시도하였으며, 강성부가 설립한 새로운 펀드가 오스템임플란트에 대해 적대적 M&A를 시도하였는데, 이들도 기관전용사모펀드로 불리운다. 그 전주가 헷지펀드로서 기관이기 때문이다. 위에서 얼라인 파트너스는 해외 헷지펀드 KKR이 전주인 것 같다. 지금 얼라인 파트너스는 JB금융지주(전북은행)의 주식 14%를 가진 2대주주이며, 강성부 펀드는 메리츠자산운용을 인수하였는데, 이 회사의 자산규모는 3.7조원 정도로 알려졌다. SM엔터테인먼트와 오스템임플란트는 이러한 기관전용사모펀드에 의해 당했다. 얼라인 파트너스와 강성부 펀드 외에도 KB자산운용, 라지드 등이 모두 기관전용사모펀드이다. 이들이 자연적으로 국민연금과 합세되어 경영권을 교체시켰다. 기관전용사모펀드는 본인들의 의사와 무관하게 이와 같이 행동주의 펀드로 변모되는 것이다.

이 펀드들이 이번 2021.3.24.조치(10%룰 해제)로 인해 상장시장에 진입하였을 가능성이 있는데, 이것도 또한 조사해 보아야 한다. 앞으로 수많은 기관전용 사모펀드들이 이러한 형태로 상장시장에 진입할 것이다.

원래 기관전용사모펀드는 그 이면이 공적기관 내지는 집합투자기구이다. 집합투자기구란 불특정 다수인의 예치금이라는 것이다. 국내외를 불문하고 기관전용 사모펀드는 모두 함께 관리되어야 한다. 이것은 공적자금 성격의 금융자본을 이용한 산업자본의 침탈이기 때문이다. 이들은 비상장회사에서만 활동하여 산업진흥의 역할을 하여야 한다. 모든 일자리는 산업자본에서 나온다. 금융자본은 산업자본 진흥의 역할을 하여야 한다. 이들을 방치하면, 이들은 자유시장경제를 해치는 세력이 될 것이다. 이것이 케인즈 경제학의 한계인데, 그 한계는 보완되어야 한다.

한편, 이 책에서 기관전용사모펀드라고 할 때에는 위에서 일반 집합투자기구가 아닌 준공적자금을 지칭하고 있다. 이 양자가 성격이 전혀 다른데, 공존하고 있다. 그런데, 이들이 모두 집합투자기구라는 것은 같다. 따라서 이들은 모두 준공적자금이다. 사실 2021.3.24.의 법 개정은 이러한 세밀한 것들을 전혀 고려하지 않은 상태에서의 법 개정이었다. 무슨 다른 의도가 앞서지 않았나 하는 의심을 불러일으킨다.

라. 기관전용사모펀드의 용도변질

과거의 경영참여형펀드, 지난 정부에서 새로 부여한 명칭의 기관전용사모펀드는 위의 전주(錢主)를 통해 알 수 있는 바와 같이 산업진흥용자금이었다. 따라서 이들에게는 10%이상 투자의 룰이 존재하였는데, 이것은 이들의 자금이 정상적인 기업들 특히 상장사의 기업들에게 투자되지 않게 하기 위한 역할을 하였다.

그런데, 지난 정부는 2021.3.24. 이러한 제한을 해제해 버렸다. 아무런 제한 없이 맘껏 보유할 수 있게 하였다. 그들은 이제 그 거대한 여유자금으로 증권시장의 주식을 취득할 수 있다. 그리고 이제 그들로 하여금 그곳에서 PEF(경영참여형투자) 역할을 하라는 것이다. 1-10%의 지분을 가진 자의 경영참여행위는 곧 주주제안행위이며, 다른 행동주의 펀드와 연합하는 것이다. 그렇게 해서 이제 기관전용 사모펀드에게 첨단 대기업들 M&A를 위한 주주제안을 할 수 있는 길을 열었다. 일반적인 전문가들은 지난 정권에서 10% 룰을 해체한 것은 바로 기관전용 사모펀드를 이용하여 첨단 대기업 주주제안을 위한 것이 아니냐는 의심을 하고 있다. 이것을 위해 지난 정권에서는 산업진흥용자금의 용도를 변질시켜 버렸다는 것이다.

그런데, 문제는 오히려 엉뚱한 곳에서 터지고 있다. 기관전용사모펀드가 증권시장에 들어오자 이들이 행동주의 펀드의 조력자가 되어 버린다는 것이다. 그 결과 2020까지 매년 10건 정도에 머물던 M&A가 2022년 47건으로 폭증하였는데, 우리는 이러한 M&A의 폭발을 논리적으로 예측해 볼 수 있다.

2. PEF 관련 『자본시장법』 249조의12, 10%룰 개정 내용

다음의 내용은 PEF 관련 『자본시장법』 10%룰 해체의 개정이 있을 때, 나타난 기사들이다. 한편, 이 법의 통과와 아울러서 "대주주의 감사의결권 3%제한"의 법규도 통과하였는데, 이 양자는 서로 쌍을 이루고 있다.

이러한 개정안들은 너무도 안타까운 현실들이었지만, 당시에 여당 국회의원들은 별다른 반응도·논평도 내지 않고 국회입법을 통과케 하였다. 이것이 우리나라 국회와 경제연구원과 학계의 현실이었다. 다음의 내용은 위의 법이 통과될 당시 기사들이다.

가. 『자본시장법』 개정(2021.3.24.)의 주요 변화 내용

이번에 개정된 법안은 경영참여형 사모펀드(PEF)에 대한 제한을 모두 풀어버렸는데, 대기업을 비롯한 모든 상장기업들에 대해 아무런 제한 없이 자유롭게 투자할 수 있게 해주었다는 것이다. 10%이상 투자하지 않아도 되며, 더 나아가 그들의 정체성은 경영참여형펀드이므로 10%이상도 가능하다. 그래서 소액주주 형태로 투자하다가 다른 펀드들과 연합하여 해당기업을 자연스럽게 M&A형태로 전환할 수도 있다. 이에 대한 모든 규제를 풀어버린 것이다.

먼저, 분류 기준에서의 큰 변화가 있었는데, 기존에는 "운용목적"에 따라서 전문투자형 사모펀드(헤지펀드)와 경영참여형 사모펀드(PEF)로 구분하던 기준이 "투자자의 성격 및 구성"에 따라 기관전용 사모펀드와 일반 사모펀드로 구분하는 것으로 변경되게 된다. 이에 따라 무엇보다도 규제의 효율화가 기대되는데, 즉, 일반투자자들은 보다 엄격한 규제를 통해 폭넓은 보호를 받을 수 있게 되는 반면, 자체 위험관리 능력과 전문성을 보유한 기관투자자들의 경우는 사적자치에 의한 보다 효율적인 규제를 받게 된다.

또 하나의 큰 변화는 '운용규제의 일원화'이다. 즉, 사모펀드의 운용규제가 기존의 전문투자형 사모펀드(헤지펀드)에 적용되었던 수준으로 일원화 된 것에 따라, 기관전용 사모펀드에게도 기존에 경영참여형 사모펀드에 부과되던 의결권 있는 지분의 10% 이상 취득 또는 이사임명권 보유 의무가 적용되지 않고, 전문투자형 사모펀드만 가능했던 대출형(Private Debt) 펀드가 허용되며, 부동산·인프라·메자닌 등 다양한 영역과 전략의 투자도 자유롭게 가능해진다.

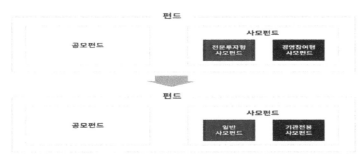

(출처: 2021년 3월 자본시장법 개정 내용 요약. /자료 제공=법무법인 세종)

나. 『자본시장법』 개정안이 PEF에 미치게 될 영향

그럼 이런 큰 변화들을 담고 있는 자본시장법 개정안이 구체적으로 PEF에 미치게 되는 영향들로는 어떤 것들이 있을까? 법무법인 세종은 다음과 같이 말한다.

우선 국내 PEF들의 경쟁력이 점차 더 강화되고, 대기업 그룹에 대한 경영참여 역시 보다 활발해 질 것으로 예상됩니다. 이제 투자대상 기업의 의결권 있는 지분 10% 이상 또는 이사 임명권을 확보해야 하는 기존 규제가 폐지되면, 앞으로는 국내 PEF들이 기존에는 투자하기 어려웠던 주요 유니콘기업(기업가치 1조원 이상)이나 대기업들에 대한 다양한 소수지분 투자를 통한 경영참여가 활성화 되게 됩니다.

사실 기존에는 국내 PEF에 대한 이러한 불필요한 차별적 규제 때문에 한국의 주요 유니콘 기업의 투자자의 대부분이 해외 투자자로 채워지는 "기울어진 운동장" 현상이 발생하곤 했었는데, 앞으로는 이런 현상을 점점 바로잡을 수 있지 않을까 기대해 봅니다. 또한, 기본적으로 주주가치를 중시하고 자본시장 친화적 성향을 갖고 있는 PEF들의 대기업 지분 투자가 확대됨에 따라, 대기업 그룹의 지배구조가 개선되고 오너의 지배력 강화에 대한 견제 역시 강화될 수 있을 것으로 전망됩니

다. (출처: 2021년 3월 자본시장법 개정 내용 요약. /자료 제공=법무법인 세종)

다. PEF '기관투자자' 범위 놓고 시행령서 논란 예고

자본시장법 개정안이 오는 10월부터 시행 되는데, 일반기업과 해외연기금의 포함여부에 주목하고 있다.

자본시장법이 개정됨에 따라 사모펀드(PEF) 운용사들의 투자 범위가 크게 늘어나게 됐다. 이제는 바이아웃(경영권거래)이 주목적인 PEF들의 발목을 잡았던 10%룰이 폐지되며 소수지분 투자의 길이 열렸고, 기업에 대한 직접 대출도 가능해졌다. 다만 기관전용 PEF의 출자자(LP) 범위는 논의 중인 시행령 개정에 따라 확정되는데 자칫 PEF들의 운신의 폭이 줄어들 우려가 있단 지적도 나온다.

사모펀드 분류체계를 개편하는 자본시장법 개정안은 오는 10월 21일부터 시행된다. 기존 사모펀드의 분류는 '경영참여형 사모펀드'와 '전문투자형 사모펀드'로 구분됐으나 ▲기관투자가로만 구성된 '기관전용 사모펀드' ▲모든 투자자를 대상으로 하는 '일반 사모펀드' 체제로 개편한다.

과거 경영참여형 PEF의 경우 운용목적에 부합하도록 하기 위해 기업의 지분 10% 이상만 투자하도록 제한돼 있었다. 글로벌 또는 리즈널 PEF들이 국내 유니콘 기업들에 대한 소수지분 투자가 활발했던 것과 반대로 국내 PEF들은 10%룰 및 이사 선임 규정에 가로막혀 이 같은 투자는 하지 못했다. 앞으론 성장이 기대되는 기업에 대한 소수지분 투자, 은행과 증권사들의 전유물이던 기업에 대한 직접 대출도 가능해졌기 때문에 투자 반경이 크게 넓어졌다는 평가를 받는다.…

관건은 기관전용 사모펀드 LP의 범위를 어떻게 확대할 것인지 여부다. 현재 국내에서 기관투자가로 인정받는 주체는 정부와 한국은행, 금융기관 및 연기금·공제회 등이다. 예금보험공사와 KIC 등과 같은 특수법인도 이에 포함된다. 해외 기관투자가는 외국 정부 및 각 국가 중앙은행, 국제기구 등이 대상이다.

현행법상 일반법인, 즉 기업들은 기관투자가 범주에 포함되지 않기 때문에 혼선이 예상된다. 몇몇의 초대형 PEF 운용사를 제외하곤 기관투자가로 분류될 과거의 경영참여형 PEF들은 대기업은 물론이고 중소·중견기업의 자금을 모집해 펀드를 결성해 왔다. 향후 일반 법인이 LP의 대상에서 배제될 경우 다수의 PEF들이 펀드결성에 어려움을 겪을 수 있다. 네이버와 같은 국내 대형 IT 기업들은 운용사에 자금을 맡겨 활발한 투자를 펼치고 있지만 이 같은 활동에도 제약이 있을 것이란 지적도 나온다. 일반 법인의 LP로서 인정 여부를 두고 찬반 의견이 엇갈리기도 한다.…

[인베스트조선, 한지웅 기자, 2021.6.10]

라. 변곡점 맞은 PEF : 경영권 분쟁 환경 조성

<더벨, 2021.5.4>은 "변곡점 맞은 PEF, 경영권 분쟁 환경 조성…LP 영향력도 증대"라는 제목으로 기사를 내었다. 조세훈은 <더벨>의 기사를 다음과 같이 소개한다.

① 스튜어드십 코드와 결합한 사모펀드 출현가능성

사모투자펀드(PEF)시장이 일대 변화의 기로 앞에 섰다. 자본시장법 개정으로 체계 개편이 본격화 되면 투자 방식에서부터 운용 규제에 이르기까지 적지않은 파장이 예상된다. 특히 기존 경영참여형 사모펀드의 경우 기관 전용으로 바뀌어 자율성이 대폭 확대되는 등 모험자본의 역할이 한층 강화될 것으로 관측된다.…

기업가치 제고를 요구하는 주주들의 목소리가 점점 커지고 잇다. 스튜어드십 코드의 확산과 주주행동주의를 표방한 펀드의 잇따른 출현은 앞으로도 지속될 공산이 크다. 한진칼을 상대로 칼을 뽑아든 KCGI 뿐만 아니라 외국계 펀드, 소액주주들도 행동주의를 표방하면서 의견을 적극 개진하고 있다. 특히 대주주 의결권을 제한하고 있다.

② 사모펀드의 주주행동주의

사모펀드(PEF) 역시 10% 지분 취득이라는 규제가 사라지면서 소수 지분을 통한 주주행동주의에 나설 것으로 관측된다. 주주행동주의 펀드가 늘어나면 국내 상장 사들의 경영권 방어 움직임도 한층 분주해질 수밖에 없다.

③ 강화된 기관투자자의 입김

한편 기관 투자자(LP)들의 입김은 한층 강화될 전망이다. LP가 금융당국의 승인 없이 GP를 검사할 수 있는 권한 역시 부여되면서 인수합병(M&A) 시장의 주요의 사결정자가 된다.

④ 대주주 의결권 3% 제한의 역이용과 주주행동주의 출현가능성

기업의 지배구조 개선이 화두로 떠오르면서 주주행동주의에 대한 목소리가 높다. 미국계 행동주의 펀드와 소액주주들이 '주주 제안'을 통해 거버넌스 개편, 배당 확대, 자사주 소각 등을 요구하고 있다. 특히 올해부터는 사외이사인 감사이사 선임 시 대주주 의결권을 개별 3%로 제한한 '3%룰'이 도입되면서 움직임은 더 활발해

지고 있다. 이제 소수지분 투자가 가능해진 PEF는 주주행동주의 펀드를 조성해 적극 시장에 뛰어들 준비를 하고 있다. 비록 한국형 행동주의펀드를 표방한 KCGI가 한진그룹 경영권 분쟁 과정에서 목표를 달성하는 데는 실패했지만 3%룰을 통해 다양한 전략으로 접근할 환경이 조성됐다는 점에서 비슷한 펀드의 출현은 더욱 잦아질 전망이다. 일부 PEF는 한발 앞서 행동에 옮기기도 했다. 지난해 말 국내 PEF인 키스톤프라이빗에쿼티(키스톤PE)는 지분 쪼개기로 특수목적법인(SPC) 6곳을 설립해 3%룰을 적극 활용했다. KMH의 임시주주총회에서 감사 선임의 유리한 고지를 점하기 위한 행보다.

KMH가 상정한 이사 선임 안건이 키스톤PE와 일반주주에 의해 부결되면서 KMH 측은 감사 선임 안건을 철회하기도 했다. 결국 지난해 12월 양측은 공동 경영에 합의했다. 앞으로 키스톤PE와 같은 전략적 투자 행보가 급격히 늘어날 전망이다.

⑤ 연기금·공제회 파급력 확대…시행령 향방 관심 촉각

기관전용 사모펀드가 본격 시행되는 오는 10월부터는 연기금과 공제회의 입김이 한층 강화될 수 있다. 기존 PEF는 프로젝트펀드 결성시 기관 뿐 아니라 개인투자자의 자금도 받았다. 일부 소형 운용사는 증권사 PB센터를 통해 개인 자금을 유치, 부족한 자금을 채우는 일이 빈번했다. 그러나 앞으로 기관전용 사모펀드는 개인 투자자의 자금은 받을 수 없게 된다.

개인 자금 활용이 막히는 만큼 LP를 대상으로 한 펀드레이징의 경쟁은 더욱 치열해질 전망이다. 특히 개인 자금을 주로 사용한 중소형 GP의 경우 투자 활동에 어려움이 예상된다. 자문업계 관계자는 "이번 개정으로 LP의 영향력은 사실상 강해졌다" "특히 출자를 결정하는 과정에서 협상력이 높아질 것"이라고 말했다. 기관전용 사모펀드의 LP는 펀드에 대한 검사시 금융위원회 사전 승인 절차가 없어졌다. 투자 기업과 엑시트(투자금 회수) 결정 등 GP의 고유권한은 여전히 남아있지만 검사 권한이 강해진 만큼 PEF 시장에서 연기금과 공제회 등의 영향은 더 확대된다. (①~⑤, 자본시장 미디어 'thebell', 조세훈 편집)

3. PEF사모펀드(기관전용 사모펀드)의 주요 LP(錢主)들

가. LP(錢主)와 GP(운용사, PEF사)에 대한 이해

PEF는 무한책임사원과 유한책임사원으로 구성되는데, 무한책임사원(GP: General Partner)은 PEF 투자결과에 무한책임을 지며, GP중 PEF의 재산운용을 담당하는 업무집행사원을 선임한다. 유한책임사원(LP: Limited Partner)은 투자자로서 PEF 투자 결과에 대해 출자액 범위 이내에서만 책임을 부담한다. 이 자금원을 이루는 LP는 국민연금, 산업은행, 공제기금, 보험회사 등이 중심을 이루고, 개인은 일부분일 뿐인데, 이번의 법 개정은 이 개인의 입장을 중심으로 하여 이루어졌는데, 개인들의 사적자유의 계약으로 사모펀드를 파악했기 때문이다. 그리고 이러한 사적자유를 전체의 기관들 심지어는 공적자금에까지 확장시켜 버린 것이다. 그래서 자금이 공적기관이나 집합투자기구에 머물면 그 법규에 따른 제한을 받고, 사모펀드로 투자되면 완전히 개인의 지위를 누린다. M&A건, 상장사 소액투자이건 자유롭게 할 수 있게 되었다. 약 100조(126조원 중 일반 PEF형의 개략적 수치) 가량의 사모펀드가 이제 상장사로 유입될 수 있는 길이 열린 것이다.

나. 우리나라 주요 LP(錢主)들

사모펀드 자금의 주체는 운용사들이 아니다. 오히려 그들의 자금원인 LP(투자자들)가 그 주체이다. 따라서 LP를 중심으로 사모펀드는 이해되어야 한다.

먼저, 국민연금이 이 모든 LP들 중에서 가장 중요한 부분을 차지한다. 2020년말 현재 97조원의 총 PEF펀드 중에서 35%를 차지하는 33.5조원(헷지펀드 2조 포함)이 국민연금이기 때문이다. 두 번째, 교직원공제회가 국민연금 만은 못하지만 또 다른 주요 LP이다. 몇 년 전부터 교직원공제회는 사모펀드에 적극적으로 투자하고 있다. 세 번째, 산업은행은 PEF펀드 중에서 벤처캐피탈과 관련한 펀드에서는 많은 투자를 하고 있다. 네 번째, 알려진 바로는 생명보험과 같은 금융기관이 사모펀드의 주요 LP이다. 그 외에도 우정사업본부는 그 기금 규모가 130조원인데, 펀드를 통해 카카오뱅크에 투자하여 큰 수익을 보았다.

인베스트 조선(2021.3.7.)에 의하면, 국내 주요 기관출자자(LP)들이 올 상반기 사모펀드(PEF)를 대상으로 한 출자사업을 줄줄이 준비 중이다.

① 국민연금
PEF 업계에 따르면 국내 최대 출자인인 국민연금은 이르면 이달 말 PEF 위탁운용사 선정을 위한 출자사업을 진행할 계획이다. 국민연금은 지난해 3월 출자공고를 내고 PEF분야에 총 5곳의 운용사(글랜우드PE·맥쿼리자산운용·스카이레이크인베스트먼트·IMM인베스트먼트·JKL파트너스)를 선정, 총 8000억원을 출자했다. 벤처펀

드 운용사는 총 4곳을 선정해 1500억원을 출자했다. 올해 출자사업에 대한 정확한 규모와 대상을 구체적으로 확정짓지 못했으나, 현재로선 지난해와 유사한 규모의 사업이 될 것이란 전망이 많다. 국민연금은 2019년도까지 라지캡·미드캡·그로쓰캡 등 운용사별 체급에 따른 출자사업을 진행했지만 지난해부턴 PEF분야, 벤처분야 등으로 이원화 해 세분화 한 지원분야 없이 사업을 추진했다.

PEF 업계 한 관계자는 "국민연금이 최근 정부의 정책에 따라 뉴딜펀드와 같은 투자 대상을 한정한 출자사업을 진행할 것이란 전망이 나오기도 했으나 현재로선 큰 테마를 정하지 않고 과거와 유사한 수준의 출자를 진행할 계획"이라고 했다. [인베스트조선, 2021.03.07.]

국민연금은 2021년도의 사모펀드 할당분에 대해 PEF 위탁운용사를 2021.7.1. 선정하였다. 국민연금이 올해 국내 경영참여형 사모펀드(PEF) 위탁운용사로 케이스톤파트너스와 이엔에프프라이빗에쿼티(E&F PE), 이음프라이빗에쿼티(이음PE), 크레센도에쿼디피트너스 등 4개사를 선정했다. 적격후보(숏리스트) 경쟁률은 2대 1 수준이었던 것으로 알려졌다. 이번 콘테스트의 총 위탁운용금액은 6000억원 이내였으며 케이스톤과 크레센도가 각각 2000억원의 펀드 운용자금을 출자 받는다. E&F PE는 1200억원, 이음PE는 800억원의 운용자금을 확보했다. 운용사 의무출자 비율(GP 커밋)은 출자약정금 총액의 2% 이상이다. 펀드만기는 10년 이내이며 1년씩 2회 연장이 가능하다. 투자기간은 5년 이내로 잡았다. 아울러 국민연금은 총 6000억원 규모의 공동투자(코인베스트, Co-Investment) 펀드 위탁 운용사로 KB자산운용과 SKS 프라이빗에쿼티를 선성했다. 두 운용사는 각각 3000억원의 투자금을 수령한다.(신진섭, 팍스넷뉴스, 2021.7.1)

② 산업은행

올해 초 산업은행의 정책형 뉴딜펀드 출자사업에서 운용사(GP)들의 펀드레이징 수요를 확인한 만큼 중소형 PEF들의 치열한 경쟁이 예상된다. 국민연금과 더불어 또 하나의 메인 출자자인 산업은행은 지난 1월에 이어 또 다른 출자사업을 진행한다. 이르면 이달 말 출자공고를 내고 위탁운용사 선정 작업에 나설 계획이다.

올해 초 출자사업은 정책형 뉴딜펀드로, 디지털 뉴딜과 그린뉴딜이란 분야에서 투자를 한정했다. 산업은행의 출자 규모는 6550억원으로 민간매칭 자금을 포함해 총 2조2000억원 규모의 펀드를 조성한다는 계획을 갖고 있다. 이번 출자사업은 지난해 진행했던 소재·부품·장비, 즉 소부장 펀드 사업이 될 전망이다. 지난해 소부장 펀드 출자사업은 산업은행이 1200억원을 출자, 총 2000억원 규모의 펀드를 조성하는 사업이었다. 주목적 투자분야인 소재·부품·장비 분야에 펀드결성 금액의 60% 이상을 투자해야 한다. [인베스트조선, 2021.03.07.]

올해 초 진행한 산업은행 정책형 뉴딜펀드 사업에는 84곳의 운용사가 지원, 이 가운데 총 26곳이 최종 선정됐다. 최종 경쟁률은 3.2대 1이었다. 해당 사업에는 대형 PEF들의 참여는 찾아보기 어려웠다. 이번에 탈락한 후보들 중 상당수가 향후 진행 될 주요 연기금, 공제회 출자사업에서 모습을 나타낼 가능성이 상당히 높다. 다만 비슷한 시기에 출자사업이 동시다발적으로 진행되고 있기 때문에 짧게는 6개월~8개월 내에 펀드결성을 위한 민간매칭 작업에 상당한 어려움을 겪을 수 있다는 지적도 나온다. [인베스트조선, 2021.03.07.]

③ 교직원공제회

한국교직원공제회가 올해 국내 사모펀드(PEF) 블라인드 펀드 위탁운용사 8곳을 최종 선정해 총 4750억원의 출자를 결정했다고 20일 밝혔다. 교직원공제회는 지난 5월 선정 공고 이후 제안서 검증, 현장실사, 정성평가를 거쳐 총 24개 지원사 중 8개 운용사를 최종 선정했다. 중형 5개사, 루키 3개사로 총 8개의 위탁운용사를 뽑았으며 출자규모는 중형리그 4000억원, 루키리그 750억원으로 총 4750억원이다.

이번 PEF 운용사 선정결과 중형펀드 부문에서 ▲이앤에프프라이빗에쿼티 ▲이음프라이빗에쿼티 ▲케이스톤파트너스 ▲크레센도에쿼티파트너스 ▲프리미어파트너스가, 루키펀드 부문에서 ▲세븐브릿지프라이빗에쿼티 ▲웰투시인베스트먼트 ▲제이앤프라이빗에쿼티가 각각 최종 선정됐다. (서울 경제 뉴시스, 류병화, 2021.7.20.)

④사학연금, 2000억 규모 PEF 블라인드펀드 위탁운용사 선정

사립학교교직원연금공단(사학연금)이 총 2000억원 규모의 사모펀드(PEF) 블라인드펀드 위탁운용사 4곳을 선정한다. 사학연금은 5일부터 '국내 PEF 블라인드펀드 위탁운용사 선정' 절차에 들어간다고 밝혔다. 이번 운용사 선정은 총 2000억원 규모다. 최종 4곳을 선정해 각 운용사별로 500억원 이내의 금액을 약정할 계획이다.… 제안펀드 결성 규모는 3000억원 이상으로 이 중 30% 이상 기관투자가 등으로부터 출자확약을 받은 경우에만 지원이 가능하다.… (권형진 기자, 서울경제, 2021.7.5)

즉, 기관전용사모펀드(구, 경영참여형 사모펀드)의 주요 LP들은 기관들이라는 이야기이다. 국민연금 등의 공적자금이나 집합투자기구의 자금들이 해당 기관을 빠져나와

사모펀드에 투자가 되면, 이번의 10%룰 해체로 인해 이제 이 모든 자금은 개인의 자금이나 다를 바가 없게 되었다. 기존에는 10%룰이 있어서 이 모든 자금이 벤처펀드나 구조조정, 그리고 신규 시장으로 흘러들어갔다. 기관의 자금은 마땅히 이래야 했다. 그런데, 이제 이 모든 기관들이 개인화되었다. 49인 이하의 펀드이면 모두다 개인으로 간주된다. 기관도 국가도 한 개인으로 간주되어 계산된다.

원래는 공적기관의 자금에 제한된 법규가 PEF사(기관전용펀드)에도 적용되어야 한다. 그럼에도 불구하고, 기관전용사모펀드는 이제 그러한 법규의 규제를 받지 않는다. 이제 완전히 개인 자금처럼 투자할 수 있다. 이것이 10%룰 해체가 갖는 의미이다. 이제 굳이 산업진흥용의 펀드로서 행하지 않아도 된다.

다. 거대 규모의 기관전용사모펀드

원래 좌파들이 기관전용 사모펀드의 10%룰을 해체한 이유는 첨단 대기업의 경영권의 해체를 위해 주주제안을 하기 위해서였다고 본다. 그런데 기관전용 사모펀드의 규모가 너무 커서, 그러한 문제가 발생하기도 전에 금융시장을 행동주의 펀드(M&A)의 장으로 만들어버린다는 것이다. 우리는 먼저 기관전용사모펀드의 영향력을 국민연금의 영향력과 비교해서 살펴보아야 한다. 그 동안에는 국민연금이 증권시장의 한 마리의 거룡이었는데, 이제 또 한 마리의 용이 탄생하는 순간일 수 있기 때문이다. 다음의 내용은 2020년도의 자료이다.

상장사 시가총액	2,367조	
국민연금기금	834조,	상장사 시가총액 35%
국민연금의 주식투자비중, 17-20%	167조,	172개 대기업 등 2대 주주

국민연금의 국내주식투자 비중은 약 167조원이다. 여기에서 기관전용사모펀드의 총액은 2020년 말에 97조원이며, 최근의 발표에 의하면 126조원이다. 이때 국민연금 167조원이 투자되자, 우리나라 172개사의 최대주주가 되어버렸다. 여기에 이제 기관전용 사모펀드 126조원(이중 PEF펀드의 여유자금)이 진입을 한다. 이것은 국민연금에 못지않은 규모이다. 이제 시간을 두고 이와 같은 현상이 발생할 것이다.

먼저, 일차적으로 기관전용 사모펀드에서 아직 투자되지 않은 여유자금이 상장시장에 들어올 것이다. 굳이 예금으로 그 여유자금을 묶어둘 필요가 없기 때문이다. 이차적으로는 투자된 후 회수된 자금이 증권시장으로 들어온다. 이때 어떤 기업에 들어오나? 가장 우수한 기업의 주식을 취득하게 된다.

현재, 증권시장에서의 상장사 투자현황을 보면, 모든 주요 상장사에 대하여 국민연금이 10%를 투자하고 있다. 국민연금은 우리나라 주요기업 172개사의 2대 주주이다. 대체로 그 다음에 기관전용사모펀드가 증권시장에 들어오면, 이들도 이렇게 우수한 상장사 중심으로 투자를 할 것이다. 이들에 대해 10%까지 투자가 가능하다. 그렇다면, 어떤 일이 우리나라 상장사들에게 벌어지는가? 우리나라 상장사 최대주주들의 지분이 일반적으로 20% 내외이다. 이제 모든 우수한 상장사들의 지분구조가 이와 같이 국민연금과 기관전용사모펀드가 20%가 되며, 최대주주가 20%가 될 것이다. 여기에 이제 KB자산운용과 같은 또 다른 집합투자기구가 5% 정도를 투자하고 있다고 해보자. 그러면 이 회사의 주인은 집합투자기구이지, 정상적인 개인이 기업의 주인은 아닌 것이다. 여기에 행동주의 펀드가 난입하는 것은 일도 아닌 것이다. 아마 국민연금과 기관전용 사모펀드는 그들에게 경영을 맡길 것이다.

그래서 기관전용 사모펀드를 증권시장에 풀어놓은 것은 소들이 뛰노는 목초지에 늑대 떼를 풀어놓은 것이다. 또 한 마리의 거대한 용을 풀어놓은 것이다. 이제 우량한 회사부터 그 경영권이 바뀔 것이다. SM엔터테인먼트는 그 내부에 현금성 자산만 7,600억원을 보유할 정도로 우량회사이다. 오스템임플란트는 5년 만에 5천억 매출하던 회사가 1조원을 달성한 회사이며, 그 내부에 현금성 자산만 4,500억원을 보유할 정도로 우량한 회사이다. 이제 앞으로 이렇게 우량한 회사들의 경영권은 마구마구 바뀌게 될 것이다.

라. 행동주의 펀드의 조력자가 된 기관전용사모펀드

이번에 M&A된 SM엔터테인먼트(18.46%)와 오스템임플란트(19.45%)는 둘다 정확히 이러한 케이스에 걸려든 것이다. SM엔터테인먼트 이수만과 오스템임플란트 최규옥이 1%의 주주제안에 경영권을 던져 버린 이유는 이와 같이 국민연금과 KB자산운용과 라자드펀드와 같은 기관전용 사모펀드 등이 주주로 들어와 있었기 때문이었다. 앞으로 우리나라 증권시장에서 우수한 상장사들 순으로 이러한 M&A가 일어날 것으로 예상한다. 기관전용 사모펀드는 우수한 기업순으로 하여 투자를 할 것이기 때문이다. 2020년까지 매해 10건 일어나던 M&A가 위의 법이 통과된 후로 47건이 일어났다. 위의 사례에서 오스템임플란트를 인수한 회사도 기관전용 사모펀드사이다.

기관전용사모펀드는 자의반 타의반으로 행동주의 펀드의 조력자가 되어 버린다. 기관전용사모펀드는 단순히 우수한 회사에 투자하였을 따름이다. 그런데, 여기에 행동주의 펀드가 들어와서 주주제안을 한다. 그러면, 기관전용 사모펀드는 앉은 자리에서 주식가치가 50% 이상 폭등을 해버린다. 이것을 앞에서 언급된 SM과 오스템임플란트의 구체적인 사례를 통해서 살펴보자.

SM지분 1%를 보유한 얼라인 파트너스가 주주제안을 하자, 18.46%를 가진 이수만은 SM에 관한 모든 경영권을 포기해 버렸다. 그것은 1%의 얼라인 파트너스 외에 9%의 카카오, 9%의 국민연금, 5%의 KB자산이 주주로서 들어와 있기 때문이었다. 이들은 이수만과 대립하여 경영권분쟁이 일어나야 그들의 주가가 오르기(약 50%) 때문에 모두 이수만의 반대세력이다.

오스템임플란트와 위와 똑같은 구조를 가지고 있다. 최대주주 최규옥은 19.62%의 지분을 가진 최대주주였다. 그런데, 여기에 국민연금 3.89%, KB자산운용 3.47%, 라자드핀드 7.18%기 들어왔다. 이들이 들어온 이유는 회사가 우량회사이기 때문이다. 집합투자기구는 우량회사로만 들어온다. 여기에 이제 에프리컷펀드(강성부, KCGI)가 6.92%를 구매하고 들어온 것이다.[27] 이때 오스템임플란트는 회사를 적대적 M&A세력이 빼앗기는 것이 안타까워서 다른 기관전용 사모펀드인 덴티스트리인베스트먼트(유니슨캐피탈과 MBK파트너스의 공동설립)에게 모두 넘겨버렸다.

그렇지 않아도 집합투자기구가 상장사의 우수한 기업들을 위협하는 상황에서 기관전용 사모펀드마저 증권시장에 들어오기 시작하면 앞으로 탁월한 모든 상장사는 그 경영권을 상실하게 되는 현실에 놓이게 되었다.

첨단 대기업 경영권 장악하려고 부린 꼼수가 우리나라 경제계(산업자본계)에 이러한 일을 저지른 것이다. 정부에서는 모든 일자리는 금융자본이 아닌 산업자본에서 나온다는 것을 명심하여야 한다.

마. 기관전용 사모펀드 10%룰 해체와 SM엔터테인먼트 · 오스템임플란트

SM엔터테인먼트 · 오스템임플란트의 M&A와 관련하여 많은 기관전용 사모펀드들이 개입된 것으로 보인다. 기관전용 사모펀드의 동일종목에 대한 10%룰의 해체로 인한

---

27) 강성부의 KCGI 펀드는 최근 메리츠 자산운용의 주식 전량을 500억원에 인수하였는데, 메리츠자산운용의 운용자산은 3.7조에 이른다. 이제 이 메리츠자산운용도 그의 자금중 상당량을 사모펀드사로 투자할 수 있는데, 강성부의 본질이 행동주의 펀드이기 때문이다. 행동주의자들이 지금 집합투자기구를 장악하고 있다.

영향을 판단할 필요가 있다. 이 펀드들 중에서 해외에서 직접 투자한 펀드는 과거나 현재나 다르지 않다. 그러나 국내에 설립된 기관전용 사모펀드는 그 이전에는 투자할 수 없었는데, 이번의 법 개정으로 투자가 가능해 진 것으로 보인다. 이 내용을 금융감독원에서는 심도 있게 조사하여 기관전용 사모펀드의 행동주의화에 대한 대안을 마련하여야 한다.

바. [참조] 대주주 감사선임의결권 3%제한

지난 정권에서는 무엇 때문에 기관전용사모펀드 10%룰을 해체하였는가? 그것은 첨단 대기업 주주제안을 하기 위해서였던 것으로 보인다. 4대 기업을 국유화하고자 하였을 때, 국민연금이 주주제안을 하고 의결권행사를 하면, 그것은 자본시장법 시행령 154조 1항을 정면으로 위배할 뿐만 아니라, 국민연금을 이용한 국가자본주의(사회주의) 혁명의 정체가 탄로 난다. 따라서 주주제안은 사모펀드가 해주어야 한다. 여기에 기관전용사모펀드를 이용하고자 한 것으로 보인다. 이때 기관전용 사모펀드의 증권시장 진입을 막고 있는 법규가 바로 "기관전용사모펀드 10% 투자규정"이었다. 그래서 이 규정을 해체한 것으로 보인다.

지난 정부에서는 이와 같은 "기관전용사모펀드 10%룰 해체"와 함께 "대주주의 감사선임 의결권 3% 제한"이라는 유래 없는 행위를 하였다. 우리나라의 우수한 상장사의 경우 대부분 최대주주가 20%내외이며, 국민연금이 10%의 지분을 가지고 있다. 그리고 우수한 기업의 경우 여기에 대체로 KB자산운용과 같은 집합투자기구가 일반적으로 5% 정도의 지분을 취득하면서 들어와 있다. 이제 1%의 지분을 가진 행동주의 펀드가 감사로 취임하기 위한 주주제안을 하였다고 하자. 그러면, 최대주주 3%, 국민연금과 집합투자기구 각각 3%, 그리고 행동주의를 일으키려는 자 1%의 의결권이 감사선임과 관련하여 행사된다. 그러면 행동주의를 일으키려는 자가 반드시 감사로 취임하는 희한한 사태가 벌어진다. 이와 똑같은 사례가 이번 SM엔터테인먼트에서 발생하였다. SM의 경우, 이수만(18.46%)과 국민연금(9%)과 KB자산운용(5%)인 상태에서 행동주의를 기획하고 있는 얼라인 파트너스가 1%의 지분을 가지고 감사로 취임을 하였다. 그리고 내부정보를 모두 습득한 후에 행동주의를 걸었다.

추정컨대, 사회주의자들은 이러한 "대주주 감사선임의결권 3%제한"을 삼성전자와 같은 첨단 대기업에 적용하려고 입법하였을 것이다. 그런데, 그때까지 가기도 전에 앞으로 이제 우리나라 상장사들에서 우후죽순격으로 일어날 것이다. 우수한 상장사 순으로 이러한 일이 일어나며, 그 경영권을 찬탈할 것이다.

4. PEF(경영참여형펀드=기관전용사모펀드) 운용사 현황

금감원은 2021.7.22. "2020년 PEF(Private Equity Fund) 동향 및 시사점"을 통해서 우리나라의 PEF 현황을 밝혔다.

가. 우리나라 PEF(경영참여형사모펀드, 기관전용사모펀드)의 갯수

원래 PEF의 취지는 벤처캐피탈이었다. 그러던 것이 점차 구조조정 펀드로 바뀌었으며, 오늘날에는 일반 대기업까지 포함한 M&A를 주된 수익원으로 하며, 펀드의 규모도 100조원(2021.6)에 이르고 있다. 그 본질이 산업중흥에서 M&A로 변화된 것이다.

(단위 : 개, 조원, %)

구분		'15년말	'16년말	'17년말	'18년말	'19년말	'20년말
PEF 수		316	383	444	580	721	855
	일반	277	331	378	487	597	697
	재무안정	31	45	51	53	63	72
	창업벤처	-	-	9	35	56	83
	기타*	8	7	6	5	5	3
약정액		58.5	62.2	62.7	74.4	84.3	97.1
이행액		38.4	43.6	45.5	55.5	61.7	70.6
이행비율		65.6	70.1	72.7	74.6	73.2	72.7

* 산업발전법 및 해외자원개발법

(금감원, "2020년 PEF(Private Equity Fund) 동향 및 시사점", 2021.7.22)

2020년말 현재 PEF의 총 갯수는 855개 중에서 326개(2019년, 2020년은 400개 정도 추정)[28]가 국민연금의 PEF이다. 국민연금은 각각의 펀드들에 이사를 추천하여 관리하고 있다. 그리고 국민연금은 LP로서 GP(운용사들)에 대해 절대적인 권한을 가지고 있다. GP들은 투자대행기관일 뿐이다. PEF 사모펀드는 국민연금의 정책을 적극 따를 것이다. 국민연금에 협조적이지 않은 GP들은 그 다음에는 그 운용자금을 받지 못할 것이다. 그들은 국민연금의 기업지배구조개편 이슈에 적극적이어야 할 것이다.

나. 연도별 신설 PEF 규모별 현황

우리나라 총 펀드수는 855개인데, 그 중 6년 동안 신설된 펀드수는 942개로서 그

---

28) 2019년도 국민연금 PEF 펀드는 24조였으며, 이때 326개의 펀드를 가지고 있었다. 그후 2020년도에는 사모펀드가 33.4조(PEF 31.4 + 헷지 2조)였다. 그렇다면 거의 400개의 수준에 이를 것이다.

차이는 회수된 것들이다. 이렇게 신설된 펀드 중에서 1000억원 이상의 대형펀드가 226개이다.

(단위 : 개)

구분	출자약정액	'15년중		'16년중		'17년중		'18년중		'19년중		'20년중	
대형	3,000억원 이상	8	(10.5%)	7	(6.4%)	5	(3.7%)	13	(6.6%)	8	(3.9%)	12	(5.5%)
중형	1,000 ~ 3,000억원	22	(29.0%)	22	(20.2%)	22	(16.3%)	33	(16.7%)	36	(17.5%)	38	(17.4%)
소형	1,000억원 미만	46	(60.5%)	80	(73.4%)	108	(80.0%)	152	(76.8%)	162	(78.6%)	168	(77.1%)
계		76	(100%)	109	(100%)	135	(100%)	198	(100%)	206	(100%)	218	(100%)

(금감원, "2020년 PEF(Private Equity Fund) 동향 및 시사점", 2021.7.22)

위의 자료에 의하면, 3,000억원 이상의 대형 펀드가 지난 6년 동안 53개에 이르며, 1,000억원 이상의 펀드는 173개에 이른다. 이들의 모든 LP(자금원)는 국민연금, 공제기금, 산업은행 등이 대종을 이룬다. 이들 국민연금 등은 결코 사적 자금이 아니다. 공적자금이며 집합투자기구의 자금이다. 이러한 기관들도 1인으로 간주하여 사모펀드로 간주하고, 이 기관들의 자금을 개인적 자금으로 간주하여 2021.3.24. 모든 규제를 풀었다. 만일 LP가 GP에 영향을 줄 수 있다면, 이것은 중요한 헌법과 법률의 위배일 수 있다.

다. 펀드 운용사(GP) 구성 현황

2020년말 현재 우리나라 총펀드의 개수가 855개인데, 펀드 운용사는 337개이다. 이때 유의할 것이 있는데, 아래 표에서 전업 GP란 FE사를 의미한다. 그리고 이 FE사들의 협의회가 있는데, 그 명칭은 PEF협의회이다. 이들은 2021년 6월말 현재 50개의 회원사인데, 이들이 관리하는 펀드의 규모가 58조원이다. 즉 우리나라 총 PEF 사모펀드 100조(2021.6) 중에서 58%를 이 50개의 회원사들이 관리한다. 그리고 벤처캐피탈사 20위권까지 관리하는 총 펀드금액은 26.7조원이다. 그렇다면, 이 두 그룹이 관리하는 총 펀드가 84.7조원으로서 거의 85%에 이른다. 그 외의 267개의 운용사들이 나머지의 15.3조원을 관리할 뿐이다. 그 내용은 다음과 같다.

(단위 : 사)

구분	'15년말		'16년말		'17년말		'18년말		'19년말		'20년말	
전 업	94	(56.3%)	115	(60.5%)	138	(66.0%)	168	(66.4%)	210	(69.1%)	245	(72.7%)
금융회사	41	(24.5%)	41	(21.6%)	35	(16.8%)	37	(14.5%)	38	(12.5%)	36	(10.7%)
창투계회사	32	(19.2%)	34	(17.9%)	36	(17.2%)	49	(19.1%)	56	(18.4%)	56	(16.8%)
계	167	(100%)	190	(100%)	209	(100%)	254	(100%)	304	(100%)	337	(100%)

(금감원, "2020년 PEF(Private Equity Fund) 동향 및 시사점", 2021.7.22)

위의 구성원들 중에서 금융회사와 창투계회사는 전문적인 금융기관이다. 자신들의 자본도 충분히 존재한다. 그런데, 전업 PE사는 자신들의 실질적인 자산이 거의 없다. 이들은 오직 자신들의 전문성만으로 LP들로부터 자금을 위탁받아 운용한다. 산술적으로만 보았을 때, 그 금액이 50개사에 대해 58조원이다. 이들에 대한 LP(자금원, 국민연금과 기관투자자들)들의 권한은 어떠할 것 같은가? 국민연금의 경우 2019년말 현재 PEF 펀드금액은 24조였으며, 이때 326개의 펀드를 가지고 있었다. 그후 2020년도에는 사모펀드가 33.4조(PEF 31.4 + 헷지 2조)였다. 그렇다면 거의 400개의 수준에 이를 것이다. 이들 각각의 펀드들을 운용사들에게 주면서 여기에 이사 혹은 감사를 추천하여 관리한다. 이것이 LP와 GP의 관계이다.

LP로서의 국민연금은 GP에게 펀드의 운용지침을 줄 것이다. 이때 국민연금의 대표적인 지침은 기업지배구조개편이다. 여기에 적극적인 운용사들에게 펀드를 허용할 것이다. 그리고 이들은 자칫 행동주의 펀드로 나타날 수 있다.

라. 벤처캐피탈 회원사들

벤처캐피탈이 벤처펀드로 운용하는 자산규모(VC)와 사모펀드로 운용하는 자산규모(PEF)를 합친 운용자산(AUM) 규모 순위 Top 20은 다음과 같다. 운용자산 규모가 1조 원 이상인 벤처캐피탈은 13개이다. 다음 20개의 상위 벤처캐피탈사에서 운용하는 벤처캐피탈 펀드가 16.6조이며, PEF펀드는 10.1조로서 26.7조원을 운용하고 있다.

앞에서 언급한 PEF협의회가 자신의 실체를 밝히길 꺼려하며, 자신의 자산을 가지고 운용하는 것이 아니라 타인을 자금을 운용하는 것과 달리, 벤처캐피탈사들은 자신들의 분명한 자산과 실체가 있다. 또한 벤처 펀드 운용시에는 자신의 출자가 병행되기도 한다. 한편 벤처캐피탈사 20위까지를 소개하자면 다음과 같다.

2020년 벤처캐피털 운용자산(AUM) 순위 Top20

(단위:백만원)

순위	벤처캐피털	VC	PEF	합계
1	IMM인베스트먼트	750,250	3,340,400	4,090,650
2	한국투자파트너스	2,544,400	494,000	3,038,400
3	아주IB투자	905,900	714,700	1,620,600
4	소프트뱅크벤처스	1,372,500	79,900	1,452,400
5	KB인베스트먼트	1,218,900	229,500	1,448,400
6	프리미어파트너스	555,100	755,500	1,310,600
7	SBI인베스트먼트	759,410	429,650	1,189,060
8	SV인베스트먼트	668,600	490,000	1,158,600
9	KTB네트워크	1,124,500	25,000	1,149,500
10	에이티넘인베스트먼트	1,119,900	–	1,119,900
11	큐캐피탈파트너스	58,400	1,024,500	1,082,900
12	LB인베스트먼트	1,059,800	–	1,059,800
13	포스코기술투자	582,200	463,400	1,045,600
14	인터베스트	844,500	155,000	999,500
15	메디치인베스트먼트	325,500	649,810	975,310
16	네오플럭스	522,000	430,000	952,000
17	스마일게이트인베스트먼트	875,800	30,000	905,800
18	나우IB캐피탈	228,000	502,000	730,000
19	미래에셋벤처투자	569,900	156,800	726,700
20	스톤브릿지벤처스	550,600	138,800	689,400

출처:https://better-together.tistory.com/280 [변계사 Sam의 테크 스타트업!]

PEF사가 M&A에 치중하는 것에 반하여 벤처캐피탈사들은 기술중심의 벤처기업과 사업 구조조정이 필요한 회사에 자금을 투여한다. 그래서 약 3-5년 동안 적극적으로 경영에까지 개입하여 회사를 키운다. 그래서 코스닥 등의 기업공개(IPO)를 통해서 투자한 자금을 회수한다. 따라서 철저히 산업중흥자금이다. 따라서 이들에 대하여 경영참여형펀드라는 이름이 붙여졌다. 산업은행은 주로 이곳에 투자한다.

이들은 경영에 참여하여 회사를 키워야 하므로 경영에 본격적으로 참여하여야 한다. 이들은 10%이상의 투자를 하거나 해당기업으로부터 이사로 참여하는 자격을 획득하여야 한다. 이것이 진정한 의미에서의 경영참여형펀드이다. 더 나아가 이 10%룰은 이 자금의 산업자본 외의 다른 곳으로의 이탈을 막아준다. 상장사나 대기업 등의 정상적인 곳에 자금이 투여되어 금융시장을 혼란시키는 것을 막아준다. 산업중흥에 이바지할 목적으로 기관들의 자금이 이곳에 투자되는 것을 허락하였다. 그리고 PEF펀드는 여기에 편승을 하였다. 이러한 가운데에서 이 10%룰을 해제하였다. 그래서 이제는 이 PEF자금들이 대기업과 상장사들에 대해서도 투자를 할 수 있게 된 것이다.

마. PEF 협의회 회원사, 50개

우리나라에 PEF 협의회는 2015년 4월에 결성된 것으로 추정된다. 이 협의회는 친목모임으로 운영되다가 비영리단체의 협의회로 등록하였는데, 회장 선발이 안 되어 3기 때에는 간사체제로 운영되었다. 이 협의회의 회원들의 정보는 공개되지 않고 있으나 현재 50개사(49개사이었는데 최근 1개사가 추가 가입)이다. 이들은 50개사로서 58조원을 운용하고 있다. 서울경제는 다음과 같이 소개하고 있다.

사모펀드협의회는 IMM 프라이빗에쿼티(PE)가 의장사를 맡고 있는 단체로 총 경영참여형 사모펀드 49곳를 회원사로 두고 있다. 운용 자금 규모는 약 58조 원(2019년 11월 말 기준)으로 금융감독원에 신고된 PEF 전체 출자금의 60% 정도를 점유하고 있다. 지난해 65억 달러(한화 8조 원) 규모의 블라인드 펀드를 조성한 MBK파트너스를 비롯해 한앤컴퍼니(3조 8,000억 원), IMM PE(2조 원), 스틱인베스트먼트(1조 2,100억 원), VIG파트너스(9,500억 원) 등이 사모펀드협의회 회원사다. (김상훈·조윤희기자, 서울경제, 2021.1.4.)

다음의 내용은 2021.1.4. 서울경제에서 소개한 PEF 협의회의 소식이다. 다음의 내용을 소개하는 이유는 이 협의회의 회원사들이 이러한 형태로 공개되었기 때문이다. 한편 이후에 2021.3.24. PEF 펀드에 대한 10%룰이 해제되었다. 따라서 다음의 내용은 이러한 변화가 이루어지기 전의 소식이다.

국내 인수합병(M&A) 시장을 주도하는 사모펀드(PEF)가 올해 유망 투자 업종으로 음식료품업을 꼽았다.… 또 그린뉴딜과 전기차의 부상으로 뜨고 있는 배터리 등 전기·전자 부품 업종에도 PEF의 뭉칫돈이 몰릴 것으로 예상된다. 계열회사 매각 등 적극적으로 사업 재편에 나설 것으로 예상되는 대기업으로는 CJ와 SK·롯데 등이 꼽혔다.

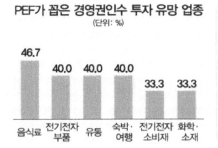

4일 서울경제신문이 사모펀드협의회 주요 회원사 등 15곳을 대상으로 한 2021년 M&A 시장 전망 설문 조사 결과 올해 음식료품 기업의 경영권 인수(Buy-out·바이아웃) 투자에 나설 계획이라는 답을 내놓은 PEF는 7곳(46.7%)에 달했다. 적게는 수천억 원에서 많게는 조(兆) 단위의 블라인드 펀드를 보유한 PEF 중 절반이 음식료품업을 올해의 주요 M&A 대상으로 보고 있는 것이다.

음식료품업은 현재도 PEF가 가장 많이 투자하는 업종 중 하나다. MBK도 7,000억 원 규모의 스페셜시츄에이션 펀드를 통해 치킨 프랜차이즈 BHC에 투자했다. 한앤컴퍼니도 웅진식품을 인수한 뒤 대만 퉁이그룹에 매각해 투자에 성공한 바 있다. IMM PE도 할리스커피를 지난해 KB그룹에 매각했고 공차에 투자해 5배의 투자 수익을 거뒀다. 특히 올해는 코로나19 확산으로 수혜를 입은 온라인 판매 채널 중심의 기업이 PEF의 '러브콜'을 받을 것으로 예상된다.

음식료품업 이외에도 전기·전자 부품과 유통, 그리고 숙박·여행업 등에서 경영권 인수 투자가 유망하다는 대답을 내놓은 곳도 40.0%(6곳)였다. 전기·전자 등 소비재와 화학·소재 기업은 33.3%(5곳)의 응답률을 보였다.

성장에 필요한 자금 조달을 위해 메자닌 투자에서 기회가 많을 업종으로 전자·전기 부품업을 꼽은 응답이 86.7%(13곳)였다. 이어 바이오·의약품(53.3%)과 화학·소재(46.7%), 엔터테인먼트(46.7%) 업종이 뒤따랐다.

계열회사 매각(Carve-out) 등으로 사업 재편에 적극 나설 것으로 보이는 대기업이 CJ라는 답변은 73.3%(11곳)였다. CJ는 지난 2019년 투썸플레이스를 판 뒤 뚜레쥬르 등 비핵심 사업부 매각에 나섰지만 뚜렷한 성공 사례를 남기지는 못했다. 올해 들어 사업 재편이 본격화할 것이라는 게 PEF 업계의 전망이다. 또 지난해부터 계열회사 매각과 신사업 인수에 적극적인 SK(66.7%), 유통업에서 고전을 면하지 못하고 있는 롯데(53.3%)도 사업 재편에 적극 나설 그룹사로 꼽혔다.

한 PEF의 관계자는 "풍부한 유동성과 대기업의 사업 재편, 그리고 PE의 오래된 투자 포트폴리오 등을 고려하면 지난해보다 M&A 시장이 20% 이상 성장할 것"이라고 말했다. (김상훈·조윤희기자, 서울경제, 2021.1.4.)

바. 신흥재벌 거대 PEF사

우리나라에 신흥재벌들이 PEF업계에 출현하였다. 우리나라 재벌 1위가 MBK 파트너사의 김병주로서 127조원이다. 삼성 이재용은 2위이다. 스마트게이트의 권혁빈이 6.7조원으로서 4위이다. 그리고 메리츠금융 조정호가 4.5조원으로서 9위이다. 우리나라 10대 재벌에 PEF 펀드전문가들이 3명이나 집입하였다. 이 PEF사들의 수수료는 일단 먼저 위탁받은 투자금액의 2%가 운용수수료이다. 그리고 10%의 수익률을 넘기면, 10%를 초과한 수익의 20%가 성공보수이다.

우리나라 PEF협의회 회원사 50개사 중에서 31개사가 1조원 이상의 펀드를 운영하고 있다. 아마 이들 금액은 해외로부터 위탁받은 또 다른 펀드가 있겠지만, 대부분 기관전용 사모펀드인 것으로 파악된다. 우리나라 기관전용 사모펀드가 126조원인데, 이러한 자금을 위탁받아 운용하는 것이다. 국가와 같은 공적기관으로부터 어마어마한 혜택을 입은 것이다. 이것은 마치 박정희 대통령이 우리나라 산업개발을 할 때, 대기업을 육성하면서 지원한 혜택에 버금간다.

기관전용 사모펀드는 그 동안 상장시장에 들어와서 시장을 혼란케 하지 않았다. 규모의 경제를 이용하여 산업의 저변확대를 이루었던 것이다. 산업진흥용으로서 활동하였던 것이다. 그것이 "동일종목 10%이상 투자규정"이다. 이제 이것을 지난 정권에서 깨뜨려 버렸다. 이 거대한 자금을 상장시장에 밀어넣고 있는 것이다. 이제 기관전용사모펀드는 굳이 모험자본에 무리해서 들어가지 않아도 된다. "동일종목 10%이상 투자규정 해체"는 기관전용 사모펀드의 본질을 산업진흥용 펀드라는 본래의 기능을 상실하게 하고, 이들을 모두 행동주의 펀드의 보조자로 만들어 버렸다.

이번에 SM엔터테인먼트와 오스템임플란트의 적대적 M&A의 모든 이해관계자들은 전부 국민연금과 기관전용 사모펀드였다. 그리고 매년 10건 정도 발생하던 M&A가 2022도에 47건으로 폭증하였다. 금융감독원에서는 이들의 M&A와 "동일종목 10%이상 투자규정 해체"의 관련성을 면밀히 조사 분석하여야 한다. 이 10%룰이 해체되어서 KB자산금융 등이 최대주주의 반대편 주주로 들어왔을 수 있다. 국가로부터 큰 혜택을 받은 기관전용 사모펀드가 이와 같은 행동주의 펀드의 편에 서면 안 된다.

사. 기타 군소 GP(운용사)들 : 377개-50개-20개=307개

금감원에서 발표한 2020년말 현재의 PEF펀드의 총액은 97조원이다. 그리고 위에서 언급한 50개의 PEF협의회에서 58조를 관리하고 있으며, 또한 위에서 언급한 상위 20개까지의 벤처캐피탈이 26.7조원을 관리하고 있다. 즉 70여개의 회사에서 83.7조를 관리하고 있다는 것이다. 그리고 금감원에서는 우리나라의 총 GP사의 개수가 337개라고 말한다. 그렇다면 이제 위에서 제외된 307개 운용사가 13.3조원을 관리하고 있다고 볼 수 있다. (한편, 이 계산은 언론을 통해 발표된 내용을 짜깁기해서 산출한 것이므로 좀더 정치한 계산과 검토가 요청된다는 것을 참조하기 바란다.)

5. PEF 펀드의 최근 M&A 현황

가. 투자 및 회수 현황

금감원이 2020년에 발표한 PEF펀드의 투자와 회수는 매년 18조원 정도가 일어난다. 그리고 이 펀드는 투자에서 회수까지 대략 4년 정도가 걸린다. 따라서 PEF펀드로 인하여 투자되어 있는 자금의 규모는 18조원의 4배로 볼 수 있다.

(단위 : 사, 조원)

구분		'15년중	'16년중	'17년중	'18년중	'19년중	'20년중
투자	투자기업수	140	230	315	410	500	565
	투자금액	12.8	8.9	12.4	13.9	16.0	18.1
회수	해산PEF 수	37	50	64	58	65	91
	회수금액	5.8	8.1	7.4	9.0	11.7	17.7

(금감원, "2020년 PEF(Private Equity Fund) 동향 및 시사점", 2021.7.22)

금감원은 2020년도의 기관전용 사모펀드(경영참여형펀드)의 주요 투자와 회수 내용을 다음과 같이 소개하고 있다.

> <2020년 중 PEF 주요 투자 건>
> - 맥쿼리자산운용 → 엘지씨엔에스
> - 스카이레이크인베스트먼트 → 솔루스첨단소재
> - 글랜우드프라이빗에쿼티 → 피아이첨단소재
> <2020년 중 PEF 주요 회수 건>
> - 프리미어파트너스 → 카카오게임즈, 세틀뱅크
> - MBK파트너스 → 대성산업가스
> - 한앤컴퍼니 → 에이치라인해운
> <해산 PEF>
> - 2020년 중 해산 PEF 수는 91개로 전년(65개) 대비 26개 증가
> - 해산 PEF의 실제 존속기간은 평균 4.0년

나. PEF의 M&A

매일경제는 "경영참여형 사모투자펀드(PEF, 기관전용사모펀드)가 굴리는 자금이 처음으로 100조원을 돌파했다"(2021.6)고 말하며, "국내 인수·합병(M&A) 시장을 주도해

온 PEF가 기업 지배구조상 핵심 주체로 자리 잡으면서 국내 자본시장 전체에서 입김이 커지는 '펀드 자본주의' 확산으로 이어지는 모습이다"(강두순, 진영태, 박창영 기자, 2021.6.7)고 소개한다. 이에 의하면, 이러한 PEF펀드(기관전용사모펀드)의 금액이 2004년 대비 17년만에 250배 증가했다고 말한다. 그런데, 그때나 지금이나 집합투자기구 의결권제한은 여전히 10%이다. 이렇게 기관전용사모펀드가 폭발적으로 증가된 이유는 연기금·공제회·보험사 등의 큰손이 투자를 해서이다. (필자: 그런데, 사실은 통화량의 증가·금융자본의 폭발에서 그 이유를 찾아야 한다.)

① 100조원 대의 PEF

7일 금융감독원에 따르면 올해 1분기 말 기준으로 경영참여형 PEF가 연기금·공제회 등 주요 기관투자자 등 출자자(LP)로부터 모집한 자금이 100조4888억원에 달하는 것으로 집계됐다. 2004년 약정액 4000억원으로 시작해 도입 17년 만에 250배 이상 급성장한 것이다. 2013년 44조원 대비 2배가 넘는 금액이다. 최근 들어서는 분기별로 3조원 이상 자금이 PEF 시장으로 유입돼온 셈이다.

이처럼 자금이 급속히 늘어날 수 있는 데는 국민연금, 교직원공제회, 사학연금관리공단 등 국내 주요 연기금·공제회·보험사 등 큰손이 PEF에 매년 수조 원씩 신규 출자를 단행하고 있는 영향이 크다. 최근 시중 자금이 넘쳐나는 가운데 플러스 알파(α) 수익률을 노리는 기관투자자 자금이 PEF를 통해 기업 M&A로 몰려들면서 시장에 활기를 불어넣어 왔다.

② M&A의 절반 이상

삼일회계법인과 머저마켓에 따르면 지난해 국내 시장에서 이뤄진 거래 규모 상위 20건 가운데 계열사 거래를 제외한 17건 중 10건을 PEF가 주도한 것으로 나타났다. 올 들어서도 4월까지 성사된 M&A 18건 중 9건이 PEF가 매각 또는 매수 주체로 나선 거래로 파악됐다.

③ 투자실적

투자 실적도 우수하다. 자본시장연구원에 따르면 국내 PEF는 2005년부터 2019년까지 총 879건 투자를 단행했으며 이 중 30건만이 투자에 실패했다. 투자 실패율은 단 3.4%로 글로벌 PEF 평균 투자 실패율 6% 대비 절반에 그쳤다. 이는 PEF가 국내 기업 지배구조상 핵심 주체로 급부상하는 결과로 이어지고 있다. PEF는 재벌이나 창업자 일가, 채권단 등에 버금가는 영향력을 행사하고 있다. 오너 일가 갑질 논란에 시달리던 한진칼과 지분 대결을 펼친 PEF 강성부펀드(KCGI)가 대표적이다. 소수 개인주주 차원에서는 나서기 어려운 문제에 행동주의 펀드를 표방한 KCGI가 대량 지분 매입으로 대응하면서 그룹의 기업 개선 노력을 이끌어낼 수 있었다.

④ 최근 M&A

… 최근 남양유업을 인수한 한앤컴퍼니는 일각의 기업사냥꾼 주장과 오너가 파킹 거래 의혹에 '임직원 고용 승계'를 약속하고 오너가 재매각 불가 방침을 내놓으면서 장기투자로 기업가치 향상을 약속했다.

PEF는 ESG(환경·책임·투명경영) 측면에서도 활동 반경을 넓히고 있다. 국내에서 가장 큰 PEF 운용사 중 하나인 IMM PE는 할리스커피, 태림포장, 대한전선을 차례로 인수 후 매각하면서 ESG 실천에 앞장섰다.… IMM PE가 투자원금 대비 거둔 수익은 할리스커피 1.8배, 태림포장 2.2배, 대한전선이 2.2배다.

[강두순 기자 / 진영태 기자 / 박창영 기자, 매일경제, 2021.6.7.]

다. 대기업 M&A

그 결과 이제 M&A시장은 대기업과 PEF가 이끌게 되었다. 한편, 대기업들은 2021년 상반기에만 44조원의 M&A를 성사시켰다.(파이낸셜뉴스, 2021.07.14.)

① 2021 상반기 대기업 M&A 규모

14일 글로벌 금융 정보 업체 딜로직에 따르면 올해 1월부터 6월 30일까지 금액이 공개된 국내 경영권 거래 규모는 43조8605억원이다. 이는 지난해 같은 기간 26조 4576억원보다 60% 늘어난 금액으로 국내 관련 통계 집계 역사상 가장 높은 수치다. 건수 기준으로는 지난해 511건의 절반 수준인 296건에 불과해 건당 거래액이 급증한 것으로 분석된다.… 평소 재무적투자자(FI)인 경영참여형 PEF가 주도하던 국내 M&A 시장 무게추가 전략적투자자(SI)인 대기업으로 쏠렸다는 분석이다.

② 상반기 거래현황

실제 올해 상반기 신세계그룹은 M&A 시장에서 단연 돋보이는 모습을 보였다. 프로야구단 SK와이번스(현 SSG랜더스)를 시작으로 네이버와 지분스와프, 화성 테마파크 부지 매입, 'W컨셉' 인수 등을 성사시켰다. 특히 이베이코리아 지분 80%를 3조4400억원에 인수하면서 상반기 최대 딜을 거머쥐었다. 이 외에도 호반건설이 대한전선을, 하이브가 '이타카홀딩스'를, 현대차그룹이 '보스턴다이내믹스'를 인수했다. 그동안 새 주인을 찾는데 지지부진했거나 물밑에서 수요자를 물색하던 기업도 넘치는 유동성과 M&A 훈풍으로 올 상반기 매각을 완료하거나 매각을 진행 중이다. 국내 1세대 전자상거래 업체 인터파크는 NH투자증권을 자문사로 선정하고 매각을 추진하고 있다. 최근 이베이 등 온라인플랫폼, e커머스 업체들의 M&A가 활발해지자 인터파크 역시 매각을 서두르는 것으로 보인다. 매각 협상이 지지부진했던 로젠택배도 최근 코앨패션과 주식매매계약을 체결했다. 로젠택배는 매각 도전 세 번 만에 성공한 기업이다. 2017년 호반건설이 우선협상대상자가 되었다가 일주일 만에 포기할 만큼 우여곡절

③ 하반기 예상현황

하반기 요기요와 한온시스템, 휴젤 등 대어급 매물들의 M&A가 마무리될 경우 역대급 M&A 시장이 될 것이라는 전망이다. 김태훈 우리은행 투자금융부장은 "창업 1세대들이 은퇴하고 상속을 준비하는 과정에서 M&A를 통하는 방법이 절세라고 보는 것 같다"며 "사모펀드 운용사 입장에서도 소진하지 못한 펀드 자금이 다수 있는 상황이리 앞으로 M&A는 더욱 늘어날 것"이라고 말했다.

(파이낸셜뉴스, 김민기 강구귀 기자, 2021.07.14.)

라. 상반기 M&A 10위까지의 내용

한편, <더벨>에 나타난 2021년 상반기의 M&A 10위까지의 내역은 다음과 같다.

2021년 상반기 PEF 운용사 상위 10개 거래

(Completed) (단위 : 백만원)

순위	거래일	매각대상	매각자	인수자	거래금액
1	2021.01.06	글로벌레스토랑그룹 : "지분 100%"	MBK Partners	MBK Partners	1,550,000
2	2021.05.03	잡코리아 : "지분 100%"	H&Q	어피너티에쿼티파트너스	900,000
3	2021.01.07	솔루스첨단소재 : "구주 52.93%"	두산 등	스카이레이크인베스트먼트	700,000
4	2021.06.01	현대글로벌서비스 : "구주 38%"	현대중공업지주	KKR & Co. L.P.	646,000
5	2021.06.10	카카오 : "카카오 일본 법인 지분 6.40%"	카카오	앵커에쿼티파트너스	600,000
6	2021.01.04	두산모트롤 : "구주 100%"	두산	소시어스-웰투시인베스트먼트	453,000
7	2021.03.15	CJ올리브영 : "신주+구주 25%"	CJ올리브영 등	글랜우드 PE	414,000
8	2021.05.26	티맵모빌리티 : "신주 28%"	티맵모빌리티	어펄마캐피탈-이스트브릿지파트너스	400,000
9	2021.05.13	멀오엠제1호사모투자합자회사 : "주식 48%"	국민연금공단	KCC	383,653
10	2021.03.05	티몬 : "EB"	티몬	앵커에쿼티파트너스-KKR-PSA컨소시엄	305,000

실제 상반기 거래규모 상위 10개 완료거래 중 PEF 운용사가 참여한 거래는 △MBK파트너스의 BHC 재투자(1조5550억원) △H&Q의 잡코리아 매각(9000억원) 등 두 건에 그쳤다. 반면 전략적투자자(SI) 중에선 이타카홀딩스 인수(1조1200억원)를

완료한 하이브(HYBE)와 보스턴다이내믹스 인수(9559억원)에 나선 현대자동차 등의 움직임이 돋보였다.

물론 구조조정 성격의 거래에서 PEF 운용사의 행보 또한 시장의 주목을 받기에 충분했다. △스카이레이크의 솔루스첨단소재 인수(7000억원) △소시어스-웰투시인 베스트먼트 컨소시엄의 모트롤 인수(4530억원) △글랜우드프라이빗에쿼티(PE)의 CJ올리브영 투자(4140억원) 등 PEF 운용사의 특수상황 투자가 이어졌기 때문이다. 아직 거래가 종결되지 않은 PEF 운용사 유관 딜 중에서 규모가 상당한 건도 다수 존재한다. MBK파트너스 등이 신규 주주로 올라서는 케이뱅크의 경우 전체 금액이 1조2498억원 상당에 육박한다. IMM PE가 투자하는 SK루브리컨츠(1조936억원)도 조 단위의 빅딜이다. (자본시장 미디어 'thebell')

마. 10%룰 해체후 일어난 M&A 건수와 분석

기관전용사모펀드의 동일종목 10%이상 투자규정을 해체한 지, 이제 1년 6개월이 지났다. 그래서 아직 별다른 소식은 들리지 않는다. 다만 들리는 소식은 10%룰 해체 후 M&A 건수가 갑작스럽게 증가하였다는 신문기사를 접할 뿐이다. 그 내용은 다음과 같다.

2017년	2018년	2019년	2020년	2021년	2022년 (단위 : 건수)
3	16	8	10	27	47

2021.3.24. 『자본시장법』이 개정되고, 시행령이 8월경에 나와서 곧바로 해당 법규가 실행되었다. 그러면서 2020년에 10건 일어나던 M&A가 27건, 47건으로 폭발적으로 증가하였다. 이러한 법규해체와 이러한 M&A 발생빈도에 대한 규명이 필요하다.

먼저, 우리에게 알려진 M&A는 2022년도 말에 드러난 SM엔터테인먼트와 오스템임플란트 M&A사례인데, 모두 기관전용 사모펀드의 10%룰 해체와 관련이 있는 듯 싶다. 진실로 그러한 지에 대한 조사가 필요하다.

기존의 기관전용 사모펀드는 동일종목에 대하여 10%이상을 투자하여야 한다. 그런데, 이번에 일어난 M&A에는 모든 우량회사에 투자되어 있는 국민연금 외에 여러 기관전용 사모펀드가 각각의 회사에 들어와 있었는데, 이것이 개정 전의 법률로도 가능하였는가의 여부이다. 아래의 표 중에서 10%이하의 기관전용 사모펀드는 개정 전의 법률로도 이와 같은 주주구성이 가능하였는가의 여부이다.

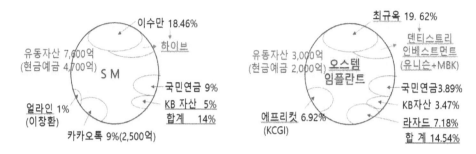

* <그림에 대한 설명> SM의 경영자(최대주주)는 이수만이며, 오스템임플란트의 경영자 (최대주주)는 최규옥이다. 여기에 얼라인 파트너스와 에프리컷이 공격해 왔다. 이때 이들 주주에는 국민연금 외에 KB자산운용 등의 또 다른 기관전용 사모펀드들이 포진 해 있었는데, 이들은 경영권 분쟁이 일어나야 자신들의 주식가치가 50% 정도가 상승 하여 극대화된다. 결국 이수만과 최규옥은 회사를 포기했다. 이수만은 카카오톡에 경 영권을 넘겼고, 최규옥은 또 다른 기관전용 사모펀드인 유니슨과 MBK에 그 경영권을 넘겼다. 금융자본에 산업자본이 맥없이 무너지고 있다.

위의 그림에서 국민연금 외에는 모두 기관전용 사모펀드이다. 여기에서 어떤 펀드 는 해외의 자산운용사가 LP이며, 어떤 펀드는 국내의 금융기관이 LP이다. 위의 표에 대한 해설은 금융감독원에서 가장 정확하게 하겠지만, 궁금한 것은 『자본시장법』 개 정 전에는 기관전용사모펀드의 주식투자규정은 10%이상을 소유하여야 한다. 그러나 2021.3.24. 이후에는 10%이하도 가능하다.

그러다 보니 몇 개의 기관전용사모펀드만 회사의 주주로 들어와도 금새 최대주주 (이수만, 최규옥)의 지분을 넘어서 버린다는 것이다. 그래서 이제 행동주의 펀드가 기 관전용 사모펀드가 들어있는 회사에 대하여서는 어느 회사이건 가서 주주제안만 하 면, 그 회사의 경영권을 장악할 수 있다는 이야기이다.

국민연금이나 기관전용사모펀드는 어떤 회사에 주로 투자하나? 우리나라의 최우량 회사 순으로 투자를 한다. 그러면 모든 우량회사는 모두 행동주의의 손에 걸려 있다 는 이야기이다. 진실로 금융시장에 이런 현상이 펼쳐져있는지가 궁금하다. 만약 그렇 다면, "동일종목 10%룰 해체"는 "소들이 뛰노는 목초지에 늑대 떼를 풀어놓은 것이 나 다름이 없다"는 이야기가 된다.

두 번째, 지난해 2022년도에 일어난 M&A 47건의 패턴에 대한 조사가 필요하다. 즉, "동일종목 10%룰 해체"로 일어난 M&A가 이 안에 있는지에 대한 조사가 필요하다.

세 번째, 국민연금에서 투자하고 있는 사모펀드가 2020년도 기준으로 326개이다. 이들 자금이 그 이전에는 상장시장에 들어갈 수가 없었다. 그런데 이제 이 법해체 후에는 어떻게 들어가 있는지에 대한 조사도 필요하다. 왜냐면, 그들이 지금 행동주의 펀드의 보조자가 되어 있기 때문이다.

< 칼 럼 > 기관전용 사모펀드를 원래의 자리로 *!!!*

가. 기관전용 사모펀드의 원래 정체성

금융자본을 주도하는 선도적 PEF 운용사들이 오늘날 대한민국의 신흥재벌 그룹들이 되어있다. 기관전용 사모펀드는 이들을 오늘날의 재벌로 만들어 주었다. 우리나라 10대 재벌 중에서 3개사[29]가 바로 이들 PEF사 회장들이다. 오늘날 4차 산업의 시대가 열리고 있는데, 이제 그들이 이러한 4차 산업의 동반자 역할을 하여야 한다. 4대 기업이 글로벌경쟁을 하고 있다면, 이들 선도적 PEF 운용사들은 대한민국 산업을 더욱 내실 있게 하는 강소기업 진흥의 역할을 하여야 한다. 왜냐면, 이들이 제공받는 자금은 국가자금이 대종을 이루고 있기 때문이다.

과거 박정희 대통령 시기 때, 박정희 정부는 30대기업을 육성하였다. 그리고 그 중에 오늘날의 4대기업이 등장하였다. 이들은 모두 제조업을 중심으로 하여 오늘날도 우리나라의 모든 일자리의 근원을 이루고 있다. 그들은 정부로부터 특혜를 받았으며, 그리고 그 특혜에 부응하여 이와 같이 우리나라의 산업과 일자리를 일군 것이다. 이제 4차산업이 일어나고 있는 오늘날, 기관전용 사모펀드도 이와 같은 역할을 하여야 한다. 우리나라 PEF펀드 협의회의 50개 회원사 중에서 1조원 넘는 금액을 위탁받은 펀드사가 31개에 달한다. 지금 4차산업의 시대가 열리고 있다. 여기에는 많은 모험자본을 필요로 한다. 모험자본이라는 용어는 '묻지마' 식의 'Blind Fund'가 아니라, '신기술과 신아이디어'에 대한 '모험자본'인 것이다. 이 기관전용 사모펀드가 이 역할을 감당하여서 대한민국을 4대기업 중심에서 벗어나게 하여야 한다. 여기에는 방대한 금융자본이 요청된다. 그것이 곧 기관전용 사모펀드이다.

나. 기관전용 사모펀드의 상장사 진입이 갖는 의미

---

29) 우리나라 재벌 1위가 MBK파트너스의 김병주이며, 2위가 삼성의 이재용이다. ....

기관전용 사모펀드의 금액이 최근 126조원 정도로 발표되었다. 이들은 원래 우호적 M&A에 속하는 구조조정 목적 외에는 상장시장 밖에서 활동을 하였다. 그리고 장외에서 우량한 아이템을 발굴하여 급성장(5-7년)을 시켜 주식시장에 상장을 시킨 후에 그 자금을 회수하였다. 126조원의 규모가 얼마나 되느냐하면, 우리나라 국민연금이 170조원 정도를 국내상장 주식에 투자를 하였을 때, 172개의 우량상장사(모든 대기업 포함)의 2대 주주가 되었다. 기관전용 사모펀드 126조원은 이제 우량주식 중심으로 상장사에 점차적으로 들어오게 된다. 그러면, 그 해당회사는 모두 행동주의 펀드의 타겟이 된다.

우리나라 상장사들의 최대주주 평균 지분율이 20%내외이다. 이때 집합투자기구의 의결권 한도는 10%이다. 그래서 국민연금은 대부분의 주요회사들에 이 한도에 맞추어서 투자되어 있다. 기관전용 사모펀드가 이제는 자신의 여유자금을 상장사 외부에 놓아둘 필요가 없다. 그들은 우수한 상장사 순으로 주식을 구매하는데, 이때 국민연금과 이것이 겹친다는 것이다. 기관전용 사모펀드는 경영참여형펀드라서 과거에는 10%을 보유해야 했는데, 이제는 그 이하도 가능하기 때문에 5%를 보유해도 된다. 예컨대, SM과 오스템임플란트의 KB자산운용이 이에 해당할 수 있다. 이러한 기관전용사모펀드 2개만 들어오면 기존 경영자는 경영권을 상실한다. 여기에 1%를 가진 행동주의 펀드가 주주제안을 걸면, 모든 집합투자기구의 주가가 50%씩 상승한다. 여기에서 기존 경영진은 대안이 없는 것이다.

사모펀드 10%룰 해체는 우리나라 증권시장을 이러한 형태로 만들어 버린 것이다. 모든 우수한 회사 순으로 그 경영권이 바뀔 것이다. 국민연금과 사모펀드의 반란이 일어난 것이다. 소들이 뛰노는 목초지에 늑대 떼를 풀어놓은 것이다. 이것이 지난해 말에 고스란히 SM엔터테인먼트와 오스템임플란트에서 일어났다. 이들은 우리나라 증권시장에서 탑클래스에 속한 상장사였다. 평년 10개 내외의 M&A가 2021년 사모펀드 10%룰 해체이후 2022년도에 47개로 급증하였다. 이 회사들의 M&A성격을 신속히 분석하여야 한다. 그리고 국민연금에서 제공한 기관전용사모펀드가 2020년말 현재 326개였다. 이들의 투자처에 대한 조사가 필요하다.

다. 대주주 감사의결권 3% 제한

지난 문재인 정부에서는 위의 "기관전용 사모펀드 10%룰 해체"와 아울러서 "대주주 감사의결권 3% 제한"이라는 세계 어느 나라에서도 찾아볼 수 없는 희한한 법규를 통과시켰다. 이것은 모든 행동주의 펀드가 그 회사의 감사가 될 수 있는 길을 만들어준 것이다. 우리는 위의 내용을 여기에 고스란히 접목시켜 보자.

모든 우수한 상장사에는 국민연금이 10%를 가지고 있는데, 이제 여기에 1개의 기관전용 사모펀드가 5%를 투자하고 들어온다. 그리고 그 기업의 최대주주가 20%를 가지고 있다고 해보자. 여기에서 이들은 모두 3%의 의결권 밖에 행사할 수 없다. 이제 행동주의 펀드가 자신의 정체를 숨기고 1%의 주식을 구매한 후, 스스로를 감사로 추천하는 '주주제안'을 하며 나섰다. 이때 국민연금과 다른 기관전용사모펀드와 행동주의 펀드는 7%(3%+3%+1%)의 지분을 확보하는데, 기존의 최대주주는 3%의 의결권 밖에 행사하지 못한다. 그러면, 모든 우수한 상장사의 경우, 행동주의 펀드가 해당회사의 감사(경영자)를 하게 된다. 그리고 행동주의 펀드는 감사로 들어가서 모든 내부를 다 파헤치면서, 행동주의를 걸 명분을 찾고, 행동주의 후에 그 기업을 어떻게 운영할 것인지를 연구하게 된다. 이러한 일이 SM엔터테인먼트에서 판박이처럼 일어났다. 이제 이 일은 또 다시 다른 우수한 상장사에서 일어날 것이다.

라. SM엔터테인먼트와 오스템임플란트의 사례

우수한 상장사에는 반드시 국민연금과 기관전용사모펀드(집합투자기구)가 모이게 되어 있다. 여기에 이제 행동주의 펀드가 들어가서 주주제안을 건다. 이러한 사례가 2022년말 SM엔터테인먼트와 오스템임플란트에 고스란히 나타난 것으로 보인다.

얼라인 파트너스(이0환)[30]는 SM주식을 1%(100억원) 구매한 후에 감사로 들어갔다. 이렇게 1% 주주가 감사로 들어갈 수 있게 만든 것이 대주주 의결권을 3%로 제한을 하는 상법개정을 통해서 였다. 이렇게 SM에 들어간 얼라인파트너스는 SM의 공동대표(이성수 & 탁영준, 이수만은 최대주주일 뿐 대표는 아님)들과 공모하여 카카오에게 신주인수권과 전환사채를 발행하여 9%의 지분(2,500억원)을 유상증자하였다. 경영권 공격이 시작된 것이다. 그러자 이수만이 하이브에게 찾아가서 전량을 매도하기로 결정을 해버린 것이다. 한편, 이때 SM이 유동자산이 약 7,600억원(현금 4,700억원, 2021년 기준) 정도에 이르렀다. 이에 카카오는 방대한 자금을 이용하여 주식매집을 시작하였다. 그러자 하이브는 이것을 포기하고 이수만은 회사를 빼앗긴 것이다.

SM지분 1%를 보유한 얼라인 파트너스가 주주제안을 하자, 18.46%를 가진 이수만은 SM에 관한 모든 경영권을 포기해 버렸는데, 왜 그렇게 했는가? 그것은 1%의 얼

---

30) 참조로 얼라인 파트너스는 2022년 12월말 현재 JB금융지주(전북은행)의 14%(2,500억원)의 주식을 보유한 2대 주주가 되어있다. 1대 주주는 삼양사로서 14.6%를 가지고 있다. 얼라인 파트너스는 언제든지 1대 주주로 올라갈 수 있다. 얼라인 파트너스의 자금원은 KKR로 보인다. 얼라인 파트너스는 이와 같은 M&A를 금융권으로까지 확산시킬 태세이다. 금융회사에는 방대한 여유자금이 있기 때문으로 보인다.

라인 파트너스 외에 9%의 카카오, 9%의 국민연금, 5%의 KB자산이 주주로서 들어와 있기 때문이었다. 결국 국민연금과 기관전용 사모펀드가 기존 경영진을 아웃시킨 것이다. 사모펀드법의 개정은 이러한 기관전용 사모펀드라는 새로운 집합투자기구를 지금 상장시장에 밀어 넣었는데, 기존에는 국민연금이라는 한 마리 용이었는데, 이제는 기관전용사모펀드라는 또 한 마리의 용이 등장을 한 것이다. 이들이 10%씩만 장악하면, 기존의 경영진은 아웃된다. 국민연금과 기관전용사모펀드는 모두 국가의 자금이다. 이제 우수한 회사들의 주인이 국가가 되는 사회주의혁명이 시작된 것이다.

오스템임플란트도 위와 똑같은 구조를 가지고 있다. 최대주주 최규옥은 19.62%의 지분을 가진 최대주주였다. 그런데, 여기에 이제 국민연금 3.89%, KB자산운용 3.47%, 라자드펀드 7.18%가 들어왔다. 이들이 들어온 이유는 회사가 우량회사이기 때문이었다. 기관전용사모펀드는 우량회사로만 들어온다. 여기에 이제 에프리컷(강성부 KCGI)펀드가 6.92%를 구매하고 들어온 것이다.[31] 그리고 행동주의(적대적 M&A)를 걸었다. 이때 오스템임플란트는 회사를 적대적 M&A세력이 빼앗기는 것이 억울하여서, 다른 기관전용 사모펀드인 유니슨 캐피탈과 MBK파트너스에게 모두 넘겨버렸다. 기관전용 사모펀드가 들어오자 강성부 펀드는 그 자금력을 감당할 수 없어서 회사를 포기해 버린 것이다. 오스템임플라트도 또한 그 회사 내에 현금만 4,500억원이 존재하는 상장시장 내에서 톱클라스의 회사였다.

마. 사모펀드의 10%룰 해제에 내재된 사회주의적 요소

무엇 때문에 문재인 정부에서는 기관전용 사모펀드 10%룰을 해체하였나? 김경수 판결문에 의하면, 좌파들은 국민연금을 통하여 국가자본주의(사회주의)를 시도하는 자들이었다. 우리는 이 시각으로 이 사건을 해석해 볼 필요가 있다.

우리나라 총 경영참여형사모펀드의 규모는 2021년 6월말 현재 약 100조정도(최근 126조)이다. 이중 국민연금기금의 사모펀드 투자액은 33.5조원인데, 이때 LP로서의 국민연금기금과 기관투자가들은 GP(운용사)들에게 막강한 주도권을 가지고 있다. PEF 협의회 회원사 50개 중에서 31개사에게 위탁된 금액이 1조원 이상이다. 이들 회원사들은 어마어마한 혜택을 준국가기관(국민연금, 산업은행 등)으로부터 기관전용 사모펀드를 위탁받고 있다.

---

31) 강성부의 KCGI 펀드는 최근 메리츠 자산운용의 주식 전량을 500억원에 인수하였는데, 메리츠자산운용의 운용자산은 3.7조에 이른다. 이제 이 메리츠자산운용도 그의 자금중 상당량을 사모펀드사로 투자할 수 있는데, 강성부의 본질이 행동주의 펀드이기 때문이다. 행동주의자들이 지금 집합투자기구를 장악하고 있다.

국민연금기금 『수탁자책임활동지침』에 의하면, 국민연금은 펀드에 자금을 투자할 때, 이사 혹은 감사를 추천하여 관리하게 되어있다. 이들은 국민연금과 같은 기관의 수족과 같이 움직인다. 국민연금이 이들을 국민연금이 선언한 "소액주주보호"의 취지에 따라 "기업지배구조개편"의 방편으로 이용한다고 생각해보자. 이들과 함께 첨단 대기업의 경영권을 장악하는 일은 일도 아니다.

상장사에 들어온 기관전용 사모펀드는 먼저 4대기업 중 하나인 삼성전자에 대해 1%(혹은 0.5%)의 지분을 취득하고, 감사로 취임을 한다. 대주주는 3% 의결권 제한을 받기 때문에 얼마든지 진입이 가능하다. 국민연금과 블랙락펀드가 동의하면 감사로 진입을 한다. 그리고 이제 1%의 지분으로 경영권교체 주주제안을 한다. 현재 이재용씨 지분은 21.2%이며, 국민연금과 블랙락펀드가 15%이다. 이제 여기에 몇몇 기관전용 사모펀드가 합세하면 삼성전자의 지배구조도 무너뜨릴 수 있다. 이것이 국가자본주의(사회주의) 혁명이다.

바. 대안 : 계약서통한 기관전용 사모펀드 관리와 집합투자기구 의결권제한

기관전용 사모펀드는 궁극적으로 국민연금과 같은 공적기관의 자금이다. 따라서 이들 자금은 국민연금과 똑같은 제약을 받아야 한다. 국민연금이 기업의 경영권에 영향을 미치는 행위에 제한을 받고 있다면, 국민연금에서 제공한 그 기관전용 사모펀드도 또한 동일한 규제를 받아야 한다.

먼저, 국민연금의 기관전용사모펀드에 대한 지배력이 정확하게 파악되어야 한다. 현재는 추정단계인데, 그 지배력이 성립되면, 그것은 국민연금의 일부로 간주되어야 한다. 그런데, 문제는 기관전용사모펀드가 상장사 지분을 취득하고 있기만 하여도 그 자금은 행동주의에 이용을 당한다는 것이다. 이 내용들은 정상적인 입법이 이루어질 때까지 매년 국정감사의 대상이 되어야 한다.

두 번째, 기관전용 사모펀드의 운용과 관련하여 계약서에 10%룰에 준하는 내용들이 부가되어야 한다. 그래서 설령 자본시장법에서는 10%이상 투자한다는 룰을 해체하였을지라도, LP(국민연금)와 GP(PEF운용사)간의 계약서에는 이러한 내용들을 삽입하여 관리하여야 한다. 그래서 기관전용 사모펀드가 기존의 취지에 따라 산업진흥용으로 투자되도록 하여야 한다. 왜냐면, 그것은 공적자금이기 때문이다. 그러나 해외펀드와 금융기관이 LP로 있는 펀드는 이와 같은 작업을 할 수 없다.

세 번째, 궁극적으로 집합투자기구에 대한 의결권 제한을 10%에서 통화량 증가분만큼 고려하여 1-2%로 의결권을 제한하여야 한다. 지난 2004년부터 2021년까지 17

년동안 기관전용 사모펀드의 규모가 240배 증가하였다. 이러한 금융자본의 폭발이 집합투자기구 의결권제한 규정에 반영되어야 한다. 그리고 그 이상의 의결권을 허용할 경우에는 그 내용을 별도의 법률로 정하여야 한다.

4장 중국펀드와 전자투표

< 서 론 > "사모펀드-국민연금-집합투자기구-중국펀드" 아젠다

가. 경제적 개념으로서의 공산주의

공산주의는 자유민주주의(자본주의)의 반대개념이다. 자유민주주의의 자유에서 맨 상위에 존재하는 자유는 소유의 자유이다. 이 소유의 자유가 각각의 개인들에게 인정되는 것이 자본주의이며, 자유 민주주의이다. 그리고 여기의 소유 중에서 가장 상위에 있는 소유는 생산수단이다. 생산수단은 일자리이며, 생계로서의 의미를 지닌다. 그러니까 경제적 자유는 일자리와 생계 곧 생존권의 문제인 것이다. 그래서 생존권의 일환인 생산수단을 국민들이 소유하는 것을 자본주의 혹은 자유 민주주의라 하는 것이며, 그것을 국가가 장악하는 것을 공산주의라고 한다. 국가가 모든 사람들의 생산수단, 일자리, 생계를 좌우하는 구조를 갖는 것이 공산주의인데, 생계문제를 국가에 의존하고 있기 때문에 이것을 전체주의라고 하는 것이다.

과거에는 생산수단이 토지였다. 토지를 소유한 자가 전체의 국민들을 지배한다. 그런데, 오늘날의 생산수단은 토지가 아니라, 기업이다. 기업이 모든 생산품들을 만들어내며, 그것을 만들어내는 과정 속에서 그 구성원들에게 소득을 제공한다. 그래서 기업이 생계유지의 도구가 되어 있는 것이다. 이것을 장악하는 것이 공산주의이다.

모든 자본주의 국가에서 기업들은 유사한 구조를 가지고 있는데, 그것은 소수의 대기업이 그 나라의 핵심적인 부를 창출하고, 다른 모든 중소기업들은 이 대기업의 하청사의 형태를 띠고 있다는 것이다. 이러한 현상은 우리나라 대한민국은 유독 심하다. 대한민국의 현재 경제구조는 4대기업만 장악되면, 경제 전체가 장악된다고 생각해도 무방하다. 우리나라는 속이 이러한 대기업 의존구조를 넘어서야 한다. 대기업을 무너뜨림을 통해서가 아니라, 강소기업들이 등장을 해서 그러한 구조를 구축하여야 한다.

결국 공산주의는 정치적인 개념이나, 사회적인 개념이 아니라, 경제 개념이라는 것을 우리는 잊어서는 안 된다. 우리나라에서 사회주의를 추구하는 정당들은 무수히 많은 사회주의적인 요소를 국가에 도입시키고 있으며, 심지어는 역사마저 왜곡시킨다. 그러나 그렇게 한다고 해서 나라가 부패할 수는 있지만, 공산주의 혹은 사회주의라고 말할 수는 없다. 대기업이 국유화되어야 비로소 사회주의라고 일컬을 수 있는 것이다.

나. 대한민국 내의 사회주의 전통

우리나라의 제도권 속에 사회주의가 정상적으로 싹트기 시작한 것은 2000.6.15. 김대중과 김정일의 6.15공동선언이다. 이 선언을 통해 낮은 단계의 연방제 안이 출현을 하였으며, 2001.9.22. 군자산의 약속을 통해 사회주의자들은 제도권 속으로 들어가는 것으로 그 방향을 설정하였다. 이 일에 김대중 전대통령이 연루되어 있으며, 김대중에 대한 재평가 작업이 전개되어야 한다.

경제분야에서의 사회주의 연구는 참여연대와 그와 함께 하는 많은 시민단체들에서 진행이 되었다. 그러면서 2006년도에 장하성은 해외펀드(리자드)의 도움을 받아 한국 기업들의 지배구조 해체를 시도하였다. 이때부터 대기업 지배구조 해체를 위한 금융 자본 활용이 연구되기 시작하였다.

장하성은 이러한 활동을 기초로 삼아 2014년도에 『한국 자본주의』라는 책을 써서 나름대로의 대기업 지배구조 해체를 위한 기획서를 사회주의 운동가들에게 제시하였다. 그리고 2016년 대선에서 드루킹 파문이 일어났는데, 이때의 김경수 판결문에 의하면, 미치 『한국 자본주의』에서 제시하는 수제에 답을 하는 것과 같은 내용들이 나타난다. 그들은 "국민연금 스튜어드십코드 - 국민연금 의결권행사 - 전자투표"를 그 경제민주화(재벌해체)의 방법론으로 말한다. 이 판결문에는 사모펀드는 나타나지 않는데, 그것은 생략되었을 뿐이다.

문재인이 정권을 잡자 이러한 결과물들이 수면위로 드러나기 시작하였는데, 위의 내용들이 정부의 주도 하에 입법활동과 각종 규정의 변경을 통해서 시도되었다. 경제 분야에 혁명이 일어났다고 해도 과언이 아니었다.

다. 사-연-집-중 아젠다

좌파들은 첨단 대기업의 해체와 관련한 전략을 세우고 공규하고 있다. 그것은 사모 펀드가 주주제안을 하고, 그 다음에 국민연금이 의결권행사를 한다. 그런데, 이렇게 사모펀드와 국민연금만 가지고는 첨단 대기업의 지배구조를 변화시킬 수 없다. 그래서 그들이 마련한 것이 중국의 자금이었으며, 이것을 끌어오는 방법이 전자투표인 것으로 추정된다.

중국 국유자금의 자금력은 어마어마하다. 2021년도 이들의 1년 순이익이 중앙국유 기업 450조, 지방국유기업 350조원 정도이다. 중앙 국유기업 이익 5년분만 모으면, 우리나라 상장사들 시가총액과 거의 규모가 같다. 즉 우리나라 상장주식 전체를 소유 할 수 있는 규모라는 것이다. 이들은 우리나라 상장사 주식을 단순 예치만 하면 된다. 그러다가 전자투표가 시작되면, 이제 어느 기업이든 그 기업을 사회주의자들의 손아귀에 넣어줄 수 있다. 중국은 이러한 형태로 특정 국가의 자본주의 체제를 공격할 수 있는 역량을 가지고 있다. 신코민테른이 시작된 것이다.

이것이 단순한 음모론이라고 말해 질 수도 있겠지만, 조사하는 것도 가능하며, 조사를 할 필요도 존재한다. 그것은 삼성전자의 주주구성을 살펴보는 것이다. 수많은 펀드들이 삼성전자 해외주주로 들어와 있다. 삼성전자의 시가총액을 400조라고 상정하고 계산을 해보면, 0.01% (1/10,000)의 지분이면 약 400억원이다. 400억원 이상 주주들의 국적을 조사해보면 된다. 중국 국유기업은 약 4만개(중앙 13,000개+27,000개 추정, 일대일로 관련 해외 현지법인 3,400개) 정도이다. 이들은 모두 『자본시장법』상 1인으로 간주되는 특수관계자들이다. 김경수 판결문에 나타나는 '전자투표'는 이들 중국국유기업들을 대한민국 기업들의 주주총회장에 끌어들이는 방법이라는 것이다. 지난 정권동안 국민연금은 이 일에 앞장을 서서 이 '전자투표' 제도를 우리나라 주요 대기업들에 접목시켜 내었다.

1. 김경수 판결문에 나타난 '경제민주화'와 '전자투표'

가. 『한국 자본주의』의 경제민주화

헌법 119조에는 '경제민주화'에 관한 이야기가 있다. 이 경제민주화는 김종인씨가 중심이 되어서 헌법 본문에 등재된 것으로 알려져 있다. 그런데, 현행 헌법 119조에 명기 된 '경제민주화'는 '소득재분배'를 통해 이루고자 하는 개념이다. 우리나라 헌법에는 사유재산의 간섭에 대해서 소득재분배까지는 허용되고 있다. 그러나 소유의 재분배는 자유 민주주의체제 하에서 소유권의 침해에 해당하여 허용되지 않고 있다. 그것은 사회주의 체제를 의미하기 때문이다. 따라서 소유의 재분배를 말하면, 이것은 헌법에 위배된다.

그런데, 『한국 자본주의』에서는 '더 넓은 경제민주화'의 이름으로 소유의 재분배를 버젓이 말하고 있다. 이 책에서는 소유의 재분배를 말하는 '더 넓은 경제민주화'가 진정한 민주주의라고 말한다. 김경수의 판결문에서, 김BB(김동원)는 '국민연금', '스튜어드십 코드', '전자투표' 등을 통해서 이 '경제민주화'를 이루겠다고 김경수에게 말하고 있는데, 그것은 대기업의 지배구조 해체를 의미하였다. 따라서 그것은 헌법에 위배되는 것이다. 김경수 판결문에서 김BB는 이러한 경제민주화를 이루기 위해 댓글조작을 하게 되었다고 말한다. 그리고 김경수는 궁극적으로 여기에 합류하게 된다. 이것은 문재인 정부에게도 충분히 전달된 내용으로 보아야 한다. 왜냐면, 그 후에 이 모든 것이 정책에 반영되었기 때문이다.

이곳 김경수 판결문에 나타난, '국민연금'과 '전자투표'는 무엇인가? 대기업의 지배구조(소유권)를 개편하여 국가로 가져올 때, 국민연금이 우리나라 대부분의 대기업들의 2대 주주이기 때문에 의결권행사를 통해서 이 일에 관여한다는 것은 알겠다. 그렇다면, 전자투표는 무엇인가? 일반적으로 사람들은 이해할 때, 그 '전자투표'는 소액주주들의 주총참여로 생각을 한다. 그러나 그렇지 않다. 여기에서의 전자투표는 중국자금의 주총참여를 의미한다. 삼성전자의 경우, 소액주주가 700만명 이상이지만, 전체지분의 51% 이상이 해외주주이다. 그리고 주식을 알고 있는 전문가들은 이 해외주주의 방대한 규모 속에는 중국 국유기업과 중국펀드가 있다는 것을 생각한다. 어떤 사람들은 지난 문재인 정부 때 장하성이 중국어도 잘 못하면서, 왜 중국 대사로 갔느냐고 하면서 의구심을 나타낸다.

우리는 이러한 관점에서 전자투표의 문제를 이해할 필요가 있다. 국내 소액주주들이 삼성전지의 주총에 참여하는 것은 허용되어야 한다. 그러나 우리나라와 체제가 다른 공산주의 체제를 가진 국가의 자금이 우리나라 대기업들의 주주총회에 참여하는 것은 바람직하지 못하다. 그리고 무엇보다 중국펀드는 우리나라 『자본시장법』제150조(위반 주식 등의 의결권행사 제한 등)에 위배된다. 특수관계자 공시를 하기 전에는 그 지분의 의결권이 5%로 제한된다. 따라서 해외주주들에 대해서는 전자투표가 보류되어야 한다.

나. <2016.11.9. 이전에 이루어진 피고인(김경수)과 김BB(김동원)의 만남 등>

우리는 먼저 김경수의 판결문을 한 번 살펴볼 필요가 있다. 김경수는 문재인 정부의 핵심인물이다. 김경수의 댓글조작은 드루킹 김동원을 통해서 이루어졌는데, 이들의 만남을 김경수 판결문에서 소개하고 있다. 다음의 <판결문>의 내용에는 김동원이 김경수를 소개받은 경위가 나타나 있다.

(김BB이 피고인을 소개 받은 경위) 김BB은 경00[32] 회원들을 상대로 한 강의나 글

---

32) '경00'은 '경공모(경제적공진화모임)'를 의미한다. 판결문에 의하면, "경00는 기본적으로 노LL 전 대통령의 사상에 친화적인 성향을 가진 회원들로 구성되어 있었고,… 소액주주권 행사 등의 방법으로 적대적 M&A를 시도하여 재벌을 해체하고, 재벌을 대체한 주요 기업들에 대한 경00의 지배 및 소유를 통하여 경제적 민주화를 달성하고자 하는 목적을 가지고 있었다."고 소개하고 있다.
『나무위키』에서는 "드루킹은 경공모를 설명하면서, 시민들이 주도하는 경제민주화를 통해 부도덕하고 무능한 재벌 오너들을 쫓아내고 기업과 경제시스템을 바로잡기 위한 운동"이라고 소개하며, "경공모는 본래 경제민주화 및 소액주주운동을 위한 목적으로 회원을 모집하였다"고 말한다. 그리고 이 단체는 거의 사이비 종교의 수준으로까지 나아갔다.

등을 통해 "2012년경에는 적대적 M&A를 통한 대기업 인수 및 두00마을[33] 건설이 달성될 것"이라고 주장해 오다가 시간이 지남에 따라 위 목표 달성시점을 2014년으로, 다시 2016년으로 계속 미뤄오면서 경00 운영에 있어 어떤 가시적 성과를 낼 필요성을 느끼게 되었을 뿐만 아니라, 전략회의팀을 중심으로 적대적 M&A와 관련한 소액주주 의결권 등 법적쟁점을 논의하면서 관계법령과 제도의 변화가 전제되려면, 입법과정에서 정치인의 협조를 구하거나 정치인을 통해 위와 같은 변화를 주도할 수 있는 고위공무원 등 직위에 경00 회원들이 임명되도록 하는 등 정치권의 도움 없이는 경00의 목적달성이 불가능하다는 판단을 하게 되었다. 이러한 상황에서 김00은 정치권 인사와 접촉하기 시작하였는데, 2012년에는 유XX과 접촉하여 경00에 유XX을 초빙해 두 차례 강연을 들었다.…

2016년 3월 경에는 제 20대 국회의원 총선거에 출마 예정인 노YY에게 불법 정치자금을 지원하고, 그 대가로 국내재벌기업의 주식을 보유한 국민연금관리공단 이사장직 등에 경00 회원이 임명될 수 있게끔 영향력을 행사해 달라고 요구하려다가 노YY의 관계단절로 계획이 성사되지 못하였다.

위의 내용을 주제별로 부연설명 하자면 다음과 같다.

먼저, 대기업 지배구조의 개편방법으로 적대적 M&A가 2012년 전부터 논의되고 있다. 김동원은 이 목표를 이미 이 시점이전부터 설정하였다. 그렇다면, 적대적 M&A를 통한 대한민국 대기업 해체가 『한국 자본주의』 이전부터 있었다는 이야기가 된다. 『한국 자본주의』는 2014년도에 기록되었기 때문이다. 좌파들의 세계에서 금융을 통한 적대적 M&A로 대기업들을 장악하여 대한민국을 공산화한다는 전략이 이미 그 이전부터 수립되어 있었던 것이다. 이것은 아마 2001.9.22.의 군자산 약속 이후부터 본격적으로 논의된 것으로 추정된다. 그리고 2006년도에 장하성이 <장하성 펀드>를 조성하여 행동주의를 시작하였을 때, 이러한 것에 대한 논문이 참여연대 계열의 단체에서 먼저 나왔다. 우리는 좌파들의 대한민국 사회주의화 전략이 금융자본을 통한 대기업 M&A임을 알아야 한다.

두 번째, 그들은 이러한 대기업지배구조 해체를 소액주주운동으로도 부른다. 그것은 『한국자본주의』에 의하면, 소액주주들의 배당요구를 대기업지배구조 해체의 방법으로 말한다. 즉, 소액주주들이 대기업들에게 배당을 요구하면서 대기업들이 해마다 발생하는 이익금을 모두 처분하게 하는 것이다. 그리고 기업들의 확장은 차입금이나 유상증

---

33) 경공모 회원들의 공동체 마을을 의미한다.

자를 통해서 하게 한다. 그렇게 하면, 즉 유상증자를 하게 하면 대주주의 지분이 희석화 되기 때문에 자연스럽게 대기업의 지배구조가 해체된다. 이러한 황당한 전략이 그후 문재인 정부에서는 『자본시장법 시행령』 154조의 개정을 통해서 시도되었다. 즉 154조 4호에서 '배당'을 주주제안에서 뺌을 통해서 국민연금이 이 배당정책에 관여할 수 있도록 한 것이다.

세 번째, 좌파들은 국내재벌기업의 주식을 보유한 국민연금관리공단 이사장직을 이용하여 이 일을 행하고자 하였다는 것이다. 이것도 문재인 정부에서 고스란히 반영된 것으로 보인다. 그 대표적인 것이 국민연금의 스튜어드십코드 제도의 신설이다. 그들은 이미 국민연금 스튜어드십코드를 계획하고 있었다. 이것은 다음의 판결문에서 또 나타난다.

나. <2016.6.30. 피고인(김경수)과 김BB(김동원)의 첫 만남>

김경수 판결문 중에서 김경수는 드루킹 댓글조작의 김동원을 만났다. 이때 드루킹은 경공모를 소개하며, 자신들은 경제민주화를 위해 소액주주 운동 등을 하는 조직이라고 소개하였다.

김BB은 2016.6.30. 송TT, 구ZZ, 김II 등과 국회의원 회관에서 피고인을 처음으로 만났다. 김BB는 이 날 피고인에게 자신이 과거에 노사모 활동을 하였으며, 경OO는 경제민주화를 위해 소액주주 운동 등을 하는 조직이라고 소개하였고, 경OO에서 강연해 줄 것을 요청하였다. 이에 대해 피고인은 나중에 기회가 되면 하겠다면서 그 자리에서 바로 강연요청을 수락하지는 않았다.

다. 피고인의 2016.9.28. 첫 번째 경OO 사무실 방문(당시 브리핑 내용)

김경수는 2016.9.28. 경공모 사무실을 방문하였다. 여기에서 김동원은 경공모를 소개하였는데, 경공모의 목적이 "경제민주화의 실현"에 있고, 이를 위해 "소액주주들의 조직적 결집에 의한 지배구조변경을 추구한다"는 내용이 있다. 이것은 고스란히 『한국 자본주의』의 반영으로 보인다. 그리고 더 나아가 "재벌지배구조 변경을 위해서는 2017년 재선승리 및 정권장악을 통해 국민연금관리공단의 의결권 적극행사가 필요하다"고 말한다. 세 번째, 경공모가 추구하는 경제민주화의 도구는 소액주주운동, 국민연금 스튜어드십 코드, 주총에서의 전자투표 의무화 등을 말한다. 그 내용은 다음과 같다.

피고인이 2016.9.28. 첫 번째로 경00 사무실을 방문하였을 때, 김BB은 사무실 2층 강의장에서 피고인 및 경00 회원과 전략회의팀 멤버들 중 일부 등을 상대로 브리핑을 하였는데, 아래와 같은 사실 및 사정들을 종합하면, 당시 피고인을 포함한 참석자들에게 '경00소개 01' 내지 '경00소개 04'문서(증거순번 1152, 증거기록 18권 10017면)를 활용하여 그 내용을 브리핑한 사실이 인정된다.

(가) 피고인의 방문을 앞두고 박FF은 김BB의 지시를 받아 경00의 조직과 목적, 활동 등을 상세하게 소개한 PPT자료(증거순번 275-3, 증거기록 12권 7181면)를 작성하였고, 이후 김BB은 '경00 소개 01' 내지 '경00소개 04'라는 4개의 그림파일을 별도로 만들었다.

위 '경00 소개 01' 내지 '경00소개 04'의 내용을 살펴보면, ①'경00 소개 01'에는 경00 조직을 소개하는 내용이, ②'경00 소개 02'에는 경00의 목적이 "경제민주화의 실현"에 있고, 이를 위해 "소액주주들의 조직적 결집에 의한 지배구조변경을 추구한다"는 내용이, ③'경00 소개 03'에는 경00가 목표로 하는 재벌지배구조 변경을 위해서는 2017년 재선승리 및 정권장악을 통해 국민연금관리공단의 의결권 적극행사가 필요하다는 등의 내용이, ④'경00 소개 04'에는 경00 2017년 대선지원 조직을 크게 '00'와 '경인선'('경제민주화를 위한 인터넷 선플운동'의 약자'라고 설명이 부기되어 있다)으로 구분한 후, 경00는 민주당 권리당원 가입운동을 전개하여 당내경선을 위한 문00 지지표를 확보하고 대선승리를 위한 지역 오프라인 조직활동을 지원하며, 경인선은 네이버, 다음, 네이트 등에서 '좋아요', '댓글추천' 화력지원으로 언론, 기사조작을 막아내고, 경인선 회원들이 문팬, 젠틀재인, 오늘의 유머 등의 각 커뮤니티(1내지 9호차)에 참여한다는 내용 등이 상세하게 기재되어 있는데, 그 내용상 이는 박FF이 만든 위 '경00 소개서 ppt(v2)-외부인사용(그림)' 중 핵심내용을 간추려 정리한 것으로 확인 된다.

…(나) (다) (라) 생략 …

(마) 피고인은 첫 번째인지 두 번째인지 명확히 기억나지는 않지만 경00 사무실을 방문하였을 때, 경00 홈페이지를 띄운 화면을 보았으며, 김BB으로부터 '경00 소개, 문00 전 대표의 선플운동에 적극 동참하겠다는 입장 표명, 자미두수 설명, 경00가 추구하는 경제민주화나 이를 위한 소액주주운동, 스튜어드십 코드, 주총에서의 전자투표 의무화 등에 관한 설명'과 같은 내용을 들었다고 하였는데, 이는 '경00 소개 01' 내지 '경00 소개 04'를 활용하여 피고인에게 브리핑하였다는 사실과

배치되지 아니한다.

(바) 생략

(https://blog.naver.com/tnqlsjjang/222441087503)

(김경수 경남도지사 판결문 <서울고등법원 2020.11.6. 선고 2019노 461판결>①-기초적인 사실관계)

위의 내용에 의하면, 경제민주화의 도구는 소액주주운동, 국민연금 스튜어드십 코드, 주총에서의 전자투표 의무화 등이다. 『한국 자본주의』의 소액주주 운동이 전자투표로 까지 이어지고 있다. 그리고 좌파 경제학자들은 이제 대대적으로 "ESG와 전자투표"를 말한다. 그리고 국민연금은 자신의 대기업들 지배력을 이용하여 이것을 대대적으로 기업들에게 강요한다.

2. ESG와 전자투표

가. 국민연금의 『이사회 구성·운영 등에 관한 기준안내』의 목적

문재인 정부에서는 2020.1.29. 『자본시장법시행령』 154조 5항을 통해 '일반투자자'라는 개념을 생산하고, 이 시행령에 근거하여 2020.2-5 사이에 72개사에 대해 그 투자목적을 '단순투자'에서 '일반투자'로 전환을 하였다. 그리고 2020.7.31. 자로 『이사회 구성·운영 등에 관한 기준안내』를 각각의 기업들에게 발송하였다. 즉, 이젠 일반투자자로서 관리를 하겠다는 것이었다. 그런데, 그 내용을 면밀히 살펴보면, 그것은 이사를 추천할테니, 그것을 받으라는 것이었다.

그렇다면, 국민연금기금운용본부는 무엇을 명분삼아서 그와 같이 경영에 참여하려 하는가? 그런데, 그와 같이 경영에 관여하는 데에는 분명한 목적과 이유가 있어야 하는데, 표면적으로 제시하는 그 목적이 "소액주주 보호"이다. 즉, 국민연금이 소액주주들을 대변하기 위해서 그와 같은 행동을 한다는 것이다. 그 내용은 다음과 같다.

(핵심원칙 2) 주주의 공평한 대우
주주는 보유주식의 종류 및 수에 따라 공평한 의결권을 부여받아야 하고, 회사는 주주에게 회사정보를 공평하게 제공하는 시스템을 갖추도록 노력한다.
(세부원칙 2-①) 회사는 소수주주가 지배주주에 비하여 불공평한 대우를 받지 않도록 하고 자본구조 변경, 분할·합병, 주식분할·합병 등에 있어서 주식가치가 훼손되

지 않도록 노력한다.

(소수주주보호) 회사는 소수주주들이 지배주주 및 경영진의 권한 남용가능성으로부터
보호받을 수 있는 적절한 제도적 장치를 마련합니다.

이와 같은 소액주주보호는 곧 지배구조의 문제이다. 국민연금기금운용본부에서는
소액주주들을 대변할 뿐만 아니라. 소액주주들에게도 전자투표를 통해서 손쉽게 참여
하도록 해야 한다는 것이다.

좌파들은 "E(환경)-S(사회적기여)-G(지배구조)"에 목숨을 거는데, 사실은 G(거버넌
스)를 위해 E-S-G를 이용한다. 그들은 이 E-S-G를 진리처럼 외친다. 문재인 정부때
E-S-G는 거의 매일 신문지면을 장식하였다. 그래서 여기에 역행하면, 해당회사는 스
튜어드십 코드를 적용해도 될 정도였다.

나. 지배구조의 문제와 전자투표

문재인 정부 때의 모든 경제연구소에서 마치 ESG를 절대 진리인양 외쳤는데, 다음
의 표는 <한국지배구조연구원>의 ESG 평가기준표이다. 다음의 표에서 "지배구조"항
목 "주주권리보호"의 핵심에 전자투표가 자리잡고 있다.

부문	기본평가	총점	소계
환경	환경전략	45	300
	환경조직	30	
	환경경영	115	
	환경성과	85	
	이해관계자 대응	25	
사회	근로자	130	300
	협력사 및 경쟁사	60	
	소비자	60	
	지역사회	50	
지배구조	주주권리보호	100	300
	이사회	100	
	감사기구	50	
	공시	50	
소계			900

(출처: 한국기업지배구조원)

위의 지배구조에서 첫 번째가 주주의 권리보호이다. 일반적으로 주주의 권리는 오
직 의결권행사 밖에 없다. 그래서 여기에서의 "주주의 권리보호"는 "의결권행사"를

원활하게 하기 위한 "전자투표"를 말하는 것이다.

소액주주를 돕는다는 명분으로 국민연금기금운용본부에서는 기업들에게 이제 지배구조의 문제를 공평하게 하기 위해서 전자투표를 강요하기 시작한다. 전자투표는 국내의 소액주주들을 빌미로 삼고 있다.

그런데, 그 진정한 저의는 따로 있는데, 소액주주를 핑계 삼아 전자투표를 해외의 기업들로 확장시키고자 함이다.

다. 『국민연금법』에 나타난 기업지배구조 문제

우리나라에서 기업들에게 가장 큰 영향력을 행사하는 기관이 국민연금이다. 국민연금기금운용본부가 "소액주주운동"의 맨 앞장에 서 있으며, 그 운동의 핵심이슈가 "ESG와 전자투표"이다. 『국민연금법』 102조는 "국민연금기금의 관리 및 운용"과 관련한 조항인데, 2015년도부터 4항에 다음과 같이 명문화되어 있다.

제102조(기금의 관리 및 운용) ① 기금은 보건복지부장관이 관리·운용한다.
② 보건복지부장관은 국민연금 재정의 장기적인 안정을 유지하기 위하여 그 수익을 최대로 증대시킬 수 있도록…기금을 관리·운용하되,…
④ 제2항 제3호(주식투자)에 따라 기금을 관리·운용하는 경우에는 장기적이고 안정적인 수익 증대를 위하여 투자대상과 관련한 환경·사회·지배구조 등의 요소를 고려할 수 있다.

한국기업지배구조연구원의 E-S-G 평가표에서 알 수 있듯이, G의 첫 번째가 "주주권리보호"인데, 이것은 다른 표현으로 하면, "전자투표"이다. 이것은 『국민연금법』 102조 4항을 통해 법으로 제정하여 지배구조의 문제를 거론하고, 국민연금의 『이사회 구성·운영 등에 관한 기준안내』에서도 노골적으로 소액주주를 대변하기 위해 이사를 파견하겠다고 한 것이다. 국민연금에서는 우리나라 4대기업을 중심으로 한 대기업들에게 전자투표를 하지 않고는 견딜 수가 없게 만든 것이다.

그러나 소액주주들은 거의 전자투표를 하지 않는다. 여기에서의 전자투표는 소액주주운동의 일환도 있겠지만, 그것은 빌미일 뿐이며, 해외자금을 4대기업의 주총에 끌어들이기 위한 것이다.

사회주의자들이 사모펀드 혹은 기관전용 사모펀드를 조성하여 "주주제안"을 하면,

국민연금이 여기에 가편투표를 한다. 그래도 대주주의 지분에는 미치지 못하는데, 국민연금은 집합투자기구로서 10%의 의결권제한을 받기 때문이다. 그 나머지를 중국펀드로 채우고자 함인 것이다. 김경수와 김동원이 말한 전자투표는 바로 이것이었다. 이렇게 하여 국민연금과 전자투표로 지배구조를 해체하겠다는 것이다. 따라서 소액주주를 위한 전자투표가 아니다. 문재인은 장하성을 중국대사로 파견하였는데, 그가 중국대사로 있으면서 한 일이 무엇인지 많은 사람들이 궁금해 하고 있다.

공산주의자들은 국가보다 이데올로기가 그 위에 있다. 중국 공산당은 각국의 사회주의자들을 도와서 각각의 나라에 공산혁명을 하려한다. 중국 국유기업은 펀드 형태를 가장하여 각 나라의 상장사에 그들의 자금을 예치하고 있다. 삼성전자를 비롯한 4대기업에 예치만 하고 있으면 된다. 언젠가 행동주의 펀드가 일어나서 "주주제안"을 하면, 여기에 가편투표만 하면 되는 것이다. 이때 각국의 사회주의자들은 전자투표 제도를 증권시장에 실현시켜 놓아야 한다.

3. 중국 국유기업

우리는 중국 국유기업의 자금력을 이해할 필요가 있다. 이 국유기업들이 펀드형태로 주요 국가의 상장시장에 진입하여 있을 것으로 많은 사람들이 추정하고 있다. 우리나라의 경우에도 이에 대한 조사가 한 번쯤은 필요하다.

가. 중앙 국유기업의 순이익

초이스 경제 홍인표 기자는 신화통신의 자료를 인용하여 "중국 경제를 이끌고 있는 국유기업 경영상태가 회복세를 보인 것으로 나타났다"고 제하의 기사를 통해, 2021년 10월말 총국유기업 순이익이 3조8000억 위안이며, 96개의 중앙국유기업의 순이익이 2조5300억 위안이라고 말한다. 그 내용은 다음과 같다.

중국 재정부는 올 들어 10월 말 현재 국유기업 순익이 3조8000억 위안(5940억달러)을 기록해 전년 대비 47.6% 늘었다고 지난 25일 발표했다. 관영 신화통신이 재정부 자료를 인용해 보도한 바에 따르면 국유기업 매출은 60조4000억 위안으로 전년 동기 대비 22.1% 늘었다. 국유기업의 '대표선수' 격인 중앙기업(중앙정부가 직접 관장하는 96개 국유기업)은 순익이 2조5300억 위안을 기록해 지난해 동기대비 44.0% 늘었다. 중앙기업 매출은 33조8515억 위안으로 전년 동기 대비 21.3%

늘었다. (신화통신, '중국 경제 견인차' 국유기업, 경영상태 회복세, 초이스 경제 홍인표 기자, 2021.11.26.)

우리는 이제 위의 내용을 통해 중국 전체기업의 순이익을 추정해 볼 수 있다. 2021년도 96개(자회사 포함시, 13,000개) 중앙국유기업의 순이익은 "2.53조 위안 × 12/10 = 3조 위안"이며, 이것은 원화 환산시(환율 180원 가정) 540조원이다. 그리고 중앙과 지방(27,000개)을 합산한 총 국유회사의 순이익은 "3.8조 위안 × 12/10 = 4.56조위안"이며, 이것은 원화 환산시 820조원이다.

여기에서 우리는 이 금액이 갖는 의미를 살펴보아야 하는데, 그것은 고스란히 중국 공산당의 자금이다. 그리고 그 공산당의 모든 자금은 1인(국가주석)의 명령 아래에 있다. 즉, 이들 모두는 특수관계자라는 것이다. 이들이 만일 서방세계의 지분에 투자를 한다고 해 보자. 그럴 경우, 이들의 모든 투자금은 합산되어서 관리되어야 한다. 이것이 서방세계 모든 나라의 법규이다.

한편, 미국과 다른 서방세계는 이 국유기업의 이익을 보고 놀랐다. 이 금액이 5년 동안 축적된다고 해보자. 아마 그렇게 축적되었을 것이다. 총국유기업이 아닌 중앙국유기업의 이익이 5년 동안 축적되었다고 가정해 보자. 이 경우, 540조원×5년=2,700조원이다. 이 중국의 중앙 국유회사의 5년 동안의 순이익이면, 우리나라의 상장사 지분 모두를 구매할 수 있다. 참조로 우리나라 2021년도 상장사 시가총액은 2,580조원이었다.

나. 공산당의 국유기업 지배력

우리는 중국의 국유기업은 전적으로 공산당의 지배를 받는다는 것을 잘 인식하여야 한다. 우리는 다음의 소개들을 통해서 어떻게 공산당은 국자위를 통해서 국유기업들을 어떻게 관리하는지를 알 필요가 있다.

국유기업은 민영기업과는 달리 모든 부문에서 중국 공산당의 통제를 받는다. 공산당 중앙위원회가 국영기업 대표를 임명한다. 화웨이 런정페이와 같이 대다수 국유기업 대표는 국가 정보기관이나 군 출신이다. 비효율과 부패에도 불구, 공산당의 비호아래 대규모 자금을 동원하여 해외 첨단기술과 천연자원을 확보하는 임무를 수행한다. 이러한 상황에서 기업경영구조의 투명성이나 효율성을 기대하기 힘들다. (머니박스 평택송탄, "중 경제의 대들보 국유기업, 2021.7.24.

(https://blog.naver.com/khan120/222443858616)

주요 국유기업 CEO의 책상에는 보통 대형 모니터와 붉은색 전화기가 놓여 있는데요, 대형 모니터는 주가 동향을 실시간으로 보여주고요, 붉은색 전화기는 당 중앙과의 핫 라인입니다. 국유기업이 이윤을 추구하는 상업조직이면서도 여전히 당의 지배를 받는다는 상징적 의미일 텐데요. 국영기업 경영자들은 회사의 이익과 당의 이익을 동시에 추구해야 합니다. 공산당은 국유기업들에 대한 통제를 유지하면서도 10여년만에 상업적으로 성공한 조직으로 탈바꿈시켰습니다. 궈수칭 전 중국 건설은행장은 "현대 중국에서 기업이 사회주의를 성공시키는 건 주주들의 수익률을 극대화하는 것"이라고 얘기한 바 있는데요. 물론 기업의 최대 주주는 공산당이죠. 공산당은 거대해진 중국 경제를 이처럼 성공적으로 통제하고 있습니다. 앞으로도 도전은 계속 되겠지만, 지금까지는 공산당의 승리인 것 같습니다.
((주)이야기 실시간 뉴우스, "중국 국유기업이야기,"2021.10.17, https://bium gonggan. tistory.com/1045)

위의 이야기는 무엇인가? 중국 공산당의 힘은 세계 최강이라는 것이다. 미국은 세계 GDP 1위의 국가이다. 그리고 중국은 세계 GDP 2위의 국가이다. 그런데, 중요한 것은 중국 GDP의 50%는 국유기업이라는 한 주체에 의해서 공급된다. 미국에 아무리 많은 글로벌리스트들이 존재하여서 미국을 좌지우지 한다고 하더라도, 그들은 모두 개별적 존재들이고, 공산당은 모든 국유기업을 한꺼번에 통제한다.

다. 중국 국유기업의 수

중국 정부가 발표하는 국유기업의 수는 그 범위를 어떻게 잡느냐에 따라 달라진다. 최근 중국 국유기업의 규모를 파악할 수 있는 자료가 공표되었는데, 그것은 지난 2000년 6월 30일, 중국 중앙전면개혁심화위원회(中央全面深化改革委员会)가 개최한 제14차 회의에서 《국유기업 개혁 3년 행동방안(2020~2022년)》이 나오고, 그 결과를 2022년 4월에 "中 국유기업 개혁, 실력파 경영진 임기제 도입 적극"이라는 문건을 발표함을 통해서 이다. (신화통신, 중국정보플랫폼 2022.4.6.에서 재인용)

이에 의하면, 중앙기업은 13,312개(12,900개÷96.9%=13,312개)이며, 지방국유기업은 26,700개(26,300개÷98.5%=26,700개)로서 도합 40,012개이다. 이 자료가 중국 정부에서 발표한 가장 최근의 자료이다. 어떤 블로거는 전체 국유기업이 중국 GDP의 50%를 차지하여 공급하고 있다고 말한다.

중국 국유기업은 중앙정부가 출자하여 운영하는 중앙국유기업, 지방정부가 출자한 지방국유기업, 국무원 등이 운영하는 중앙부처 관리기업 등으로 나뉜다. 또 정부 지분에 따라 국유독자기업, 국유독자회사, 국유자본지주회사 등으로 구분한다. 이들은 국방, 전력, 수도, 석유, 천연가스 등 핵심 인프라에서 부터 은행업, 보험업, 담배, 금, 문화 ,출판 등 주요 서비스 산업을 공산당 대신 운영, 관리하고 있다. 정부의 통제나 소유 하에 있는 부문이 어림잡아 GDP의 50%가 넘는다는 분석이 지배적이다.(머니박스 평택송탄, "중 경제의 대들보 국유기업, 2021.7.24. https://blog.naver.com/khan120/222443858616)

중국의 국유기업은 중앙국유기업과 지방국유기업으로 크게 구분할 수 있다. 이때 중앙국유기업은 중국의 정부에서 국자위를 통해 철저히 통제·관리한다. 이들은 일사불란하게 움직일 수 있다. 이들 1만 3천개의 중앙국유기업이 대한민국의 삼성전자 지분을 0.01%를 구매한다고 해보자. 삼성전자의 총시가총액을 400조원이라고 가정했을 때, 중국 공산당이 중국 중앙 국유기업을 통해 20%를 보유할 계획을 세웠다고 하자. 그 금액은 "400조원 × 20% = 80조원"이다. 그럴 경우, "80조원÷13,000개(중앙 국유기업수)=62억원"이다. 여기에서 삼성전자의 시가총액이 400조원일 경우, 62억원은 0.01%에 불과하다. 0.01%의 지분이면, 소액주주 중에서도 흔적도 보이지 않는 소액주주이다.

삼성전자의 총 주주 수가 700만명 정도라고 한다. 이때 삼성전자에서 전자투표를 하고, 해외에서 전자투표 표결이 들어온다고 해 보자. 삼성전자의 지배구조는 순식간에 바뀔 수 있다. 삼성전자에 대하여 주주제안을 할 경우, 1년 이상 보유자는 0.5%이면 주주제안을 할 수 있다. 400조×0.005=2조원이면 된다. 우리나라에서 기관전용 사모펀드, 특히 PEF사 협의회 50개 회원사 중에서 1조원 이상의 자금을 가진 PEF사가 31개에 달한다. 이들 중에 행동주의 펀드가 있다고 해보자. 정부가 시비를 한번 걸어서 여론을 선동한 후에, 이 행동주의 펀드가 주주제안을 하면, 삼성은 순식간에 그 지배력을 상실해 버리는 것이다. 이렇게 해서 경영권을 장악한 행동주의 펀드는 곧바로 유상증자를 해서 영원히 삼성 대주주들을 아웃시켜버린다. 그러면 삼성은 곧바로 국유화되는 것이다. 해외동포 중 어떤 유투버는 문재인 전대통령이 취임후 얼마 안 되어서 삼성전자 정도는 국가가 관리하는 것도 좋다고 말하였다. 그래서 국가가 국민들을 먹여 살리는 것도 좋겠다고 말하였다고 한다.

그러나 우리는 여기에서 유념하여야 할 것이 있다. 그것은 우리나라 『자본시장법』에 의하면, 특수관계자의 지분은 모두 합산되어 관리된다는 것이다. 중국의 중앙 국유기업 13,000여개는 모두 한 실체의 특수관계자이다. 이들이 사전에 공시하지 않을 경우, 그 의결권은 5%로 제한이 된다. 중국 국유기업은 이것을 공시하지 않은 채 표결에 들어온 것이 된다. 이것이 관리되지 않는 상황에서는 해외 거주자의 전자투표는 보류되어야 한다.

라. 3차 코민테른의 위험성

중국 중앙국유기업이 평균적으로 약 400-500조원, 전체 국유기업이 평균적으로 약 800조원의 이익을 매해마다 내고 있으며, 이것을 중국 공산당이 관리하고 있다면, 시진핑 정부의 대국굴기나 중국몽은 전혀 이상한 개념이 아니다. 이것을 보고 가장 놀란 나라는 미국이었으며, 이때부터 미국은 중국을 방어하기 시작하였다. 미국이 자꾸 중국을 제재하는 이유는 이것 때문이다. 패권국에 2위국이 도전을 해서 제재하는 것이 아니라, 지금 이념전쟁이 벌어진 것이다.

한편, 중국은 이미 이러한 국유기업들을 통하여 145개 국가에 대해 1대1로의 기간산업 개발 프로젝트를 시작하였다. 이 모든 나라들이 공산권의 영향 아래에 들어가기 사작한 것이다. 이제 그들의 나라에서 사회주의 운동가들에 의한 사회주의 정부가 서기만 하면 된다. 이것이 개발도상국에 대한 코민테른 전략으로 보인다. 서방세계에서는 이러한 1대1로를 이렇게 의심하고 있다.

이러한 일대일로보다 더 큰 문제가 발생할 수 있는데, 그것은 국제간의 자금교류가 자유로우며, 각 나라의 증권시장은 외국을 향하여 열려있다는 것이다. 이 증권시장에는 그 나라의 모든 기업들의 소유권인 주식이 상장되어 있다. 그래서 자유롭게 투자의 목적으로 그 나라의 기업들의 주식을 거래한다. 여기에 중국 자금이 자유롭게 오갈 수 있다는 것이다. 이 경우 각 나라의 사회주의자들이 정권을 장악한 후, 중국 펀드를 이용하여 자신의 나라의 대기업을 국유화할 수 있다. 이것이 선진화된 국가에 대한 코민테른 전략으로 나타날 수 있다. 그리고 그것의 출발점은 전자투표이다.

마. 해외자본의 전자투표 보류

증권시장이 발달하고 산업화된 나라의 경우, 이 국유기업의 여유자금들은 우리나라의 증권시장에 자연스럽게 예치된다. 중국의 국자위의 한 마디 지시이면, 이것은 가능하다. 우리나라 4대기업 중 특히 삼성전자의 경우에는 해외자금이 전체 주주의 50%

이상이다. 그리고 알 수 없는 펀드가 그렇게도 많이 삼성전자 주식을 보유하고 있다.

전자투표를 하는 것은 뭐라고 말할 수 없다. 그런데, 해외지분 중에서 중국 자금의 경우, 국유기업들은 모두 1인의 지배를 받는 특수관계자들이다. 이들의 지분은 대한민국 『자본시장법』상 모두 합산하여 공시되어야 한다. 그렇지 않을 경우 5%로 의결권 제한을 받는다. 이러한 것이 파악도 되지 않았는데, 해외지분들로 하여금 전자투표에 응하게 할 수는 없다. 이것이 관리된 후에 전자투표를 하여야 한다.

따라서 국가가 국민연금을 이용하여 전자투표를 강요해서는 안 된다. 그리고 금융감독원은 해외펀드의 경우 모두 합산해서 공시할 수 있도록 각 기업들에게 조치하여야 한다. 중국 자금이 우리나라 대기업들의 의결권행사에 참여하게 할 수는 없다. 왜냐면, 그들은 공산주의 국가이며, 우리나라는 자유주의 국가로서 양자의 체제가 다르기 때문이다. 우리는 국민연금에 대하여 전자투표를 강요하지 말 것을 강력히 요청한다. 그리고 금융감독원을 향하여서는 해외지분 중에서 중국 관련된 지분과 펀드는 합산 공시되어야 한다. 그것이 불가능할 경우 전자투표는 해외에 대하여는 보류되어야 한다. 전자투표가 ESG 평가에 반영되어서는 안 된다. 여기에 좌파들의 전략이 숨어있는 것으로 보이기 때문이다.

4. 『자본시장법』상의 특수관계자 : 중국국유기업과 그의 펀드들

가. 『자본시장법』 147조, 주식 대량보유자의 공시의무

『자본시장법』 147조에 의하면, 주식 등의 대량보유자는 그 대량보유의 날부터 5일 이내에 그 보유상황, 보유 목적, 그 보유 주식등 등을 금융위원회와 증권거래소에 보고하여야 한다. 그렇지 않을 경우, 의결권이 5%로 제한이 된다.

> 제147조(주식 등의 대량보유 등의 보고)
> ①주권상장법인의 주식등을 대량보유(본인과 그 특별관계자가 보유하게 되는 주식등의 수의 합계가 그 주식등의 총수의 100분의 5 이상인 경우를 말한다)하게 된 자는 그 날부터 5일 이내에 그 보유상황, 보유 목적, 그 보유 주식 등에 관한 주요계약내용, 그 밖에 대통령령으로 정하는 사항을 대통령령으로 정하는 방법에 따라 금융위원회와 거래소에 보고하여야 하며,…

그런데, 위의 조항에서도 알 수 있듯이 특정 대주주의 모든 특수관계자들의 지분은 합산되어 1인의 대주주에게 귀속되어 관리된다는 것이다. 우리나라 상장시장에서 <중국 국유회사>와 <그의 펀드들>이 바로 이러한 특수관계자들인 것이다.

나. 특수관계자의 개념과 중국 국유기업

자본시장법 12조 2항 6호에 나타난 대주주의 개념은 "최대주주의 특수관계인인 주주를 포함하며, 최대주주가 법인인 경우 그 법인의 중요한 경영사항에 대하여 사실상 영향력을 행사하고 있는 자로서 대통령령으로 정하는 자를 포함한다"고 되어 있다. 그런데, 자본시장법상에서 대통령령으로 정하여진 것은 아니다. 그래서 특수관계자의 범위를 정할 때, 일반적으로 세법을 준용한다. 『국세기본법 시행령』 1조의 2에 나타난 특수관계자의 개념은 다음과 같다.

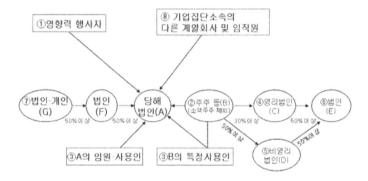

[국세기본법] 1조의 2 (특수관계인의 범위)
① 혈족·인척 등 친족에 해당하는 관계에 있는 자
② 임원·사용인 등 대통령령으로 정하는 경제적 연관관계에 있는 자
③ "주주·출자자 등 대통령령으로 정하는 경영지배관계"의 자
 1. 본인이 개인인 경우
 2. 본인이 법인인 경우
  가. 개인 또는 법인이 직접 또는 그와 친족관계 또는 경제적 연관관계에 있는 자를 통하여 본인인 법인의 경영에 대하여 지배적인 영향력을 행사하고 있는 경우 그 개인 또는 법인
  나. 본인이 직접 또는 그와 경제적 연관관계 또는 가목의 관계에 있는 자를 통하여 어느 법인의 경영에 대하여 지배적인 영향력을 행사하고 있는 경우 그 법인

다. 본인이 직접 또는 그와 경제적 연관관계, 가목 또는 나목의 관계에 있는 자를
통하여 어느 법인의 경영에 대하여 지배적인 영향력을 행사하고 있는 그 법인

라. 본인이 「독점규제 및 공정거래에 관한 법률」에 따른 기업집단에 속하는 경우
그 기업집단에 속하는 다른 계열회사 및 그 임원

중국의 모든 국유기업들은 위의 『국세기본법』 1조2의 특수관계자에 해당한다. 따라
서 이들이 모든 지분은 합산되어 관리되어야 한다.

다. 공시의무 미행자 의결권 제한

『자본시장법』 150조 "위반 주식등의 의결권행사 제한 등"에서는 100%를 초과하는
주식보유자가 그 공시의무를 다하지 못하였을 경우, 그 의결권을 5%로 제한한다.

제150조(위반 주식등의 의결권행사 제한 등)
①제147조제1항·제3항 및 제4항에 따라 보고(그 정정보고를 포함한다)하지 아니한
자 또는 대통령령으로 정하는 중요한 사항을 거짓으로 보고하거나 대통령령으로
정하는 중요한 사항의 기재를 누락한 자는 대통령령으로 정하는 기간 동안 의결권
있는 발행주식총수의 100분의 5를 초과하는 부분 중 위반분에 대하여 그 의결권을
행사하여서는 아니 되며, 금융위원회는 6개월 이내의 기간을 정하여 그 위반분의
처분을 명할 수 있다.····

중국 국유기업들이 우리나라 상장사의 전자투표 제도를 이용하여 소액주주를 가장
하여 의결권행사에 참여하는 것은 불법이다. 자유민주주의의 핵심은 생산수단으로서
의 기업이 국민들 각각에게 있다는 것이다. 소유의 자유가 인정된 것이다. 그런데, 이
와 정반대의 체제를 가진 공산주의가 자유주의의 핵심 생산수단에 접근하여 그 지배
구조를 사회주의자들에게 넘어가게 하는 것은 이념전쟁과 다를 바가 없다.

< 결 론 > 신코민테른의 출현 가능성

가. 신코민테른의 출현

오늘날 21세기의 신 코민테른은 어떻게 정의되어야 하나? 하나의 공산주의 종주국
이 굳건하게 설립이 되고, 그 종주국이 되는 나라가 각 나라에 사회주의 정부가 들어

설 수 있도록 모든 지원을 다한다. 그래서 사회주의자들이 각 나라의 정권을 장악하고, 그 나라에 사회주의를 건설하여 중국과 연대를 이룰 수 있다. 이것이 오늘날 우리가 상식 안에서 생각해 볼 수 있는 국제 사회주의의 성립 방법으로 보인다. 만일 이러한 연대의 멤버 중에 기술을 가진 국가가 있으면, 그러한 국가는 중국과 더불어 이 신 코민테른의 주도적 멤버가 될 수 있다. 중국 입장에서 우리나라는 그러한 대상일 수 있다.

우리는 요즘 시진핑 정부 들어서서 행하는 각종 행태들에서 이러한 모습을 발견하게 된다. 중국은 공자학원을 만들어서 전 세계에 유포한다. 선거에도 개입한다. 심지어는 전염병을 방치한다. 중국은 분명히 신코민테른을 의도하고 있다. 각국의 공산주의자들을 지원한다. 일대일로와 중국펀드의 전자투표는 신코민테른의 도구로 볼 수 있다. 중국은 저개발국가들에 대해서는 일대일로를 통하여 그 나라들을 장악해 가고 있다. 그리고 그 나라에 공산정부를 세운다. 그리고 중국의 펀드가 그 나라에 개입하여 대기업들을 국유화한다.

나. 중국펀드와 전자투표

오늘날 중국이 직면한 가장 큰 위기가 있는데, 그것은 중국이 숙주경제라는 것이다. 즉 공산주의에서는 신기술이 나타나지 않는다는 것이다. 오늘날 4차 산업이 열리고 있는데, 중국의 입장에서는 자유민주주의 시장경제의 선진국들의 기술이 절대적으로 요구되고 있다는 것이다. 그래서 중국은 이제 시작되는 4차 산업에서 자신과 협력 가능한 우군을 찾고자 한다. 그리고 무엇보다도 반도체 기술에서 활로를 찾고자 한다. 그런데 이 반도체 산업은 독자적인 기술개발로는 극복될 수 없는 기술이다. 각종 장비들의 도움을 받아야 하기 때문이다. 중국은 자신들의 열악한 기술력을 극복하기 위해서 천인계획을 추진해왔고, 여전히 추진 중이다. 기술을 가진 사람들을 각국으로부터 스카웃하는 것이다. 핵심기술을 가진 우리나라를 비롯한 각 나라들은 인력 단속에 심혈을 기울인다. 또 다른 방안은 기술을 가진 기업들을 M&A하는 것이다. 그런데 그것마저도 서방세계로부터 단속을 당하고 있다.

이때, 이보다 더 정교한 방법이 존재할 수 있는데, 그것은 첨단선도 기업이 사회주의 정부 하에서 국유화되는 것이다. 혹은 대기업을 사회주의자들이 장악하면, 중국과 우리나라는 신코민테른 체제 안에서의 상호간의 필요에 의한 경제적 협력관계가 되는 것이다. 중국의 입장에서 이러한 나라로서 가장 유력한 나라가 우리나라이다. 우리나라가 사회주의화되면, 삼성전자의 기술이 중국으로 흐를 것이다. 중국은 우리나라가 자신들과 같은 이념을 지닌 국가가 되어서 함께 미국과 대항하고자 하는 것이다. 우리는 중국을 경제적 협력관계로 생각하는데, 중국이나 사회주의 정부는 이러한 관계보다는 이념적 협력관계로 생각하고 서로의 의사결정을 할 수 있는 것이다.

다. 자유체제수호의 선두에 선 대한민국

중국이 무서운 속도로 세계에서 맹위를 떨치고 있다. 심지어 사회주의 세계에서 기축통화국으로서의 지위를 노리고 있다. 미국을 위협하는 공산주의 세계에서의 맹주가 나타나고 있는 것이다. 마치 세계가 경제의 탈을 쓴 이념전쟁 속에 빠진 것으로 보인다. 이때 우리나라가 중국과 대치하여 최전방에 위치하고 있다. 대한민국은 미국과 더불어서 세계의 자유체제 수호를 위한 최전선에 위치하고 있다. 우리나라는 세상 끝날까지 자유민주주의 체제를 수호하는 국가가 되어야 한다.

우리가 자유민주주의체제를 수호하기 위해서는 가장 먼저 대기업의 국유화를 막아야 한다. 그런데, 오늘날에는 금융자본을 이용하여 대기업 국유화를 시도한다. 우리는 좌파들의 이러한 전략을 사전에 봉쇄하여야 한다. 특히 우리나라의 금융산업이 제대로 관리되어서 대기업들을 대체할 수 있는 강소기업들을 출현시켜야 한다.

무엇보다도 우리나라 국민들이 깨어나서 지금까지 이승만·박정희, 더 나아가서는 전두환이 이룬 업적을 잘 계승하여야 한다. 공산주의자들이 경제문제를 통해 나라를 공격하고 있는데, 국민들이 이러한 경제계에서의 사회주의자들의 난동을 막아야 한다. 그래야 국가가 기업들을 보호할 수 있다.

5장 [요약] 국민연금과 사모펀드의 반란

<서 론> 『한국자본주의』: 사회주의 혁명기획서(?)

2014년도에 저술된 장하성의 『한국자본주의』는 국가자본주의(사회주의) 기획서로 간주될 수 있다. 이 책의 1부는 "소득주도 성장론"인데, 그 내용은 ①최저임금인상과 ②배당의 강요(소액주주 운동)이다. 여기에서 ②배당의 강요는 "더 넓은 경제민주화(재벌해체)"의 도구이다. 저자는 대기업들의 이윤을 통한 사업확장에 분노하며, 모든 잉여는 배당을 하고, 사업확장은 유상증자와 차입금을 통해서만 하게 해야 한다고 말한다. 그리고 곧바로 이어서 경제민주화(재벌해체)로 결론을 맺는다. 우리는 여기에서 배당이 경제민주화의 도구로 간주되고 있다는 것을 알 수 있다. 그리고 이 내용이 지난 정부에서 법령으로 고스란히 반영되었다.

2부는, 국가자본주의에 대한 찬양고무이다. 국가자본주의는 국가가 대기업의 대주주 자리를 대체하는 것으로서, 저자는 국가자본주의의 실현이 고장난 한국자본주의의 치유책이라고 말하며, 국가자본주의가 공산주의가 아니라고 말함을 통해 그것이 사회주의라는 사실을 은폐한다.

3부는, 한 마을 이야기를 통해서 정부가 대주주의 자리를 대체하여 한 마을에 선정을 펼치는 이야기를 전개하며, 투표(민주주의)로 자본(자본주의)을 이기자고 한다. 이것은 정권창출을 통한 국가자본주의의 실현으로 해석될 수 밖에 없다.

장하성의 경제민주화 기획은 김경수의 드루킹을 통한 댓글조작 판결문에 나타나 있는데, 그 방법론이 "국민연금 의결권행사의 강화, 국민연금 스튜어드십코드, 전자투표"로 나타나고 있다. 그리고 문재인 정부는 정권을 통해 이러한 '더 넓은 경제민주화'(재벌해체) 혁명전략을 정책과 법령 등에 반영하였다.

1. 국민연금의 반란

가. 국민연금 의결권의 무차별적 행사

우리나라 헌법 126조에 의하면, "국가는 사영기업을 국유 또는 공유할 수 없으며, 그 경영을 통제 또는 관리할 수 없다"고 되어 있다. 이때 사영기업은 법인기업과 개인기업으로 나뉘는데, 법인기업은 그 주식을 보유함을 통해서 소유(부분적 국유) 또는 공유행위를 하게 된다. 우리나라 국민연금은 그 연금기금의 투자로 인하여서 상장사 대기업 1위부터 172위까지의 우량기업에 대해서 2대주주이다(2020년초 기준). 여기에서 국민연금이 예치금 활용의 일환으로 단순한 재무적투자(『국민연금법』102조 2항의 '수익극대화')를 할 경우에는 주식보유가 허용되지만, 여기에서 '주주권(소유권)행사'의 전체인 '주주총회의 의결권행사'를 할 경우, 소유행위가 발생해 버린다.

일반적으로 모든 법인기업은 주주총회의 의결권행사를 통해서 경영자 선임·해임 하여 법인기업을 운영한다. 따라서 의결권행사를 통해 경영자 선임 해임행위를 한다. 의결권행사는 헌법 126조의 두 번째 조건인 "사영기업의 경영을 통제 또는 관리"하는 유일한 방법이자 행위이다. 따라서 의결권행사는 사영기업의 통제행위이다.

현재 국민연금은 투자기업 전체에 대해서 매해마다 의결권행사를 하고 있다. 2015년도에는 특정기업의 필요시에만 하던 것을 문재인 정부 들어서는 국민연금 투자한 전체의 주요기업(2021년말 613개 회사)에 대해서 의결권행사를 하고 있다. 헌법 126조의 단서 조항에 의하면, "국가는 국민경제상 국방상 긴절한 필요에 의해 법률로 정하는 경우"에만 소유행위를 할 수 있도록 되어 있다. 즉, 이 경우에만 주주권(의결권)행사가 가능하도록 되어 있다. 따라서 국민연금의 의결권행사는 꼭 필요한 경우에 한하여 의결권행사를 하여야 한다. 예컨대, 주인이 없는 기업으로서의 금융지주회사, 국내기업이 해외 행동주의 펀드로부터 공격을 받을 때 등인데, 이 경우에도 이 내용을 법률로 정하고 그 행위를 하여야 한다.

『국가재정법』 64조에서는 "기금관리주체는 기금이 보유하고 있는 주식에 대해 의결권행사를 하여야 한다"라고 되어 있는데, 여기에서 "기금이 보유하고 있는 주식"은 "기금법에 따라 투자된 주식"을 의미한다. 그렇게 해석해야만 『헌법』 126조에 위배되지 않는다. 기금법에 따른 주식투자가 아닌 경우는 '여유자금'의 활용이다. 그래서 『국가재정법』 78조(국민연금기금 특례규정)는 '여유자금'으로서의 국민연금은 '자산운용'과 관련하여 국가재정법에 따르지 않고 별도로 국민연금법에 따르도록 하고 있다. 지난 정부는 『국가재정법』 64조를 의도적으로 선택하는 직무유기를 범하였다.

나. 국민연금 스튜어드십코드 제도의 설치

국민연금의 '의결권 행사'에 대해 기업들에서는 "그렇다면 무엇이 경영통제이냐"고 질문을 하였다. 이에 대해 국민연금운용본부는 "주주제안(스튜어드십코드 행사)과 의결권행사를 동시에 할 경우"에만 경영통제에 해당한다고 억지 답변을 하였다. 그래서 '주주제안'만 하지 않고 얼마든지 의결권행사를 할 수 있다고 해석을 한후 맘껏 의결권행사를 하였다.

그런데, 문재인 정부에서는 국민연금의 의결권행사에만 머무르지 않고, 국민연금이 회사의 경영에 필요한 '주주제안(스튜어드십코드 행사)'까지 할 수 있도록 하였다. 이 주주제안에는 "경영자 선임 해임, 유상증자, 등" 총 10가지가 『자본시장법 시행령』 154조1항에 열거되어 있다. 국가에서는 주요기업에 대해 '주주제안'을 하여 경영자를 교체한 후, 유상증자를 하여 기업을 국유화할 수 있는 제도를 마련한 것이다. 이러한 조치는 『한국 자본주의』 저자 장하성이 정책실장을 할 때, 국민연금 내에 만들어진 것이다.

문재인 정부에서는 이 국민연금 스튜어드십코드제도의 신설을 통해 우리나라의 모든 주요 상장사들을 국가의 발 아래에 복속을 시켰는데, 대한항공의 경영권 교체는 이에 대한 하나의 중요한 사례에 해당한다. 더 나아가 문재인 정부는 이러한 스튜어드십코드를 기반으로 하여 『자본시장법 시행령』을 개정하고, 특히 『국민연금 투자기업 이사회 구성·운영기준 안내』를 통해 상장사들에게 '사외이사'를 파견하고, 기업의 '배당정책'에 국가가 개입할 수 있도록 제도화하였다. 이것은 법률행위(특히 시행령)를 통한 사회주의 혁명에 해당한다고 말해질 수 있다.

장하성은 국가자본주의를 먼저 그의 책 『한국 자본주의』에 "더넓은 경제민주화"라는 개념을 통해 서술하여, 사회주의자들을 선동하였고, 드루킹은 이것을 정권창출을 통해 실현하고자 하였다. 김경수 판결문에 의하면, "국민연금의 의결권행사 강화, 국민연금 스튜어드십코드의 창설, 전자투표(중국펀드 추정)"를 통해 이러한 재벌해체의 경제민주화를 실현하고자 한다고 말하고 있다. 장하성의 헌법 126조에 반하는 이러한 법률행위는 그의 저서 『한국 자본주의』의 "더넓은 경제민주화"의 이념에 따라 나타난 것이다. 따라서 이것은 사회주의 혁명행위로 간주될 수 있다. 이러한 행위는 『형법』 91조의 '국헌문란'에 해당하며, 『형법』 87조의 '내란' 행위에 해당한다.

다. 이사파견을 가능하게 한 일반투자제도의 신설

문재인 정부에서는 2020.1.29. 『자본시장법 시행령』 154조 1항과 5항의 개정을 통해 국내 주요 대기업에 국민연금이 이사를 파견할 수 있도록 법령을 개정하였으며, 더 나아가 배당정책에 관여할 수 있도록 하였다.

지난 정부에서는 『자본시장법 시행령』 154조 5항을 신설하여 기존의 단순투자(재무적 투자)를 단순투자와 일반투자로 구분함을 통해 '일반투자자'제도를 신설하였다. 즉, 국민연금이 투자기업들에 대해 기존에는 '수익극대화 목적'(『국민연금법』 102조 2항)의 단순투자(재무적 투자)만 가능하였는데, 이제는 '일반투자자'라는 제도를 신설하여 기업들에 대해 '일반투자자'가 될 수 있도록 하였다.

　　국민연금 운용본부에서는 '일반투자자'가 무엇이냐의 질문에 대해, 국민연금이 투자한 기업에 대해 '이사추천'을 하고, '배당 정책 등'에 관여할 수 있다고 답변을 하였다. 그리고 2020.2-5 사이에 삼성전자를 비롯한 72개사에 대하여 그 투자목적을 "단순투자에서 일반투자로 전환한다"는 통지를 하였다.

　　또한 문재인 정부에서는 『자본시장법 시행령』 154조 1항에서 '괄호'를 만들어서 "단순한 의견제시는 주주제안이 아니다"는 문구를 삽입하였습니다. 그리고 그러한 의견제시를 『국민연금 투자기업의 이사회 구성·운영기준 안내』(이하 『이사회 구성·운영 안내』)라는 세부 규정을 만들어서 각각의 '일반투자' 대상기업 72개사에 통보를 하였다. 그리고 그 내용은 "국민연금의 주주평등권"을 주장하며 국민연금이 '이사추천'을 하였을 때, 수용하라는 것이었다. 그리고 이것을 거절할 경우, 『수탁자책임활동지침(18조, 주주제안, 스튜어드십코드 규정)』을 따라 관리하겠다는 것이었다. 이것은 추천을 통한 강제조항이었다. 그리고 그 해부터 국민연금기금운용본부는 각각의 대기업들에 파견할 '사외이사 풀'을 구성하기 시작하였다.

　　한편, 『이사회 구성·운영 안내』에서 말하는 '사외이사'는 일반적인 『상법』상의 '사외이사'가 아니다. 여기서의 '사외이사'는 "경영진(대표이사)를 감독"하는 기능을 한다. 그리고 그 회사의 "이사회 구성원이면서도 이사회에서 독립"되어 있다. 그리고 궁극적으로 <사외이사 위원회>를 구성한다. 따라서 여기에서의 '사외이사'는 기업 이사회보다 상위에 속한 위원회이다. 마치 중국 공산당이 각각의 기업들에 <공산당 위원회>를 두어서 관리하는데, 그와 유사한 기능을 한다.

　　국민연금운용본부에서는 2021.2.과 2022.2에 삼성물산을 비롯한 6-7개 대기업들에 대해서 사외이사파견을 논의하였다. 그리고 만일 이것이 성공을 이루면, 그 다음에 이러한 사외이사 파견은 "단순투자에서 일반투자로 목적전환"을 한 기업들(2020년초에 72개 기업)에게 이루어질 것이다. 그리고 그 다음에는 국민연금이 2대 주주로 있는 우리나라 모든 대기업 상장사 172개사에 대해서 이루어질 것이다. 그리고 이것을 거부하는 회사들은 스튜어드십코드를 발동하여 경영진을 교체하고, 유상증자를 단행하여 국가(국민연금)가 최대주주가 되게 한다.

라. 배당정책에 참여가능하게 된 국민연금

　　『자본시장법 시행령』 154조 1항에는 '주주제안(스튜어드십코드 규정)'과 관련하여 "10가지의 주요경영행위"가 열거되어 있다. "1호 경영자 선임해임, 2호 증자, 3호 이사회구성, 4호 배당, 5호 회사의 해산 합병 등"인데, 여기에서 "4호의 배당"을 삭제해 버렸다. 그래서 국민연금 투자기업의 "배당정책"에 국민연금이 주주제안을 해서 주주총회에 상정을 해도, 그것은 "경영에 영향을 주는 행위가 아니다"라는 형태로 시행령을 만들었다.

한 기업의 한 해 동안의 성과가 그 회사의 당기 순이익인데, 이에 대한 처분에 국가가 개입을 하겠다는 것이다. 일반적으로 자본주의의 핵심은 영리행위와 그 영리행위의 성과인 이윤에 대한 자유로운 처분이다. 그리고 이 이윤이 축적되어 새로운 산업자본(재투자)이 이루어진다. 국가가 여기에 개입하겠다는 것은 명백한 경영참여이다. 일찍이 장하성은 『한국자본주의』 책에서 모든 대기업들로 하여금 이윤은 모두 처분하게 하고, 사업확장은 유상증자와 차입금을 통해서만 하게 해야 한다고 부르짖었다. 그리고 그것이 소액주주운동이라고 하였다. 그리고 그것이 재벌해체(더 넓은 경제민주화)의 방법이라고 말하였다. 이제 국민연금이 이 일을 하겠다고 나선 것이다.

앞에서 언급한 무소불위의 자리를 차지하게 되는 사외이사의 역할이 바로 이와 같은 배당의 실행이다. 사외이사가 제안하는 배당정책에 불응하면, 이것은 곧바로 메스컴을 탈 것이다. 그리고 스튜어드십코드가 행사될 것이다.

『자본시장법 시행령』 154조 1항 4호의 배당을 삭제 해버린 것은 바로 이러한 행위를 하기 위한 것이었다. 따라서, 이것은 『한국자본주의』의 그 '소액주주 운동'의 일환으로서의 '배당'으로 해석될 수 밖에 없다. 그것은 국민연금의 『국민연금투자기업의 이사회구성 · 운영안내』에서 "소액주주 보호"의 일환으로서의 "국민연금의 경영참여"라고 말하고 있기 때문이다. 장하성의 "소액주주 보호"는 '배당'을 의미한다. 그리고 장하성의 배당은 "더 넓은 경제민주화"(재벌해체)의 방법론이다. 장하성의 이러한 위법행위의 의도는 사회주의 혁명을 위한 것으로 보인다. 따라서 국민연금 스튜어드십코드의 위법성은 『국가보안법』에 따라 적용되는 것이 타당하다.

그러나 전문가의 법률검토의 결과 해당 행위는 국가보안법이 아닌, 형법상의 내란과 국헌문란에 해당되는 것으로 판단된다. 왜냐면, 국가보안법에 개념적으로 일치는하지만, '외환'의 경우만 열거되어 있기 때문이다. 내부적으로 일어난 내란('내우')도 여기에 포함될 수 있도록 『국가보안법』 개정이 되어야 할 것이다.

2. 사모펀드와 집합투자기구의 반란

가. 일반사모펀드의 공모행위

2015년도에 사모펀드법이 마련되었는데, 이상스럽게도 이때 만들어진 사모펀드법은 법규내용으로만 보면, 블라인드 펀드로 만들어져서 맘껏 전용이 가능하도록 되어있다. 더 나아가 2017년도부터는 아예 사모펀드를 공개적으로 금융기관을 통해 모집하기 시작하였다. 그것이 곧 장하성의 동생 장하원의 디스커버리펀드이며, 이혁진의 옵티머스펀드이다. (그 이전에 이철의 벨류인베스트먼트펀드가 있다.) 이 사모펀드들은 사회주의를 좇는 이념적 인물들에 의해 조성된 펀드들이라고 말할 수 있다. 이 모든 펀드들은 사모펀드로서 금융기관 통해 모집되는 공모행위를 하였다. 이것은 위법행위이다.

일부 전문가들은 이러한 사회주의자들의 사모펀드를 장하성의 『한국자본주의』에 따른 재벌해체의 "더넓은 경제민주화"의 일환으로 만들어졌다는 의심을 하고 있다. 즉, 국민연금이 '주주제안'과 '의결권행사'를 동시에 하면, 그 정체가 탄로 나기 때문에 '주주제안'만은 사모펀드를 조성하여 하고자 하기 위해서 였다는 것이다.

다행히 일반 사모펀드의 사태가 발생하여 이 문제가 사그러들었지만, 사모펀드법은 정상화해 되어야 한다. 사모펀드를 금융기관을 통해서 모집하는 그러한 공모행위는 허용될 수 없고, 그것은 공모펀드로 간주되어 관리되어야 한다. 현재의 벨류인베스트먼트펀드, 디스커버리펀드, 옵티머스펀드는 모두 사모펀드라는 탈을 쓰고, 모든 규제를 받지 않으면서 공모행위를 하였다. 이러한 위법행위는 처벌을 받아야 한다.

나. 기관전용 사모펀드의 10%룰 해체

우리나라의 국민연금, 산업은행, 공제기금 등의 기관에서는 사모펀드에 투자를 하고 있는데, 그 규모가 126조원(2022년 6월)에 이르며, 이것을 기관전용 사모펀드라고 부른다. 이 자금은 벤처진흥·구조조정용의 프로젝트 펀드와 여기서 더 나아가 경영에까지 참여하는 일반 PEF펀드로 구성되어 있는데, 신흥산업 진흥용으로서 그 동안 소임을 다하고 있었다. 우리나라 PEF협의회 회원사 51개중 31개사가 1조원 이상의 펀드를 이와 같은 기관으로부터 위탁받아 운영하고 있다.

이 자금들은 상장시장의 적대적 M&A는 원천차단 된 신흥산업 진흥용이었는데, 그것을 규율하는 규정이 10%룰이었다. 그런데, 지난 정부에서는 이 10%룰을 해체하여 이 PEF(경영참여형)펀드가 증권시장에서 상장기업들에 투자할 수 있는 길을 열었다. 우리는 기관전용 사모펀드에는 행동주의 펀드가 있을 것으로 추정하고 있다. 그것은 기관전용 사모펀드를 통하여 상장주식들에 대한 PEF활동, 곧 삼성전자와 같은 유니콘 기업에 대한 '주주제안'을 하려는 포석으로 보여진다. 사회주의자들은 일반 개인 사모펀드를 모집하여 시도하려했던 첨단 선도기업의 '주주제안'이 난관에 부딪히자,

이제는 기관전용 사모펀드에게 이러한 길을 연 것으로 보인다.

지난 정부는 126조원이라는 방대한 벤처진흥용 자금(기관전용 사모펀드)에게 상장사 적대적 M&A를 할 수 있는 행동주의 펀드로의 길을 열었다. 이렇게 PEF(경영참여형펀드)활동을 기관전용 사모펀드로 하여금 상장시장에서 하게 한 것은 "소들이 뛰노는 초원에 늑대 떼를 풀어놓은 것"이나 다를 바가 없다. 지난 정부에서는 이러한 일을 저지른 것이다.

이제 PEF협의회의 기관전용 사모펀드 운용사들은 더 이상 신생 산업의 진흥을 위해서 노력할 필요가 없다. 2021년도에 위의 법이 통과된 후, 2021년도에 10건 정도 일어나던 M&A가 2022년도에 47건이 발생을 하였다. 지난 정부에서는 준국가기관이 조성하여 준 펀드가 적대적 M&A의 도구가 되게 하였다. 기관전용 사모펀드는 상장시장에서 PEF활동(상장사 PEF활동은 '주주제안'을 의미)을 해서는 안 되고, 조속히 원래의 자리인 산업진흥용 자금으로 돌아가야 한다.

다. 대주주의 감사의결권 3% 제한

지난 문재인 정부에서는 모든 상장기업들이 감사를 선임할 때, 대주주의 의결권을 3%로 제한을 해버렸다. 그래서 상장사의 경우 대주주는 감사인을 선임하지 못하고, 소액주주들이 감사를 선임하게 하였다. 그것은 1%이상의 지분을 보유하고 '주주제안'을 할 행동주의 펀드가 회사의 감사로 들어올 수 있는 기회를 주기 위함이었다.

이러한 일이 이번 SM엔터테인먼트에서 고스란히 일어났다. 얼라인파트너스의 이0환은 SM엔터테인먼트의 1% 지분을 확보한 후, 감사로 들어와서 적대적 M&A를 시도하여 SM엔터테인먼트의 경영권을 이수만으로부터 탈취하여 카카오로 넘겼다. 이러한 행위는 이제 많은 다른 기업들을 향해서 진행될 것이다. 지난 정권에서는 대한민국 증권시장을 적대적M&A의 장으로 만들었다.

대주주가 기업의 경영자를 선임할 때, 이렇게 의결권 제한을 받는 이러한 법규는 세계 어느 나라에도 존재하지 않는다. 왜냐면, 감사는 경영자의 일원이기 때문이다. 감사는 대주주를 감사하는 것이 아니고, 회사의 업무전반을 감사하는 것이다. 감사도 또한 경영자의 일원이므로, 이에 대한 제한은 경영자 선임과 관련한 대주주의 의결권 제한이다. 이것은 소극적 '경영통제'에 해당한다. 기업들의 의사를 전혀 반영하지 않은 이러한 악법들은 재조사하여 그 원상을 복구하여야 한다.

라. 집합투자기구의 의결권 제한

금융자본으로부터 산업자본의 보호가 절실하다. 그동안 수많은 포퓰리즘과 인플레이션으로 통화량이 폭발적으로 팽창하였는데, 이 모든 통화는 개인의 금고에 들어가는 것이 아니라, 모두 금융기관으로 예치되어 보관된다. 그리고 이 자금들은 자산운용사로 귀속된다. 예컨대, 지난 2017년부터 코로나 발생전 2020년까지 지난 정권은 290조원(본원통화발행 80조 + 국채발행 포퓰리즘 210조)의 유동성을 시중에 공급하였다. 그러자 이 자금이 신용창조를 일으켜서 4년 동안 1,211조원의 금융자산(수신고) 증가를 가져왔는데, 2017년말 수신고 3,342조원이 4,553조원으로 36%나 증가하였다. 이때의 모든 신용창조는 부동산대출을 끼고 일어나서 고스란히 그 증가된 통화량만큼의 부동산가격 폭등을 야기시켰다.

한편, 증가된 예금액 1,211조원은 761조원의 대출로 상쇄되고, 순 통화증가량은 450조원 정도 되었다. 그런데, 이 시기에 늘어난 이러한 순증가된 통화량은 대부분 1금융권을 통하여 자산운용사 등에게 귀속되어, 자산운용회사 등으로 450조원이 귀착되었다. 그들은 이제 이 위탁받은 자금으로 주식 등을 소유함을 통해서 산업자본이 모여있는 증권시장에 들어왔다. 이렇게 폭발적으로 증가한 금융자본이 집합투자기구의 단독명의로 증권시장에 들어온 것이다. 모든 사람들의 예금을 자산운용사가 단독명의로 사용하게 된 것이다.

『자본시장법』에서는 이러한 자산운용사를 포함한 집합투자기구의 의결권을 10%로 제한하고 있다. 그런데, 『자본시장법』이 생긴지 몇 십년이 지난 오늘날, 이러한 집합투자기구의 자금이 폭발적으로 증가하였다. 이제 증권시장은 이러한 집합투자기구들의 세상이 되어버렸다. 최근 SM엔터테인먼트나 오스템임플란트와 같은 우량기업이 모두 사모펀드들의 자산운용사들에 의해 경영권을 상실했다.

이제 집합투자기구의 10%의결권 제한의 비율을 더 낮추어야 한다. 일반적으로 상장기업 대주주들의 지분율이 20-30%이다. 그러다 보니 집합투자기구 2-3개만 연합을 해도 어느 회사이건 모두에 대해 적대적 M&A를 할 수 있게 되었다. 이제 집합투자기구들의 난립으로 1%의 지분만 가지고 있어도 경영권을 탈취할 수 있는 구조가 되어버렸다. 이번에 일어난 SM엔터테인먼트, 오스템임플란트 등은 대표적인 사례이다. 금융자본으로부터 산업자본은 보호를 받아야 한다. 산업자본은 우리 국민들의 일자리이기 때문이다. 이것은 우리의 생존권 문제이다.

3. 기타 국가자본주의(사회주의) 혐의들

가. 주주총회의 전자투표

지난 정권을 댓글을 통해서 지원한 김경수 판결문에 의하면, "①국민연금 의결권행사 강화, ②국민연금 스튜어드십코드, ③전자투표"를 경제민주화의 방법으로 제시하고 있다. 그리고 이 내용들이 모두 지난 정부의 정책과 법령 등에 고스란히 반영이 되었다. 국민연금은 모든 투자기업들에게 '전자투표'를 강요하였다. 그런데, 사회주의자들이 전자투표에 대해 적극적인 이유는 중국펀드를 국내기업 주주총회장에 끌어들이기 위한 방안이다.

중국 국유기업은 중앙 국유기업과 지방국유기업으로 크게 구분할 수 있는데, 중앙 국유기업은 국자위에서 직접 관리하는 97개의 기업과 13,000여개의 자회사들이 있다. 그리고 지방국유기업은 약 27,000여개에 이른다. 한편 이들의 1년 이익은 2020년에 발표된 자료에 의하면, 중앙국유기업이 약 420조원 정도이며, 지방국유기업이 380조원 정도에 이른다. 이 중에서도 중앙국유기업은 중앙에서 일사분란하게 관리합니다. 중앙국유기업 5년 동안의 이익을 누적하면, 420조원×5년=2,500조원인데, 우리나라 상장사 시가총액이 약 2,500조원 정도이다. 5년 정도의 이익만 축적해도 우리나라 상장사 전체를 살 수 있다.

우리나라 삼성전자의 주주 숫자는 700만명이고, 이중 해외지분율이 50%이상인데, 수많은 펀드들이 들어와 있다고 한다. 이 펀드들 중에는 중국자금이 방대하리라고 말한다. 중국 국유기업들은 자신들의 여유자금을 삼성전자의 주식을 구매하여 보유하면 되기 때문이다.

그런데, 우리나라 『자본시장법』상 특수관계자의 지분은 모두 합산되어 공시되어야 한다. 그렇지 않을 경우, 그 의결권을 5%로 제한하고 있다. 이때 중국 국유기업의 모든 자금은 1인 공산당 특수관계자의 자금이다. 이들의 자금은 모두 합산되어 관리되어야 하며, 공시되어야 하고, 공시되지 않은 지분에게 무차별적으로 전자투표를 허용할 수 없다. 국내의 소액주주에게는 전자투표를 허용해도 된다. 그러나 해외자금의 경우, 모두 특수관계자 여부를 조사하여야 한다. 현재 국민연금이나 자본시장연구원에서는 ESG(환경·사회적기여·지배구조)를 말하면서 전자투표를 강요하고 있는데, 전자투표는 이 ESG요소에서 배제되어야 한다. 공산주의 국가에서 자본주의 국가의 핵심 생산수단인 대기업의 주주총회 의결권을 행사하게 할 수는 없기 때문이다.

나. 삼성생명법 통한 삼성지배구조 해체음모

삼성전자의 지배구조를 해체 위한 삼성생명법 발의가 박용진·이용우 의원에 의해 진행 되는 가운데에 있다. 이 법이 통과되면, 21.2%의 지분을 보유한 이재용 지분의

7%를 매각하여야 한다. 그럴 경우, 이제 삼성전자의 지배구조는 "이재용(14%)-국민연금(10%)-블랙락펀드(5%)"의 3자 운영체제가 된다. 이것으로 삼성전자의 지배구조는 해체가 되는 것이다. 여기에서 한 번이라도 더 유상증자가 이루어지면, 삼성전자는 그 지배구조가 해체되고 국유기업이 되는 것이다.

삼성생명법은 황당한 법인데, 일반적으로 모든 회사의 자산 중에서 장기보유자산은 토지·건물·투자주식·특허권 등으로서, 이 자산들은 모두 전략적 자산으로서 인플레이션의 영향을 받는다. 그래서 10% 인플레이션율로 19년이 경과하면, 10배 정도로 그 명목가치가 증가한다. 그러나 그 실물의 효용가치는 여전히 동일하다. 그래서 이러한 자산들은 모두 재평가가 이루어질 경우, 그 평가증 상당액은 자본조정으로 처리하여 청산이 발생할 때까지 계속 보유를 허용한다. 이것이 국제기업회계기준이다.

이번에 국제기업회계기준이 바뀌면서 삼성생명에서는 삼성전자 보유주식을 평가하여 재무제표에 반영한다. 이에 대해 박용진·이용우 의원은 이 평가증 상당액을 모두 서분하여 당기 순이익으로 계상한 후, 모두 소액주주들에게 배당을 하라고 한다. 전략적으로 보유하고 있는 장기성자산은 그 고유목적이 있으므로 계속 보유를 하여야 한다. 이 고유목적을 훼손할 경우, 그것은 그 기업의 존속에 영향을 미친다. 이것을 법률로 훼손할 수 없는 것이다.

생명보험사의 총자산의 3% 이내로 관계회사주식을 보유하는 것을 인플레이션을 반영하지 않고 지금까지 취득원가의 기준으로 해 왔다. 이것은 앞으로도 그렇게 해야 한다. 그렇지 않을 경우, 소급입법을 통한 재산권침해에 해당한다.

<결 론> 『한국자본주의』에 따른 정책집행

위의 내용들은 문재인 정권에서 행해진 모든 경제정책 중 사회주의 혁명으로 의심되어 보이는 내용들에 대한 연구 조사이다. 이 모든 경제정정책의 시발점은 장하성의 『한국자본주의』였고, 그 내용이 국민연금을 비롯하여서, 사모펀드, 전자투표, 삼성생명법 등에 반영된 것으로 보인다. 이 중에서 특히 국민연금스튜어드십 코드와 『자본시장법 시행령』 154조의 개정은 "시행령을 통한 사회주의 혁명"으로 불리울 수 있다.

우리는 이에 대한 조사를 요청하는 바이다. 우리는 우리의 이러한 행위들로 인하여 우리나라 국민들이 자유민주주의(자본주의) 국가 내에서 일어나는 오늘날의 공산주의의 전략이 무엇인지를 이해하고, 국민들이 자유수호를 위하여 깨어나길 간절히 기대해 본다.

부록 : 국민연금 투자기업의 이사회 구성 · 운영 등에 관한 기준 안내

2020년도 제8차 국민연금기금운용위원회 보고사항(2020-17호)

국민연금기금 투자기업의
이사회 구성·운영 등에 관한 기준 안내

2020. 7. 31.

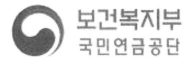

보건복지부
국민연금공단

「국민연금기금 투자기업의 이사회 구성·운영 등에 관한 기준 안내」 주요 내용

I. 추진 배경

□ '18.7월 도입한 국민연금 수탁자 책임에 관한 원칙 후속 조치로서,

○ 시장에 대한 영향력이 큰 국민연금의 주주권행사에 대한 방향을 기업 등 이해관계인에게 구체적으로 제공해야 할 필요성 증가

　• (기금위, '18.7월) 이사회 구성·운영, 이사, 감사 선임 등의 일반원칙을 마련할 것을 결정

○ 수탁자 책임 활동 관련 법령(국민연금법·상법·자본시장법 시행령 등) 및 지침(수탁자책임활동에 관한 지침), 관련 규준[*] 및 가이드라인[**] 등을 활용해 국민연금기금 투자기업의 이사회 구성·운영 등의 일반원칙 마련

　• (한국기업지배구조원) 기업지배구조 모범규준('99년 제정, '16년 2차 개정)

　** (한국거래소) 기업지배구조 보고서 공시 가이드라인('19년.4월 제정)

II. 개요

□ (구성) '소개-주주-이사회-감사기구'로 핵심원칙 10개(세부원칙 27개)

□ 주요 내용

○ (소개) 상장회사의 이사회 구성·운영, 이사·감사 선임 등에 관한 기준을 마련하여 공개하고, 이를 통해 투자기업의 예측가능성 제고

○ (주주) [1]주주의 권리 및 [2]공평한 대우에 관한 내용(세부원칙 7개)

○ (이사회) [3]이사회 기능 및 [4]구성, [5]사외이사의 책임, [6]이사 활동의 평가 및 보상, [7]이사회 운영 및 [8]위원회 등에 관한 내용(세부원칙 16개)

○ (감사기구) [9]내부감사기구(감사·감사위원회) 및 [10]외부감사인에 관한 내용(세부원칙 4개)

III. 향후 추진일정

○ 국민연금 책임투자 및 주주권 행사 대상기업 **설명회** 개최 ('20년.下)

* 「적극적 주주활동 가이드라인」 마련 후 설명회 개최('20.1월)

IV. 수탁자책임전문위원회 검토의견

○ 기업에서 부담을 느낄 수 있으나, **예측가능성** 측면에서 **합리적임**

○ 강제력은 없으나, 지나치게 구체적이고 과도하다고 느낄 수 있음

<별 첨>

국민연금기금 투자기업의
이사회 구성·운영 등에 관한 기준 안내

2020. 7.

목 차

국민연금기금 투자기업의 이사회 구성·운영 등에 관한 기준 안내

I. 소개

국민연금기금(이하 "기금"이라 합니다)은 장기수익과 주주가치 제고를 위하여 신의에 따라 성실하게 수탁자 책임 활동을 수행합니다. 기금은 관련 정보에 대한 이해를 바탕으로 주주로서 회사와 소통하고 주주권 행사 방향을 결정합니다.

회사는 지속적이고 안정적인 성장을 통해 주주의 장기적인 이익을 추구합니다. 주주는 이러한 주주의 권익을 보호할 수 있는 이사들로 이사회를 구성합니다. 이사회는 회사의 중요한 경영상의 의사를 결정하고 경영진을 관리·감독함으로써 주주의 권익을 보호합니다.

기금은 수탁자 책임 활동에 관한 지침에 규정되어 있는 이사회 구성 등 세부기준과 한국기업지배구조원이 제시한 모범규준 등을 토대로 바람직하다고 판단한 국내 상장회사의 이사회 구성·운영, 이사·감사 선임 등의 일반원칙을 마련하였습니다. 기금은 회사와 주주와의 관계, 이사회의 기능 및 구성과 운영, 감사기구의 역할 등에 대한 일반원칙을 마련하여 공개함으로써, 회사의 이사회 및 경영진으로 하여금 기금의 주주권행사에 대한 예측가능성을 제고할 수 있도록 지원하고자 합니다.

Ⅱ. 주주

주주는 회사의 소유자로서 기본적인 권리를 가지며, 회사는 주주를 공평하게 대우할 필요가 있습니다. 회사는 주주의 기본적인 권리가 보호될 수 있도록 권리행사에 필요한 정보를 주주에게 공평하게 제공하고, 주주의 권리가 침해받았을 때에는 적절하고 신속한 구제조치를 취하는 것이 바람직합니다.

> (핵심원칙 1) 주주의 권리
> - 주주는 권리행사에 필요한 충분한 정보를 시의적절하게 제공받고, 적절한 절차에 의해 자신의 권리를 행사할 수 있어야 한다.

> (세부원칙 1-①) 회사는 주주에게 주주총회의 일시, 장소 및 의안 등에 관한 충분한 정보를 충분한 기간 전에 제공할 수 있도록 노력합니다.

▶ (주주총회 소집공고) 회사는 모든 주주가 충분한 시간을 두고 주주총회 부의안건 및 내용을 인지할 수 있도록 관련 법령에서 정하는 시한 이전이라도 소집공고가 가능한 제반여건을 마련하도록 노력합니다.

▶ (충실한 안건 공시) 주주총회 부의안건의 공시는 주주가 의사결정 과정에서 별도의 조사를 위한 비용을 부담하지 않는 수준으로 제공하여 충실성을 제고합니다.

▶ (정보공개) 회사는 법령에 의해 요구되는 공시사항 또는 본 설명서에 명시된 정보공개사항 이외에도 주주 및 이해관계자의 의사결정에 중대한 영향을 미치거나 미칠 수 있는 사항을 공개합니다. 또한 주주가치 제고 및 주주권리 보호를 위해 필요한 경우 미래 경영성과, 재무상황, 배당 등 주요 정책 등에 대한 정보를 공개하는 것이 바람직합니다.

> **(세부원칙 1-②) 회사는 주주총회에 주주가 최대한 참여하여 의견을 개진할 수 있도록 한다.**

▶ **(정기주주총회 집중일 회피)** 회사는 주주총회에 주주가 최대한 참여할 수 있도록 정기주주총회 일정을 정할 때 집중일을 피하도록 노력합니다.

▶ **(서면투표 및 전자투표)** 회사는 모든 주주에게 평등하게 부여된 권리가 적극적으로 행사될 수 있도록 서면투표 또는 전자투표 도입 등 주주가 다양한 방법으로 주주총회에 참여할 수 있는 기회를 제공하도록 노력합니다.

▶ **(주주총회 결과 공개)** 회사는 주주의 참여가 제대로 반영되었는지 확인할 수 있도록 주주총회의 안건별 찬반비율, 구체적 표결결과 등 내역을 주주총회 결과 공시 등을 통해 투명하게 공개합니다.

> **(세부원칙 1-③) 회사는 주주가 주주총회의 의안을 용이하게 제안할 수 있도록 하며, 주주총회에서 주주제안 의안에 대하여 자유롭게 질의하고 설명을 요구할 수 있도록 한다.**

▶ **(주주제안 절차 안내)** 회사는 주주제안 절차 등을 홈페이지 등을 통하여 안내하고, 주주가 제안한 의안을 처리하는 기준 및 절차를 마련하여 주주가 주주총회의 의안을 용이하게 제안할 수 있도록 합니다.

▶ **(주주제안 내용 설명)** 회사는 주주가 제안한 의안에 대하여 주주총회 등에서 해당 주주가 자유롭게 설명할 수 있도록 보장하고 다른 주주가 질의를 할 수 있도록 충분한 기회를 주도록 합니다.

▶ **(공개서한 내용 설명)** 회사는 기관투자자 등이 수탁자책임 활동의 일환으로 제출한 공개서한의 주요 내용 및 이에 대한 처리 현황을 공개하여 모든 주주가 회사의 현안을 잘 이해할 수 있도록 합니다.

> **(세부원칙 1-④) 회사는 배당을 포함한 주주환원정책 및 향후 계획 등을 마련하고 이를 주주에게 안내한다.**

▶ **(합리적 주주환원정책 수립)** 회사는 주주가치를 제고할 수 있는 합리적인 주주환원정책을 수립하여 공개하고, 그에 따라 적정한 수준의 회사 이익을 주주에게 환원합니다.

▶ **(주주환원정책 설명)** 회사는 주주 등과의 대화를 통해 회사의 주주환원 정책과 관련된 회사의 입장과 전망, 근거들을 주주 등 이해관계자에게 설명하고, 이해관계자의 의견을 충분히 청취 및 반영하도록 노력합니다.

▶ **(중간/분기배당)** 회사는 중간, 분기배당의 근거를 정관에 마련하는 등 주주환원정책을 적시에, 적절히 수행할 수 있는 체계를 갖추도록 노력합니다.

> **(세부원칙 1-⑤) 주주환원정책 및 향후 계획 등에 근거하여 적절한 수준의 배당 등을 받을 주주의 권리는 존중되어야 한다.**

▶ **(주주환원정책의 일관성)** 회사는 일관된 주주환원정책을 수립하고, 그에 따라 이행합니다.

▶ **(총주주수익률)** 회사는 주주환원을 결정함에 있어 주가수익률과 배당수익률을 합산한 지표인 총주주수익률(TSR)이 적정 수준으로 유지될 수 있도록 노력합니다. 다만, 총주주수익률이 적정수준에 미치지 못할 경우, 주주에게 관련된 내용을 충실히 설명합니다.

(핵심원칙 2) 주주의 공평한 대우
- 주주는 보유주식의 종류 및 수에 따라 공평한 의결권을 부여받아야 하고, 회사는 주주에게 회사정보를 공평하게 제공하는 시스템을 갖추도록 노력한다.

(세부원칙 2-①) 회사는 소수주주가 지배주주에 비하여 불공평한 대우를 받지 않도록 하고 자본구조 변경, 분할·합병, 주식분할·병합 등에 있어서 주주가치가 훼손되지 않도록 노력한다.

▶ (평등한 대우) 회사는 회사가 발행한 다른 종류의 주식들 중 같은 종류의 주식을 보유한 주주를 서로 평등하게 대우합니다.

▶ (소수주주 보호) 회사는 소수주주들이 지배주주 및 경영진의 권한 남용 가능성으로부터 보호받을 수 있는 적절한 제도적 장치를 마련합니다.

▶ (자본구조 변경) 회사는 증권의 전환, 신주인수권 부여, 종류주식 발행 등 자본구조를 변경하는 안을 마련할 경우 주주가치가 훼손되지 않도록 하고, 적대적 기업인수 등에 대해 경영진과 이사회를 보호하는 용도로 활용되지 않도록 합니다.

▶ (분할·합병 등) 회사는 회사의 분할, 합병, 분할합병, 영업양수도, 지주회사 설립을 위한 기업분할 및 주식교환 등을 결정할 때 주주가치의 훼손이 없도록 투명하고 공정한 절차에 의해 이루어지도록 하고, 주주들이 자신의 권리를 충분히 이해하고 보호할 수 있도록 합니다. 특히 인수·합병에 대한 방어수단이 소수주주의 이익을 희생하거나 경영진과 이사회를 보호하는 용도로 활용되지 않도록 합니다.

▶ (주식분할·병합) 회사는 주식의 분할 또는 병합시 경영상 필요를 고려하여 검토하되, 발행주식수가 비례적으로 증가(감소)하도록 합니다.

> **(세부원칙 2-②) 회사는 지배주주 등 다른 주주의 부당한 자기거래 및 내부거래로부터 주주를 보호하기 위한 장치를 마련·운영한다.**

▶ **(내부거래 등 검토)** 회사는 지배주주 등 다른 주주 또는 계열회사와의 자기거래 및 내부거래로 인하여 부당하게 손실을 입지 않도록 관리 장치를 마련하도록 합니다. 이사회는 관리 장치가 적절히 작동될 수 있도록 전담 조직을 설치하여 주기적으로 보고를 받도록 합니다.

▶ **(내부거래 등의 공시)** 회사는 지배주주 등 다른 주주 또는 계열회사와의 자기거래 및 내부거래가 부당한지 여부를 주주 및 이해관계자들이 확인할 수 있도록 내부거래 등의 내용 및 이사회의 검토 내용을 충분히 공시할 수 있도록 합니다.

III. 이사회

이사회는 주주로부터 권한을 위임받은 회사의 최고 의사결정기구로서 회사경영에 관한 포괄적인 권한을 가지고, 장기적으로 회사 및 주주 가치 증대에 기여하기 위해 주요 경영의사결정 및 경영감독 기능을 수행합니다.

이사회가 제대로 기능하기 위해서는 의사결정에 충분하고 효과적인 논의 및 객관적 의사결정이 가능하도록 이사의 전문성, 독립성, 다양성 등을 고려하여 적절한 규모로 이사회가 구성되어 운영될 필요가 있습니다.

이사회는 회사의 장기가치를 지속적으로 제고하기 위해 경영진과 주주의 이해관계가 효과적으로 연계되도록 평가 및 보상체계를 설계하여 공시하고, 이에 근거하여 이사(감사)의 회사에 대한 기여도를 평가하고 보상합니다.

(핵심원칙 3) 이사회 기능
- 이사회는 회사와 주주 이익을 위하여 회사의 경영목표와 전략을 결정하고, 경영진을 효과적으로 감독하여야 한다.

(세부원칙 3-①) 이사회는 경영의사결정 기능과 경영감독 기능을 효과적으로 수행하여야 한다.

▶ **(경영의사결정 및 경영감독)** 이사회는 회사의 사명, 목적, 전략, 주요 자본지출, 인수합병을 포함한 재무계획 등을 검토·승인하고, 이사 및 경영진의 업무집행을 감시·감독합니다.

▶ **(이사의 충실의무)** 이사는 신의성실에 의하여 회사의 장기적인 존속과 성장을 위하여 최선의 이익이 된다고 합리적으로 판단되는 바에 따라 행동하고, 이와 같은 행위를 함에 있어 다음과 같은 사항을 고려합니다.

- 7 -

- 주주 이익의 장기적인 증진

- 회사 근로자의 이익

- 채권자, 공급자, 소비자와의 공정한 사업관계 증진 필요성

- 주주 간의 공정성

- 회사 운영이 지역사회와 환경에 미치는 영향

▶ **(주주평등 원칙)** 이사회는 주주 간 이해가 상충되는 사안에 대하여 주주평등 원칙에 입각하여 결정합니다.

▶ **(기업문화 및 윤리)** 이사회는 높은 수준의 경영 윤리를 정립 하며, 회사의 문화로 정착하기 위해 행위규범(code of conduct)의 마련 및 실행을 감독합니다.

▶ **(이사회에 대한 지원)** 이사회는 업무와 관련하여 회사로부터 충분하고 정기적인 교육 및 정보를 제공받아야 하며, 필요시 회사의 비용으로 독립적인 외부 전문가의 조언을 요청하도록 합니다.

▶ **(소통)** 이사회는 주주와 경영진 간 원활한 의사소통을 위한 중재자로서 적절한 수준의 경영상황을 시의적절하게 공개하고, 주주의 입장을 청취하여 합리적인 의견일 경우 이를 회사경영에 반영할 수 있도록 노력합니다.

▶ **(중점관리사안)** 이사회(특히 사외이사)는 장기적인 주주가치 제고를 목적으로 주주가치에 영향을 미칠 수 있는 다음의 사항과 관련하여, 주주 등 이해관계자와 대화하기 위해 적절한 수단 및 절차를 마련하고 이에 따라 이해관계자와 대화하고 필요한 조치를 취합니다.

- 회사의 배당정책 수립에 관한 사항

- 임원 보수한도 적정성에 관한 사항

- 법령상의 위반 우려로 기업가치의 훼손 내지 주주권익을 침해할 수 있는 사항

- 주주총회 안건 중 주주가 지속적으로 반대 의사를 표시하는 안건에 관한 사항

- 책임투자 요소인 환경·사회·지배구조 관련 회사의 변동에 관한 사항

▶ (예상하지 못한 우려의 발생) 이사회는 경영활동 수행 중 환경, 사회, 지배구조 등과 관련하여 예상하지 못한 회사가치 훼손 내지 주주권익을 침해할 우려가 발생한 경우 이사회에서 충분한 논의를 거쳐 사실관계 및 회사 측 입장을 명확히 밝히고, 재발방지 대책 등을 수립하여 그 진행상황을 주주에게 성실히 알립니다.

> **(세부원칙 3-②) 이사회는 최고경영자 승계정책(비상시 선임정책 포함)을 마련하여 운영하고, 지속적으로 개선·보완할 수 있도록 노력한다.**

▶ (최고경영자 승계정책 마련) 이사회는 최고경영자 승계 담당조직의 구성·운영·권한·책임, 당해 조직 운영의 효율성에 대한 자체평가, 고위경영진에 대한 성과평가, 비상시 혹은 퇴임시 최고경영자 승계 절차, 임원 및 후보자 교육제도 등의 내용을 담은 구체적이고 종합적인 최고경영자 승계 방안을 마련하고 공개할 수 있도록 노력합니다.

▶ (최고경영자 승계정책 운영) 이사회는 최고경영자 승계정책이 효과적으로 운영될 수 있도록 지속적으로 관여하고, 임원 및 후보자를 관리합니다.

▶ (업무집행책임자의 임면 승인) 이사가 아니면서 명예회장, 회장, 부회장, 사장, 부사장, 전무, 상무, 이사 등 업무를 집행할 권한이 있는 것으로 인정될 만한 명칭을 사용하여 회사의 업무를

집행하는 사람(이하 "업무집행책임자")의 승진, 해임, 신규위촉, 보직변경 등 회사의 운영과 관련한 중요한 인사상의 의사결정에 대해서는 이사회의 승인을 받도록 하는 것이 바람직합니다.

(세부원칙 3-③) 이사회는 내부통제정책(리스크관리, 준법경영, 내부회계관리, 공시정보관리 등)을 마련하여 운영하고, 지속적으로 개선·보완하여야 한다.

▶ **(내부통제 및 리스크 관리·감독)** 이사회는 체계적인 리스크 관리를 위하여 회사의 회계 및 보고 시스템, 내부통제체계, 리스크 관리정책을 마련하고 회사의 재무적·비재무적 리스크를 선제적으로 관리·감독합니다.

▶ **(준법지원)** 회사는 법령상 선임의무가 없더라도 준법지원인을 선임하거나 준법지원조직을 설치하여 이사회 및 경영진의 적법한 업무수행을 지원할 수 있도록 노력합니다.

▶ **(공시정보관리)** 회사는 공시정보관리규정을 마련하고 임직원들에게 주기적으로 교육하여 주식관련 불공정거래행위를 예방하고 주주간 정보의 불균형이 발생하지 않도록 노력합니다.

> **(핵심원칙 4) 이사회 구성**
>
> ■ 이사회는 효율적으로 의사를 결정하고 경영진을 감독할 수 있도록 구성하여야 하며, 이사는 다양한 주주의견을 폭넓게 반영할 수 있는 투명한 절차를 통하여 선임되어야 한다.

> **(세부원칙 4-①)** 이사회는 효과적이고 신중한 토의 및 의사결정이 가능하도록 구성하여야 하며, 경영진과 지배주주로부터 독립적으로 기능을 수행할 수 있도록 충분한 수의 사외이사를 두도록 한다.

▶ **(이사회 규모)** 이사회는 효과적이고 신중한 토의 및 의사결정이 가능한 규모가 되도록 하고, 효율적으로 운영될 수 있는 적절한 규모를 지속적으로 검토합니다.

▶ **(이사회 구성의 독립성)** 이사회는 관련 법령상 비율 이상으로 충분한 수의 사외이사로 구성되고, 개별 사외이사와 회사 간 잠재적 이해상충 요인 및 장기근속 여부 등을 정기적으로 점검하여 실질적으로 독립적인 위치에 있는지를 공시하는 절차를 마련하는 등 투명성 제고를 위하여 노력합니다.

▶ **(대표이사-이사회 의장 분리)** 이사회 의장은 사외이사로 하며, 대표이사 직책과 분리하도록 합니다. 이사회 의장과 대표이사 직책이 분리되어 있지 않은 경우, 선임 사외이사 도입 등 이사회 독립성을 제고하도록 합니다.

(세부원칙 4-②) 이사회는 회사경영에 실질적으로 기여할 수 있도록 지식 및 경력 등에 있어 다양한 분야의 전문성 및 책임성을 지닌 유능한 자로 구성하여야 한다.

▶ **(이사의 전문성)** 이사회는 회사경영에 실질적으로 기여할 수 있도록 관련 산업에서의 이해도가 높고, 재무, 회계, 글로벌 시장 등에서의 경험과 전문 지식이 풍부한 자로 구성되도록 합니다.

▶ **(이사회 구성의 다양성)** 이사회는 그 역할과 책임을 다하기 위하여 개별 이사의 다양한 지식·경험·능력이 조화를 이룰 수 있도록 구성하고, 법령상 성별 다양성 준수를 위하여 노력합니다.

▶ **(이사의 책임성)** 이사회는 이사로서 충실한 직무수행을 위해 이사회 준비 및 참석에 충분한 시간과 노력을 투입할 수 있는 자로 구성하되, 다음의 사항에 해당하지 않는 자로 구성되도록 합니다.

- 과도한 겸임으로 충실한 의무수행이 어려운 자

- 이사회 참석률이 직전 임기동안 75% 미만이었던 자

- 기업가치의 훼손 내지 주주 권익 침해의 이력이 있는 자

- 당해회사 또는 계열회사 재직시 명백한 기업가치 훼손 내지 주주 권익 침해 행위에 대한 감시 의무를 소홀히 한 자

> **(세부원칙 4-③) 이사 후보 추천 및 선임과정에서 공정성과 독립성이 확보되도록 하여야 한다.**

▶ **(이사후보추천위원회)** 이사회는 이사후보를 공정하게 추천하기 위해 이사후보의 자격요건, 이사후보 추천 절차를 마련하여 공개합니다. 이를 위해 과반수의 사외이사로 구성된 이사후보추천위원회를 둘 수 있습니다. 이사후보추천 위원회를 둘 경우 대표이사가 위원이 되지 않도록 하며, 자격요건에 부합한 사내이사 및 사외이사 후보군을 정기적으로 검토·관리 합니다.

▶ **(정보공개)** 이사회는 이사후보 상정 및 (재)선임 과정에서 각 후보의 추천사유, 독립성, 이사회 참석률 등 이사선임 안건 검토에 필요한 충분한 정보 및 시간을 제공합니다.

▶ **(주주의 이사후보 제안)** 이사회는 법령상 요건 등을 만족하는 주주들의 이사후보 제안을 합리적인 이유없이 거부하지 않으며, 해당 후보에 대해 면밀히 검토하고 그 내용을 공개합니다.

> **(세부원칙 4-④) 기업가치의 훼손 내지 주주권익의 침해의 이력이 있는 자를 임원으로 선임하지 않도록 한다.**

▶ **(관련 정책의 수립)** 이사회는 기업가치의 훼손 내지 주주권익 침해의 이력이 있는 자의 임원(업무집행지시자 등 경영진 포함) 선임을 방지하기 위한 정책을 마련하고 그 내용을 설명합니다.

▶ **(점검 및 현황 설명)** 이사회는 과거 횡령, 배임, 사익편취, 부당지원행위 또는 자본시장법상 불공정거래 행위로 확정판결을 받은 자 이거나 현재 횡령, 배임, 사익편취, 부당지원행위 또는 자본시장법상 불공정거래 행위 혐의가 있는 자가 임원(업무집행지시자 등 경영진 포함)으로 선임되지 않았는지 점검하고 현황을 설명합니다.

(핵심원칙 5) 사외이사의 책임

- 사외이사는 독립적으로 중요한 회사경영정책의 결정에 참여하고 이사회의 구성원으로서 경영진을 감독·지원할 수 있어야 한다.

(세부원칙 5-①) 사외이사는 해당 회사와 중대한 이해관계가 없어야 하며, 회사는 선임단계에서 이해관계 여부를 확인하여야 한다.

▶ **(사외이사의 독립성)** 사외이사는 이사회의 구성원으로서 경영진과 지배주주로부터 독립적인 의사결정을 할 수 있도록 다음의 사항에 해당하지 않는 자가 선임되도록 합니다.

- 당해회사 또는 계열회사(비영리법인 포함)의 최근 5년 이내 상근 임직원

- 중요한 지분·거래·경쟁관계 등에 있는 회사(비영리법인 포함)의 최근 5년 이내 상근 임직원

- 해당 상장회사에서 6년 이상 사외이사로 재직하였거나 해당 상장회사 또는 그 계열회사에서 사외이사로 재직한 기간을 합산하여 9년 이상인 자

- 그 밖에 법률자문·경영자문 등의 자문계약을 체결하고 있는 등 회사와의 이해관계로 인해 사외이사로서 독립성에 우려가 있는 자

▶ **(사외이사의 독립성 유지)** 사외이사는 이사회 구성원으로서의 정당한 보수를 수령하는 것 이외에 회사와 별도의 자문계약, 용역계약을 체결하거나 기타 이해가 상충될 수 있는 행위를 하지 않도록 합니다.

> **(세부원칙 5-②) 사외이사는 충실한 직무수행을 위하여 충분한 시간과 노력을 투입하여야 한다.**

▶ **(사외이사의 충실성)** 사외이사는 이사회에 참석하여 적극적으로 의견을 개진할 수 있을 정도로 충분한 시간과 노력을 투입하도록 합니다.

▶ **(사외이사의 겸직 현황)** 회사는 비영리법인 등을 포함하여 사외이사의 타기업 겸직 현황을 성실히 공시하고, 사외이사의 타기업 겸직 허용 관련 내부 기준을 마련합니다.

> **(세부원칙 5-③) 회사는 사외이사의 직무수행에 필요한 정보, 자원 등을 충분히 제공하여야 한다.**

▶ **(사외이사에 대한 업무지원)** 회사는 사외이사의 직무수행을 지원하기 위하여 업무 관련 정보 및 인적·물적 자원을 충분히 제공해야 하고, 사외이사의 정보제공 요구 등에 대응하기 위한 전담부서를 지정해 둡니다.

▶ **(이사회 등 관련 자료제공)** 회사는 이사회 등 소집통지 기간을 늘려 사외이사가 이사회 및 이사회 내 위원회 안건을 사전에 충분히 검토할 수 있도록 지원하고, 관련 자료를 충실히 제공합니다.

▶ **(사외이사 정기회의)** 이사회는 사외이사로만 구성된 정기회의를 개최하여, 독립적인 환경에서 사외이사 간 회사 현안에 대한 심도 있는 논의가 진행될 수 있도록 지원합니다.

(핵심원칙 6) 이사 활동의 평가 및 보상

- 이사의 충실한 직무수행을 유도하기 위하여 이들의 활동내용은 공정하게 평가되어야 하고, 그 결과에 따라 보수지급 및 재선임 여부가 결정되도록 한다.

(세부원칙 6-①) 이사에 대한 평가는 개별실적에 근거하여 이루어져야 하며, 평가결과는 이사의 재선임 결정에 반영되도록 한다.

▶ (이사에 대한 평가) 회사는 이사회, 이사, 이사회 내 위원회에 대한 공정하고 객관적인 평가기준 및 절차를 마련하여 실시합니다.

▶ (사외이사에 대한 평가) 회사는 사외이사를 평가할 경우 자기평가, 사외이사 상호평가, 외부평가 등을 활용하여 평가의 공정성을 확보합니다.

▶ (평가 결과의 반영) 회사는 이사에 대한 재선임 결정시 이사에 대한 평가결과를 참고할 수 있도록 관련 규정을 마련하고 운영합니다.

(세부원칙 6-②) 이사의 보수는 평가 결과, 직무수행의 책임과 위험성 등을 고려하여 적정한 수준에서 결정되어야 한다.

▶ (평가결과의 반영) 이사(업무집행지시자 등 경영진 포함)의 보수 산정 및 재선임 결정 등은 공정하고 객관적인 평가결과에 따라 이루어지도록 합니다.

▶ (이사의 보상정책) 이사에 대한 보수는 회사 및 주주의 장기가치창출과 연계되도록 하며, 이사회는 이를 공정하게 평가하여 그 평가결과를 보수에 연계하도록 기준과 절차를 마련하고 가능한 범위에서 이를 공개합니다.

▶ (보상위원회) 이사회는 보상과 관련된 회사의 정책을 수립하고 발생 가능한 이해상충의 소지가 차단된 보상체계를 마련하기 위해 보상(보수)위원회를 둘 수 있습니다. 보상(보수)위원회를 둘 경우,

보상(보수)위원회는 모두 사외이사로 구성하고, 정기적으로 독립적인 외부기관의 평가를 받는 것이 바람직합니다.

▶ **(보수한도 및 지급)** 이사회는 사내이사의 보수한도 제안시 경영성과 등에 연계하고, 주주가 이사보수의 실지급액을 고려하여 보수한도에 대한 실질적 승인이 가능하도록 그 내용을 주주총회소집공고시에 공개합니다.

▶ **(주식연계보상)** 이사회는 경영성과 제고를 목적으로 다음 조건을 고려하여 이사 및 임직원에게 주식 또는 주식매수선택권 등 주식과 연계된 형태의 보상을 지급할 수 있습니다.

  - 시장요인 고려 및 특정 경영성과 달성을 조건으로 부여함

  - 연간 주식연계보상 물량이 총 발행주식수의 3%를 초과하지 않도록 하고, 일정 규모 이상의 주식매수선택권 부여계획의 경우 주주총회에서 승인받도록 함

  - 주식매수선택권 행사가격에 대한 사후조정은 증자 및 소각에 따른 기존 주주가치 유지 여부 등을 면밀히 검토하여 정당한 사유가 있는 경우에 한하여 시행함

▶ **(퇴직금·퇴직위로금)** 이사회는 지급 주체, 대상, 지급수준, 지급의 근거 등을 규정한 퇴직금 또는 퇴직위로금 지급규정을 마련하여 주주총회의 승인을 받도록 합니다. 이 때 황금낙하산 계약과 같이 주주의 이익을 회생하고 경영진과 이사회를 보호하는 용도로 활용되지 않도록 합니다.

▶ **(부당한 보수의 반환)** 이사회는 이사(업무집행지시자 등 경영진 포함)의 재임기간 중 분식회계, 허위공시, 주가조작 등으로 성과를 인위적으로 높인 사실이 사후에 밝혀질 경우 부당하게 받은 보상을 반환하도록 합니다.

▶ **(정보공개)** 이사회는 이사 및 경영진의 보상에 대한 회사의 정책 및 주요 고려사항, 보상의 형태 및 조건 등 관련 정보를 공개합니다.

(핵심원칙 7) 이사회 운영
- 이사회는 회사와 주주의 이익을 위한 최선의 경영의사를 결정할 수 있도록 효율적이고 합리적으로 운영되도록 한다.

(세부원칙 7-①) 이사회는 원칙적으로 정기 개최되어야 하며, 이사회의 권한과 책임, 운영절차 등을 구체적으로 규정한 이사회 운영규정을 마련하도록 한다.

▶ (이사회 운영규정) 원활한 이사회 운영을 위하여 이사회 및 이사회 내 위원회의 권한과 책임, 운영절차 등을 구체적으로 규정한 이사회 운영규정을 마련하고, 필요한 경우 이를 공개하여 이사회 운영의 투명성을 제고합니다.

(세부원칙 7-②) 이사회는 매 회의마다 의사록을 상세하게 작성하고, 개별이사의 이사회 출석률과 안건에 대한 찬반여부 등 활동내역을 공개한다.

▶ (이사회 의사록) 이사회는 의사록을 상세하게 작성하고, 주주의 열람 청구시 부당하게 이를 거절하지 않도록 합니다.

▶ (개별이사의 활동내역) 회사는 개별이사의 이사회 출석내역, 안건 찬성률, 주요 토의내용과 결의사항을 개별 이사별로 기록하고 관련 법령에 따라 충실히 공시하도록 합니다.

(핵심원칙 8) 이사회 내 위원회

- 이사회는 효율적인 운영을 위하여 그 내부에 특정 기능과 역할을
  수행하는 위원회를 설치하도록 한다.

(세부원칙 8-①) 이사회 내 위원회는 과반수를 사외이사로 구성하되
감사위원회와 보상(보수)위원회는 전원 사외이사로 구성한다.

▶ (이사회 내 위원회) 이사회의 전문성과 효율성 향상을 위해
  이사회 내 위원회를 설치할 수 있습니다. 각 위원회는 활성화될
  수 있는 충분한 수의 사내외 이사로 구성하되, 이사회 본연의
  기능을 약화시키지 않도록 합니다.

  - 이사회 내 위원회를 설치하지 않은 경우, 이사회가 각 업무를
    독립적이고 충실히 수행할 수 있도록 관련 절차를 수립하고 이를
    공개합니다.

(세부원칙 8-②) 모든 위원회의 조직, 운영 및 권한에 대하여는
명문으로 규정하도록 하며, 위원회는 결의한 사항을 이사회에
보고하여야 한다.

▶ (이사회 내 위원회 운영규정) 이사회 내 위원회를 설치할 경우
  각각의 위원회 별로 설치목적, 권한과 책임, 활동 및 성과평가,
  구성 및 자격 등을 명문으로 규정하도록 합니다.

▶ (이사회 내 위원회 활동 보고) 이사회 내 위원회는 결의한
  사항을 이사회에 보고하고 관련 법령에 따라 공시하도록 합니다.

▶ (개별 위원의 활동내역) 회사는 개별 이사회 내 위원의 위원회
  출석내역, 안건 찬성률, 주요 토의내용과 결의사항을 개별
  위원별로 기록하고 관련 법령에 따라 충실히 공시하도록 합니다.

▶ **(업무지원)** 회사는 이사회 내 위원회의 직무수행을 지원하기 위하여 업무 관련 정보 및 인적·물적 자원을 충분히 제공하도록 하고, 각 위원들의 정보제공 요구 등에 대응하기 위한 전담부서를 지정해 둘 필요가 있습니다.

Ⅳ. 감사기구

감사위원회 또는 감사는 독립적인 입장에서 회사의 내부통제시스템의 적절한 운영을 감독하고, 재무·회계의 건전성과 투명성 확보를 위해 노력합니다.

> **(핵심원칙 9) 내부감사기구**
> - 감사위원회, 감사 등 내부감사기구는 경영진 및 지배주주로부터 독립적인 입장에서 성실하게 감사업무를 수행하여야 하며, 내부감사기구의 주요 활동내역은 공시되어야 한다.

> **(세부원칙 9-①) 감사위원회, 감사 등 내부감사기구는 독립성과 전문성을 확보하도록 한다.**

▶ **(내부감사기구)** 회사는 이사 및 경영진이 업무를 적법하고 타당하게 처리하고 있는가에 대한 감시·감독 및 정확한 재무현황 보고를 위해 감사 또는 감사위원회를 둡니다.

▶ **(감사위원회 구성)** 회사가 감사위원회를 둘 경우 독립성과 전문성 유지를 위해 감사위원회는 전원 사외이사로 구성하고, 그 중 1인 이상은 감사업무에 관한 전문성(재무·회계 등)을 보유한 자가 되도록 합니다.

▶ **(감사위원 또는 감사의 보수)** 회사는 감사위원 또는 감사의 법적 책임에 상응하고 충실한 직무수행을 지원할 수 있는 수준의 보수를 지급하도록 합니다. 다만, 경영진의 경영성과에 연동하여 성과보수를 지급하지 않도록 합니다.

▶ **(업무지원)** 회사는 감사위원회 또는 감사의 직무수행을 지원하기 위하여 업무 관련 정보 및 인적·물적 자원을 충분히 제공하도록 하고, 감사위원 또는 감사의 정보제공 요구 등에 대응하기 위한 전담부서를 지정해 둘 필요가 있습니다.

▶ **(전담부서)** 감사위원회 또는 감사의 직무수행을 지원할 수 있는 전담부서를 둘 경우 전담부서는 충분한 수의 전문인력으로 구성하고 경영진으로부터 독립성을 갖추도록 노력합니다.

> **(세부원칙 9-②)** 내부감사기구는 정기적 회의 개최 등 감사 관련 업무를 성실하게 수행하고 활동 내역을 투명하게 공개한다.

▶ **(내부감사기구 활동 보고)** 감사위원회 또는 감사는 감사활동, 외부감사인 선임, 내부회계관리제도 운영실태 평가 등 직무를 충실히 수행하고 관련 법령에 따라 공시하도록 합니다.

▶ **(개별 감사위원의 활동내역)** 회사는 개별 감사위원의 감사위원회 출석내역, 안건 찬성률, 주요 토의내용과 결의사항을 개별 감사위원별로 기록하고 관련 법령에 따라 충실히 공시하도록 합니다.

> **(핵심원칙 10) 외부감사인**
> - 회사의 회계정보가 주주 등 그 이용자들로부터 신뢰를 받을 수 있도록 외부감사인은 감사대상회사와 그 경영진 및 지배주주 등으로부터 독립적인 입장에서 공정하게 감사업무를 수행할 수 있어야 한다.

> **(세부원칙 10-①) 감사위원회 또는 감사는 외부감사인 선임시 독립성, 전문성을 확보하기 위한 정책을 마련하여 운영하도록 한다.**

▶ **(외부감사인)** 감사위원회 또는 감사는 회사의 회계 및 감사 전반에 대한 독립적이고 전문적인 감사를 위해 외부감사인을 선임합니다.

▶ **(비감사용역)** 감사위원회 또는 감사는 회사가 외부감사인에게 비감사용역 보수를 비롯하여 외부감사인의 독립성을 훼손할만한 용역 및 비용을 제공하지 않도록 감시·감독합니다.

> **(세부원칙 10-②) 감사위원회 또는 감사는 외부감사 실시 및 감사결과 보고 등 모든 단계에서 외부감사인과 주기적으로 의사소통하여야 한다.**

▶ **(외부감사 업무 협조)** 감사위원회 또는 감사는 감사전 재무제표를 정기주주총회 6주전에, 연결기준 감사전 재무제표를 정기주주총회 4주전에 외부감사인에게 제출할 수 있도록 전담부서의 직무수행을 관리합니다.

▶ **(외부감사인과의 의사소통)** 감사위원회 또는 감사는 외부감사인이 감사과정에서 확인되는 회사의 각종 위험을 이사회 및 감사위원회에 보고하고 정기적으로 논의할 수 있도록 관련 절차를 마련합니다.

▶ **(외부감사인 평가·보수)** 감사위원회 또는 감사는 외부감사인이 적정한 시간과 노력을 투입하여 감사업무를 적절히 수행하는지 평가하고 충분하고 합리적인 수준에서 보수를 결정합니다.

〈저자소개〉 **최 환 열 (崔 煥 烈)**

백석대학교대학원 신학박사(구약학)
횃불트리니티대학원 목회학석사
아세아연합신학대학원 선교문학석사 수료
한양대학교 회계학과 졸업
현) 공인회계사, 회계법인 대표
현) 국제지역개발협력협회 대표
현) 자유시장경제포럼 대표
저서 : 『아브라함의 언약』, 『모세오경의 언약』, 『생철학과 현상학』, 『실존주의 철학』
유투브 : 나라사랑TV(신앙),
　　　　 나라사랑TV(인문학) : "국민연금과 사모펀드의 반란 1~17"로 검색

『국민연금과 사모펀드의 반란』

2023년 12월 15일 초판 발행

지 은 이 : 최 환 열
펴 낸 이 : 김 동 명
펴 낸 곳 : 도서출판 창조와지식
주　　소 : 서울시 강북구 덕릉로 144
전　　화 : 1644-1814
메　　일 : gvmart@hanmail.net
I S B N : 979-11-6003-671-8(93300)
가　　격 : 22,000원

정가 22,000원

ISBN 979-11-6003-671-8